A DITADURA MILITAR E OS GOLPES DENTRO DO GOLPE 1964-1969

A DITADURA MILITAR E OS GOLPES DENTRO DO GOLPE 1964-1969

CARLOS CHAGAS

2ª edição

EDITORA RECORD
RIO DE JANEIRO • SÃO PAULO
2014

CIP-BRASIL. CATALOGAÇÃO NA PUBLICAÇÃO
SINDICATO NACIONAL DOS EDITORES DE LIVROS, RJ

C424d
2ª ed.

Chagas, Carlos, 1938
A ditadura militar e os golpes dentro do golpe / Carlos Chagas. – 2ª ed.
– Rio de Janeiro: Record, 2014.
490 p.: il.

ISBN 978-85-01-40471-8

1. Brasil – História – 1964-1985. 2. Brasil – Política e governo – 1964-1985. I. Título.

13-06814

CDD: 981.06
CDU: 94(81)'1964/1985'

Copyright © Carlos Chagas, 2013

Todos os direitos reservados. Proibida a reprodução, armazenamento ou transmissão de partes deste livro através de quaisquer meios, sem prévia autorização por escrito. Proibida a venda desta edição em Portugal e resto da Europa.

Texto revisado segundo o novo Acordo Ortográfico da Língua Portuguesa.

Direitos exclusivos desta edição reservados pela
EDITORA RECORD LTDA.
Rua Argentina, 171 – 20921-380 – Rio de Janeiro, RJ – Tel.: 2585-2000

Impresso no Brasil

ISBN 978-85-01-40471-8

Seja um leitor preferencial Record.
Cadastre-se e receba informações sobre nossos lançamentos e nossas promoções.

Atendimento direto ao leitor:
mdireto@record.com.br ou (21) 2585-2002

EDITORA AFILIADA

Sumário

Prefácio sem retoque 7

Introdução 11

1. O golpe militar foi consequência, não causa 13
2. A longa noite começa com o crepúsculo 49
3. De boas intenções o inferno está cheio 133
4. Ninguém segura a volta à ditadura 255
5. O primeiro golpe dentro do golpe 355
6. O melancólico fim de um general ingênuo 421
7. Governar com a Constituição 437
8. O mais execrável dos golpes 463

Índice onomástico 481

Prefácio sem retoque

*Ronaldo Costa Couto**

Em 2001, o jornalista e escritor Carlos Chagas lançou os dois primeiros volumes de *O Brasil sem retoque*, abrangendo o período 1808-1964. Agora, prosseguindo a caminhada, conta o período 1964-69 da ditadura militar de 1964-85, com a ajuda de jornais e jornalistas. Trata-se de obra marcante, ao mesmo tempo leve e profunda, grave e divertida. Atenta às distorções, deformações e omissões impostas pela censura à imprensa. Pesquisa sólida e abrangente, análises sensatas, visão crítica. "Depois de lecionar história da imprensa por mais de vinte anos na Universidade de Brasília, concluí que ela se confunde com a história do país. Passei a vida inteira selecionando e arquivando coisas, fazendo anotações, meditando."

Ele reconhece que há muita manipulação de notícias e matérias. Mas tem certeza de que, apesar do perigo de erros e desvios, a primeira versão da imprensa costuma ser mais fiel aos fatos do que as que vêm depois.

Seu texto é objetivo, claro, simples, enxuto, didático. De repórter consagrado e professor emérito de ética e jornalismo. De escritor viciado em trabalho sério e leitura de bons autores. De quem conhece

---

*Escritor, economista, historiador e doutor em história pela Sorbonne (Paris IV). Autor, entre outras obras, do clássico *História indiscreta da ditadura e da abertura* (Editora Record).

o poder por fora e por dentro, as manhas e artimanhas dos políticos, a condição, o papel e a influência da mídia, as armadilhas do processo político. A opção pelo jornalismo é em 1958, aos 20 anos, como repórter de *O Globo*, Rio de Janeiro. Cara de criança, ar angelical, cabelos encaracolados, era chamado de Menino Jesus. Apaixonado pela grande política, cobre o final dos Anos Dourados de JK, a campanha presidencial de Jânio Quadros e seus tempestuosos sete meses de governo, a breve e pragmática experiência parlamentarista iniciada em setembro de 1961, a volta do regime presidencialista em janeiro de 1963 e o turbulento governo João Goulart, o golpe de 1964 e a ditadura militar, o golpe dentro do golpe de dezembro de 1968, com o sinistro AI-5.

No início de 1969, atraído por sinalização de abertura política, assume a chefia da Secretaria de Imprensa da Presidência da República. Esperançoso, acompanha a elaboração de projeto de emenda constitucional liberalizante do presidente Costa e Silva, coordenado pelo vice-presidente Pedro Aleixo, grande jurista. Mas a esperança gora em agosto de 1969, com o impedimento do velho marechal, vítima de incapacitante acidente vascular cerebral. "Nunca me arrependi de ter aceito o cargo no Palácio do Planalto. Sou testemunha de que o Velho [Costa e Silva] decidiu abrir o regime, mudar aquilo. Há quem duvide, mas ele tentou acabar com o AI-5. Não queria passar à história como ditador".

Chagas passa a viver e sofrer a prepotência superior da junta de ministros militares. Ela golpeia, afasta o vice-presidente Pedro Aleixo, usurpa o poder e governa por 113 dias. Fulmina a tão sonhada abertura, impõe ampla e dura Emenda Constitucional e, em novembro de 1969, empossa o general Emílio Médici na Presidência da República. Atuando no coração do poder, como secretário de Imprensa, o jornalista observa tudo de perto, registra, começa a escrever livro corajoso e revelador: o ótimo *113 dias de angústia*, proibido pela censura em 1970.

Essa dolorosa experiência marca sua vida e percepção da realidade política e social. "Eu vi o sorvete cair da mão da criança no momento exato em que ela ia levá-lo à boca. A consciência de que viver é muito perigoso tornou-se muito mais forte. Concluí que a gente tem que estar sempre resistindo. Não há trégua. No início, eu tinha ilusões, achava que tudo ia melhorar. Em vinte ou trinta anos, a situação seria outra. A mágoa é comprovar que a vida da maioria do nosso povo continua muito difícil."

Novembro de 1969, de novo o jornalismo. Depois de passagem por *O Globo*, prossegue a luta contra o arbítrio no jornal *O Estado de S. Paulo*. Faz artigos corajosos, carregados de revelações. Assina apenas *cc*, iniciais de seu nome. Reporta tudo o que apura, analisa, opina. Não esconde o que pensa. Protege-se com cuidadosa seleção de informações. Checa fontes, cruza dados, verifica consistências e inconsistências. É meticuloso, minucioso. Um profissional do bem e das boas causas, que vê o jornalista como servidor da sociedade.

O que mais o impressionou nessa longa jornada pela história? Não hesita: "A descoberta de que nossos políticos e até nossos estadistas são gente imperfeita como nós. Predominam pessoas com preocupações minúsculas, mesquinharias. Quase sempre falta dimensão".

Para ele, os piores períodos para a imprensa foram o da ditadura do Estado Novo, com Vargas, e o da ditadura militar de 1964. Mas considera terríveis vários outros, como o do governo Floriano Peixoto (1891-94). "Nesse campo, não escapa quase ninguém."

E os jornalistas mais admiráveis do Brasil? Ele destaca Alves Pinheiro, antigo chefe de reportagem de *O Globo*. "Chegava à redação à meia-noite e meia, de café tomado e dentes escovados, e lá ficava a madrugada inteira, a manhã inteira e parte da tarde. Foi com ele que mais aprendi jornalismo." Também Pompeu de Souza, figura excepcional, independente, irrequieto e criativo, que não se conformava com o presente e nem mesmo com o passado. E o lendário Carlos Castello Branco, o Castellinho, que biografou? "Ele foi o jornalista que eu gostaria de ter sido. Brilhante, profundo e isento em tudo que escreveu."

Com este *A ditadura militar e os golpes dentro do golpe*, que se soma aos dois volumes de *O Brasil sem retoque*, o autor dá mais um passo firme em seu competente relato de quase dois séculos de história da imprensa e do Brasil. Do 1808 de Dom João VI à posse do presidente Emílio Médici, em outubro de 1969. Merece palmas prolongadas, sobretudo porque sabemos que o livro dedicado ao período entre 1970 e 1984 já foi entregue à editora. Fica devendo, porém, um quinto volume, abrangendo a Nova República de Tancredo Neves, a democratização de 1985 e sua consolidação nos anos seguintes.

Brasília, 31 de julho de 2013

Introdução

Depois de haver transitado pela história do Brasil conforme contada por suas fontes primárias — a imprensa — desde que D. João VI trouxe as impressoras da corte de Lisboa e permitiu a circulação de uns tantos jornais e panfletos, consegui reunir, em dois volumes, ambos publicados, em 2001, pela Record, o material colhido até a eclosão do regime militar de 1964.

Dei-lhes o título comum de *O Brasil sem retoque* — tentativa de demonstrar que as primeiras versões dos acontecimentos ainda são as que menos se afastam da realidade. Porque, depois, vêm as biografias e os depoimentos, geralmente arrumando o que se passou de acordo com interesses e preferências de seus autores. E porque, mesmo errando, e muito, a imprensa transmite à opinião pública os fatos no momento em que se verificam, ainda a melhor forma de evitar deturpações posteriores. Os dois livros emergiram dos 25 anos em que lecionei "História da Imprensa" na Universidade de Brasília.

Agora, mais de uma década depois, já agraciado com o título de "Professor Emérito" da Faculdade de Comunicação da UnB, atrevo-me a encetar mais um passo — dois livros afins à série *O Brasil sem retoque* — nessa intrincada aventura de mostrar mais um período de nossa história através dos registros jornalísticos. Trata-se do tempo que vai de 1964 a 1985, os 21 anos bicudos da ditadura castrense.

O primeiro, este que o leitor ora tem em mãos, cobre de 1964 a 1969. O segundo, a ser publicado ainda em 2014, irá de 1970 a 1985. Aqui e ali, acrescentei observações e experiências pessoais, como repórter político que fui e continuo sendo há mais de cinquenta anos.

Se a vida permitir, ainda completarei a tarefa compilando e opinando a respeito da Nova República e de sua continuação. Caso não dê, outros se disporão ao trabalho com mais brilho, até porque uma filha e dois netos optaram por seguir o caminho áspero do pai e avô. Não deixa de ser uma contribuição para esse fascinante e amargo desenrolar da trajetória de nossa civilização no rumo do imponderável.

Brasília, janeiro de 2013
Carlos Chagas

1
O golpe militar foi consequência, não causa

Preliminares

O ano de 1955 passou rápido, com o país vivendo as incertezas do que se chamava a iminência do golpe, viesse de onde viesse. No décimo andar do edifício Constellation, na avenida Nossa Senhora de Copacabana, ficava nosso apartamento, de onde ouvi os petardos do general Henrique Lott serem disparados contra o cruzador *Tamandaré*, que levava os golpistas empenhados em impedir a posse do presidente eleito, Juscelino Kubitschek. Felizmente, a belonave não foi a pique, ao contrário das intenções de seus ocupantes diante da democracia. Depois de vagar três dias no litoral fluminense, impossibilitado de aportar em Santos, onde o Exército já assestara suas baterias de costa, o *Tamandaré* voltou ao Rio para render-se.

Era um domingo, manhã de sol, a praia de Copacabana lotada. O cruzador aproximou-se o mais que pôde da areia e passou rente ao Forte Copacabana, do Exército, com a marujada formada em uniforme de gala, no convés, entoando o "Cisne Branco". Revidavam a derrota, com o já deposto presidente interino da República, deputado Carlos Luz, desembarcando junto com almirantes, alguns coronéis e deputados, entre os quais Carlos Lacerda. Na praia, os banhistas prestaram pouca atenção àquela página da história que pude presenciar.

No fim, vencera a legalidade. A política dominava conversas, especulações e fantasias. Fora empossado o senador Nereu Ramos, no palácio do Catete, para garantir a posse de JK. Quando Café Filho, também golpista e presidente licenciado, tentou voltar, o general Lott, ministro da Guerra, mandou cercar de tanques o quarteirão onde ficava o edifício do indigitado sucessor de Getúlio Vargas. Como era em Copacabana, durante dois dias o programa foi matar aula e assistir à tropa acantonada no asfalto.

Em dezembro de 1955, concluí o último ano do Científico no Colégio Mallet Soares, com excelentes notas, e preparei-me para o vestibular, em fevereiro do ano seguinte. Optei pela Faculdade Católica, dos Jesuítas, que funcionava na Gávea. Sentia-me incomodado por continuar dando despesas a meu pai, e, no final do primeiro ano, consegui um estágio na seção jurídica da Penitenciária Lemos Brito, onde todas as tardes atendia montes de presos interessados na revisão de seus processos. Todos inocentes, claro.

Dois coronéis em conflito

Aproximava-se o tempo do serviço militar. Como universitário, pude matricular-me no CPOR, que formava oficiais da reserva do Exército, num regime bastante rígido: por dois anos, durante o período letivo, comparecíamos ao quartel em São Cristóvão aos domingos, das seis da manhã à tarde. Nas férias de julho e em dezembro, janeiro e fevereiro, todos os dias, menos domingo. Duas vezes por ano, acampamento em Jericinó, na Baixada Fluminense. Marchas de 32 quilômetros, com fuzil, cantil e capacete de aço. Naqueles idos, não havia dispensa de serviço militar, como hoje acontece em profusão. Foi uma bela experiência, necessária para sedimentar a disciplina física e cívica. No segundo ano do curso, fiz parte do grupo que preparava a revista editada pelos formandos e fui escolhido orador da turma de Infantaria.

Coincidência, dois coronéis comandaram o CPOR naqueles dois anos, projetando-se depois nos meandros da política nacional: Ladário Pereira Telles, bravo como o diabo, que, como general, acompanharia João Goulart até o exílio, em 1964, posto em seguida na reserva; e Adalberto Pereira dos Santos, ameno e sem porte militar, depois integrante da conspiração que mudaria o regime e, mais tarde, vice-presidente da República no governo Ernesto Geisel. Ao entrevistá-lo pela primeira vez, na residência oficial, indagou-me se não era aquele aluno abusado que discursara diante dele abordando temas políticos.

Trabalhar é preciso

A partir de 1958, já no terceiro ano da Faculdade de Direito, troquei o estágio na penitenciária por um lugar de repórter em *O Globo*, cujos vencimentos eram bem superiores. Comecei pelo caminho clássico de todo foca: a reportagem policial; depois, a geral. Saía da Faculdade, ao meio-dia, direto para a redação. Os jovens repórteres, disputando a efetivação, eram esfolados pelo chefe de reportagem, Alves Pinheiro, um dos jornalistas mais completos que conheci. Uma verdadeira fera, cujo regime de trabalho espantava todo mundo. Como *O Globo* era vespertino, indo para a rua às duas horas da tarde, e em grande parte feito pela manhã, Pinheiro chegava na redação à meia-noite, barba feita, banho tomado e charuto na boca. Lia os matutinos, já postos em sua mesa, assim como os textos elaborados na noite anterior.

Começava, então, a preparar as ordens de serviço para os repórteres que chegavam a partir das seis da manhã. Exigia rapidez, trabalho de campo e muita apuração pelo telefone, para produzir um jornal que trouxesse material de qualidade superior e para além do oferecido pelos matutinos já na rua. Participava do fechamento da edição daquele dia e redigia sugestões de pauta para a turma da tarde e da noite. Assim que o jornal rodava, pegava um dos primeiros exemplares e ia para casa, botando o pijama e dormindo às quatro da tarde. Um despertador o acordava precisamente às 20h25, para que escutasse o Repórter Esso. Se não houvesse novidade importante, voltava a dormir até as onze horas, quando reiniciava a rotina: barba, banho, café da manhã e redação. Durante mais de vinte anos, foi a alma de *O Globo*.

Na Faculdade, grandes professores transmitiam tanto doutrina quanto experiência. O lobisomem era um polonês, Jerzi Sbrosek, refugiado do regime comunista instalado em seu país, que começara dando aulas em francês. Lecionava Introdução à Ciência do Direito e entupia os alunos com filosofia. De uma turma de sessenta alunos, passavam ao segundo ano, no máximo, 25. Com ele, outros mestres relevantes, ainda que não tão rígidos: Sobral Pinto, Celestino Basílio, Murta Ribeiro, Clovis Paulo da Rocha, Hélio Tornaghi, Haroldo Valadão, Alfredo Lamy, Pedro Calmon, Erbert Chamoun e muitos mais.

Queriam um solteiro

O ano de 1960 era o da formatura e eu hesitava entre a advocacia, para a qual me preparava, e o jornalismo, que praticava há quatro anos. A política fervia e, sempre que possível, eu era designado para coberturas no setor. As eleições presidenciais se realizariam em outubro. No final do ano anterior, sempre que Jânio Quadros ia ao Rio, candidato já lançado por pequenos partidos, cabia-me ficar de plantão no Hotel Glória, onde se hospedava, e segui-lo num jipe, com um fotógrafo à disposição.

Fiz amizade com o secretário particular do candidato, Augusto Marzagão, que uma tarde confidenciou: "O Jânio saiu pelos fundos e foi ao apartamento do senador José Cândido Ferraz para uma conversa difícil." Consegui o endereço, no Leblon, e fomos para lá. Não havia segurança, naquele tempo, e o porteiro indicou o andar e o apartamento. Acionada a campainha, no corredor escuro, a empregada confirmou, pela janelinha, que o candidato ali se encontrava. Numa precipitação digna de um foca, orientei o fotógrafo a ficar preparado atrás de uma pilastra. Quando Jânio saísse, acionaria o flash. Assim aconteceu, coisa que levou o candidato a um grito de surpresa e a algum medo, pelo inusitado. Seguiu-se uma saraivada de reprimendas. Já no saguão do edifício, porém, abraçava-me e deixava-se fotografar, flagrante que *O Globo* publicou na primeira página no dia seguinte. Foi um sucesso entre amigos e família.

Coube-me depois cobrir a Convenção Nacional da UDN, que escolheria o candidato do partido. Um dos maiores espetáculos que terei visto. O Palácio Tiradentes regurgitava de partidários de Jânio e de seguidores de Juracy Magalhães, ex-presidente da UDN, governador da Bahia e preferido pelo então presidente que se retirava, Juscelino Kubitschek. Discursos monumentais, paixão explícita, balbúrdia dos diabos, ainda que se soubesse dispor Jânio Quadros do maior número de convencionais. Carlos Lacerda foi uma das estrelas, janista ao extremo. Juracy, sabendo-se derrotado, dirige-se ao presidente do partido, José de Magalhães Pinto, alertando para a tempestade que viria com aquela opção. Termina acentuando não ter o desejo de, tempos depois, indagar: "E agora José? A festa acabou..." Premonição ou desejo?

Conhecendo o Brasil

Jânio Quadros, candidato da UDN e de pequenos partidos, iniciaria a campanha pelo país inteiro, em março de 1960. Começaria pelo Acre. O problema é que seus novos aliados haviam-lhe imposto um vice-presidente muito diferente de suas características populistas e até histriônicas, ademais um "coronel" do Nordeste: o senador Leandro Maciel, ex-governador de Sergipe. Nos encontros e pequenos comícios em São Paulo e no Rio, antes do início da campanha propriamente dita, Jânio sofria horrores quando discursava contra a corrupção e prometia botar os ladrões na cadeia, enquanto seu companheiro de chapa abordava temas como o da recuperação do Vale do São Francisco ou da melhoria da produção do açúcar. Viu que não daria certo e surpreendeu o país inteiro ao renunciar à candidatura. Escondeu-se na casa de amigos, em São Paulo, fugiu da imprensa deitado no banco de trás de um carro, com as janelas cobertas de papel de jornal, e mandou transmitir sua decisão como irrevogável.

Foi o pânico na UDN, precisamente o que pretendia. Dias depois, o partido atenderia a seus protestos velados e substituiria Leandro pelo inatacável Milton Campos.

Na redação de *O Globo* refez-se o esquema da cobertura do candidato. Por conta da decepção generalizada no jornal e no Brasil diante daquela renúncia, que não era a primeira nem seria a última, Roberto Marinho decidiu reagir e diminuiu a importância dada à campanha. Nada de mobilizar grandes nomes da reportagem. Assim, Alves Pinheiro buscou alguém mais novo que pudesse ficar semanas a fio viajando pelos estados, longe do Rio. Que fosse solteiro, então. Candidatei-me, mesmo frente ao fato de que cursava o último ano da Faculdade de Direito e de que fatalmente não conseguiria o número necessário de presenças, devendo ser reprovado. Mesmo assim, insisti. Aquela parecia uma bela oportunidade profissional, viajando no mesmo avião, um DC-3, em que o candidato, e conhecendo muito mais do que o eixo Rio-São Paulo e uma parte de Minas Gerais. Registrou-se até um fenômeno inusitado. Na época, nenhum jornal permitia que seus repórteres assinassem as respectivas matérias. Torná-los conhecidos do público seria abrir as portas para que reivindicassem melhores salários ou aceitassem convites dos concorrentes. Havia uma exceção: quando viajavam para fora da sede. E comecei a viajar, deslumbrando-me com o Brasil inteiro a bordo de um avião que descia em qualquer campo de futebol, fretado à Varig pela campanha de Jânio. Eram três, quatro cidades no mesmo dia, do Norte ao Nordeste e ao Sul. Quando bissextamente o candidato parava no Rio, eu podia frequentar a redação e a Faculdade, recebendo elogios de meus professores, quase todos janistas pela própria natureza. O resultado foi que, terminada a campanha, os professores me deram presença falsa. Pude fazer os exames de meio e de final de ano, bacharelando-me, ainda por cima eleito, numa disputa acirrada, como orador da turma, contra meu grande amigo Cândido de Oliveira Bisneto.

Como era difícil ser repórter

Mas, voltando à campanha: não tinha nada a ver com o trabalho jornalístico de hoje, quando o repórter leva uma dessas maquininhas infernais, digita o texto, aperta um botão e transmite tudo, eletronicamente, à redação, seja de onde for. Depois de acompanhar o candidato em três ou quatro comícios em cidades do interior, sempre atento às novidades que diria, em seguida aos encontros que mantinha com políticos regionais e às conversas no avião com lideranças, o dia se encerrava com concentrações monumentais numa capital. Ou seja: por volta da meia-noite, os jornalistas dispunham de cinco, seis matérias, que haviam redigido a bordo, em cadernetas ou nas máquinas de escrever portáteis que porventura levassem. Hora de dormir? Nem pensar. Era o momento de procurar os postos telefônicos, pois, à exceção das grandes capitais, nas outras os hotéis não possuíam estrutura para ligações interurbanas.

Composta dos oito ou dez repórteres que habitualmente acompanhavam Jânio Quadros, logo se formava uma fila, e não sem discussões preliminares para saber quem primeiro conseguiria ligar-se à sua sede. Não havia satélites, nem sequer micro-ondas. As informações eram ditadas pelo fio telefônico, em voz altíssima, já que a telefonista de Manaus, por exemplo, chamava a de Belém, esta a de Fortaleza, aquela a de Recife, depois Salvador e Vitória, até que, já de madrugada, alguém atendia na redação de *O Globo*, no Rio, e começava a copiar o que berrávamos. Mesmo prejudicados no sono, os últimos a transmitir eram privilegiados, pois tinham ouvido as informações dos colegas, podendo completar suas matérias. Em cidades como Recife e Fortaleza, funcionavam serviços telegráficos estrangeiros, como a Western e a Italcable, que aceitavam nossos textos e os passavam em tempo rápido.

Brilhante, mas doido

Jânio Quadros viajava com a mulher, D. Eloá, e alguns convidados, na parte da frente da cabina do avião. Logo atrás, sentavam-se auxiliares e jornalistas. Nos trajetos mais longos, ele era servido de uísque, quantas vezes quisesse, mas, justiça se faça, mandava servir também aos jornalistas. Tinha medo pavoroso de avião, que enfrentava, mas sempre agarrado aos braços da poltrona e com as cortininhas permanentemente fechadas. Na primeira vez em que fomos a Manaus, o piloto, por gentileza, sobrevoou duas vezes o encontro das águas, espetáculo maravilhoso que não me canso de contemplar, sempre que posso. Não se misturam as correntes do

A DITADURA MILITAR E OS GOLPES DENTRO DO GOLPE: 1964-1969

rio Negro, da cor de petróleo, com as do Solimões, barrentas. Suas densidades são diferentes, e lutam para não se misturar. Só ao fim de alguns quilômetros ganha o mais forte, e o Amazonas torna-se marrom até o estuário. Quando o avião pousou, ouvimos a voz estridente do candidato, desancando o comandante da aeronave, que colocara "em perigo todos os passageiros ao passar duas vezes, bem baixo, sobre o encontro das águas".

Os discursos em praça pública, brilhantes, de uma oratória raras vezes ouvida no país, arrancavam delirantes e apopléticos aplausos da assistência. Depois de alguns dias, porém, percebíamos serem sempre os mesmos: ladrões na cadeia, moralidade pública, sacrifícios, recuperação nacional e, aqui e ali, reafirmação do Brasil como país independente. Na conclusão, o singular ator virava-se para o fundo do palanque, onde se postava a esposa humilde e compenetrada, chamando-a para um beijo estalado e, com um dos braços sobre seus ombros, declarava sempre: "Eloá me pediu que dirigisse as últimas palavras à mulher brasileira, a verdadeira dona da vassoura, aquela que dirige lares e famílias, sacrificando-se anonimamente..." Era o paroxismo da multidão, porque um auxiliar, ao mesmo tempo, pusera na outra mão de Jânio uma vassoura, seu símbolo de campanha, com a qual acenava em despedida.

Sabíamos todos ser aquele o sinal para tomarmos meteoricamente o rumo do aeroporto, aproveitando táxis, carros da comitiva e até motocicletas de algum correligionário entusiasmado. Embarcávamos apressados, porque o candidato vinha atrás. Quando entrava, não queria saber: mandava fechar a porta e decolar de imediato. Quem ficasse para trás, ficava. Certa feita em Quixadá, no interior do Ceará, José Aparecido, secretário-particular, chegou depois de Jânio, com os motores já acionados. Alguém lembrou ao candidato que o auxiliar estava lá embaixo e que, portanto, a porta precisava ser aberta. Resposta: "Atrasou-se? Ele que fique por aí." E ficou, levando dois dias para reincorporar-se à comitiva.

No reverso da medalha

Naqueles meses tumultuados ao longo dos quais me foi dado conhecer o Brasil inteiro, Jânio passou uma semana gripado, com febre, em São Paulo. Voltei ao Rio, imaginando descansar, mas, por falta de sorte, ficou impedido de viajar Glauco Carneiro, o colega que acompanhava o marechal Lott, candidato adversário. Assim, Alves Pinheiro indicou-me para substituí-lo. O contraste era profundo. Em vez de uísque a bordo, laranjada. Ninguém ousava dirigir a palavra ao já marechal, sequer os coronéis que o acompanhavam, à paisana. Descemos em Florianópolis. No aeroporto, estavam o chefe do PSD local, Celso Ramos, e grande comitiva. Chamando Lott de lado, Ramos fez-lhe um apelo: "Sei que o senhor tem defendido em toda a campanha a estatização do ensino. Pode até estar certo, mas peço-lhe encarecidamente para não tocar no assunto. Aqui, 80% das escolas e colégios são privados, a maioria religiosos."

À noite, no palanque, sem oratória alguma, o candidato alinhou sua plataforma de governo, nacionalista. Ia terminando, e Celso Ramos, a seu lado, feliz da vida. Nada fora dito em termos de ensino. Foi quando o marechal, dirigindo-se a ele, afirmou: "Quero mostrar ao povo catarinense como sou sincero. Meu amigo Celso Ramos pediu-me para não falar da questão do ensino público. Não tenham dúvida: se eleito, vou estatizar todas as escolas privadas!" É claro que perdeu a eleição, lá e no resto do Brasil.

Uma lição do Dr. Roberto

A campanha aproximava-se do fim. Era um domingo de setembro e estávamos no Rio. Pela manhã, missa rezada pelo cardeal D. Jaime Câmara, na Candelária, onde Jânio, como sempre, comungou. Depois, café da manhã com empresários, aos quais se apresentou como grande baluarte contra o comunismo. Mais tarde, reunião com líderes sindicais, ocasião em que prometeu ampliar os direitos trabalhistas concedidos por Getúlio Vargas. Num churrasco na Zona Norte, oferecido pelas associações esportivas, mostrou-se como típico cidadão da classe média. Logo, um encontro com líderes políticos cariocas, na sede da UDN. Diálogo com estudantes, no auditório da ABI. Por fim, comício monumental na Praça Saenz Pena, na Tijuca. Já era o presidente da República e caprichou na oratória, carregado pela massa.

Chegando à redação de *O Globo*, depois da meia-noite, comecei a escrever as sete matérias, já morto de cansaço. Ao entregar a última, quatro horas da madrugada, o secretário de redação me perguntou se não tinha novidade alguma. Estava sem assunto para a manchete da edição daquela segunda-feira, que era matutina, e precisava puxar algo. Reli os originais, consultei a caderneta e lhe disse que a única coisa nova prometida pelo Jânio seria, caso eleito, uma vassourada na Presidência da República. Pronto. Fui para casa dormir. Às sete horas, contudo, seria acordado pelo chefe de reportagem: "Venha logo para a redação. Há uma crise!"

Meio sonâmbulo, tomei até um táxi. No corredor que dividia a redação, todos me olharam como a um condenado rumo ao cadafalso. A sala do Dr. Roberto ficava no fundo, e Alves Pinheiro apenas me disse: "Vai lá. Ele quer falar com você." Entrei e levei uma das maiores espinafrações de minha carreira. Roberto Marinho estava uma fera. Tinha a primeira página de *O Globo* nas mãos e apontava para a manchete de oito colunas: "Jânio: Vassourada na Presidência da República". Sem ficar mais calmo, disse que o candidato lhe havia telefonado pouco antes, ameaçando que o jornal nada teria em seu governo, que as relações estavam rompidas e que estávamos sabotando sua vitória — porque a vassourada que prometia há meses, em todos os seus discursos, era na Previdência Social, e não na Presidência da República.

Desabei e reconheci o erro. Logo agora, que tinha casamento marcado, seria despedido. Depois de continuar a catilinária por mais alguns minutos, completou: "Antes de entregar qualquer matéria, o repórter tem obrigação de reler o que escreveu. Quantos erros podem ser corrigidos com esse cuidado. Vá trabalhar e não se esqueça disso!" Até hoje não esqueci.

Duas profissões, sem interregno

Formado e casado, ainda na dúvida sobre abraçar a advocacia, optar pelo jornalismo ou manter o pé nas duas margens, continuei em *O Globo*, cada vez mais próximo de apenas escrever sobre política. Mesmo assim, outros temas me eram entregues.

Leitor de livros sobre a Segunda Guerra Mundial, eu lembrara que, em setembro de 1959, completar-se-iam vinte anos do início da conflagração — o que merecia alguma recapitulação. Era matéria para o segundo caderno e preparei alguns textos com o que podia colher nas coleções de jornal. Foram publicados, embora Ricardo Marinho, irmão de Roberto, não me tenha deixado assiná-los: "É muito moço." Outros companheiros completariam a série.

Em fevereiro de 1961, o governador Carlos Lacerda, da Guanabara, imaginava promover profunda reformulação no sistema penitenciário do estado, uma lástima, como em todo o restante do país. Nomeara, para tanto, um jovem promotor público, que coordenaria um conjunto que envolvia presídios no complexo da Rua Frei Caneca, em Bangu e na Ilha Grande. Newton de Barros e Vasconcelos, seu nome, formulou convite ao jornal para que um repórter e um fotógrafo o acompanhassem em visita aos dois presídios da ilha, a Colônia Penal e a Colônia Agrícola, ambos de triste memória, desde antes do Estado Novo. A ditadura de 1937 mandava para lá presos políticos considerados perigosos, ainda que não fossem misturados aos presos comuns, como aconteceria depois do golpe de 1964.

A Colônia Penal era um pardieiro, com mais de trezentos presos, que viviam em precárias condições. Os únicos trabalhos que podiam fazer — dada a proximidade com a pequena Vila do Abraão, cujo acesso lhes era interditado — consistiam em se arriscar em pequenos barcos para pescar e em melhorar um pouco o rancho da comunidade. Um dos líderes dessas incursões era o outrora famoso Carne Seca, corajoso a ponto de enfrentar o mar batido, como chamavam a tempestade.

Na Colônia Agrícola, pareciam ridículos os meios para se chegar à finalidade um dia imaginada, a de os detentos cultivarem o solo e providenciarem legumes, verduras e cereais para o conjunto. Lá, envelhecia, com saúde e dignidade, o antes temido Madame Satã, homossexual de dois metros de altura que deixara na Lapa toda sua agressividade e um rol de crimes que assolaram os cariocas.

Aqueles dias em que pude visitar as instalações, ouvir e conversar com os presos levaram-me a escrever quatro reportagens sob o título "Um Repórter na Ilha do Diabo", que me valeram a menção honrosa no Prêmio Esso relativo àquele ano, entregue no início de 1962.

Na época, *O Globo* assemelhava-se a uma pequena família, comandada por Roberto Marinho, diariamente na redação às sete da manhã, com seus dois irmãos, Ricardo e Rogério cumprindo horário e funções determinadas: o primeiro, como já mencionei, responsável pelo segundo caderno; o outro, encarregado do fechamento da primeira página.

Rogério Marinho desdobrava-se para não parecer o dono do jornal ou o irmão mais moço do dono, tanto que chegava antes das sete da manhã para dividir com os outros as decisões sobre o conteúdo da primeira página. Só que não resistia ao assédio dos sabujos e dos puxa-sacos, e acabava se intrometendo em questões fora de sua alçada, não raro na performance dos repórteres, sob os cuidados de Alves Pinheiro, e mesmo nas inclinações políticas e ideológicas de cada um. Vivíamos então uma época de exacerbação da Guerra Fria, em que a União Soviética suplantava os Estados Unidos na corrida espacial, com o lançamento do Sputnik e a primeira volta ao mundo no céu, dada por Yuri Gagárin.

Irmãos em conflito

Roberto Marinho tinha diversos comunistas de sua geração empregados no jornal e jamais pensara em demiti-los. Sustentava, sim, a férrea linha ideológica conservadora e pró-americana, mas não se importava muito com os preconceitos do irmão. Aos poucos, porém, Rogério Marinho imbuiu-se da impressão de que eu era comunista, certamente influenciado pelo ciúme de algum interessado em ocupar meus pequenos espaços. Tanto pressionou Alves Pinheiro que, certa manhã, com lágrimas nos olhos, este me disse que Rogério exigia minha saída. Aconselhou-me, no entanto, a despedir-me do Dr. Roberto, evidentemente porque já se queixara da interferência de Rogério na reportagem.

Naquele tempo, inexistiam os inatingíveis barões da imprensa de hoje, que mal conhecem seus subordinados, alguns até sem jamais terem pisado nas redações. Entrei no gabinete do chefe, que explicou a mudança de estratégia da empresa, agora infensa a abrigar comunistas. Antes mesmo que pudesse contestar, porque comunista não era, ele atalhou: "Mas soube que sua mulher está esperando o primeiro filho. Assim, você fique mais alguns meses."

Existem momentos, raros, na vida de todos nós, em que a emoção suplanta os interesses, e respondi dizendo que de favor não ficaria, apesar da injustiça e dos preconceitos de Rogério. O Dr. Roberto espantou-se e não soube o que dizer quando lhe estendi a mão para a despedida. Voltei para a redação, limpei as gavetas e fui embora. No dia seguinte, um telefonema de Alves Pinheiro: "Você não vem trabalhar? Já está atrasado!" Explicou que o Dr. Roberto dera o dito pelo não dito, ou o feito pelo não feito. E desautorizara o irmão. Um ano depois, eu seria designado editor político do jornal. Ganhara, contudo, senão um desafeto, ao menos um fiscal rigoroso de meus textos e concepções sobre o que deveria ser a reportagem política.

Um parêntese se torna necessário nessa narrativa. Logo depois do episódio sobre meu "comunismo", durante uma entrevista coletiva com o governador do estado do Rio, Celso Peçanha, um companheiro mais velho e experiente, David Row, então nos *Diários Associados*, ao despedir-se do entrevistado, comigo a seu lado, indagou-o se não poderia aproveitar-me em seu governo. Celso não titubeou e retrucou: "Posso nomeá-lo promotor público em Mendes, a duas horas de Niterói." Na época, em cada comarca fluminense havia um promotor e um promotor substituto, cargo para o qual fui nomeado, de livre escolha do governador. Se fosse capaz e se cumprisse suas tarefas com diligência, o substituto seria incluído na lista dos concursados para designação definitiva.

Retornava o antigo conflito: direito ou jornalismo? Dada a instabilidade deste, expressa no episódio anterior, decidi-me pela suposta garantia daquele. Ledo engano. Durante quase um ano, desdobrei-me nas duas funções, tomando duas vezes por semana o trem elétrico, às sete da manhã, para cumprir, até as duas da tarde, as tarefas de promotor público, em Mendes, retornando ao Rio, diretamente para a editoria política de *O Globo*, onde ficava até por volta da meia-noite. O jornal deixava de ser vespertino para se tornar, como todos os demais, matutino — quer dizer, feito na véspera.

Fim de experiência

O problema é que promotor público existe para pedir condenações. Em Mendes, havia um grande frigorífico, multinacional. Com centenas de operários, provocava muitas demandas judiciais, nem sempre trabalhistas, mas penais também. Certa manhã, chegou da delegacia policial expediente para que eu denunciasse um operário, já com quarenta anos de idade, preso dias antes, flagrado, ao fim da jornada, com quatro bifes de carne de porco sob a camisa. Era furto. Perdera todos os direitos trabalhistas e, mais, arriscava-se a passar anos na cadeia, se condenado. Por uma inspiração qualquer, resolvi visitá-lo na cela. O homem chorou, mesmo diante de um jovem de 24 anos. Chamando-me de doutor, confessou o crime e me contou que sua mulher falecera e que tinha quatro crianças para criar e cuidar. O salário, porém, não dava. Assim, costumava levar algum reforço para casa.

Retornando ao gabinete da promotoria, redigi petição ao juiz para que determinasse a imediata libertação do réu, bem como sua reintegração a todos os direitos trabalhistas e ao emprego, por tratar-se de um caso de necessidade, previsto pelo Código Penal. O advogado do sindicato dos empregados do frigorífico subscreveu meu parecer com entusiasmo, mas o advogado da empresa denunciou-me ao Tribunal de Justiça como comunista. O juiz, por sua vez, mandou reintegrar o operário. Não demorou muito, pois, para que me "oferecessem" uma remoção: sair de Mendes e assumir o posto em São João da Barra, fronteira com o Espírito Santo; um dia para ir, outro para voltar. Encerrei, ali, minha experiência com o Direito.

Um Hitler que não deu certo

Dia 25 de agosto de 1961. Depois de cumprir a jornada de trabalho em *O Globo*, encontrava-me, à tarde, no escritório de um amigo quando chegaram os primeiros rumores: o presidente Jânio Quadros renunciara. No elevador, no saguão do edifício, nas calçadas, a conversa era uma só, já anunciada pelas estações de rádio. Voltei para a redação e logo começaram as tarefas, todas iguais quando a notícia vem de outras praças: fazer as suítes, ou seja, no caso, consultar juristas, que interpretariam a Constituição, e ouvir políticos porventura no Rio, empresários, líderes sindicais e mesmo populares.

Soube, numa daquelas entrevistas, que o ex-presidente Juscelino Kubitschek dirigira-se para a sede do PSD, na Rua Almirante Barroso. Lá, consegui dele um único comentário, junto com Amaral Peixoto, Armando Falcão e outros: "O homem é mesmo maluco."

Com o passar dos anos, num depoimento dado ao neto, pouco antes de morrer, Jânio reconheceu que tentara dar um golpe, mas não para tornar-se ditador — como acentuou. Diante das dificuldades com o Congresso e, sobretudo, ante a denúncia do governador Carlos Lacerda, segundo a qual o ministro da Justiça, Pedroso Horta, convidara-o para um golpe, na madrugada daquele dia a Câmara dos Deputados decidira transformar-se em imensa Comissão Parlamentar de Inquérito. O presidente vinha programando há meses aquela operação. Renunciar numa sexta-feira, traumatizar a opinião pública e ser reconduzido pelo povo depois do fim de semana, voltando com poderes extraordinários.

Mau advogado, imaginou que a renúncia não seria apreciada naquele dia. Afinal, propositalmente, Horta entregara o documento ao presidente do Senado às três da tarde, quando a maioria parlamentar já abandonava Brasília. Ademais, o vice-presidente João Goulart encontrava-se na China — um complicador institucional evidente. Calculou, portanto, que não haveria tempo, tampouco meios, de se cumprirem as exigências legais antes de segunda-feira. Esqueceu-se Jânio de que a renúncia é ato unilateral, que produz efeito uma vez formalizado. Não depende de votação.

Auro de Moura Andrade, presidente do Senado, fora correligionário, mas, naquele momento, era adversário e desafeto de Jânio. De imediato, convocou deputados e senadores para uma sessão extraordinária, mandando voltar até aqueles já no aeroporto, prontos para viajar a seus estados. Alcançou-se o quórum, o gesto tresloucado foi anunciado, e então foram todos convidados ao palácio do Planalto para a posse do presidente interino — conforme a Constituição, o presidente da Câmara, Ranieri Mazzilli.

Jânio embarcara a São Paulo, despedindo-se de Brasília com frase histriônica: "Adeus, cidade maldita. Jamais porei os pés aqui!." Entretanto, mandou o ajudante de ordens, major Amarante, levar a faixa presidencial na bagagem.

Naquela noite mesmo, e na manhã de sábado, estupefatos, os três ministros militares confabulavam. Foram os primeiros a tomar conhecimento da renúncia, de viva voz, pela manhã, no gabinete presidencial. O ministro do Exército, Odílio Denis, chegou a perguntar ao presidente se o problema era o Congresso, porque, se fosse, suas tropas o fechariam em quinze minutos. Jânio recusou — e com fortes razões: se aceitasse tornar-se ditador por obra de um movimento militar, ficaria prisioneiro das Forças Armadas. Pensava que o povo agiria espontaneamente, como acontecera, meses antes, com Fidel Castro, em Cuba, e com Gamal Abdel Nasser, no Egito; aliás, dois de seus ídolos. O ministro da Marinha, Silvio Heck, chorou, e o da Aeronáutica, Grün Moss, esqueceu o quepe na antessala presidencial. Quando voltou para pegá-lo, surpreendeu-se ao ver o ministro da Justiça, Pedroso Horta, o chefe da Casa Civil, Quintanilha Ribeiro, e o secretário particular, José Aparecido, às gargalhadas. Podia ser o riso da surpresa e até da loucura temporária, mas também podia não ser.

Um golpe em gestação

No fim de semana, com o país aturdido e com um novo presidente na sede do governo, começam a germinar os boatos: as forças armadas se opunham à volta ao Brasil e à posse do vice-presidente João Goulart — para elas, um comunista.

A DITADURA MILITAR E OS GOLPES DENTRO DO GOLPE: 1964-1969

Na segunda-feira, bem cedo, cheguei à redação de *O Globo* e o chefe da reportagem, sem me dar tempo até para o bom-dia, entregou-me um saco de papel, daqueles de embrulhar maçãs. Dentro, montes de notas de dinheiro alto: "Corra para o aeroporto porque às oito horas sai um avião da Varig para Porto Alegre. As notícias são de que o governador Leonel Brizola não aceitou o veto à posse de João Goulart, cunhado dele, e o Rio Grande do Sul está rebelado."

Fui, com a roupa do corpo, naquele que terá sido o último voo para a capital gaúcha. Logo depois, o aeroporto Salgado Filho seria fechado.

Prevalece a legalidade

Porto Alegre modificara-se. Brizola, trocando o terno e a gravata por um blusão de couro, metralhadora INA trespassada, mandara cercar o Piratini de sacos de areia. Mobilizara a Brigada Gaúcha, apesar do fraco armamento ao dispor de sua polícia militar. Reunira, sob intervenção, as emissoras de rádio da cidade e formara, nos porões do palácio, a "cadeia da Legalidade", de onde transmitia, para todo o estado, marchas militares e seus constantes pronunciamentos legalistas. No restante do Brasil, era ouvido pelas instáveis ondas curtas. Convocara, do interior, os chamados "provisórios", peões de bombachas e lenços vermelhos no pescoço, concentrados em número cada vez maior na praça fronteiriça ao palácio. E então fez distribuir revólveres da fábrica Rossi ao povo que acorria em massa para defender a honra do Rio Grande, como diziam.

O problema é que aquilo se assemelhava a uma alegre opereta, porque um tanque, apenas, que saísse dos quartéis acabaria com tudo. Os quartéis, no entanto, permaneciam imperscrutáveis. Ninguém entrava, ninguém saía, com os oficiais e a tropa aguardando ordens do Rio — que afinal vieram. O ministro Odílio Denis mandava o III Exército acabar com a resistência de Brizola, bombardeando o palácio Piratini. Os aviões Meteor da base aérea de Canoas receberam instruções para levantar voo e destruir a sede do governo. Não o fizeram, no entanto, porque os sargentos desarmaram as aeronaves e só permitiram aos oficiais que voassem para São Paulo. Sem bombas. Naqueles dias, presenciei dois acontecimentos de que jamais me esqueceria. Distribuídos entre a praça, a sala de imprensa do Piratini e os bares cheios de euforia libertária, os jornalistas de súbito voltaram-se para a calçada que liga a sede do governo à catedral de Porto Alegre, ao lado. O cardeal-arcebispo, D. Vicente Scherer, adversário do governador e, diziam, meio golpista, dirigia-se ao palácio, todavia obstado pela muralha de sacos de areia. Queria se queixar a Brizola da intromissão, quase um sacrilégio, dos soldados da brigada, que não só invadiram a sacristia como galgaram a torre da catedral e lá instalaram duas metralhadoras Ponto 50 — as únicas de que dispunham para enfrentar um suposto ataque aéreo ao Piratini.

Idoso, enquanto aguardava instruções para entrar, o prelado sentara-se num dos sacos de areia. De uma janela do segundo andar, Brizola viu a movimentação, intuiu seus motivos, mas, com agudo sentido de marketing, mandou chamar os jornalistas para que testemunhassem "a adesão da Igreja à causa da legalidade", o que nunca aconteceu. Mais do que entrevistá-lo, os repórteres exaltavam a coragem de D. Scherer. E essa versão ficou até hoje. Ficaram, também, enquanto necessário, as duas metralhadoras no alto da torre.

A outra imagem que jamais me sairá da memória aconteceria na tarde daquele mesmo dia. O Exército permanecia mudo, ninguém sabia de sua reação, mas a maioria imaginava que logo os tanques sairiam para esmagar a resistência retórica do governador e de seus "provisórios". Nas imediações dos quartéis e próximo ao edifício do comando do III Exército, na Rua da Praia, postavam-se espiões do governo estadual, prontos para informar uma possível progressão das forças militares. Não havia celulares. Naqueles tempos, as comunicações se faziam através dos "orelhões" do centro da cidade.

A DITADURA MILITAR E OS GOLPES DENTRO DO GOLPE: 1964-1969

Chegou, então, a primeira notícia: um jipe e dois carros oficiais haviam saído do comando e tomavam o rumo da praça em cujo cume estava o centro da resistência legalista, o Piratini.

Logo a multidão cerrou sobre a pista que cortava a praça, com alguns exaltados gritando "vira o jipe, vira o jipe!". Intensa vaia acompanhou a pequena comitiva, em que se destacava, sentado no banco do carona de um dos carros, um velhinho fardado, semblante duro e indiferente às agressões. Fez-se silêncio quando as viaturas entraram no palácio, aberta, num pequeno pedaço, a barreira de sacos de areia. Dirigiram-se todos os "provisórios", mais a massa lá postada, à frente do Piratini. Os rumores eram de que os militares prenderiam o governador, ainda que ninguém desse um pio. Passam-se longos minutos e abre-se, no segundo andar, uma das portas que davam para a pequenina varanda de onde os governadores, desde a República Velha, costumavam falar ao povo. Aparece Leonel Brizola, ainda fardado de combatente. Depois de contemplar a multidão, volta-se e, com o braço direito, faz uma reverência e convida outro personagem a se aproximar. Era o general Machado Lopes, que acabara de aderir à causa da legalidade. Então se abraçam e fazem o V da vitória para a gauchada em êxtase.

Ali, o III Exército rompia com o ministro da Guerra, de quem não receberia mais ordens, segundo telegrama do general, pois suas ordens agora viriam da Constituição. Brizola acabara de colocar a Brigada Gaúcha sob o comando do Exército, ao que se seguiu o embarque de algumas tropas, na estação ferroviária, rumo a Brasília. Não foi necessário, porém, ir muito longe, pois, em todo o país, já desmoronava o esquema golpista. Sucessivos regimentos, de Norte a Sul, e inclusive no Rio de Janeiro, declararam-se pela posse do vice-presidente João Goulart e pela legalidade.

Voltei ao Rio sem ver a chegada triunfal de Jango a Porto Alegre. Vinha de uma longa viagem, em que passara por Cingapura, Nova Délhi, Paris, Nova York, Lima, Buenos Aires e Montevidéu, período e distância que, de alguma forma, evitaram uma guerra civil e o fizeram aceitar o golpe desferido pelo Congresso. Afinal, numa daquelas madrugadas de sua ausência, deputados e senadores transformaram o sistema presidencialista em parlamentarista — o que limitava os poderes do novo presidente.

Perto de Tancredo

Passo a passo, eu abria espaços na reportagem política de *O Globo*. Tive bons professores. Quando comecei, o redator político principal era Ivan Alves, velho profissional, depois sucedido por Cícero Sandroni, meu colega no CPOR e, em seguida, por José Augusto de Almeida, boêmio e com excelente relacionamento com os políticos. Servi de auxiliar para os três.

Com o golpe do parlamentarismo, vibrado pelo Congresso contra João Goulart, imaginou-se, por tempo meteórico, que o sistema de governo funcionaria, ou seja, que o presidente seria, sim, o chefe de Estado, mas com um primeiro-ministro, o chefe de governo, enfeixando os controles da administração federal. Jango concordara com o que os partidos convencionaram: Tancredo Neves, representante da maior legenda nacional, o PSD, seria o primeiro-ministro. Compôs-se, então, um ministério de coalizão, com nomes até da UDN, como Virgílio Távora, na Viação e Obras Públicas, e Gabriel Passos, nas Minas e Energia. A maioria, porém, era do PSD, a começar por Ulysses Guimarães, da Indústria e Comércio.

Brasília, ainda que a capital do país, era um exílio, tanto que o presidente passava mais tempo no Rio, despachando no palácio das Laranjeiras. Tancredo também, com apartamento na Avenida Atlântica e gabinete no prédio do antigo Ministério da Fazenda. A moda começou cedo, pois já então os parlamentares chegavam a Brasília nas terças-feiras e voltavam nas quintas.

O Globo ainda era vespertino, e eu trabalhava a partir das sete da manhã. Já casado, morava no Flamengo, mas meus pais, em Copacabana, ficavam a um quarteirão do edifício de Tancredo. Assim, quando o primeiro-ministro estava no Rio, minha tarefa consistia em ir direto ao seu apartamento, tentar entrevistá-lo sobre os temas do dia e, da casa de meus pais, transmitir as informações, pelo telefone, à redação. Não havia segurança. Bastava cumprimentar o porteiro, subir ao sexto andar, apresentar-me para a empregada doméstica e aguardar, na varanda, que o primeiro-ministro aparecesse. Dois auxiliares estavam sempre a postos: Francisco Dornelles, ainda jovem, e Oyama Teixeira.

Na primeira vez em que fui recebido, Tancredo ditou-me suas declarações. Afirmou que, cônscio de suas prerrogativas, exerceria, na plenitude, as funções de chefe do governo, mas que manteria excelente relacionamento com o presidente Goulart. Foi a única vez em que falou daquele jeito. Depois, com o passar das semanas, esmaeceu-se. Percebeu, como o país inteiro, que o parlamentarismo, com aquele hibridismo, era uma fantasia rejeitada por todos. Os atos de governo eram do primeiro-ministro. Para que tivessem validade, porém, precisavam ser referendados pelo presidente da República...

Naquele primeiro contato, ao me apresentar como repórter de *O Globo*, Tancredo perguntou-me se Mauro Salles ainda trabalhava no jornal. Sim. Era subchefe de reportagem, filho do ex-ministro Apolônio Salles. Pediu-me, então, para que o mandasse procurá-lo. Transmiti imediatamente o recado, que redundou na nomeação de Mauro para assessor de imprensa do primeiro-ministro.

Certa vez, Dornelles e Oyama tentaram me despachar. Tancredo não estaria em casa — alegaram. Já me dirigia à porta quando, vindo da cozinha, apareceu o próprio, lampeiro, banho tomado e barba feita. "Chaguinhas, que bom vê-lo, quais são as perguntas?" Os dois auxiliares ficaram com cara de bobo — e mais uma entrevista foi feita.

Menos de um ano depois, o primeiro-ministro se demitiria, tanto pelo incômodo de mandar muito pouco no governo, já dominado por João Goulart e pelo grupo do PTB, quanto pelas contradições daquele parlamentarismo fajuto. Pela Constituição presidencialista, os ministros que fossem candidatos ao Congresso deveriam desincompatibilizar-se seis meses antes das eleições. O artigo não fora revogado, maliciosamente, e uma contradição — mais uma — se estabeleceu naquele sistema vigente, que definia o Executivo como extensão do Legislativo. Era uma saída para Tancredo, que já não acreditava em suas funções. Pouco depois, por meio da antecipação do plebiscito, João Goulart seria restabelecido em seus poderes. A nação inteira votou pela volta ao presidencialismo.

Prelúdio da conspiração: Araxá

Desde 1962 desenvolvia-se intensa campanha pelas reformas de base, liderada por Jango e impulsionada pelas esquerdas, inclusive as sindicais. Do que mais se falava era de novos direitos trabalhistas, participação dos empregados no lucro das empresas, estatização das grandes companhias privadas, a começar pelas refinarias de petróleo, intervenção nos laboratórios de medicamentos, limitação da remessa de lucros para o exterior, ensino público exclusivo e outras propostas ditas socializantes. Os setores conservadores, na defensiva, já conspiravam.

O governador de Minas, Magalhães Pinto, dono do Banco Nacional, mantinha boas relações com Jango e aceitava, retoricamente, as reformas, embora permanecesse vigilante e já flertasse com a conspiração. No começo de 1963, convocou todos os governadores para um encontro em Araxá, onde o governo mineiro mantinha o Grande Hotel, até hoje um dos maiores do país, construído para ser um monumental cassino, plano frustrado pela proibição do jogo imposta pelo presidente Dutra. Centenas de jornalistas foram convidados. Uma festa, com bar aberto e tudo pago para todos. O pretexto era apoio conjunto dos estados às reformas pretendidas por João Goulart. Na verdade, porém, tramava-se o oposto. Nas reuniões sigilosas e nas conversas ao pé de ouvido, formava-se uma frente anti-Jango e antirreformas, ainda mais porque os rumores davam conta de que o presidente desejava repetir Getúlio Vargas, partindo para o golpe e permanecendo no poder para além de seu mandato.

Cheguei ao Grande Hotel dois dias antes da reunião, que se estenderia pela semana. Carlos Lacerda, da Guanabara, mandara dizer que não iria — infenso a botar azeitona na empada de Magalhães Pinto, que também pretendia se candidatar ao Palácio do Planalto —, mas acabou indo nos últimos dias. Poucos, na imprensa, perceberam o real sentido do encontro.

De volta ao Rio, surpreendi-me com mais uma crise em *O Globo*. Os irmãos Marinho implicavam com o redator político, José Augusto de Almeida, que dispensaram. Da noite para o dia vi-me convidado para a função, mas não sem que Rogério perguntasse, antes, se podia ter confiança em minhas convicções anticomunistas. Respondi, lembrando ser formado pela Pontifícia Universidade Católica.

Estreitei laços profissionais com a cúpula da UDN e do PSD, de Herbert Levy a Amaral Peixoto, seus presidentes, e assim sustentei um noticiário ágil e variado. Consegui, lentamente, convencer o Dr. Roberto de que, paralelamente às diversas entrevistas com políticos e reportagens sobre reuniões partidárias, deveríamos criar uma coluna política, jamais de comentários, o que ele abominava, mas de interpretações a respeito do que ocorria. Deu certo, mas custou, porque, para Roberto Marinho, o noticiário deveria ater-se simplesmente a matérias iniciadas com o tradicional "Fulano disse a *O Globo*" — forma de evitar o comprometimento do jornal com o conteúdo. Durante aqueles anos, em todo começo de noite, minha obrigação era ir ao gabinete do chefão para informar o que publicaríamos no dia seguinte. Raras vezes ele deixava de saber mais do que eu, até porque, apesar de manter bom relacionamento com o presidente, cada vez mais se ligava ao bloco anti-Jango.

Correram os meses. O governo radicalizava; as oposições conspiravam, mas tudo, ao menos na superfície, em clima de opereta. Nos bastidores, contudo, era diferente. O chefe da Casa Militar, general Assis Brasil, garantia ao presidente dispor de férreo esquema de apoio, ao tempo em que o general Golbery do Couto e Silva, na reserva, organizara o IPES, o IBAD e outros grupos empresariais dispostos a impedir as reformas de base, com as primeiras ramificações nos quartéis.

Aproximava-se o confronto. O Congresso rejeitava boa parte dos projetos reformistas de Jango, os sindicatos desencadeavam greves atrás de greves, e Leonel Brizola forçava o cunhado a avançar mais no rumo do que poderia tornar-se uma revolução. Enquanto isso, a embaixada dos Estados Unidos, mergulhada até o pescoço na conspiração, fornecia recursos para todo movimento e todo veículo de comunicação que se dispusesse a levantar a bandeira do anticomunismo. À frente, o embaixador Lincoln Gordon, junto ao empresariado, e o coronel Vernon Walters, antigo capitão, fluente em português, elemento de ligação entre o exército americano e a Força Expedicionária Brasileira na Itália, amigo de oficiais combatentes em 1944, já generais de importância quase vinte anos depois.

A esquerda radical, por sua vez, e como sempre, encarregava-se de esmagar o sentimento socialista de boa parte da população. Ao apelar para discursos e até ações provocativas, empurrava a opinião pública para os braços da reação. Sem esquecer a Igreja, então baluarte da direita, exceção de uns poucos bispos, como D. Helder Câmara.

Honesto, mas ingênuo

Os quartéis estavam em estado de alerta no exato instante em que Jango, caindo na armadilha tanto de radicais da esquerda quanto de provocadores do lado oposto, aceitou endossar um programa de reformas também para os militares, submetendo-se à pressão de reduzidos grupos de sargentos, cabos e marinheiros empenhados em subverter a hierarquia castrense.

O presidente da República, em suma, decidira promover as reformas mesmo sem o acolhimento do Congresso. Marcou para 13 de março de 1964 o primeiro dos comícios-monstro em que demonstraria que a força do povo suplantava as instituições arcaicas. O plano era realizar manifestações iguais em outras capitais, culminando em São Paulo, no dia 1º de maio, quando poderia ser decretada até a República Sindicalista do Brasil, segundo espalhavam seus adversários.

Na tarde daquela sexta-feira, estive no palácio das Laranjeiras, claro que sem ver o presidente, mas a tempo de registrar o frenesi de alguns de seus auxiliares mais exaltados. Cheguei antes de Jango à Central do Brasil, tomada pela multidão, e acompanhei alguns discursos que obrigatoriamente cresciam de diapasão. José Serra, então presidente da União Nacional dos Estudantes, pregava um Brasil socialista. Miguel Arraes anunciava a rebelião no campo. Leonel Brizola ameaçava marchar sobre o Congresso.

Goulart chegou em meio a estrepitosos aplausos, com D. Maria Teresa ao lado, linda como uma atriz de cinema. Era um grande orador de massas, e não poderia usar expressões menos violentas que os antecessores. Assim, não só anunciou a implantação das reformas, como assinou, no palanque, a desapropriação das refinarias particulares e, para fim de reforma agrária, das terras situadas ao longo das ferrovias e rodovias federais em todo o país. Um delírio completo. Para muitos incautos, era a implantação do socialismo no Brasil. Para quem, tantos anos depois, volta os olhos ao passado, simples bravata.

Um soviete na Marinha

Uma semana depois, a pá de cal: levantaram-se os marinheiros, há muito em estado de paroxismo, até com certa razão, protestando contra rígidos regulamentos da força naval que os impediam de manifestar-se e até de casar. Com a prisão decretada, os líderes do movimento refugiaram-se na sede do Sindicato dos Metalúrgicos, em São Cristóvão. No amanhecer da Sexta-feira Santa, encontravam-se já publicamente rebelados, e as famílias operárias das proximidades recolhiam mantimentos para atendê-los. Mandei-me para lá, com outros repórteres e fotógrafos. A informação era de que tropas da Marinha preparavam-se para invadir o sindicato, de três andares, e levar presos os insurgentes. Na calçada, vimos chegar as viaturas de choque, com fuzileiros navais de fuzis e capacetes, aproximando-se e cercando o prédio.

Nas janelas, centenas de marinheiros, maldormidos e emocionados, sabiam da impossibilidade de resistência. Foi quando, no entanto, começaram a dirigir-se aos invasores: "José, você vai me matar?" "Laurindo, estamos lutando por você!" "Quem tem coragem de dar o primeiro tiro?"

A tropa, comandada por jovens oficiais, começava a receber as primeiras ordens: "Preparar, avançar, retirar os rebeldes à força!"

Até hoje me arrepio ao lembrar aqueles instantes. Entre os atacantes, ninguém se moveu, apesar dos gritos históricos dos oficiais. Em seguida, a poucos metros de onde me encontrava, um fuzileiro jogou o fuzil no chão, depois o capacete, tirou os alabartes e avançou, sozinho e desarmado, pelo corredor de entrada. Sob frenéticos aplausos da marujada nas janelas, foi o primeiro a aderir, logo seguido por outros vários. Dezenas de fuzileiros entraram no Palácio dos Metalúrgicos. Mesmo com as pistolas na mão, os oficiais sentiram-se impotentes para reagir. Ordenaram, então, a retirada, enquanto lá dentro, pela milésima vez, cantava-se o Hino Nacional.

Horas depois, o Exército chegou ao bairro; parlamentou, negociou, e os marinheiros enfim se renderam, embarcando em ônibus verde-oliva, cercados de jipes e tanques. Foram levados a um quartel nas proximidades, identificados e liberados. Eram centenas, que a pé se dirigiam ao Arsenal de Marinha, passando pela avenida Presidente Vargas. A imprensa ao lado, populares também. Quando chegaram à Igreja da Candelária, um deles dirigiu-se aos demais. Propunha que ingressassem e agradecessem a Deus aquele final inesperado, sem confrontos e feridos. Próximos da entrada, todavia, espantaram-se ao ver que as vastas portas eram subitamente fechadas. Um desses marinheiros jura ter ouvido de um vulto vestido de batina: "Comunista não reza aqui dentro."

O Brasil parara, literalmente, agora com os almirantes revoltados, em sessão permanente no Clube Naval, indignados por ter o presidente João Goulart anunciado a anistia aos marinheiros insurrectos.

O presidente do Senado, Auro de Moura Andrade, convocara deputados e senadores para Brasília, dada a gravidade do momento. O aeroporto Santos-Dumont parecia o plenário do Congresso. Fiquei ali muito tempo, entrevistando parlamentares a respeito do desdobramento da crise. Um bom amigo, secretário-geral do PSD, deputado Martins Rodrigues, governista e até simpático às reformas, declarou-me: "Estão criando um soviete na Marinha de Guerra! Não dá mais para suportar a baderna. Ou João Goulart retoma o controle das instituições, ou o país estará em guerra civil!" Aquelas palavras seriam manchete de *O Globo* no dia seguinte.

"Armai-vos uns aos outros"

Sucediam-se as versões sobre estar o país próximo de rupturas institucionais, com o falso temor de que João Goulart estivesse a um passo de implantar todas as reformas de uma vez. Os fatos, porém, eram bem diferentes. O erro do presidente residira no açodamento, pressionado que estava por forças diversas. Ao conseguir, do Congresso, lei restritiva da remessa de lucros para o exterior, teve contra si as multinacionais, igualmente em pé de guerra com a criação de um laboratório nacional para produção de remédios populares. Ao estatizar empresas, perdeu o apoio da pequena parte do empresariado nacional que ainda o respaldava. Ao desapropriar terras, não conseguiu impedir que os fazendeiros começassem a se armar, sob o inusitado refrão de "armai-vos uns aos outros". Nas igrejas, os padres alertavam os fiéis sobre a iminência do comunismo. As sucessivas críticas aos Estados Unidos e a simpatia declarada a Cuba e a Fidel Castro levavam a CIA a ampliar as remessas de milhares de dólares clandestinos para campanhas pela formação de bolsões de resistência contra o comunismo e contra o governo.

O confronto armado ainda poderia ser evitado enquanto Jango mantivesse diálogo com a cúpula militar, não obstante grupos castrenses mais radicais prepararem-se para o inevitável. Quando do comício do dia 13 de março, porém, os últimos ventos mudaram. De uma conspiração nitidamente preventiva — ou seja, sairiam dos quartéis para evitar um golpe de cima para baixo, dado pelo governo —, os principais líderes militares passaram a engendrar a deposição do presidente. À frente, o general Castello Branco, acompanhando, entre outros, por Cordeiro de Farias, Ademar de Queirós, Golbery do Couto e Silva, Costa e Silva, Justino Alves Bastos, Jurandir Mamede e o já retirado Odílio Denis.

Muitos governadores não escondiam que armavam suas polícias militares para se opor a Brasília, como Magalhães Pinto, em Minas, e Ademar de Barros, em São Paulo. Carlos Lacerda, na Guanabara, era um caso à parte: o maior propagandista civil do golpe, mas mantido, propositalmente, à margem das articulações, conhecido que era por sua incontinência verbal. Se soubesse dos detalhes, num arroubo emocional, contaria tudo na televisão.

Esse clima não parecia ser transmitido por *O Globo*, à exceção de algum editorial mais duro contra o comunismo. Roberto Marinho, entretanto, estava metido até o pescoço na conspiração, assim como, em São Paulo, Júlio Mesquita Filho, do *Estadão*.

A rebelião dos marinheiros, ironicamente, serviu de senha para unificar os conspiradores, apesar de ainda temerem a força da legalidade que o governo, mal ou bem, representava. Foi preciso que o presidente, uma vez mais, fornecesse motivos aos adversários. Na noite de 30 de março, consegui um lugar nas últimas fileiras do auditório do Automóvel Clube, na Rua do Passeio, para acompanhar a chegada de Goulart a uma assembleia dos sargentos do Exército, Marinha e Polícias Militares, claro que os mais exaltados. Estavam iludidos com o que imaginavam a iminência de todas as reformas pelo uso da força. Sucederam-se discursos pela quebra da hierarquia nas forças armadas, através de direitos que seriam concedidos aos subalternos, em oposição à oficialidade. Tancredo Neves e, singularmente, Tenório Cavalcanti aconselharam Jango a não ir. O primeiro chegou a vaticinar que, se comparecesse, logo seria deposto.

Durante todo aquele dia, ficou ao seu lado um dos maiores jornalistas da época, Antônio Callado, do *Correio da Manhã*, uma deferência proporcionada pelo secretário de Imprensa, Raul Riff. Ambos formavam na esquerda consciente, mas incapazes de remar contra a maré dos sindicalistas reunidos no Comando Geral dos Trabalhadores, filiados ao Partido Comunista. Os líderes operários impulsionavam Jango para a ilusória aventura socialista.

Transmitidas pelo rádio, as palavras do presidente eriçaram ainda mais os chefes militares e a maioria da oficialidade, já que ele solidarizava-se com os sargentos na pregação de uma nova ordem castrense.

Um doido do outro lado

Foi a gota d'água. Em Juiz de Fora, depois de ouvir o discurso de João Goulart, na noite de 30 para a madrugada de 31, um general afobado e meio doido botou a tropa na rua. Mourão Filho fora, como capitão, chefe do serviço secreto da Ação Integralista Brasileira. Preparara o Plano Cohen como exercício de aula, texto então confiscado, no Estado-Maior do Exército, pelo general Góes Monteiro, documento aceito por Getúlio Vargas como justificativa para o golpe fascista do Estado Novo, em novembro de 1937. Era uma peça de ficção, que imaginava como os comunistas tomariam o poder e poderiam ser repelidos, mas que foi tido como verdadeiro pela imprensa da época.

Na manhã de 31 nem imaginávamos, em *O Globo*, que tropa armada já descia a rodovia União-Indústria, rumo ao Rio, para depor João Goulart. Não conseguiriam, pela precipitação e pelo açodamento. Tanto que, quando Mourão telefonou para Castello Branco, no Rio, anunciando a aventura, o então chefe do Estado-Maior do Exército exasperou-se, mandando que o colega voltasse com os soldados para o quartel. A ordem não foi cumprida.

O resto é história. Farta literatura circula a respeito. Vale referir, porém, que, desde a manhã do dia 31, Roberto Marinho estava informado de tudo, mantendo segredo até de seus irmãos, quanto mais da redação. No meio da tarde, a secretária do patrão, D. Ligia, minha amiga, confidenciar-me-ia: "Preste atenção ao que está acontecendo em Juiz de Fora. É uma rebelião militar."

Não acreditei, imaginando apenas uma quartelada, mas os boatos começavam a circular. Lembro-me de que a maioria da redação agrupou-se em torno de um aparelho de rádio de razoável potência, buscando ouvir as emissoras da Manchester Mineira. De lá chegava a transmissão de marchas militares e de eufóricas manifestações de locutores locais, que rotulavam Juiz de Fora como "a capital revolucionária do Brasil". Logo as estações de rádio de Belo Horizonte adotariam a mesma linguagem, só que atribuindo ao governador Magalhães Pinto a liderança do movimento.

A madrugada foi plena de incertezas. Sabíamos apenas que Jango mobilizara tropas da Vila Militar para subir a serra de Petrópolis e enfrentar os revoltosos. Fui em casa para poucas horas de descanso. Sabia que a edição de *O Globo* circularia dando conta, na primeira página, apenas de um movimento militar em Minas. Quanta coisa se tinha passado — no palácio Laranjeiras, na fronteira entre Minas e o estado do Rio e no resto do Brasil — que estávamos ignorando... Menos Roberto Marinho, informado passo a passo, pelo telefone, das incertezas da rebelião. Pouco depois da meia-noite do dia 31, já não mais se encontrava em seu gabinete. Refugiara-se num apartamento próximo à embaixada da Espanha. Caso o golpe fracassasse, daria alguns passos para o asilo político. Só que não fracassou.

Espiões

Bem cedo, às seis da manhã, no primeiro dia de abril, eu entrava no corredor externo que precedia a portaria de *O Globo* quando cruzaram alguns fuzileiros navais, à frente o almirante Cândido Aragão, que conhecia de fotos e de uma entrevista bissexta. Cumprimentei-o com a cabeça, sem saber o que fazia ali. Subindo para a redação, fui informado de que havia determinado ao secretário de redação, Lucídio de Castro, então no comando do jornal, que *O Globo* estava proibido de circular, naquele dia e nos seguintes, por integrar a conspiração para derrubar o governo. Chegou a dizer que o jornal só iria para a rua "se São Paulo vencesse". Já se tinha notícia da adesão do general Amaury Kruel, do II Exército, aos revolucionários. Lucídio, excepcional fazedor de jornais, esquerdista de fé, completara: "Então, espero que São Paulo não vença."

Naqueles dias, como antes e ainda hoje, as redações eram cheias de esbirros dos patrões, jornalistas medíocres que mantinham e mantêm seus empregos espionando os colegas e denunciando-os por inclinações políticas. Passado o período de incertezas, e com a vitória do golpe, Lucídio foi denunciado por algum desses abjetos seres humanos e afastado da função. Registre-se que Roberto Marinho teve a dignidade de mantê-lo em casa, recebendo o salário a que fazia jus por mais de vinte anos de serviços prestados. Até morrer.

No dia 2, o movimento militar estava vitorioso em todo o país. Saí à cata de notícias, como sempre, concluindo, num artigo, que, se Ranieri Mazzilli era o presidente da República, com Jango no exílio, o poder passaria ao controle do PSD. Nada mais errado e perigoso, pois a maioria dos generais conspiradores inclinava-se pela UDN, o partido que jamais chegara ao poder pelo voto. Logo Roberto Marinho, de novo em seu gabinete, recebeu protestos dos chefes militares no exercício do comando nacional: daquela vez, não devolveriam o governo aos civis. Tratariam de extirpar "a subversão e a corrupção". Formaram o Comando Supremo da Revolução, no Rio, com o general Costa e Silva, o almirante Augusto Rademaker e o brigadeiro Francisco de Assis Correia de Mello. Mazzilli, em Brasília, era apenas um marionete da Junta.

Encontraram uma guerra

A ebulição continuava. No ambiente militar, os vitoriosos temiam algum contra-ataque das forças invisíveis do general Assis Brasil, apelidadas depois de "Conceição", aquela que, se subiu, ninguém sabe, ninguém viu. Os dois dias cruciais da batalha que não houve foram terça e quarta daquela semana fatídica. Vale recordar alguns episódios.

No dia 1º, quando Jango fugiu do Rio, passou por Brasília e seguiu para o Rio Grande, regurgitava a Escola de Comando e Estado-

A DITADURA MILITAR E OS GOLPES DENTRO DO GOLPE: 1964-1969

Maior do Exército, na Praia Vermelha. O corpo de alunos, coronéis e majores, depois de alguns expurgos, era todo golpista, sob a chefia do comandante, general Jurandir Mamede. Haviam garantido a segurança do general Castello Branco, na véspera, no prédio do antigo Ministério da Guerra. Mas, no dia seguinte, ficaram indóceis, quando ouviram dizer que o Forte de Copacabana continuava leal a João Goulart. Não era verdade. Só o Quartel da Artilharia de Costa, ao lado, permanecia indeciso. Nesses arroubos de juventude ultrapassada, decidiram-se pela invasão.

Apesar de redator político de *O Globo*, aumentava meu salário fazendo comentários noturnos na TV-Rio, localizada defronte ao quartel, no Posto Seis, em Copacabana. Recebi, então, telefonema do veterano jornalista Flavio Cavalcanti, diretor da emissora e golpista. Pedia-me que fosse até lá. Fui, informando-me de que um grupo de combate da Escola de Comando preparava-se para invadir as instalações pretensamente janguistas. Naquele tempo, as câmeras de televisão eram imensas e andavam sobre rodinhas, nos estúdios. Era impossível filmar a suposta invasão, a menos que uma câmera ficasse bem em frente. A parede, contudo, impedia qualquer visão. Flávio não teve dúvida. Chamou alguns auxiliares, com marretas na mão, que abriram um buraco na parede. Logo chegaram os alunos assaltantes, em roupas civis, em carros particulares, comandados pelo coronel Cesar Montagna, um velho de bigodes e cabelos brancos, que tomou a iniciativa do ataque. Tudo transmitido ao vivo pela *TV-Rio*, que já se incorporara ao golpe. O coronel aproximou-se da sentinela, um menino apavorado, de dezenove anos, e lhe desferiu uma bofetada. O contingente avançou. Lá dentro, apenas um sargento, dois tiros e um ferido leve, porque o general comandante saíra há muito. Euforia, gritos de vitória e a celebração pela conquista da Artilharia de Costa...

2
A longa noite começa com o crepúsculo

O povo continua o povo

Engana-se quem, quase cinquenta anos depois, imagina o país inteiro vitimado e oprimido pelo golpe militar. Claro que as Forças Armadas atropelaram a Constituição, as leis e as ilusões de quantos imaginavam o Brasil uma democracia. Frustraram-se, em especial, aqueles que supunham caminhar o mundo para o socialismo. A vida, no entanto, continuou a mesma, para a imensa maioria, naqueles primeiros meses depois do golpe. A população aceitou a queda do governo João Goulart como mais um capítulo de nossa conturbada crônica política. A classe média, com exceções, até saudou o movimento de 31 de março como um basta na confusão antes reinante — de greves, paralisações, inflação desenfreada e quebra da autoridade pública.

Passeatas encheram ruas e avenidas, a começar pelas motorizadas, ou seja, dos mais bem aquinhoados, os que possuíam carro. Queimaram a sede da União Nacional dos Estudantes e as instalações do jornal *Última Hora*. A Marcha da Família com Deus e pela Liberdade, aliás, levara um milhão de pessoas às ruas de São Paulo, pouco antes do golpe. No Rio, nos primeiros dias de abril, foi a mesma coisa, só que com sentido de vitória para as dondocas que desfilavam de salto alto, com joias, no meio de freiras e mocinhas de colégios religiosos. As elites comandavam o espetáculo e contavam com a completa adesão dos meios de comunicação. E as massas, fora certas lideranças sindicais, mantiveram-se como em tantos outros episódios, a começar pelo suicídio de Getúlio Vargas: amorfas e insossas, acomodadas enquanto não lhes fosse apresentada a conta do congelamento de salários e da supressão dos direitos trabalhistas, algo que demoraria um pouco.

A escolha do general Castello Branco para completar, constitucionalmente, o mandato que fora de Jânio e de Jango expôs a primeira fissura no movimento militar. Porque, se dependesse do Comando Supremo da Revolução, com o general Costa e Silva à frente, as coisas ficariam como postas e impostas: Ranieri Mazzilli na Presidência da República, em Brasília, sem nenhum poder, e os três comandantes das forças, no Rio, tomando as medidas de exceção que bem entendessem. Nos primeiros dias, a Junta Militar expediu uma lista dos brasileiros mais procurados do regime deposto: Leonel Brizola, Luís Carlos Prestes, João Goulart, Darcy Ribeiro, Francisco Julião, Raul Riff, Samuel Wainer e muitos mais. A maioria ganhou o exílio, asilando-se em embaixadas de países socialistas, ou manteve-se na clandestinidade.

A confusão generalizava-se e logo vieram as primeiras críticas da imprensa de países como França, Inglaterra, México, Venezuela e até Estados Unidos, apesar de o então presidente Lyndon Johnson haver reconhecido a posse de Mazzilli enquanto João Goulart ainda se encontrava em Porto Alegre. Nos dois dias em que a situação permanecia incerta, os americanos prepararam uma frota naval para ajudar os rebelados brasileiros, caso necessário. Fuzileiros e porta-aviões, munições e petróleo chegaram a sair das bases do Caribe no rumo

A DITADURA MILITAR E OS GOLPES DENTRO DO GOLPE: 1964-1969

do litoral do Nordeste. Voltaram, informados de que o golpe vencera. Dias depois, no entanto, a imprensa liberal de Washington, Nova York e Los Angeles começou a protestar diante do que chamavam de quartelada, mesmo se para combater o comunismo. Aqui, os generais brasileiros intelectualizados, com passagem pela "Sorbonne", a Escola Superior de Guerra, primeiros a conspirar contra Jango, sentiam-se garfados pelos que haviam tomado o poder. Assim, conseguiram convencer a imprensa, inclusive *O Globo*, de que a situação precisava institucionalizar-se. Que se cumprisse a Constituição. Portanto, para completar o período — do mandato que fora de Jânio, que passara a Jango e que então estava com Mazzilli, presidente da Câmara —, deveriam ser realizadas eleições pelo Congresso. E logo surgiu o nome do general Castello Branco. Enquanto isso, contudo, a Junta agia. Foram buscar o jurista Francisco Campos, já velhinho, autor da Constituição fascista de 1937, que preparou a justificativa do golpe. Num texto primoroso mas diabólico, preâmbulo de artigos que negavam a própria Carta, criou o Poder Constituinte Revolucionário, acima do Originário, das assembleias constituintes, e do Derivado, devido ao Congresso. Era o direito da força, que estabelecia não ser a revolução legitimada pelo Congresso, mas, ao contrário, o Congresso legitimado pela revolução, com a prerrogativa de extirpar-lhe os parlamentares adversários, ditos subversivos. Começaram as cassações de mandatos, em massa, coisa que os intelectualizados até aplaudiram, pois ficariam, quando depois investidos no poder, livres da abominável tarefa. Enganaram-se.

Costa e Silva não concordou, mas engoliu, e, pelo Ato Institucional de Francisco Campos, marcou-se data para o Congresso "eleger" Castello Branco. Promovido a marechal, por transferir-se à reserva, imaginou-se candidato de verdade, e até buscou apoio junto às forças políticas. Encontrou-se com a cúpula do PSD, o maior partido nacional, na residência do deputado Joaquim Ramos, em Copacabana, com a presença de Amaral Peixoto, José Maria Alkimin, Negrão de Lima,

Martins Rodrigues e até Juscelino Kubitschek. Comprometeram-se todos a votar nele, tendo JK manifestado a única preocupação sobre se, em outubro de 1965, teríamos de fato eleições diretas para presidente. Castello deu-lhe a palavra.

Na redação de *O Globo*, conseguíamos colher detalhes do que ocorria nos bastidores, e a eleição pelo Congresso foi saudada como a saída institucional para a crise.

No governo, Castello precisou nomear Costa e Silva seu ministro da Guerra. Afinal, ele detinha a força e os tanques.

O novo presidente escolheu um jornalista para secretário de Imprensa, José Wamberto, do *Diário de Notícias*, integrante do grupo de repórteres que se reunia todos os dias no Palácio Monroe, o "senadinho". O colega logo procurou aproximar-nos de Castello, que, com frequência, recebia-nos no Laranjeiras ou nos mandava chamar a Brasília para conversas informais. Tinha boas intenções no plano político, ainda que, na economia, através de Roberto Campos, feito ministro do Planejamento, começasse a desmontar as estruturas semissocialistas de João Goulart. Foram revogadas as reformas de base, devolvidas as empresas desapropriadas a seus acionistas, bem como mandada para o espaço a lei de remessa de lucros. Congelou-se o salário-família e extinguiu-se a lei de estabilidade e garantia de emprego. Até então, depois que completasse dez anos na mesma empresa, o trabalhador não podia ser demitido, a não ser por motivo justo. Congelaram-se também os salários e proibiu-se o direito de greve.

Seguiram-se dois atos de violência: Castello prorrogou seu próprio mandato por mais um ano, através de emenda constitucional imposta ao Congresso, sob o pretexto de que a revolução se tornava impopular por conta de iniciativas de sacrifício impostas à população; e Juscelino Kubitschek teve seu mandato de senador cassado, por pressão de Costa e Silva e dos radicais. E de Carlos Lacerda.

Na noite da cassação, fui ao apartamento do ex-presidente, lotado de amigos e correligionários. Era em Ipanema, na praia, diante do qual, nas calçadas, formavam-se dois grupos distintos. Um que aplaudia JK e o estimulava. Outro, de lacerdistas, que o vaiava. Quem chefiou os que expulsaram os lacerdistas — no soco — foi Negrão de Lima, já com mais de sessenta anos.

Na tarde seguinte, José Wamberto nos avisaria, de Brasília, que Castello Branco estava chegando ao Rio, na parte militar do aeroporto Santos-Dumont, e gostaria de nos dar uma palavra. Fomos, o mesmo grupo que escrevia sobre política: Villas-Boas Corrêa, do *Estado de S. Paulo*, Heráclio Salles, do *Jornal do Brasil*, Oyama Telles, do *Correio da Manhã*, e eu. O presidente foi rápido. Disse apenas que aquele gesto, o de cassar JK, não deveria ser interpretado como sua adesão à outra candidatura presidencial que se delineava, a de Carlos Lacerda. Só com o tempo entendemos que o regime militar era então já implantado para muitos anos. No total, 21.

O presidente era admirador de Lacerda, ainda governador da Guanabara, mas já se ressentia das estocadas que o jornalista dava em Roberto Campos e em sua política econômica recessiva. Lacerda sabia que, daquele jeito, não ganharia eleição alguma, mesmo com Juscelino truculentamente afastado. As relações entre o governador e o presidente deterioraram-se tanto, depois de cartas e entrevistas trocadas, que Lacerda não conteve seu ímpeto verbal e, pelos jornais, chamou Castello de "napoleanão", suprema agressão, pois o presidente media menos de um metro e sessenta. No mesmo período, escreveu que Castello era "o anjo da rua Conde Laje", referência às casas de prostituição da Lapa, onde moças alegres vendiam o corpo mas mantinham na sala uma vela acesa embaixo de estampas de anjos e santos. Mais tarde, no auge da crise entre ambos, o governador acrescentaria que o anjo descera da parede e agora confraternizava e mesmo integrava o time das "meninas".

As conversas informais com o presidente continuavam, quase todos os meses, para horror de seu chefe do Gabinete Militar, general Ernesto Geisel, para quem a imprensa deveria ser apartada

Castello, por sua vez, garantia, sempre, que as eleições diretas seriam realizadas — questão de honra para ele: as presidenciais tinham sido adiadas para 1966, mas as de governador aconteceriam em 1965.

Num outro dos múltiplos encontros com o presidente, num sábado à tarde, fomos avisados de que não deveríamos perguntar sobre política, apenas aguardar uma comunicação pessoal. Castello chegou com cenho mais carregado do que de costume e pediu-nos que em nossas colunas ou, de preferência, nas páginas sociais, de amenidades, encontrássemos uma forma de dizer que o casamento era uma página virada em sua vida. Viúvo há poucos anos da mulher que venerava, D. Argentina, não pensava em nova união. E foi só. Antes de sair, perguntei a José Wamberto o que queria dizer aquela declaração. Veio a explicação: o presidente nomeara, meses antes, a deputada Sandra Cavalcanti como presidente do Banco Nacional de Habitação, ponto de partida para os boatos que, com ou sem a participação dela, fervilhavam no Rio de Janeiro de então, e que davam conta até de um casamento do suposto casal. Sem querer magoar a assessora, mas disposto a interromper especulações tão despropositadas, Castello apelava a jornalistas em quem confiava. Passei a informação ao meu colega Ibrahim Sued, colunista social de *O Globo*, que a aproveitou.

O economista alemão

Sobre a passagem de Sandra Cavalcanti pelo governo, ainda uma lembrança. Ela fora indicada por Carlos Lacerda, nos tempos em que o governador carioca andava de bem com Castello. Mas seu projeto era essencialmente social e utilizava os recursos do recém-criado Fundo de Garantia por Tempo de Serviço para construir e financiar casas para os trabalhadores. Caminhava bem, até que Roberto Campos discordou. Para ele, os governos não deveriam distinguir ricos e pobres, e, assim, o FGTS precisaria beneficiar também a classe média e as elites. Sandra protestou, mas Campos já funcionava como uma espécie de primeiro-ministro. Pressionava e mantinha a chave do cofre, além de fascinar o presidente por sua inteligência e seus comentários.

O confronto chegara ao estágio em que não havia retorno, e Sandra pediu a Castello uma reunião com a presença do ministro do Planejamento. Ela conta que se esmerou no visual, usando até luvas e chapéu. Diante dos dois, começou a criticar Roberto Campos por sua insensibilidade social e ousou fazer restrições à escola liberal econômica. Citou que, na nova economia, prevalecia a corrente do economista alemão Von Rumanchaut, que sustentava investimentos sociais como solução para as crises políticas. Nesse momento, com arrogância explícita, o ministro cortou-lhe a palavra e, dirigindo-se a Castello, declarou: "Ora presidente, eu já li toda a obra desse alemão e posso garantir que está ultrapassada." Sandra, então, levantou-se, calçou as luvas e apenas pediu ao presidente que aceitasse sua demissão, em caráter irrevogável. E explicou: "Presidente, eu inventei agora, neste momento, a figura inexistente desse economista alemão, e o seu ministro do Planejamento acaba de dizer que já leu toda a obra dele..."

Conversas

Todos os dias eu redigia a coluna já então intitulada "Política" e abria espaços para deputados e senadores governistas tanto quanto para os que ousavam opor-se ao Palácio do Planalto, mesmo que discretamente. Foi quando me tornei confidente e amigo do senador Daniel Krieger, da UDN. Voltei também a cultivar informações de Tancredo Neves, Amaral Peixoto e José Maria Alkimin, entre outros.

Passei, ao mesmo tempo, sempre aos domingos, a conversar com Ademar de Barros, governador de São Paulo, que passava os fins de semana no Rio, no apartamento da companheira, Ana Gimol Capriglione. Quando marcava os encontros para segunda-feira de manhã, muitas vezes tinha pouco tempo, pois voltava ao aeroporto bem cedo para voar a São Paulo. Assim, perguntava se eu estava com o "carrinho", meu primeiro Volkswagen, no qual íamos, discutindo política, até o Santos-Dumont, seguidos pelo seu Mercedes. Era uma operação difícil para Ademar, entrar e sair do carro, dado o volume de sua barriga.

Político ameno e de grande cultura, transmitia imagem oposta à opinião pública e à imprensa. Naquele tempo, porém, apoiava Castello Branco e o golpe, que sem ele poderia ter malogrado.

Castello Branco, antes da posse

Luís Viana Filho, primeiro biógrafo do presidente Castello Branco, seu chefe da Casa Civil, escreveu que o marechal nascera "nos alvores do século". Foi uma forma elegante e uma prova de amizade e dedicação, essa de omitir o ano real do nascimento de Castello, 1897. Afinal, como muitos de seus companheiros de bancos escolares castrenses, nosso personagem era "gato", ou seja, tinha ultrapassado a idade-limite para ingressar no Colégio Militar de Porto Alegre, ao qual chegaria declarando, através de uma nova certidão de nascimento, contar doze anos, quando, na realidade, já alcançara os quinze. Claro que o deslize não se lhe deveu, mas a seu pai, o coronel Cândido Borges Castello Branco. O fato era corriqueiro àquela época, e o mesmo ocorrera, por exemplo, com o também marechal e igualmente futuro presidente da República, Arthur da Costa e Silva.

Nascido em Fortaleza, onde morava sua família, transferida depois para Messejana, Castello viajou sozinho num "Ita" do Loid Brasileiro até a capital gaúcha. Passando para a Escola Militar do

Realengo, no Rio, foi declarado aspirante em 1920. Teve como um de seus instrutores o tenente Henrique Lott, com quem não se deu bem, pela rigidez excessiva com que ministrava as aulas. Não foi dos primeiros colocados em sua turma. Se era bom aluno nas matérias teóricas, sua baixa estatura o prejudicava nos exercícios físicos, advindo daí, segundo seus críticos, uma espécie de vaidade intelectual que, se não deixou de ajudá-lo, também o prejudicou no relacionamento com os companheiros.

Casou-se com Argentina Viana em 1921, em Belo Horizonte, para onde foi designado como segundo-tenente para servir no 12º Regimento de Infantaria. Conhecera a noiva em viagem anterior, de férias, à capital mineira. Não participou do primeiro movimento tenentista, em 1922, mas, em 1924, durante a primeira revolução de São Paulo, quando já servia no Rio, foi hóspede da repressão durante dois meses, a bordo do navio-prisão *Cuiabá*, fundeado na baía de Guanabara. Libertado, cursou a Escola de Estado-Maior do Exército, obtendo inclusive o certificado de piloto da aviação militar.

A Força Aérea Brasileira ainda não existia e a aviação dividia-se entre o Exército e a Marinha. Castello tornou-se o primeiro colocado de sua turma e, por isso, indicado para servir junto à Missão Militar Francesa, encarregada de renovar o Exército. Não participou da revolução de 1930 nem da segunda revolução de São Paulo, em 1932.

No ano de 1933 publicou vários artigos na *Gazeta do Rio*, que assinou como "coronel Y" e nos quais sustentou a desvinculação dos militares da política. Tinham todo o direito de se candidatar, mas — defendia — deveriam desligar-se das Forças Armadas para tanto. Conseguiria, em 1936, classificar-se para cursar a Escola Superior de Guerra Francesa. Em Paris, portanto, ao longo de 1937, tomaria contato com a literatura e com as artes, além, é claro, de graduar-se em estrátegia e tática de infantaria do exército francês. De volta ao Brasil, um ano depois, já como major, seria instrutor da Escola de Estado-Maior do Exército, no Rio.

Castello apresentou-se como voluntário para integrar a Força Expedicionária Brasileira e seguiu para a Itália. Lá, como subchefe de Operações, foi condecorado com a maior medalha concedida pelo exército americano a oficiais estrangeiros. Tenente-coronel, porém, seria acusado por seu chefe imediato, o coronel Floriano de Lima Brayner, de responsável por 145 baixas brasileiras num dos assaltos iniciais ao Monte Castelo. Decorreu dali seu rompimento com um de seus maiores amigos, o também tenente-coronel Amaury Kruel, colega de turma e na ocasião subchefe de Informações, que chegou a agredi-lo com um murro. Estará na Europa quando da queda de Getúlio Vargas, em 29 de outubro de 1945, o que não o impediria de remeter, da Itália, muitas cartas à mulher, nas quais opinava pelo fim da ditadura do Estado Novo no Brasil.

Sempre muito ligado ao marechal Mascarenhas de Moraes, antigo comandante-geral da FEB, em 1952 foi promovido a general de brigada e continuou como instrutor na Escola de Comando e Estado-Maior do Exército, que irá comandar. Em novembro de 1955, ficará com o ministro da Guerra, general Henrique Lott, no Movimento de Retorno aos Quadros Constitucionais Vigentes, que garantiu a posse do presidente-eleito, Juscelino Kubitschek. Já então militante do anticomunismo, terminará por situar-se contra o antigo instrutor, no episódio em que as forças sindicais presentearam o ministro da Guerra com uma espada de ouro.

Em 1958, deixou vazar para *O Globo* carta escrita a um amigo, em que critica a influência política no Exército e a Frente de Novembro, movimento de oficiais nacionalistas. Como consequência, seria mandado "para o exílio", como Comandante Militar da Amazônia, a 8ª Região Militar, então com sede em Belém. Lá se posicionará contra o golpe de Aragarças, promovido por alguns oficiais da Aeronáutica. Dirá que "o Brasil não quer quarteladas". De volta ao Rio, encabeçando a chapa intitulada Cruzada Democrática, disputou a presidência do Clube Militar, derrotado pelo grupo nacionalista cujo candidato era o general Justino Alves Bastos. Em carta ao filho, denunciou a corrupção naquelas eleições setoriais. Foi repreendido pelo ministro Henrique Lott por haver afirmado que "o Rio de Janeiro estava de costas para a 8ª Região Militar".

Encontrava-se no limite de ser mandado à reserva caso não fosse promovido — o que consegue por influência de Augusto Frederico Schmidt, seu amigo, junto ao então presidente Juscelino Kubitschek. Tornou-se comandante da Escola Superior de Guerra, que ajudara a fundar. A renúncia de Jânio Quadros levou-o a não ficar com o ministro Odílio Denis na tentativa do golpe para impedir a posse de João Goulart. Manifestou apenas a opinião de que o estabelecimento do parlamentarismo seria a solução para enfrentar a crise momentânea, mas que a grave crise nacional continuaria.

Em julho de 1962 foi promovido a general de exército pelo presidente João Goulart, sendo ironicamente ministro da Guerra seu ex-amigo e agora desafeto, o general Amaury Kruel. Designado para comandar o IV Exército, em Recife, substituiu o general Costa e Silva, que se incompatibilizara com o presidente da República. Ao dar respaldo a seu subordinado, o general Antônio Carlos Murici, agredido verbalmente por Leonel Brizola, acabaria substituído no comando. O então ministro Jair Dantas Ribeiro convocou-o para chefiar o Estado-Maior do Exército, função que aceitaria, como escreveu ao superior, "se o EME não for um marginal nos lances decisivos da vida do Exército".

Estamos no final de 1963, e, a partir de então, as posições do general Castello Branco se chocarão mais e mais contra o governo constituído. Seria então procurado por conspiradores como Golbery do Couto e Silva e os deputados Bilac Pinto e Aliomar Baleeiro, com os quais estabeleceu entendimentos permanentes. Declarou-lhes, em fevereiro de 1964, que "as Forças Armadas não apoiariam qualquer movimento que concedesse a João Goulart poderes ditatoriais, mas não acolheriam atentados que ferissem as atribuições dadas ao presidente pela Constituição". Mudaria de opinião com o comício do dia 13 de março, na Central do Brasil, em decorrência do qual redigiu carta reservada aos generais sob seu comando, em que acentuava que as Forças Armadas não são milícia e que deveriam opor-se à proclamação da República Sindicalista do Brasil. Daí à conspiração e à queda de João Goulart, já relatadas, seria um pulo. Vale, porém, examinar a atuação do então general Castello Branco após a vitória do movimento militar.

"Binômio": a primeira vítima

Na tarde do dia 31 de março de 1964, só os mentirosos ou os loucos poderiam dizer que o movimento militar já estava vitorioso. As tropas legalistas ainda subiam a serra de Petrópolis, os soldados do general Mourão cavavam trincheiras numa das margens do rio Paraibuna, o general Kruel não se tinha definido em São Paulo e as previsões eram de batalhas tão demoradas quanto sangrentas.

Apesar disso, em Belo Horizonte, registrava-se o primeiro triunfo do obscurantismo. Policiais civis, militares e oficiais do Exército invadiram a sede do *Binômio*. Não era a primeira vez, desde a fundação do semanário alternativo, desaforado e desabrido que, por mais de dez anos, fora a coqueluche da classe média mineira, que acompanhava com prazer especial a vida privada dos políticos, dos empresários e do *society* ser exposta em suas páginas. E não apenas a vida sexual ou eventualmente escandalosa, mas também aquela povoada de negociatas e atos de corrupção.

Fundado em fevereiro de 1952 por dois estudantes, José Maria Rabello e Euro Arantes, *Binômio* foi o predecessor de muitos pasquins, inclusive o próprio, que tanto sucesso faria algum tempo depois, no Rio. O jornal se apresentava como "aquele que virou Minas de cabeça para baixo". Ao todo, 508 números foram editados na capital mineira, e 293, em Juiz de Fora.

A DITADURA MILITAR E OS GOLPES DENTRO DO GOLPE: 1964-1969

Em 1961, *Binômio* fora invadido por uma centena de soldados, sargentos e oficiais do Exército e da Aeronáutica, chefiados pelo general Punaro Bley, então comandante da ID-4 (Infantaria Divisionária-4). Aquele oficial, nos idos da década de 1950, era tenente-interventor no Espírito Santo, e o jornal publicara uma coletânea de suas arbitrariedades. No dia da invasão, a redação foi totalmente empastelada, com máquinas de escrever e arquivos jogados pela janela do Edifício Acaiaca, no centro de Belo horizonte, onde funcionava. Na ocasião, chegou a haver desforço físico entre o general e José Maria Rabello.

Os fundadores de *Binômio* — nome escolhido para azucrinar o então governador Juscelino Kubitschek, cujo lema era "Energia e Transporte" — dividiram em três fases a história do periódico. Na primeira, de 1952 a 1956, uma publicação de amadores, ainda que profissionalmente muito bem-feita, centrada em críticas e em molecagens contra JK, que aceitava esportivamente as espinafrações. Uma de suas manchetes definiria esse período: "Juscelino foi a Araxá e levou Rolla". A menção era a uma viagem do governador àquela estância hidromineral, acompanhado de Joaquim Rolla, um dos papas do turismo nacional. Houve também uma série de reportagens intituladas "A história secreta dos amores do Nonô", apelido familiar de Juscelino. Outra: "JK continua a viajar intensamente pelo interior, comendo as poeiras loiras das estradas e as negras do asfalto". Ainda uma, igualmente irreverente: "Cabelo no centro das donas de casa!" No caso, a notícia da visita que o diretor da COFAP, Benjamin Cabello, fizera à Associação das Donas de Casa de Minas Gerais...

A segunda fase, de 1956 a 1960, consistiu em denúncias mais administrativas e menos hilariantes contra o então governador Bias Fortes, período marcado por tentativas de o governo mineiro estrangular economicamente o jornal, já um sucesso tanto editorial quanto quase financeiro, no entanto compensadas pela adesão dos maiores nomes do jornalismo mineiro e carioca. De Paulo Mendes Campos a Rubem Braga, Guy de Almeida, Dauro Mendes, Newton

Carlos, Mauro Santayanna, Fernando Gabeira, Júnia Marise, Fernando Sabino, Sergio Porto e muitos outros.

A terceira fase, chamada de doutrinária, levou *Binômio* à extrema esquerda, uma espécie de evolução ou exposição ideológica de José Maria Rabello, período em que se destacaram denúncias sobre a importação ilegal de armas pelos conspiradores de 1964 e uma série sobre "quem são os inimigos do povo", com relevo para o IPES, o IBAD, o MAC e suas estripulias. Registre-se também uma reportagem que honrou o jornalismo brasileiro, de Roberto Drummond, a respeito do tráfico de famílias nordestinas para trabalhar como escravos em algumas fazendas mineiras.

Com o conhecimento e talvez o beneplácito do governador Magalhães Pinto, *Binômio* foi fechado no dia em que o movimento militar ganhou as ruas. José Maria Rabello acabou exilado na Europa, aonde chegou sem dinheiro e comeu o pão que o diabo amassou, com a mulher e seus onze filhos. Terminou sócio do então exilado português Mário Soares numa livraria à Rue des Écoles, no centro da Sorbonne, ponto de reunião de quantos se encontrassem, contra ou a favor da própria vontade, na capital francesa. Em 1978, tive o prazer de pronunciar, no auditório situado no porão da livraria, palestra sobre a realidade brasileira, lembrando-me que, entre outros, lá estavam D. Niomar Moniz Sodré e Alfredo Sirkis.

Fazer o que, diante do fato consumado?

Caracterizada a derrota, melhor seria dizer, a dissolução do governo João Goulart, já na noite do dia 1º de abril, e diante de um clima tanto de perplexidade quanto de confusão e de euforia, o general Castello Branco e seu "estado-maior informal e revolucionário" deslocam-se para o gabinete da chefia do Estado-Maior do Exército, no sexto andar do Ministério da Guerra. Três andares acima, Costa e Silva já se antecipara, declarando-se comandante em chefe do Exército, como o general mais antigo, e anunciando a formação do Comando Supremo da Revolução, integrado por ele, pelo almirante Augusto Rademaker, da Marinha, e pelo brigadeiro Francisco de Assis Correia de Melo, da Aeronáutica.

Naquele primeiro dia de abril, o vice-almirante Augusto Rademaker havia "tomado" a Marinha, dado estar o ministério abandonado. Assumiu a chefia da Força e o cargo de ministro tanto por audácia quanto por decisão posterior do almirantado, mesmo frente a três almirantes de esquadra e de cinco vice-almirantes mais antigos. Costa e Silva espantou-se quando o recebeu em seu gabinete; o mesmo aconteceu a Castello Branco, visitado logo a seguir. Em depoimento a John W. Foster Dulles, em 1976, para o livro *Castello Branco — a caminho da Presidência*, Rademaker comentaria: "Era fácil compreender o ponto de vista [a perplexidade] de Castello e Costa e Silva, porque os dois não haviam desempenhado papel algum da revolução..."

Na Aeronáutica, o Conselho de Brigadeiros optou pelo seu integrante mais antigo, Francisco de Assis Correia de Mello, já encanecido e certamente sem lembrar muito dos tempos em que, jovem tenente, era chamado de "Mello Maluco", acostumado a passar com seu teco-teco embaixo de pontes e bem rente às praias do litoral carioca.

Ainda conforme o noticiário dos principais jornais, que tentavam reconstituir as primeiras horas do novo regime, Castello teria declarado a seus companheiros que sua missão terminara. Foi contraditado pelos generais Adhemar de Queirós e Golbery do Couto e Silva, para os quais "a missão agora é que estava começando". Haviam sido surpreendidos pela rapidez com que Costa e Silva dominara a situação, apoiado principalmente pelos coronéis Jaime Portela de Mello e Mario Andreazza. Castello, então, resolveu agir taticamente, sem dar o braço a torcer. Não lhe restava senão apoiar o companheiro dos primeiros bancos escolares e sempre mais bem colocado do que ele, porque, no Exército, antiguidade parece mais do que posto.

Castello reconhecia e compreendia a situação de fato, e assim fez chegar de manhã aos repórteres credenciados no Ministério da Guerra ter sido dele a sugestão para que Costa e Silva assumisse o comando do Exército.

Registrava-se alguma apreensão ante os acontecimentos ainda inconclusos no Rio Grande do Sul, só definidos no correr do dia 2 de abril, com a fuga de João Goulart para uma de suas fazendas no interior gaúcho, e depois para o Uruguai, e o ingresso na clandestinidade do deputado Leonel Brizola.

As marchadeiras

No Rio, estava marcada, havia várias semanas, a "Marcha da família com Deus pela liberdade", cuja versão paulista se realizara, com sucesso, antes da queda do governo João Goulart. A principal entidade organizadora carioca era a CAMDE (Campanha da Mulher pela Democracia), presidida por uma das "locomotivas" da sociedade local, D. Amelinha Bastos. A CAMDE recebia subsídios e orientação política do IPES (Instituto de Pesquisas e Estudos Sociais), gerido pelo general Golbery do Couto c Silva, e já fora sensibilizada para integrar-se à candidatura do general Castello Branco. Mesmo assim, quando um dos auxiliares do chefe do Estado-Maior do Exército telefonou para D. Amelinha, na noite do primeiro dia de abril, ponderando que a situação não estava definida e que, por questões de segurança, seria preferível adiar a manifestação, ela reagiu: "Digam ao Castello para não interferir na minha marcha, porque ela vai para a rua amanhã!"

E assim foi. E com sucesso, reunindo mais de cem mil pessoas, que desfilaram pela avenida Rio Branco, saindo da Candelária e chegando ao Obelisco. Milhares de mulheres da classe média, sem faltar muitas da elite, marcharam, com terços, cartazes e faixas nas mãos, entoando slogans religiosos e anticomunistas. Padres e freiras, havia em profusão, bem como políticos. Até o ex-presidente Eurico Dutra compareceu, segundo alguns já em campanha para tornar-se de novo presidente da República, apesar de seus 78 anos. A televisão e o rádio cobriram o evento, que de resto, no dia 3, tomaria as primeiras páginas, em ampla cobertura fotográfica, de todos os jornais. Em sua capa, por exemplo, *O Globo* traria as senhoras Estela, Elizabeth e Leonor, mulheres de seus proprietários, respectivamente Roberto, Rogério e Ricardo Marinho.

Exageros ideológicos

De cima do muro saíram, a 2 de abril, os jornais que, por cautela, não pregavam ostensivamente a deposição de João Goulart. Para compensar o tempo perdido, alguns exageraram no apoio atrasado ao golpe e desdobraram-se em salamaleques, evoés e alvíssaras aos novos detentores do poder. Um desses foi o *Jornal do Commercio*, de longa tradição, então dirigido por Moacir Padilha, filho do deputado Raimundo Padilha, depois governador do estado do Rio de Janeiro, antigo líder da Ação Integralista Brasileira. O filho, no caso, estava ainda à direita do pai e foi responsável por um dos editoriais mais intolerantes da época, publicado na primeira página sob o título "Primeiro, limpar", do qual se extraem alguns parágrafos:

> Nossas primeiras palavras não são de júbilo, mas de preocupação. Livrou-se o país de uma era de pesadelo. É preciso consolidar esse triunfo. Depois de 1945 um erro trágico seria cometido. O tirano expelido entrou logo no jogo político e, cortejado pelo imediatismo eleitoreiro, tornou-se a peça principal de um confuso xadrez que terminou por reconduzi-lo ao poder. Se há uma forma prioritária a

ser concebida e aplicada é a de que se livre para sempre este país do grupo que um acidente guindou aos palácios. (...) Só a maturidade viril diante dos múltiplos problemas que se somaram ao terrível legado da invasão estrangeira dos últimos três anos terá o condão de lhes dar solução acertada. Repelimos o *paredón* mas apoiamos a cassação dos direitos políticos por longuíssimo prazo dos principais artífices da devastação do Brasil. (...) O que o governo deposto pretendeu foi utilizar a ideia-força das reformas de base como instrumento da entrega do país à refinada elite de guerrilheiros comunistas. (...) É imprescindível incorporar ao sistema econômico brasileiro as normas sadias do neocapitalismo, que desmontaram na prática, um a um, os velhos dogmas do marxismo. (...) Há uma tarefa que não pode esperar um dia mais: a da desintoxicação da juventude brasileira, feita por intermédio do ISEB e de suas múltiplas agências. O Ministério da Educação foi a verdadeira sede da guerra revolucionária. (...) A política externa do Brasil também deixou de ser uma arma a serviço do progresso do país para servir de trampolim a manobras da guerra fria. Muitas e muitas vezes o presidente da República serviu-se de nossos diplomatas para cobrir o flanco de Havana. (...) Brasília procurou quase sempre apenas ferir Washington e não olhar para os interesses do país. Não é ainda hora de falar em eleições, mas de limpar o Brasil. (...) O que ocorreu não foi uma revolta, mas uma revolução. Estamos diante de uma oportunidade única para estruturar uma grande nação. Não vamos desperdiçá-la.

Com esse editorial, Moacir Padilha se credenciava a assumir, semanas depois, o posto então vago de diretor — antes chamado de secretário — de redação de *O Globo*, dada a demissão de Lucílio de Castro, acusado de comunista.

Na mesma primeira página do *Jornal do Commercio* do dia 2 de abril de 1964, aliás, apresentava-se forma singular de omitir os primeiros atos de vandalismo praticados pelos vitoriosos. Uma nota registrava, ao lado de uma fotografia, "ter havido um incêndio na sede da União Nacional dos Estudantes", sem esclarecer, contudo, os motivos, apontar as causas ou os incendiários culpados.

Entregaram-se todos

Profunda pesquisa do historiador Paulo Ricardo Paiva apresentou uma coletânea de como os principais jornais do país trataram a eclosão do regime militar, da qual extraímos alguns posicionamentos da imprensa nacional.

Do *Jornal do Brasil* do dia 1º de abril de 1964: "Desde ontem se instalou no Brasil a verdadeira legalidade, que o caudilho não quis preservar, violando-o no que de mais fundamental ela tem: a disciplina e a hierarquia militares. A legalidade está conosco e não com o caudilho aliado dos comunistas."

Do *Globo* de 2 de abril de 1964: "Salvos da comunização que celeremente se preparava, os brasileiros devem agradecer aos bravos militares que os protegeram de seus inimigos. Esse não foi um movimento partidário. Dele participaram todos os setores conscientes da vida política brasileira, pois a ninguém escapava o significado das manobras presidenciais."

Do *Dia* de 2 de abril de 1964: "A população de Copacabana saiu às ruas, em verdadeiro carnaval, saudando as tropas do Exército. Chuvas de papéis picados caíam das janelas dos edifícios, enquanto o povo, nas ruas, dava vazão ao seu contentamento."

Da *Tribuna da Imprensa* de 2 de abril de 1964: "Escorraçado, amordaçado e acovardado, deixou o poder como imperativo de legítima vontade popular o senhor João Belchior Marques Goulart, infame líder dos comuno-carreiristas-negocistas-sindicalistas. Um dos maiores gatunos que a História brasileira já registrou, o senhor João Goulart passa outra vez à História como um dos grandes covardes que ela conheceu."

Do *Estado de S. Paulo* de 1º de abril de 1964: "Minas desta vez está conosco. Dentro de poucas horas essas forças não serão mais do que uma parcela mínima da incontável legião de brasileiros que anseiam por demonstrar definitivamente ao caudilho que a nação jamais se vergará às suas imposições."

Do *Estado de Minas* de 2 de abril de 1964: "Multidões em júbilo na Praça da Liberdade. Enorme multidão ali acorreu para festejar o êxito da campanha deflagrada em Minas."

Do *Povo* de 3 de abril de 1964: "A vitória da causa democrática abre ao país a hipótese de trabalhar em paz e vencer as graves dificuldades atuais. Não se pode aceitar que essa perspectiva seja toldada. Assim querem as Forças Armadas, assim quer o povo brasileiro."

Da *Folha de S. Paulo* de 1º de abril de 1964: "A subversão, além de bloquear os dispositivos de todo o hemisfério, lançaria nas garras do totalitarismo vermelho a maior população latina do mundo."

Tempo para pensar

A tarde do dia 2, uma quinta-feira, seria mais calma nos até há pouco principais núcleos de conspiração golpista e já então novos centros de poder. Anunciada e consolidada a vitória do movimento militar, com certeza sobraram algumas horas de sono para a maioria dos indormidos e triunfantes conspiradores. Menos para Costa e Silva, que não se afastou de seu gabinete no Ministério da Guerra, atento a poucas reações e a muitos boatos.

Na edição de *O Globo*, que voltava a circular naquele dia, depois de censurado na véspera, relatei que os principais dirigentes do PSD já se tinham reunido para enfrentar a nova situação, no apartamento do deputado Renato Archer, no Rio. Curvavam-se ao fato consumado da queda de Jango e — especialmente Amaral Peixoto, presidente do partido, e Juscelino Kubitschek, candidato lançado à presidência da

A DITADURA MILITAR E OS GOLPES DENTRO DO GOLPE: 1964-1969

República — expressavam a fé de que a situação logo se normalizaria, com a posse, acontecida pela madrugada, do deputado Raniéri Mazzilli no Palácio do Planalto. Imaginavam, inclusive, uma aliança com o PTB para a escolha, pelo Congresso, conforme determinava a Constituição, de um novo presidente — que sairia de suas forças.

Juscelino divulgou nota oficial em que manifestava a esperança de que as instituições não seriam abaladas e de que as eleições presidenciais de 1965 se realizariam conforme programado. As edições do *Correio da Manhã* e do *Diário de Notícias* repercutiram de forma contraditória a declaração. O primeiro, saudando a posição de JK, que apoiava. O outro, lamentando, pois o abominava.

Na sede do IPES, na avenida Rio Branco, empresários já se reuniam para programar o futuro. Concluíram que o próximo presidente não poderia ser ninguém ligado a Juscelino Kubitschek, Carlos Lacerda, Ademar de Barros e Magalhães Pinto, todos pretendentes à sucessão de 1965. Por certo que, influenciados pelo general Golbery, empregado mas mentor de todos, começavam a se inclinar por Castello Branco, ainda que alguns preferissem o ex-presidente Dutra.

Ainda no dia 2, o embaixador americano, Lincoln Gordon, acompanhado do adido militar, o coronel Wernon Walters, esteve no Ministério da Guerra para conversar com Costa e Silva, mas um atento repórter de *O Jornal*, credenciado na sala de imprensa, anotou e escreveu que o embaixador saíra sozinho em sua limusine. Walters — codinome Arma, para os serviços de informação dos Estados Unidos — ficara no prédio, presumindo-se que tivesse descido pelas escadas, do nono para o sexto andar...

Castello Branco, é óbvio, tivera, mesmo antes do golpe, o nome cogitado pelo círculo mais estreito de amigos militares e civis; naquela noite, porém, jantaria sozinho, em casa, viúvo que era desde o ano anterior. Sua filha foi visitá-lo e estranhou a solidão.

Foi no dia seguinte, 3 de abril, uma sexta-feira, que *O Globo* publicou, também de minha autoria, que, com a progressiva normalização da vida política, repetir-se-ia, mais uma vez, a situação tornada rotineira nos últimos anos: sem participar ativamente de qualquer revolução, o PSD era sempre o principal vencedor de todas elas. Magalhães Pinto, Carlos Lacerda e Ademar de Barros, primeiros a se insurgir na área política, seriam ultrapassados caso a Constituição fosse cumprida.

A matéria, com chamada na primeira página, despertou fortes reações entre os militares, em especial os grupos mais radicais, que imediatamente começaram a informar que, desta vez, seria diferente e que estavam cansados de passar o poder aos civis e obrigar-se, em seguida, a novas intervenções. Agora, deveriam assumir todo o poder.

A batalha sucessória

O jogo político voltava a ser jogado, ou, pelo menos, era o que os políticos pensavam. Mesmo assim, valendo tudo contra o time adversário. O presidente interino Raniéri Mazzilli chegou ao Rio na manhã do dia 3 e foi recebido no aeroporto pelos três integrantes do Comando Supremo da Revolução e mais alguns oficiais-generais, entre os quais Castello Branco.

Bem cedo, naquela sexta-feira, ainda instalado no Palácio Guanabara, Carlos Lacerda recebera um telefonema de Paris. Era Augusto Frederico Schmidt, muito bem informado e que, já tendo ouvido rumores de que o governador inclinava-se pela candidatura Dutra, tentava convencê-lo das excelências do general Castello Branco. O brigadeiro Eduardo Gomes também procurara Lacerda para manifestar desagrado, afinal, porque seu antigo adversário e vencedor nas eleições presidenciais de 1945 era do PSD, e eles, da UDN. Ainda assim, o governador começou a trabalhar pelo nome do ex-presidente ou, pelo menos, manifestou-se diversas vezes em seu favor. Os matutinos daquele dia reportavam as preferências de Lacerda, que pouco antes do meio-dia visitou o marechal Eurico Dutra em sua casa, na rua Redentor, em Ipanema, hipotecando-lhe solidariedade. Estava acompanhado de Hélio Fernandes, que, como bom jornalista, publicou um resumo da conversa na *Tribuna da Imprensa* do dia seguinte.

A disputa, com efeito, já fervia. O comandante da Marinha, Nelson Brum, numa roda no Clube Naval, prometera pegar outra vez em armas se Castello Branco não fosse escolhido presidente, conforme publicou *O Jornal* naquela manhã. Mais suave, D. Amelinha Bastos, eufórica com o sucesso da Marcha da Família, na véspera, declararia que "as mulheres brasileiras queriam Castello Branco na presidência" — nota que *O Globo* deu com destaque, no dia seguinte.

Castello Branco fora cedo para seu gabinete no Estado-Maior do Exército, no dia 3, e, entre uma infinidade de civis e militares que o procuraram até de noitinha, recebeu o deputado Bilac Pinto, da UDN, que viajara de Brasília no avião do presidente Mazzilli. Bilac falou na necessidade de uma decisão rápida sobre a ocupação definitiva do poder e propôs a edição de um Ato Adicional, balizando o que o Comando Supremo da Revolução poderia ou não fazer. Caso contrário, temia, o país acabaria numa ditadura. Castello concordou e o deputado ficou de procurar o advogado Carlos Medeiros e Silva para sugestões práticas.

No sábado, dia 4, noticiávamos em *O Globo* que se robustecera, em Brasília, a tendência a que o Congresso desse à crise rápida solução, sem esperar os trinta dias — que a Constituição determinava — para a realização de eleições suplementares pelos deputados e senadores. Eles escolheriam o presidente que completaria aquele malfadado mandado, que já fora de Jânio Quadros e de João Goulart. O editorial do jornal, porém, abria o jogo: pregava a eleição imediata do novo presidente e tomava abertamente partido de Castello Branco. O *Jornal do Brasil* também se posicionava, relatando que vários governadores começavam a apoiar a candidatura do general. Em São

Paulo, o *Estadão* adotava a mesma linha, embora de modo menos cauteloso do que seus confrades do Rio, pois, em editorial, sustentava que, sem Castello, marcharíamos para o caos, ou seja, ao domínio do país pelos que foram depostos havia pouco mais de 48 horas. Era a imprensa moderna a se valer de posturas antigas, isto é, opinando mais do que informando.

Circulavam pelos partidos também os nomes dos generais Eurico Dutra e Amaury Kruel. A UDN, em maioria, optava pela eleição imediata de um militar, ainda que emissários de Magalhães Pinto transitassem pelo Congresso e pelas redações de jornais sondando as possibilidades de o governador mineiro — afinal, o líder civil da revolução — vir a ser escolhido. O PSD procurava ganhar tempo, Amaral Peixoto lembrando sempre o prazo constitucional. O deputado Amaral Neto, da UDN, de conhecidas ligações com os militares mais radicais, anunciava para antes do pleito uma depuração dos parlamentares comunistas, nacionalistas e trabalhistas, isso depois de encontrar-se com o general Castello Branco, que a tudo ouvira calado. Amaral não se continha e pregava a cassação de José Aparecido e de Ferro Costa, ambos de seu próprio partido.

Afinal, a aceitação

Pelo menos para o público, Castello Branco mantinha-se calado. No sábado, dia 4, recebeu — sem comentar ou repercutir a visita — Rafael de Almeida Magalhães, que se desdobrou em loas à sua possível candidatura. Em seguida, os generais Ademar de Queirós e Cordeiro de Farias o procurariam, sendo até rudes, dada a longa amizade. Disseram que outros nomes já se movimentavam e que ele precisava dar sinais ostensivos daquilo que, na intimidade, cogitava e até articulava. O governador Ney Braga, do Paraná, um dos líderes do PDC, e o deputado Costa Cavalcanti, da UDN de Pernambuco, coronel da reserva, seriam os próximos a entrar na sala do chefe do Estado-Maior do Exército. "Tem de ser você, para o bem do Brasil" — exortaram, com intimidade.

Castello então moveria mais uma peça, decisiva, no xadrez sucessório, ao responder: "Está bem. Podem levar o meu nome aos políticos e aos militares." Essa informação não foi publicada à época e constaria, mais tarde, de um depoimento dado por Ney Braga a Foster Dulles.

Obstáculos difíceis

O governador e o deputado dirigiram-se, em seguida, ao gabinete de Costa e Silva, já então acompanhados do marechal Juarez Távora. E se surpreenderam ante a discordância do ministro da Guerra, que ainda acentuaria ser precipitado cuidar da sucessão presidencial naqueles dias. Primeiro, seria preciso "limpar" o Brasil dos baderneiros e dos comunistas, missão que o Comando Supremo da Revolução desempenharia. Lançar qualquer candidatura militar, naquele momento, seria dividir o Exército — pregava.

Os três lembraram — conforme informações que constam das *Memórias* de Távora — que o próprio Costa poderia ser o presidente, ao que ele reagiu: "Sou comandante militar." Falaram então em Castello, verdadeiro objetivo da conversa, mas a manobra não pegou: "É o melhor de todos nós, mas é inoportuno jogá-lo agora na Presidência da República. É muito cedo!"

Carlos Lacerda, naquele sábado, 48 horas depois de haver hipotecado sua solidariedade à candidatura de Eurico Dutra, fizera publicar no *Jornal do Brasil* uma declaração inversa, em que dizia temer que, com o ex-presidente no Palácio do Planalto, o grande beneficiário fosse Juscelino Kubitschek, "que nos roubará a revolução, tornando-se o Frondisi brasileiro" — referência ao então presidente da Argentina, que se elegera após um golpe militar e se colocara em posição um tanto distanciada dos generais portenhos.

Os partidários do marechal Dutra não estavam de braços cruzados e fizeram chegar aos jornais que a candidatura de Castello Branco seria inconstitucional, porque, como chefe do Estado-Maior do Exército, para concorrer a uma eleição, precisaria ter-se desincompatibilizado três meses antes. Para embasarem a tese, levantaram uma declaração do jurista Pontes de Miranda. Preparei uma nota a respeito, que *O Globo* publicaria na edição daquele sábado, dia 4, e a mostrei, na véspera, a Rogério Marinho — que comentou: "O Pontes de Miranda está gagá!"

A informação que Arma — ou melhor, o coronel Wernon Walters — transmitiu a Washington logo que o jornal chegou às bancas gerou especulações e temores nos grupos castelistas. Naquela noite, o adido militar americano foi à casa de Castello, preocupado. Assistiam ao noticiário da televisão quando o locutor se referiu à candidatura do anfitrião. Segundo o depoimento de Walters a Foster Dulles, o general, ao ouvir a notícia, permaneceu impassível, como se usasse uma máscara, e sem esboçar qualquer comentário.

Os cuidados de *O Globo*

O jornal *O Globo* não circulava aos domingos. Sábado era, portanto, o nosso dia de folga. E de descanso. Ainda bem, porque o domingo, dia 5, seria jornada de trabalho estafante para os repórteres, mergulhados numa confusão dos diabos. A revolução experimentava sua primeira crise. Eram cerca de dez da noite — eu terminara de preparar a matéria que seria, indiscutivelmente, a manchete da edição de segunda-feira, dia 6 — quando entrou na redação o diretor Rogério Marinho, que, naquele momento, vestia a roupagem de partícipe político e não de jornalista. Quase todos então fingiram não vê-lo, já que era bissextíssima sua presença, àquela hora, no jornal. A alguma coisa vinha. Apenas Emiliano Castor e José Rocha levantaram-se com estardalhaço para abraçá-lo de modo forçado e dar vivas à vitória da revolução.

A mesa de Rogério era quase defronte à minha, cativa do redator-político, e logo ouvi a convocação: "Carlinhos, o que temos para amanhã?" Levantei-me já pessimista, entregando-lhe as cinco laudas sobre a nova crise e que traziam o seguinte texto:

> Quando a candidatura do general Castello Branco parecia tranquila e pacífica, surgiram sérios impasses a partir da madrugada de ontem. O ministro da Guerra manifestou seu desacordo a um grupo de governadores que foram participar seu apoio à candidatura do chefe do Estado-Maior do Exército. Ontem, sucessivas reuniões aconteceram, inclusive com toques de dramaticidade, como a carta de renúncia que o governador Carlos Lacerda encaminhou ao general Costa e Silva, e a resposta do ministro da Guerra de que o endereço estava errado, pois o poder competente para apreciar a sua renúncia era a Assembleia Legislativa da Guanabara. Às últimas horas da noite continuava o impasse, e nova reunião de governadores estava marcada para as primeiras horas da madrugada de hoje. Esperava-se que, na oportunidade, pudessem ser superados os pontos de atrito. Os governadores Carlos Lacerda (Guanabara), Magalhães Pinto (Minas), Ademar de Barros (São Paulo), Ney Braga (Paraná), Fernando Correia da Costa (Mato Grosso), Mauro Borges (Goiás) e Ildo Meneghetti (Rio Grande do Sul), no Rio desde sábado, apesar de apreensivos, defendiam ainda a candidatura Castello Branco, esperançosos de que os chefes militares venham a integrar-se nela nas próximas horas. Os senhores Carlos Lacerda e Magalhães Pinto não participarão dessa reunião, este por ter dito que, em meio à nova crise, preferia voltar para Minas e lá aguardar os acontecimentos, aquele porque resolveu fazer sonoterapia, dado o cansaço em que se encontra há muitos dias.

Em seguida:

> Após se reunirem no palácio Guanabara na noite de sábado, os governadores acertaram que a candidatura do general Humberto de Alencar Castello Branco era a que melhores condições apresentava, tanto na área civil quanto militar. Os senhores Magalhães Pinto, Ademar de Barros e Ney Braga informaram haver chegado a um denominador comum na pessoa do general Castello Branco. Decidiram sair da sede do governo carioca para, incorporados, participarem aos chefes militares as conclusões a que haviam chegado. Nesse meio-tempo receberam do general Moniz de Aragão, que anunciou representar às lideranças militares a informação de que todos estavam acordes com a candidatura do general Castello. No entanto, ao chegarem ao ministério da Guerra, por volta das 22h30, sentiram que a solução não se apresentava com a mesma nitidez e segurança que antes imaginaram. Os chefes militares, pela palavra do general Costa e Silva, não estavam acordes com a participação que lhes seria feita pelos governadores. Mais ainda: até com palavras ásperas, o ministro da Guerra afirmou que a candidatura Castello Branco, nos termos em que se apresentava, dividiria o Exército. Disse que não era legítimo que os oficiais que lideraram o movimento revolucionário chegassem à presidência da República. Acrescentou que nem o general Castello, nem o general Kruel, nem o general Justino Alves Bastos, nem o general Mourão Filho, poderiam chegar à presidência da República. A uma pergunta do governador Carlos Lacerda sobre se a candidatura dele, Costa e Silva, então seria viável, o ministro irritou-se e não respondeu nada. O ministro citou, inclusive, o artigo 139 da Constituição, alegando o disposto na alínea C do Título 1, que dispõe serem inelegíveis, até três meses antes da abertura da vaga presidencial, os chefes de Estado-Maior das três Forças Armadas. Resultado: perplexidade, apreensões e uma noite de insônia para os governadores e os chefes militares.

A DITADURA MILITAR E OS GOLPES DENTRO DO GOLPE: 1964-1969

Depois:

Recolhendo aqui e ali os detalhes da reunião no Ministério da Guerra, que durou até alta madrugada, podem-se apresentar algumas causas da atitude do general Costa e Silva, ouvidas nos meios políticos: 1. Os chefes militares não opõem restrições ao general Castello Branco. Repelem, porém, o encaminhamento dado à candidatura do chefe do Estado-Maior do Exército pelos políticos. Julgam que eles querem impor o general Castello Branco com vistas à sustentação desta ou daquela candidatura às eleições de 1965. Em suma, acham que a revolução em marcha não admite quaisquer fatores que possam desviá-la de seus objetivos fundamentais. 2. Transpirava, também, que a maioria dos governadores, representando consideráveis contingentes parlamentares, apesar de aceitarem em tese a necessidade da cassação dos mandatos dos parlamentares extremistas, defendiam ponto de vista de que a medida somente fosse efetuada conforme os princípios legais vigentes, de certa forma morosos. Já os chefes militares pretendiam a cassação de mandatos debaixo de um processo rápido e eficiente. Um líder parlamentar da intimidade do governador da Guanabara definia o impasse como um choque entre o espírito da revolução e o espírito jurídico-político.

E ainda:

Alta madrugada, os governadores foram repousar, combinando para a manhã de ontem uma reunião na residência do senhor Carlos Lacerda. Ali, foram surpreendidos com a notícia de que o governador enviara carta ao ministro da Guerra renunciando ao seu cargo. O documento, realmente, chegou às mãos do general Costa e Silva. O ministro, porém, na presença do general Cordeiro de Farias, entregou-lhe a carta, afirmando que tinha endereço errado, pois deveria ter sido entregue à Assembleia

Legislativa, único poder competente para tomar conhecimento daquele ato. À tarde, no entanto, o senhor Carlos Lacerda já cedera às ponderações de seus companheiros mais chegados, tendo recuado da disposição de renunciar. Realizou-se depois do almoço nova reunião na casa do governador carioca. Dela participaram Magalhães Pinto, Ney Braga, Fernando Correia da Costa e Ildo Meneghetti. Além deles, ali estiveram, no correr do dia, os senhores Abreu Sodré, Oscar Klabin Segall, Onadir Marcondes, Armando Falcão, Juracy Magalhães, Ernâni Sátiro, Dario de Almeida Magalhães, Cordeiro de Farias, Marcelo Garcia, Sandra Cavalcanti, monsenhor Francisco Bessa, Carvalho Neto, Salvador Mandin, Rafael de Almeida Magalhães e outros, em frequentes saídas e entradas. As 17h, o senhor Magalhães Pinto deixou a reunião, retornando a Belo Horizonte, enquanto o senhor Carlos Lacerda, às 18 h, foi para a Ilha de Brocoió, residência de verão do governo da Guanabara, acompanhado por seu médico particular, que não escondeu a intenção de fazê-lo descansar pelo menos por 24 horas seguidas.

Finalmente:

Apesar das demoradas reuniões, um de seus participantes informou a *O Globo*, pouco antes do fechamento desta edição, que o impasse continuava o mesmo. Tentou-se recomeçar o encaminhamento da sucessão imediata do senhor Raniéri Mazzilli, e a maioria dos governadores e políticos continuava inclinada pelo nome do general Castello Branco. Mas, nos meios militares, cujos contatos eram feitos através dos senhores Cordeiro de Farias e Danilo Nunes, a situação era a mesma, ou seja, não aceitavam o encaminhamento do nome do general Castello através dos políticos. Ficou combinado que os governadores retornariam à presença do general Costa e Silva às últimas horas da noite para nova tentativa de entendimento. Alguns, no entanto, julgavam que somente hoje, com a cabeça fria, a questão poderia ser novamente debatida. Os senhores Magalhães Pinto e Carlos Lacerda anunciaram que, na reunião da noite de ontem, seriam representados pelos senhores José Maria Alkimin e Juracy Magalhães.

Toda essa matéria não foi impressa. O diretor Rogério Marinho decidira que *O Globo* não poderia contribuir para a crise reinante nos meios revolucionários.

Costa virou as costas

O impasse estava caracterizado. Mil outros detalhes daquela reunião — realizada na madrugada de sábado, 4, para domingo, 5 de abril de 1964 — constam de uma série de livros de memórias e de depoimentos de seus participantes a jornalistas e a cientistas políticos.

Importa sintetizá-los a partir de suas raízes.

Muitos governadores começaram a chegar ao Rio no sábado, preocupados com o rumo dos acontecimentos. Claro que se fala dos governadores que, desde a conspiração, ficaram com o golpe, porque os partidários de João Goulart, como Miguel Arraes, de Pernambuco, e Seixas Dória, de Sergipe, já estavam presos, e Badger Silveira, do estado do Rio, seria logo depois afastado. Alguns, como Petrônio Portella, do Piauí, Virgílio Távora, do Ceará, e Aluízio Alves, do Rio Grande do Norte, depois de se equilibrar em cima do muro, tentavam ganhar tempo para, esquecidos, evitar defenestrações.

Na noite daquele sábado foram ao Palácio Guanabara conferenciar com Carlos Lacerda, Ademar de Barros, de São Paulo, Magalhães Pinto, de Minas, Fernando Correia da Costa, do Mato Grosso, Mauro

Borges, de Goiás, Ney Braga, do Paraná, e Ildo Meneghetti, do Rio Grande do Sul — e o nome de Castello Branco já circulava entre eles como o preferido. Discutiam a conjuntura na larga mesa de reuniões que pertenceu à Princesa Isabel e ao Conde D'Eu, no gabinete do governador, quando um tumulto na antessala lhes chamou a atenção. Lá estavam dezenas de assessores, deputados e jornalistas a dar com o pé. Lacerda abriu a porta para pedir silêncio, mas se deparou com uma figura singular, em farda de campanha, com capacete, revólver e cantil na cintura, que gesticulava e gritava. Era o general Moniz de Aragão, que chegava da Vila Militar, alertado para o fato de que a candidatura de Castello Branco não estaria tão firme assim.

Na edição do dia 6, *O Globo* noticiaria que o general esgoelava-se na defesa de Castello, e que o governador carioca o convidaria a entrar e participar da reunião dizendo: "Aragão, você veio arrombar uma porta aberta! Todos aqui estão de acordo que Castello Branco deve ser o próximo presidente da República!"

Logo depois, os governadores se dispuseram a enfrentar a imprensa, as câmeras de TV e os microfones das rádios. Lacerda, o porta-voz, anunciou o apoio à candidatura do chefe do Estado-Maior do Exército e informou que dali a pouco iriam todos ao Ministério da Guerra participar a notícia ao general Costa e Silva. Chegaram por volta da meia-noite e, além dos ásperos diálogos já referidos acima, outros aconteceram. Costa, por exemplo, teria dito: "Os senhores pensam que a revolução acabou, mas não é assim." Também: "Não sou ministro da Guerra, mas comandante em chefe das forças revolucionárias!" E finalmente: "Não podemos realizar eleições senão dentro de trinta dias. É preciso limpar o país, antes, e poupar o governo definitivo dessa tarefa."

A certa altura da conversa, que se transformaria em bate-boca, Carlos Lacerda afirmou que, se Raniéri Mazzilli, do PSD, permanecesse no poder por um mês, acabaria "enrolando" o próprio Costa e Silva e devolvendo o poder aos derrotados, pois havia rumores de que nomeara Israel Pinheiro para chefe da Casa Civil. Ao que assim respondeu o general: "Se nomeou, vai ter de desnomear!" Magalhães Pinto quis saber da situação de seu amigo, o governador de Sergipe, Seixas Dória, e o ministro foi grosso: "Está preso e continuará preso." O governador mineiro indagou, também, se o feriado bancário, decretado ainda por João Goulart, continuaria, e Costa e Silva, com malícia e rispidez, atalhou: "O senhor é realmente a pessoa indicada para fazer perguntas sobre a situação bancária!" — referência ao fato de Magalhães ser o dono do Banco Nacional.

Juarez Távora, na sua intervenção pacificadora, também já citada, disse não acreditar que o país pudesse livrar-se do germe da subversão e da corrupção em trinta dias. "Nem em sessenta nem em noventa", acrescentaria.

Na saída, Lacerda ainda tentaria falar com o general, mas este lhe voltou as costas, ostensivamente, no que parece ter sido a gota d'água para que o governador, na manhã seguinte, enviasse ao ministro da Guerra sua carta de demissão.

O espectro da ditadura

Luís Viana Filho, a propósito do desencontro dos governadores com Costa e Silva, escreveria em *O governo Castello Branco*:

> Recebidos no 1º andar, no Departamento de Produção e Obras, onde a mesa era mais ampla, instalara-se no ministério uma certa tensão, mercê do incidente ocorrido na Aeronáutica, em Porto Alegre, onde, morto um major, escapara milagrosamente o brigadeiro Lavanére-Wanderley. Seria a mais importante reunião, depois da vitória da revolução. Além do general Costa e Silva e de seu chefe de Gabinete, general Sizeno Sarmento, compareceram os governadores Carlos Lacerda, Magalhães Pinto, Ademar de Barros, Ildo Meneghetti, Ney Braga, Fernando Correia da Costa e Mauro

Borges, e os generais Juracy Magalhães e Juarez Távora. Verdadeiro encontro de Estado-Maior. Costa e Silva, desembaraçado, loquaz e bonachão, ocupou a presidência, tendo Carlos Lacerda a seu lado. Não foi admitido o senador Lino de Matos, que chegara com Ademar de Barros, junto com duas senhoras. Carlos Lacerda (...) abriu o debate, afirmando desejarem os governadores uma definição de Costa e Silva sobre a sucessão. Não logrou concluir, pois este, interrompendo-o a cada passo, repisava a tese da inoportunidade da eleição, bem como da escolha de algum nome. Qualquer militar dividiria o Exército, dizia, invocando sempre as lutas do início da República, entre Deodoro, Floriano e Benjamin Constant. Entretanto, com a franqueza que a intimidade lhe permitia, Juarez Távora, por vezes batendo a mão na mesa, reiterava a necessidade de Costa e Silva oferecer o nome de um militar. (...) Costa e Silva manteve-se intransigente: não se devia pensar em militar, nem em eleição, no momento. Sobre a posição de Costa e Silva, que suscitou interrogações diversas, é este o depoimento de Andreazza: "Lembro-me bem do insistente esforço de muitos para que ele se candidatasse à presidência, logo após a revolução. Poderia ter sido. Estava, entretanto, convencido de que muito mais útil seria à continuidade e consolidação da causa como ministro da Guerra."

Segundo Luís Viana Filho, contudo, "pairava o espectro da ditadura que todos repudiavam".

Dois incidentes ainda teriam vez naquele encontro. Primeiro, ao erguer o dedo num gesto natural, Carlos Lacerda seria interrompido por Costa e Silva, que disse que também levantaria a mão e balançaria o dedo. Constrangimento geral. Depois, quando Magalhães Pinto observou que a situação era difícil e que seria melhor retornar a Minas, onde aguardaria os acontecimentos com as tropas mobilizadas, Costa e Silva o advertiu em tom peremptório: "Governador, pode voltar, que as minhas forças são muito superiores às suas. Isso não me intimida. Volte para a sua Minas, pode cuidar do que é seu, que eu estou cuidando de manter a ordem. Não quero ser presidente da República. Acho que é cedo."

Carlos Lacerda escreveria mais tarde, em *O Estado de S. Paulo*, sob o pseudônimo de Júlio Tavares, a respeito:

> Quando começava a falar o governador da Guanabara, incumbido pelos demais de apresentar o nome do chefe militar (Castello Branco) para presidente ao outro chefe militar (Costa e Silva), que ocupava o Ministério da Guerra do presidente provisório, Raniéri Mazzilli, o ministro da Guerra tentou cortar-lhe a palavra, retardar, impedir sua iniciativa. Foi constrangedor, significativo e, de certa forma, alarmante. A certa altura, o governador em questão disse ao ministro em questão: "Não tenho que pedir licença para falar aqui neste momento. Preciso cumprir a missão que trouxe governadores, com responsabilidade na revolução, ao seu gabinete. Não sei onde o senhor estava, nem o Exército, enquanto nós lutávamos contra isso que agora, finalmente, o Exército acaba de derrubar. Mas sei onde eu estava."

E ainda Júlio Tavares — quer dizer, Carlos Lacerda — em *O Estado de S. Paulo*:

> Costa e Silva estava muito nervoso por causa das notícias recém-chegadas do ferimento do brigadeiro Lavanére-Wanderley, em Porto Alegre, e da longa conversa que tivera a sós com o governador Ademar de Barros. Seguiu-se, então, o incidente com Lacerda, que não lograra sequer pronunciar o nome do indicado para a Presidência, o do general Castello Branco, quando Juarez, da extremidade da mesa, interveio. (...) Encarou o ministro Costa e Silva e inesperadamente exclamou, batendo o punho na mesa: "Costa, deixe o governador falar." O ministro parou, tomado de surpresa com aquela chamada à realidade. Quebrou a dramaticidade que o incidente dera ao encontro e, num misto de bonomia e ironia, disse: "Juarez, você sempre adolescente."

Pode-se buscar, nas memórias de Juarez Távora, a versão para os acontecimentos:

> O general Costa e Silva continuava contrário à candidatura de qualquer dos chefes militares da revolução, pelo receio de que explorações políticas laterais viessem a abalar a solidez do dispositivo de força, indispensável à condução drástica da tarefa de saneamento político-administrativo e desintoxicação ideológico-subversiva, em pleno desenvolvimento. Esclareci, então, com o apoio do deputado Costa Cavalcanti, que, se a candidatura Castello Branco fosse levantada imediatamente perante o Congresso Nacional, seria ele [Castello] eleito sem dificuldades, talvez em primeiro escrutínio. O retardamento é que seria nocivo, pois cada chefe militar era potencialmente um candidato. (...) Finda, já alta madrugada, essa reunião, apenas pôde ser obtida do general Costa e Silva uma declaração formal de que não se opunha ao lançamento da candidatura do general Castello Branco, cabendo-nos ir sondá-lo a respeito.

O ministro da Guerra teria dito aos presentes que, se quisessem, poderiam tomar o elevador e ir ao Estado-Maior do Exército, onde Castello se encontrava.

Aquele paisano de São Paulo

Eram quatro horas da madrugada, mas nem todos foram dormir. No apartamento de Carlos Lacerda, encontrava-se o deputado Bilac Pinto, ao qual o governador e o deputado Costa Cavalcanti relataram o impasse. Indagavam-se sobre o que Costa e Silva teria querido dizer quando, ao despedir-se deles, marcando outra reunião para a tarde, questionara: "Por que vocês, políticos, não escolhem aquele paisano lá de São Paulo?" A referência, segundo colheu Luís Viana Filho, era para Carvalho Pinto, o que complicava ainda mais as coisas.

Lacerda renunciou e esconderam a renúncia

Quando Jânio Quadros renunciou, faltara a seus auxiliares a lembrança ou a coragem de sumir com a carta-renúncia, em vez de enviá-la ao Congresso, o que teria tornado bem diferente a história do Brasil. Três anos depois, porém, já havia *know-how* a respeito. Assim, quando Costa e Silva, ao receber a missiva escrita por um exasperado Carlos Lacerda, mandou dizer — por intermédio do portador, o deputado Danilo Nunes, coronel da reserva do Exército — que o endereço estava errado e que o documento deveria ser remetido à Assembleia Legislativa da Guanabara, ninguém lhe seguiu a orientação. O general Sizeno Sarmento guardou a carta, e a renúncia, portanto, não produziu efeito oficial. Mais tarde, ficou em poder de Juracy Magalhães, que até pouco a mantinha em seu cofre.

Um momento de profunda depressão

No final de 1971, este repórter manteria longas sessões de entrevistas com Juracy Magalhães, na residência dele, preparando não suas memórias, mas um depoimento sobre sua vida, a ser publicado por *Manchete* no início de 1972. Mais tarde, ditaria sua biografia "definitiva", como disse, a José Alberto Gueiros, editada sob o título *O último tenente*.

A respeito do episódio da carta-renúncia de Carlos Lacerda, depôs o general:

> Então Lacerda percebeu suas intenções [de Costa e Silva, ao rejeitar a candidatura de Castello Branco] e teve com ele um forte atrito. Disse e ouviu desaforos, foi uma cena muito desagradável. Saiu dali, trancou-se em seu gabinete no palácio e escreveu-lhe uma carta extremamente áspera. Felizmente deu-me conhecimento

verbal de seu conteúdo antes de enviá-la a Costa e Silva, por intermédio de Danilo Nunes. Preocupado com a terrível crise que poderia resultar da entrega daquela carta, achei prudente mandar interceptá-la, e pedi ao meu amigo general Sizeno Sarmento, chefe de gabinete de Costa e Silva, que a segurasse de qualquer maneira. Sizeno atendeu ao meu pedido e a carta explosiva nunca foi entregue. Veio parar nas minhas mãos. Guardei-a no cofre durante muitos anos e só a revelei quando fui insultado publicamente por Carlos, ao tempo em que me encontrava no Ministério das Relações Exteriores. Ele negou a autoria e a existência da tal carta que escreveu de próprio punho num momento de profunda depressão. Transcrevo aqui a íntegra desse documento histórico e apresento-o para quem quiser ver.

Eis o conteúdo da carta:

Estado da Guanabara. Gabinete do Governador. Rio, 5 de abril de 1964. Sr. general Costa e Silva. Saudações. A sugestão que esta noite os governadores lhe foram levar era inspirada nos melhores propósitos: eleições já, de um general à Presidência da República. V. Exa. recebeu-a com hostilidade, considerando-a capaz de dividir o Exército, e julga que a Presidência, como está, e como ficará daqui a vinte e poucos dias, quando o Congresso eleger outro, é melhor para o Exército. Numa palavra, V. Exa. prefere ser ditador por intermédio do dr. Mazzilli a ter o comando revolucionário na Presidência da República. Creio na sinceridade e patriotismo de sua intenção, ainda que V. Exa. não creia na minha, pois tratou-me como se eu fosse um político visando fins particulares e não os mesmos que motivaram o movimento militar. Preciso lembrar a V. Exa. que, enquanto o Exército não podia agir, suportei a responsabilidade e o peso da corrupção e do comunismo, e às vezes quase só. Não desejo dividir o Exército. Muito ao contrário. E, pelo visto, neste ponto, V. Exa. tem razão. Mas quem vai dividir o Exército é V. Exa., e, com ele, a nação. Mas também não quero participar de uma ditadura não declarada, exercida por V. Exa. por intermédio do presidente Mazzilli. Esta fórmula, senhor general, é bem pior e nem sequer é original. Amanhã, tão logo haja comunicado esta decisão ao meu secretariado, retirar-me-ei do governo da Guanabara e da vida pública. Peço a Deus que V. Exa. tenha razão e leve a bom termo a tarefa a que se propôs de limpar o Brasil do comunismo e da corrupção. Não há de ser com políticos que se prestam a ser mandados, para ficar no poder, simulando poder, que V. Exa. conseguirá atingir esse objetivo. Poderíamos consegui-lo sem ditadura. V. Exa., sem dizer à nação, tornou-se ditador. Não o aceito como ditador. Fui falar ao libertador, não ao usurpador. Mas não serei eu a dividir o Exército e desgraçar a pátria, levando a desilusão e o desespero a milhões de brasileiros. V. Exa., assuma essa responsabilidade. Eu saio, amanhã, para nunca mais. Afinal, tenho o direito de me afastar sem que me chamem desertor. Basta que me chamem vencido. Com os votos por sua felicidade pessoal. Carlos Lacerda.

"Todos menos eu"

A segunda reunião dos governadores com o general Costa e Silva, no domingo, 5, começou às 18h, no Ministério da Guerra. Todos mais calmos. O ministro falou primeiro, e acentuou haver mudado de posição. Já aceitava um candidato militar à Presidência. Juracy Magalhães representava Carlos Lacerda e declarou à *Manchete*, em 1971, na preparação de um esboço de suas memórias, que Costa e Silva abrira os trabalhos declarando: "Eu poderia ser candidato. Sei que o governador Ademar de Barros, aqui presente, me apoia. Mas não quero meter o Exército nisso."

Todos começaram a falar ao mesmo tempo. Juracy, então, tomou a palavra, e se seguiu o diálogo abaixo com Costa e Silva:

— Sou mero representante do governador Carlos Lacerda, mas, se não orientarmos a conversa no rumo certo, não sairemos daqui hoje. Quando me convocaram, ministro, foi para saber de vossa excelência se o Exército aceita ou não a candidatura do general Castello Branco.
— O que é isso, Juracy, você me chamando de vossa excelência?
— Desculpe, mas a situação exige. Em nome do governador da Guanabara, falo ao ministro da Guerra.
— Não me oponho à candidatura do Castello. Ele é muito bom.
— Então vossa excelência dá luz verde à candidatura Castello?
— Por mim, não tenho objeções. Mudei de ideia, desde o encontro desta madrugada, e acho que se pode pensar num militar. Menos eu.

Os governadores pretendiam colher uma declaração mais objetiva e induziram Costa e Silva a perguntar-lhes diretamente quem apoiavam, apesar de o general estar cansado de saber que era o chefe do Estado-Maior do Exército. O ministro caiu na armadilha e, virando-se para Ney Braga, ordenou: "Então, digam-me o nome que acham melhor."

O governador do Paraná, major da reserva do Exército, perfilou-se e disse apenas: "Castello Branco." Foi quando Costa e Silva sugeriu: "Por que não vão pessoalmente perguntar se ele aceita? O Castello está aí em baixo, no sexto andar..."

Foram, mas o general não estava mais. Passara apenas rapidamente por seu gabinete de trabalho, pois permaneceria o dia todo em casa. Os governadores seguiram para a rua Nascimento e Silva, em Ipanema, já então repleta de populares.

Sobre a segunda reunião com o ministro da Guerra, há ainda um adendo, revelado no *Diário de Notícias* da terça-feira seguinte, dia 7, na coluna política a cargo do jornalista José Wamberto. A nota informava ter ocorrido uma reunião do Alto Comando do Exército na tarde de domingo, antes, portanto, que Costa e Silva recebesse os governadores. O ministro teria então sido convencido por seus companheiros de que a melhor solução repousava mesmo em Castello Branco. Como sabemos que existem diversos meios de convencimento, fica a conclusão por conta de cada um.

"Declaro que aceito"

Enquanto os governadores, acompanhados de alguns deputados, ainda entravam na casa de Castello Branco, certamente já informado, por telefone, do objeto da visita, o general dirigiu-se a Costa Cavalcanti, brincando: "Esse deputado nunca deixou de sujar os cinzeiros aqui de casa..." Referia-se ao fato de que Cavalcanti fumava muito, hábito de que o general não gostava.

Coube a Ademar de Barros falar em nome de todos. Juracy Magalhães relataria, à *Manchete*, que o governador paulista ainda tentava manobrar, porque propusera antes, em conversas pessoais, os nomes de Costa e Silva e Amaury Kruel. Ademar indagou se o general aceitava ser candidato à Presidência da República e recebeu uma resposta direta: "Declaro que aceito." Em seguida, de acordo com seu linguajar informal, o governador retrucou:

— "Seu" Castello, a sua candidatura unirá as Forças Armadas?
— O senhor está vindo do Ministério da Guerra. O que lhe disse o ministro?
— Bem, ele disse que o aceita.

Insistindo nas provocações, Ademar quis saber se o novo presidente se comportaria como um magistrado nas eleições de 1965. Nova resposta contundente: "Meu passado é a melhor garantia que lhe posso dar." E Castello continuaria: "Sabe o meu camarada Juracy Magalhães, aqui presente, que, ao ser informado das intenções das forças políticas de lançar o meu nome, respondi que, além daquela intenção precisar ser muito espontânea, eu me reservaria para aceitar, recusar ou sugerir. No momento em que os senhores me propõem, formalmente, a candidatura, declaro que aceito."

De imediato, o futuro presidente começou a discorrer sobre seus planos de governo, o que surpreendeu a todos e levou Ademar de Barros a piscar o olho para Ney Braga. O general que jamais pensara em ser presidente tinha plataforma delineada e abordou os principais temas da conjuntura, desenvolto, enumerando as diversas soluções...

Ficaram os governadores de consultar os respectivos partidos. Ademar, porém, diante do fato consumado, resolveu ser mais esperto e mais gentil, e disse que o Partido Social Progressista, que fundara e dirigia, não precisaria reunir-se. Dava a resposta naquele momento, apoiando o nome de Castello. Ney Braga, para não ficar atrás, fez o mesmo em nome do Partido Democrata Cristão, e Juracy Magalhães não teve outro remédio senão acrescentar: "A União Democrática Nacional também..." Reuniões, mesmo, faria o PSD, nos dias seguintes.

Os governadores já se despediam de Castello, naquela noite de domingo, quando chegaram os deputados Bilac Pinto e Pedro Aleixo, acompanhados do advogado Carlos Medeiros e Silva. Levavam ao general um rascunho do que seria o Ato Adicional, depois batizado de Ato Institucional, que inclusive dispensava as inelegibilidades para a eleição imediata. Castello Branco pediu que encaminhassem o texto ao general Costa e Silva, no Ministério da Guerra.

Rancores contra Costa e Silva

O general Ernesto Geisel ficou colado no general Castello Branco durante todo o clímax da crise e não o deixou quando seu nome começou a despontar para presidente. Estava no Estado-Maior do Exército, com o chefe, no curto período daquele domingo em que

Castello saíra de casa e fora ao Ministério da Guerra. Diversos generais ali conversavam, entre os quais Carlos Luís Guedes, um dos responsáveis pela revolta de Minas, que, conforme relata em suas memórias, em dado momento perguntou pelo papel desempenhado por Costa e Silva na revolução. Antes que Castello respondesse, o general Geisel interveio: "Foi o papel de um usurpador. Não fez nada e, mais do que depressa, investiu-se no cargo!"

Ernesto Geisel então iniciava sua trajetória política, pois seria chefe da Casa Militar de Castello, depois ministro do Superior Tribunal Militar, presidente da Petrobras e, finalmente, presidente da República. Recusou-se a escrever suas memórias, mas, em 1994, ex-presidente já retirado da vida pública, admitiu depor para os cientistas políticos Maria Celina de Araújo e Celso Castro, do Centro de Pesquisa e Documentação de História Contemporânea da Fundação Getulio Vargas.

Refere de modo pejorativo a Costa e Silva e ao Comando Supremo da Revolução:

> Aí fizeram a Junta Revolucionária com o Costa e Silva, que representava o Exército, o ministro da Marinha e o ministro da Aeronáutica. Não havia consenso em torno disso, mas foi aceito na área militar sem muitas divergências. O almirante da Marinha [Augusto Rademaker, que não cita nominalmente] fora para o Ministério do Exército [da Guerra] prestar solidariedade aos revolucionários e, com a ideia da união das Forças Armadas, não sei se por inspiração do Costa e Silva, fizeram um comando revolucionário conjunto. (...) Costa e Silva não era uma liderança expressiva na tropa. Essa liderança veio depois. Ele tinha ali apenas o poder hierárquico. Já contava com o apoio de vários oficiais, de gente trabalhada pelo Jaime Portella, como Sizeno Sarmento e outros. Mas ele, nessa ocasião, ainda não era muito forte. (...) Eu era apenas um general de brigada. Mas conversávamos com o Castello e ficávamos a par de tudo. (...) No meio dessas discussões sobre quem

ia ser o presidente, Costa e Silva disse a Castello uma frase que não achei muito apropriada: "Vamos solucionar isso. Vamos evitar o conflito do Deodoro com o Floriano." Lembro-me também de um fato que nunca vi publicado, ocorrido um ou dois dias depois da revolução. Houve uma reunião no gabinete do Costa e Silva à qual compareci com o Castello. Lá estavam outros generais, entre eles Peri Bevilacqua, que aderiu à revolução, mas era muito ligado à esquerda. Costa e Silva, falando sobre a revolução, declarou: "Nossa revolução não vai se limitar a botar o Jango para fora! Temos que remontar aos ideais das revoluções de 22, 24 e de 30!" Ele queria fazer uma revolução mais profunda. Ficaram todos em silêncio. Apenas Bevilacqua começou a falar, mas Costa e Silva não deixou que prosseguisse. Bevilacqua comandava Santa Maria em 1961 e tinha ficado do lado do Machado Lopes. Costa e Silva disse que ele não tinha o direito de se manifestar em virtude de sua atuação naquela emergência. (...) Costa e Silva era mais radical, enquanto Castello, mais moderado. (...) Essa divergência, a meu ver, teve influência muito grande depois, ao longo do governo Castello. Creio também que Costa e Silva queria ser presidente, já nessa fase inicial da revolução. Não posso afirmá-lo com segurança, mas tive algumas indicações positivas a esse respeito, inclusive em fatos posteriores. (...) Castello tinha o melhor conceito. (...) Acho que o Costa e Silva, no começo, queria a permanência do Mazzilli, porque o Mazzilli era um homem relativamente fraco e seria um instrumento na sua mão. Como ministro e com o Comando Revolucionário, quem mandaria e desmandaria, caso o Mazzilli continuasse na Presidência, seria o Costa e Silva. Mas a ideia de manter o Mazzilli foi logo abandonada.

"Problemas psíquicos ou familiares"

Ainda no depoimento ao CPDOC, o general Ernesto Geisel continuaria cruel ao comparar Castello Branco e Costa e Silva:

Castello e Costa e Silva foram companheiros no Colégio Militar em Porto Alegre. Castello era cearense, gostava de fazer discurso, gostava de escrever e tinha um defeito físico na coluna. O Colégio Militar mantinha uma sociedade cívico-literária dos alunos. (...) O orador era o Castello. Ele levou para o Colégio as histórias do Nordeste com as secas, matéria que no Rio Grande não se conhecia. Era considerado um literato, benquisto no meio da turma. Como aluno, como estudante, estava na média. Não era brilhante, não se destacava. Costa e Silva, ao contrário, era primeiro aluno, muito benquisto, muito bem-apessoado, tocava na banda de música do Colégio. Era dedicado ao esporte, fazia ginástica, e Castello não. Costa e Silva, naquela fase, evidentemente, tinha uma posição de ascendência. Foi comandante-aluno do Colégio. Na Escola Militar [em Realengo, no Rio] aconteceu a mesma coisa. Costa e Silva foi muito bom aluno no curso de Infantaria, e Castello ficou na média. Saíram oficiais juntos. Dessa mesma turma, na Artilharia, saiu o Ademar de Queirós, e na cavalaria, o Kruel, que também vinha do Colégio Militar de Porto Alegre. Kruel e Costa e Silva eram companheiros de mocidade de Castello e os três eram amigos. Parece que, na Escola de Aperfeiçoamento de Oficiais, Costa e Silva ainda fez um bom curso, mas, depois, deixou os livros de lado, nunca mais estudou, casou-se cedo e depois se tornou uma espécie de *bom vivant*. Gostava de jogar em corrida de cavalos e de pôquer. Fez o curso de Estado-Maior muito tarde e teve dificuldades. Problemas psíquicos ou familiares. Castello, que até então tinha sido um oficial da média, quando chegou na Escola de Aperfeiçoamento, mas, principalmente na Escola de Estado-Maior, se destacou, tanto que foi indicado pela Missão Militar Francesa para fazer o curso da Escola Superior de Guerra na França. (...) Antes dele fora o Lott, que ainda estava lá quando Castello iniciou o curso. Castello passou a ter maior projeção militar do que o Costa e Silva. Foi instrutor na Escola Militar e na de Estado-Maior, depois teve um papel muito importante na FEB, como seu chefe de Estado-Maior. Mas, por incrível que pareça, Costa e Silva, sempre com boas relações, era promovido antes do Castello. Chegou a general de exército na sua frente. Acho que essas situações do passado, do tempo do Colégio Militar, da escola militar e ao longo da carreira fizeram com que o Castello tivesse sempre certa consideração pelo Costa e Silva. Reconhecia os defeitos dele, achava que era indolente, atribuía-lhe uma frase de que os franceses sempre gostavam, *je suis trés fatigué*, isso porque o Costa e Silva chegava ao palácio e dizia "estou muito cansado, muito cansado". Em suma, [Castello] achava que o Costa e Silva era preguiçoso, mas o respeitava e evitava ter conflito com ele.

As mal-amadas

Aquele domingo foi o dia da consolidação política da candidatura de Castello Branco, e sua casa, então transformada num comitê eleitoral. Na segunda-feira, bem cedo, o primeiro a chegar, vindo do aeroporto do Galeão, diretamente de Paris, foi o poeta Augusto Frederico Schmidt. Como já entrara apelando para que o general aceitasse a candidatura, demorou alguns segundos até notar que não precisaria mais se esforçar. Conversaram muito. Eram amigos de longa data. Depois, "foi um suceder de gente entrando e saindo" — escreveria o repórter do jornal do dr. Roberto Marinho. Não apenas amigos civis e militares circulavam na modesta casa de dois andares, mas deputados que Castello nunca vira, senadores, representantes de mil e uma associações, jornalistas e populares como o diabo. Ainda não se incrustara na mentalidade das pessoas importantes a necessidade de dispor de segurança.

A multidão se adensava, composta por muitos curiosos, à medida que a tarde ia passando. A deputada Sandra Cavalcanti, que lá permaneceu por horas, até organizaria um comício em que, inflamada, lembrou que o povo ali estava e que o general não tinha o direito de ser relutante. O animador de programas de auditório da Rádio Nacional, César de Alencar, arvorou-se no papel de mestre de cerimônias e anunciava os sucessivos oradores. Chegou a dar a palavra ao marechal Mascarenhas de Moraes, herói da FEB, que, constrangido, declinou de discursar. Quando o embaixador Negrão de Lima entrou para visitar e cumprimentar o amigo, levou estrondosa vaia. A claque era toda da UDN, formada especialmente por mulheres que a verve de Stanislau Ponte Preta chamara de mal-amadas. Castello fez questão de levar Negrão até a porta, despedindo-se dele e calando os ululantes radicais.

No fim da noite, aceitou falar ao público, episódio que Augusto Frederico Schmidt assim registraria na edição de terça-feira, 7 de abril, de *O Globo*: "(...) Em vez de ameaças, vociferações e explosões de ódio, ouvimos uma palavra digna, serena e correta. (...) Castello revelou-se possuidor das qualidades de um estadista do melhor quilate."

Pedrinhas no caminho

No dia 8, quarta-feira, o deputado Hugo Borghi, do Partido Social Progressista, de Ademar, leu na Câmara entrevista concedida na véspera, à *Folha de S. Paulo*, pelo senador Lino de Matos, do mesmo partido, reafirmando que Kruel aceitara a candidatura e que seguia firme na disposição de apresentar-se na eleição indireta que o Congresso realizaria. Perderia o ânimo, porém, ao ver como crescia o nome de Castello, ao tempo em que, no dia 9, o marechal Eurico Dutra divulgava nota oficial desistindo do pleito, informação que o *Jornal do Brasil* publicaria na edição do dia seguinte, 10 de abril.

Castello ficou tão satisfeito que escreveu ao ex-presidente derramando-se em elogios e agradecimentos, e até acentuando que não admitiria apresentar-se caso Dutra insistisse em ser candidato. O ex-presidente respondeu, chamando Castello de "prezado camarada e velho amigo".

Apoio total da imprensa

As edições dos jornais de segunda e terça-feira circularam repletas de entusiasmo pela fixação da candidatura de Castello Branco. O *Jornal do Brasil* noticiou que os Altos Comandos da Marinha e da Aeronáutica haviam se reunido e decidido apoiar integralmente o nome do chefe do Estado-Maior do Exército.

O *Diário de Notícias* fez o mesmo e ainda anunciou que a crise fora superada. De *O Estado de S. Paulo* nem é necessário falar, pois os editoriais se sucediam havia dias. Tratava-se de um presidente apontado pelas elites, sem povo, coisa que geralmente agrada muito aos homens de negócios.

Até no PTB, partido de João Goulart e Leonel Brizola, a escolha era deglutida e saudada. San Tiago Dantas, da ala moderada do trabalhismo, declararia ao *Jornal do Brasil* do dia 8, quarta-feira: "Castello Branco é homem de extraordinária competência profissional, probidade e inteligência."

O general Mourão Filho foi o personagem mais garfado em toda a história. Poderia ter sido ditador ou até presidente, pois deflagrara o movimento armado, mas contentou-se com a presidência da Petrobras, que acabaria não levando. Aceitou o nome de Castello, mas foi bem claro em sua mensagem, publicada por *O Globo* a 8 de abril: "A limpeza tem de começar pelas Forças Armadas e pelo Congresso." Ironicamente, seria coadjuvado pelo cardeal-arcebispo do Rio de Janeiro, D. Jaime de Barros Câmara, no mesmo jornal: "Punir os que erram é obra da misericórdia divina..."

Encontros com o PSD

O Congresso marcara a eleição para o dia 11, em um sábado, e Castello Branco movimentava-se como candidato desde o dia 5. Por ingenuidade ou malícia, imaginou-se numa tertúlia meramente política, ignorando a situação de fato e de força, e saiu em busca de apoio partidário, como se dependesse dele.

Através de Negrão de Lima, amigo dos tempos de Belo Horizonte e até orador na cerimônia de seu casamento com D. Argentina Viana, Castello pediu para se encontrar com os cardeais do PSD. Negrão retornara em fevereiro da embaixada do Brasil em Lisboa para assumir a chefia da campanha de Juscelino Kubitschek à presidência da República, e, diante do movimento militar, encolheu-se. Positivamente, não concordou com o golpe, como tampouco concordava com o modo de João Goulart governar o país. Tratou de contatar Amaral Peixoto e, depois de algumas consultas ao general, acertaram um encontro no apartamento do deputado Joaquim Ramos, também pessedista, na rua Constante Ramos, na noite do dia 6, segunda-feira.

Sobre essa reunião, ou melhor, essa e a outra, realizada no mesmo local, no dia seguinte, já se escreveram centenas de laudas. Vale repetir, porém, partes da versão que Negrão de Lima deu anos depois, quando já governador da Guanabara, aos jornalistas Heráclio Salles, Villas-Boas Correia, Berilo Dantas, Haroldo Hollanda, Oyama Telles e a mim.

Contou que Amaral Peixoto sugerira o local e que os participantes da primeira reunião eram, além deles e do anfitrião, os deputados José Maria Alkimin e Martins Rodrigues, este acompanhado do genro, então deputado federal pelo PSD do Ceará, Paes de Andrade, que se limitou apenas a ouvir as conversas.

Castello Branco não se atrasou e surpreendeu a todos, porque ninguém o acompanhava. Segundo Negrão, o general pediu o apoio genérico do PSD, mais para seu governo do que para sua eleição, e discorreu sobre a situação que encontraria e seus planos para recuperar o país. Disse que governaria acima das legendas, um eufemismo para esclarecer que a UDN não era o seu partido. Lembrou ser fiel cumpridor da Constituição e recordou sua participação no movimento conspiratório, acusando Goulart de haver atropelado as normas constitucionais. Falando por todos, Amaral Peixoto assegurou o apoio do PSD, mas declarou que precisava ouvir as bases do partido e que, por elas, melhor do que todos falaria o candidato já lançado e homologado na convenção de 20 de março.

Prometeu ou não prometeu?

Marcou-se outra reunião para o dia seguinte, 7 de abril. Juscelino chegou atrasado, é ainda Negrão de Lima que conta, e quis saber de Castello se garantiria as eleições presidenciais de 1965. Ao ouvir a afirmativa, mais passou a olhar as horas.

Malicioso, Castello não o tratou de presidente, como todos faziam e era praxe. Dirigindo-se a ele, surpreendeu os demais: "Senador, estou vendo que o senhor deve ter outro compromisso. Pois não se acanhe, não se prenda por minha causa."

Diante da estupefação geral, Juscelino disse que sim, que tinha, e que precisava retirar-se. Tão logo saiu, Castello Branco comentou com os demais que, de sua parte, não tinha a menor pressa e que reservara aquelas horas para conversar com a cúpula do PSD. Não se falou do ministério, e tanto Negrão de Lima quanto Amaral Peixoto negariam, em depoimentos posteriores, que Castello tivesse prometido, com todas as letras, que Juscelino não seria cassado. Até porque, Amaral Peixoto acrescentaria, aquela hipótese nem se colocava. Era absurda.

Negrão de Lima finalizaria suas recordações dizendo que, no dia seguinte, bem cedo, telefonou para a casa de Juscelino, passando-lhe verdadeira espinafração por se ter retirado antes do homem que, afinal, mandaria no Brasil, e num processo anômalo e revolucionário. Perguntou que compromisso tão importante ele tinha para sair daquela forma. A resposta o irritou ainda mais, porque JK, segundo informou, precisara ir à festa de aniversário da mulher do pianista Bené Nunes, que tocaria, como tocou, algumas peças de música popular ao piano...

A versão de JK

Carlos Heitor Cony escreveu o último livro das memórias de Juscelino, já então falecido, baseado nas confidências do ex-presidente, material que a *Manchete* publicaria em capítulos e que, em 2012, seria relançado com o título *JK e a ditadura*. Eis a parte relativa ao encontro na casa de Joaquim Ramos:

> Ao mesmo tempo que tomava conhecimento do Ato Institucional editado pelo Comando Revolucionário, JK fora informado de que o próprio Castello Branco, já em cumprimento ao próprio ato, buscava o apoio do partido majoritário, pois seria eleito pelo Congresso e não havia outro caminho a não ser o da indicação e da aprovação partidárias. Reunido com a cúpula do PSD em casa do deputado Joaquim Ramos, Castello falou de seus propósitos legalistas, garantindo que daria fiel cumprimento à Constituição. Na qualidade de presidente do partido, Amaral Peixoto lembrou que o PSD já tinha lançado um candidato para 1965 e que seria bom ouvi-lo, pois, em última análise, tirante a parte punitiva do movimento armado, que se extinguiria mais cedo ou mais tarde, o que prevaleceria da tumultuada situação ditada pelo ato era a garantia da continuidade democrática, da qual as eleições de 1965 se tornavam símbolo e expressão. Castello aceitou a sugestão, concordando em que a liderança de JK era incontornável, as bases partidárias não aceitariam a decisão isolada da cúpula e, sim, a do candidato lançado e homologado pela convenção do dia 20 de março.

Assim, acertaram a segunda reunião para a tarde do dia seguinte, a respeito da qual Luís Viana Filho acrescentaria maliciosamente, colocando entre aspas um comentário que ouvira de Castello: "Este [Juscelino], muito inquieto e com ares de quem desejava encerrar o encontro a cada instante, penteava até o cabelo. Não pedi voto, nem apoio de espécie alguma. É uma inverdade."

Indignado com a versão do ex-chefe da Casa Civil de Castello Branco e do próprio general, Juscelino redigiria um documento sobre o encontro, que entregou a Josué Montello, escrito assim que publicado o livro de Luís Viana Filho:

> Na tarde do dia 7 de abril de 1964 encontramo-nos numa reunião, da qual faziam parte, além do general, os senhores Amaral Peixoto, José Maria Alkimin, Joaquim Ramos e Negrão de Lima. O coronel Afonso Heliodoro dos Santos e Ladislau de Abreu também estavam presentes como nossos acompanhantes. Sentamo-nos numa espécie de mesa redonda, e o senador Amaral Peixoto tomou a palavra, explicando ao general que a situação no PSD era diferente dos demais partidos, porque dez dias antes já havia lançado o seu candidato à presidência da República. (...) Como o escolhido se encontrava na reunião, os líderes presentes davam-lhe a incumbência de expor ao general os objetivos que tinham em vista e os que eles consideravam condição indispensável para tomar uma resolução política de apoio àquele que iria ser eleito pelo Congresso para completar o período presidencial. Iniciei uma análise da situação, declarando ao general que considerava aquele nosso encontro uma oportunidade feliz, uma vez que já o conhecia bem, sabia de seus propósitos democráticos e com ele debatera algumas vezes assuntos de interesse nacional, quando exercia eu a presidência da República e ele a direção da Escola Superior de Guerra. Relembrei a posição que ele adotara em 1955, durante a crise político-militar que pusera em risco a minha posse. (...) Nessa ocasião, Castello apoiara o general Lott. (...) Firmara ele, portanto, uma posição legalista, o que tornava muito fácil o nosso diálogo. O Brasil se encontrava diante de uma nova crise político-militar grave e o que nós desejávamos era conduzir os acontecimentos de modo a desaguá-los no leito de uma evolução democrática. (...) Dois pontos eram essenciais para nortear nossa conduta: 1. Saber o que ele (e os outros candidatos) pensavam sobre a realização do próximo pleito presidencial, já

fixado para 3 de outubro de 1965, e se assumiriam o compromisso de respeitar integralmente esse mandato presidencial. 2. Como procederiam diante da posse do candidato que seria sufragado a 3 de outubro de 1965. Daria posse ao candidato eleito, respeitando este sagrado preceito democrático?

Em seguida, ainda é Juscelino Kubitschek que escreve:

> Após as minhas palavras, aguardamos o pronunciamento do general Castello Branco. Este foi peremptório e decisivo. Declarou que a sua tradição democrática já era por demais conhecida para impedir que alguém pudesse imaginar que ele, no governo, alterasse as regras do jogo e modificasse a data e o processo da eleição. Afirmava, sem nenhuma hesitação, que o seu procedimento seria intransigente no respeito à Constituição vigente e das decisões que os partidos haviam adotado. As eleições seriam realizadas no dia marcado, sem discrepância. Respondendo ao item 2, enfatizou que daria posse ao eleito, sem permitir manobras de nenhuma espécie.

Depois:

> Declarei-lhe que esta resposta nos habilitava a propor o seu nome à deliberação do diretório nacional do PSD e que acreditava estarem reduzidos ao mínimo quaisquer motivos de oposição ao seu nome. (...) Eu me permiti formular uma nova questão, motivada por pedido de vários companheiros que haviam participado dos entreveros da campanha de 1955 e que conheciam, na intimidade, episódios que criaram sérias dificuldades à marcha normal do processo constitucional. Pediam-me amigos que indagasse do general se ele não temia que certos setores militares tentassem influir junto ao governo no sentido de impedir a continuação de minha candidatura ou de criar dificuldades à minha posse, caso fosse o eleito. Nesse momento o general se mostrou veemente e retrucou que, no cumprimento do seu dever e dos seus compromissos, não

admitiria influências de quem quer que fosse. Ele era o único senhor de suas decisões que, uma vez assumidas, como ele acabava de fazer naquele momento, ninguém teria forças nem audácia para querer modificá-las. Agradeci as palavras do general e passamos a comentar, já com a contribuição de outros companheiros, como iríamos encaminhar o assunto, porque senti que aquelas declarações haviam feito inclinar definitivamente o prato da balança para o seu lado. O que queríamos era o que ele acabava de afirmar categoricamente. Dissiparam-se as últimas dúvidas dos líderes presentes e todos passaram a ver em Castello Branco o candidato que melhor asseguraria ao PSD as garantias que o partido exigia de respeito e acatamento da lei. (...) Veio, afinal, o dia da eleição. Como senador por Goiás, dei-lhe o meu voto. Cumpri a minha palavra. O resto, todo o Brasil conhece.

O coronel Afonso Heliodoro, fiel assessor e amigo de JK, questionado a respeito por Carlos Heitor Cony, asseguraria que, ao se despedirem, Castello Branco indagou: "Então, presidente, estou aprovado para a presidência?"; ao que Juscelino respondeu: "Perfeitamente, general. E com o nosso apoio." O coronel também acentuaria que Castello Branco saiu primeiro e que Juscelino até o levou à porta do elevador...

Fica difícil perscrutar o conteúdo integral de coisas que envolvem diversos personagens, mas Amaral Peixoto botaria um ponto final no episódio em declarações ao repórter, em *O Globo* do dia 10, ao analisar a edição do Ato Institucional:

> Eu tive conhecimento prévio, porque o general Castello Branco, depois de despedir-se da direção do PSD, no primeiro encontro no apartamento de Joaquim Ramos, voltou-se e anunciou que seus companheiros, no Ministério da Guerra, estavam preparando um instrumento revolucionário, cujos detalhes ele desconhecia, pois não quisera envolver-se no assunto...

A verdade, onde andará?

Quanto mais passa o tempo, mais se radicalizam as versões e mais se enraízam as dúvidas. Castello prometeu que não cassaria o mandato de senador de Juscelino, conforme muita gente jura? JK foi chamado de presidente ou de senador? Saiu mesmo antes da hora para ir à casa de Bené Nunes? Até saber se tirou o pente do bolso e ajeitou o cabelo, na mesa quase redonda onde estava o general, servira para ilações.

Porque, na realidade, poucos meses depois de empossado, Castello Branco suspendeu os direitos políticos e cassou o mandato de Juscelino Kubitschek, além de haver prorrogado o próprio mandato por um ano. Acabou com as eleições presidenciais diretas. Deixou de cumprir, uma a uma, até as promessas que todos são unânimes em acentuar que fez. Mais tarde, cassaria o mandato do governador Ademar de Barros.

Ainda um pequeno capítulo na novela do relacionamento do PSD com Castello Branco. Amaral Peixoto, em entrevista ao repórter, em *O Globo*, revelará uma terceira conversa com o general, já eleito, dia 13 de abril de 1964, dois dias antes de tomar posse. Chamado à residência de Castello, na rua Nascimento e Silva, em Ipanema, foi em companhia do mesmo Joaquim Ramos. Lá, ouviu referência a alguns nomes do futuro ministério, como Otávio Gouveia de Bulhões para a Fazenda e Roberto Campos para o Planejamento, a ser ainda criado. Castello Branco pediu-lhe a indicação de três técnicos em energia elétrica que fossem mineiros para que um deles assumisse o Ministério de Minas e Energia. Seguiu, então, para a sede do PSD, no centro do Rio, e ligou para o deputado Bias Fortes, em Brasília, pedindo-lhe para reunir a bancada do PSD de Minas e selecionar os nomes. Pouco depois, a sugestão: Mauro Thibau, John Cotrim e Mário Bhering. Pelo telefone, transmitiu as opções ao presidente eleito, que escolheu Mauro Thibau.

O caminho de volta

De início chamado de "revolução democrática", o movimento militar de 31 de março de 1964 viu desde logo dividido em dois o rótulo com o qual pretendia ser batizado: ou era revolução, ou era democrático. As duas coisas, de jeito nenhum. Através das notas que o *Correio da Manhã* publicaria nos dias, semanas e meses após ter aderido e coonestado o golpe, é possível não apenas identificar os motivos por que aquele jornal mudou rápido de posição, mas, também, os atos e fatos responsáveis pelo nome com que os adversários definiram aqueles tempos: ditadura militar. A compilação foi feita por Jeferson de Andrade e Joel Silveira, em *Um jornal assassinado*, da qual vão alguns trechos.

A 2 de abril de 1964:

> Grupos antijanguistas, numa atitude condenável, de vindita, procuraram incendiar também o prédio da *Última Hora*, que sempre deu apoio ao presidente João Goulart. Munidos de pedras e paus, e alguns também de armas de fogo, depredaram a garagem, tiraram para fora todos os carros e puseram fogo nos veículos, após lançarem uns contra os outros. Soando a sirene do Corpo de Bombeiros, o grupo se dispersou e fugiu.

A 4 de abril de 1964:

> Ontem, durante todo o dia, não só este jornal como seus diretores receberam inúmeras ameaças. A maioria delas partia de vozes femininas. O interessante é que estas ameaças apareceram depois que o jornal protestou no seu editorial "Terrorismo, não!" contra as arbitrariedades e violências cometidas pelo governo da Guanabara. Ameaças bem mais fortes do que as que foram feitas quando publicamos "Basta!", contra o ex-presidente João Goulart. Isto mostra o fanatismo e a intolerância dos lacerdistas. Mais do que isto, a puerilidade, porque nenhuma ameaça poderá atingir a linha firme e segura deste jornal.

A DITADURA MILITAR E OS GOLPES DENTRO DO GOLPE: 1964-1969

A 7 de abril de 1964:

> Aproximadamente 30 mil exemplares da primeira edição da *Folha de S. Paulo* foram apreendidos pela polícia paulista, quando já se encontravam nas bancas de jornais. A apreensão se deu em virtude de o matutino trazer em sua segunda página uma entrevista com o ex-presidente João Goulart, com chamada na primeira página.

A 7 de abril de 1964, também:

> Um jipe percorreu, na madrugada de domingo, numerosas bancas de jornaleiros, apreendendo e queimando nas calçadas, perante grupos de populares, milhares de exemplares da edição dominical do *Correio da Manhã*. A cena possuía todos os requintes de intolerância e barbárie característicos dos regimes totalitários, provocando decerto em muita gente uma inevitável associação de ideias com as fogueiras de livros nas praças públicas da Alemanha, ao tempo do nazismo. Tratava-se de um duplo crime. Era um crime político inominável esse atentado covarde praticado na calada da noite contra a liberdade de imprensa. Mas era também um crime comum, um atentado ao direito de propriedade, essa pilhagem de jornais que levaram a efeito, arrancando-os das mãos dos jornaleiros, ante a passividade da Delegacia de Roubos e Furtos. Que os chefes militares atentem para este fato: a cidade está sendo saqueada.

A 8 de abril de 1964:

> Constitui perigo imediato para o movimento que depôs o governo João Goulart o desabusado esforço dos que, fracassados em tentativas anteriores, querem transformar o atual momento numa negra festa revolucionaria.

A 11 de abril de 1964:

>Adeus, Congresso. O que faz, ainda de portas abertas, o edifício em que até ontem funcionava o Congresso Nacional, em Brasília, se, como proclama o preâmbulo do Ato Institucional, "fica assim bem claro que a revolução não procura legitimar-se através do Congresso. Este é que recebe deste Ato Institucional, resultante do poder constituinte inerente a todas as revoluções, a sua legitimação".

A 30 de abril de 1964:

>Um dos atos mais lamentáveis que se poderia impor à diplomacia brasileira verificou-se agora, com a indicação do sr. Juracy Magalhães para embaixador em Washington. Isso se constitui num desafio ao bom-senso da nação, que assiste, sem compreender, a uma escolha dessa natureza. (...) O sr. Juracy Magalhães marcou sua passagem pela vida pública com exemplos frequentes de irresponsabilidade moral e falta de compostura.

A 17 de maio de 1964:

>Um regime que violenta a condição humana, pecando contra o espírito através de perseguições religiosas, tende a destruir a si mesmo pela perda de autoridade moral de comandar. Há poucos dias comentamos o terrorismo que se exerce em Minas Gerais contra membros do clero e seus auxiliares leigos. O padre Lage foi preso, passando por uma série de vexames.

A 21 de maio de 1964:

>Alegando a necessidade de consultar números atrasados do jornal e ser difícil obtê-los em Belo Horizonte, agentes da ID-4 compareceram à sucursal de *Correio da Manhã*, ontem, requisitando exemplares de abril e maio, prometendo devolvê-los posteriormente

A DITADURA MILITAR E OS GOLPES DENTRO DO GOLPE: 1964-1969

> Os exemplares do *Correio da Manhã* estão sendo cada vez mais disputados nesta capital e as remessas esgotam-se rapidamente nas bancas, enquanto centenas de leitores recortam e colecionam editoriais e artigos dos jornalistas Carlos Heitor Cony, Márcio Moreira Alves e Otto Maria Carpeaux. São inúmeras as visitas, telefonemas e comunicações de apoio à orientação e posição do *Correio da Manhã*, recebidas diariamente em Minas Gerais. Nos próprios quartéis, faculdades e repartições públicas, exemplares do jornal são lidos com grande interesse e passados de mão em mão.

A 23 de maio de 1964:

> Do quartel-general da ID-4 recebemos telefonemas dando conta de que não haviam gostado do noticiário mineiro nas folhas do diário.

Paternidade obscura

Quem foi o pai do Ato? Nem um exame de DNA concluiria com certeza. Foram muitos os pais, ainda que a primogênita das legislações revolucionárias tivesse na Junta Militar sua reconhecida mãe.

Porque havia o ato de Júlio de Mesquita Filho, sugerido ao marechal Odílio Denis quando a conspiração engatinhava; o ato do almirante Silvio Heck, mais radical, pois, além de suspender direitos políticos e cassar mandatos, determinava o fechamento do Congresso; o ato do professor Gama e Silva, feito ministro da Justiça por breves dias, por imposição do general Costa e Silva ao presidente Raniéri Mazzilli; e o ato do próprio Mazzilli, encomendado a um grupo de parlamentares da UDN e do PSD, inclusive com a participação dos deputados Ulysses Guimarães e Martins Rodrigues, que sugestivamente recomendava as cassações por quinze e não dez anos.

O repórter Antônio Carlos Scartezini registrou no *Correio Braziliense* — e, mais tarde, incluiria em livro de sua autoria, *Dr. Ulysses, uma biografia* — a seguinte informação:

> Quase uma semana depois da vitória militar, a 7 de abril, Mazzilli pede a algumas das principais lideranças do Congresso a favor do golpe que fossem ao Rio para um encontro com ele, que lá estava com a Junta. Num avião militar eles deixam Brasília no dia seguinte. Eram oito deputados e senadores, a maioria da UDN: Pedro Aleixo (Minas), Bilac Pinto (Minas), Adaucto Lucio Cardoso (Guanabara), Paulo Sarazate (Ceará), João Agripino (Paraíba) e Daniel Krieger (Rio Grande do Sul). Os outros dois eram do PSD: Martins Rodrigues (Ceará) e Ulysses Guimarães (São Paulo). Ao receber o grupo, Mazzilli encomenda a redação de um texto que servisse de base ao Ato Institucional a ser baixado pela Junta, impondo a nova ordem acima dos limites constitucionais. Era trabalho para uma tarde inteira. À noite o grupo retorna a Mazzilli com a sua proposta. Mas não era texto que representasse o consenso dos oito congressistas. Os militares desejavam um dispositivo que lhes permitisse cassar mandatos e suspender direitos políticos. Ulysses sugeriu que as suspensões de direitos políticos fossem por quinze anos, uma forma de afastar com eficácia da vida pública os punidos. A maioria do grupo acha que quinze anos é demais e propõe a punição por dez anos. O grupo vai a Mazzilli com as duas propostas. Mazzilli as passa ao ministro da Justiça, Gama e Silva, para levá-las aos militares.
>
> Mais tarde, os parlamentares jantavam com Mazzilli quando Gama retorna e transmite a resposta do general Costa e Silva: dispensava-se a contribuição dos políticos porque os juristas Francisco Campos e Carlos Medeiros e Silva já estavam encarregados pela Junta de redigir o Ato Institucional.

Era um pouco diferente de outra proposta de ato, esta elaborada pelos deputados Bilac Pinto, Pedro Aleixo e Aliomar Baleeiro, da UDN, entregue a Castello Branco, que enviou uma de suas cópias a Costa e Silva. Havia também o que Rafael de Almeida Magalhães levara aos coronéis com os quais jogava futebol, antes mesmo do desenlace militar, certamente exprimindo tendências e sugestões de Carlos Lacerda. Uns chegaram adiantados, outros atrasados, porque, no final, prevaleceria mesmo o dispositivo do advogado Carlos Medeiros e Silva, cuja maioria das sugestões se viu aprovada pelo Comando Supremo da Revolução.

Com o Ato foi entregue o preâmbulo, obra de gênio, ainda que, no caso, segundo seus críticos, gênio do mal, de autoria do velho professor Francisco Campos, o "Chico Ciência", não sem coincidência autor da Constituição fascista de 1937.

Muitos outros pais terão fecundado aquela mãe tão generosa quanto incapaz de determinar com exatidão a paternidade, pois, a partir de dado momento, cada grupo a procurava, lembrando haver obtido seus favores e insistindo em continuar os usufruindo, ficando as coisas mais fáceis para possíveis participações no poder.

O general Costa e Silva, o almirante Augusto Rademaker e o brigadeiro Francisco de Assis Correia de Mello terão recebido dezenas de papéis e papeizinhos com ideias para afastar da vida pública menor ou maior número de adversários. A Junta acabou se deixando seduzir pela técnica jurídica de Carlos Medeiros, mas, antes de tudo, pela argumentação de Francisco Campos, responsável por retirar da consciência de seus integrantes o sentimento de culpa de estarem rasgando a Constituição e atropelando as instituições democráticas. Porque, como regra, a mente dos militares é legalista. Fazem apenas o que a lei permite, ainda que em determinados períodos de crise criem a própria lei, geralmente a antilei, importando-se menos com o fato de ela não dispor de legitimidade nem de representatividade.

O nascimento do Ato deu-se a 9 de abril, após sucessivas rodadas de discussões e debates, aos quais não estiveram alheios os altos comandos das três Forças. Desde 2 de abril que, na imprensa, nos partidos, no Congresso e até nos bares, as conversas e os boatos sobre a iminência do Ato só eram suplantados pelas informações cada vez mais concretas acerca da repressão, que passara a correr solta.

Um furo de reportagem

No dia 7, *O Globo* publicava em manchete de primeira página: "Os chefes militares apresentam um Ato Institucional para que o país possa ser descomunizado". Em seguida, os subtítulos: "Os líderes do movimento revolucionário democrático estão levando à apreciação dos dirigentes partidários documento que engloba uma série de medidas julgadas imprescindíveis para o desmantelamento do processo comunizante. Apontam a providência como mais fundamental e mais premente que a própria eleição do novo presidente da República."

Do texto, de minha autoria, vão alguns trechos:

> Os líderes militares estão levando ao conhecimento dos dirigentes partidários o que chamam de necessidade fundamental da revolução, qual seja, a de se institucionalizar o regime. Em outras palavras, entendem que o processo revolucionário não deve nem pode sofrer soluções de continuidade, estando obrigado o seu desdobramento. Foi feita uma revolução, e deposto um governo, com o objetivo de impedir a comunização do país. É necessário, pois, que seja desmontada a máquina que proporcionou aquela comunização, sob pena de o movimento de 1º de abril fracassar inteiramente em sua finalidade, perdendo até o caráter de revolução e se confundindo com um simples golpe de Estado. Assim, para os chefes militares, urge o desmantelamento completo do edifício que se erguia como objetivo de comunizar o país. (...) Com base em tais pontos de vista, prepararam os chefes militares um conjunto de medidas. (...) Esse trabalho, denominado Ato Institucional, já está sendo submetido à apreciação das lideranças políticas. O Ato Institucional, que pode ser

comparado a uma pequena Constituição, autoriza o Poder Executivo a praticar uma série de medidas explícitas, urgentes e rápidas, como a cassação dos mandatos dos parlamentares extremistas, a cassação dos direitos políticos de cidadãos comprovadamente implicados no processo de comunização agora abortado, o confisco de bens de pessoas, no caso de sua aquisição por processos e meios ilícitos, e outros.

Na mesma matéria, informava-se que o Ato Institucional seria baixado pelo Comando Supremo da Revolução nas horas seguintes e, logo depois, publicado no *Diário Oficial*. Manteria a Constituição de 1946, exceto nos artigos referentes às imunidades parlamentares, à vitaliciedade de cátedra, aos predicamentos da magistratura e à estabilidade dos funcionários públicos civis e militares:

> O Ato Institucional, no entender do líder da UDN, Adaucto Lúcio Cardoso, é definitivo do ponto de vista da jurisprudência brasileira. Tem força de Ato Adicional à Constituição, dele não cabendo recurso nem mesmo ao Judiciário. Também o ex-líder da maioria, Tancredo Neves, embora não dê apoio à iniciativa, entende que o Ato é perfeitamente consentâneo à lei brasileira. O Brasil, disse, vive no momento um estado de revolução. (...) Reunida no final da tarde de, ontem, em Brasília, a bancada do PTB deliberou não aceitar em hipótese alguma a cassação de mandatos parlamentares.

Estavam por fora

Mesmo diante da evidência de que os militares desejavam que o Ato Institucional fosse caracterizado como um marco de força, os políticos ainda remavam contra a maré.

Na edição de 9 de abril, enquanto o Comando Supremo da Revolução se reunia solenemente para editar o Ato, *O Globo* publicou que, depois de nove horas de deliberações ininterruptas no Palácio Laranjeiras, onde se achava o presidente Raniéri Mazzilli, 35 deputados federais e senadores de quase todos os partidos haviam elaborado um conjunto de medidas a que deram o nome de Ato Constitucional, comprometendo-se a aprová-lo no Congresso. O texto era muito parecido com o que os militares fizeram questão de divulgar como de sua exclusiva responsabilidade, acima e além dos preceitos que regiam os poderes constituídos...

O Direito da força

Diz o folclore que Francisco Campos não levou mais de quarenta minutos para redigir o preâmbulo do Ato Institucional que não tinha número, pois se pretendia que fosse único, e que apenas passaria a denominar-se AI-1 depois que os responsáveis pelo movimento revolucionário apelaram para o modo mais fácil de concretizar seus objetivos, mudando as regras do jogo toda vez que lhes convinha.

O velho "Chico Ciência", após entregar o texto ao general Costa e Silva, na tarde do dia 7, ouviu indagações a respeito do conteúdo do Ato, ou seja, do que poderia e do que não poderia ser feito. Respondeu com certo desprezo: "Desses detalhes o Carlos Medeiros pode cuidar..."

Citam-se os principais parágrafos do preâmbulo do documento que, afinal, embasou doutrinariamente o movimento armado de 1964:

> É indispensável fixar o conceito do movimento civil e militar que acaba de abrir ao Brasil uma nova perspectiva sobre o seu futuro. O que houve e continuará a haver neste momento, não só no espírito e no comportamento das classes armadas, como na opinião pública nacional, é uma autêntica revolução. A revolução se distingue de

outros movimentos armados pelo fato de que nela se traduz não o interesse e a vontade de um grupo, mas o interesse e a vontade da nação. A revolução vitoriosa se investe no exercício do poder constitucional. Este se manifesta pela eleição popular ou pela revolução. Esta é a forma mais expressiva e radical do poder constituinte. Assim, a revolução vitoriosa, como poder constituinte, se legitima por si mesma. Ela destitui o governo anterior e tem a capacidade de constituir o novo governo. Nela se contém a força normativa. (...) Ela edita normas jurídicas sem que nisto seja limitada pela normatividade anterior à sua vitória. (...) Os chefes da revolução vitoriosa representam o povo e em seu nome exercem o poder constituinte, de que o povo é o único titular. O Ato Institucional que é hoje editado pelos comandantes em chefe do Exército, da Marinha e da Aeronáutica, em nome da revolução que se tornou vitoriosa com o apoio da nação, na sua quase totalidade, destina-se a assegurar ao novo governo a ser instituído os meios indispensáveis à obra de reconstrução econômica, financeira, política e moral do Brasil (...) Fica assim bem claro que a revolução não procura legitimar-se através do Congresso. Este é que recebe deste Ato Institucional (...) a sua legitimação.

Um choque de água fria

A solenidade de edição do Ato aconteceu às quatro horas da tarde do dia 8, no gabinete do ministro da Guerra, no Rio, transmitida em cadeia de rádio e televisão. Lido por um locutor da Agência Nacional, o preâmbulo exprimiu um choque de água fria na opinião pública. Apesar de citada por Francisco Campos como apoiadora do movimento militar, a sociedade ainda se encontrava perplexa e desinformada sobre os acontecimentos. Presente estava, também, o "presidente" Raniéri Mazzilli, que apenas naquele momento terá realizado a desimportância de seu papel no processo.

Os jornais do dia seguinte publicaram o Ato na íntegra, nas primeiras páginas, e as reações foram diversas. Em editoriais, *O Globo* e o *Diário de Notícias* saudaram efusivamente a ação dos militares. Já o *Correio da Manhã* limitou-se a noticiar o acontecido, sem opinar. Em São Paulo, o *Estadão* regozijou-se, mas a *Folha* foi cautelosa.

Tudo era permitido (ou quase)

O texto do Ato, de autoria de Carlos Medeiros e Silva, mantinha a Constituição de 1946 naquilo que não conflitasse com seus artigos. Marcava para dois dias depois, a 11 de abril, a eleição, pelo Congresso, dos novos presidente e vice-presidente da República, que completariam os mandatos dos governantes eleitos em 1960. Determinava que, para aquela eleição indireta, não valeriam as inelegibilidades constitucionais. Permitia ao presidente da República propor emendas constitucionais, o que era prerrogativa exclusiva de deputados e senadores. Estabelecia que os projetos de lei enviados pelo Executivo ao Congresso seriam considerados aprovados se não votados em trinta dias. Definia que só o presidente da República poderia enviar projetos que implicassem aumento de despesas públicas. Fixava que o presidente da República poderia decretar o estado de sítio, até então direito do Congresso. Suspendia, por seis meses, as garantias legais de estabilidade e vitaliciedade dos funcionários públicos, bem como os predicamentos da magistratura, as garantias que os juízes dispunham de vitaliciedade, inamovibilidade e irredutibilidade de vencimentos, determinando que poderiam ser demitidos ou dispensados de suas funções com vencimentos e vantagens proporcionais ao tempo de serviço. Vedava a apreciação pela Justiça das iniciativas adotadas com base no próprio Ato Institucional. Autorizava o Comando Supremo da Revolução e, depois, o presidente da República, uma vez empossado, a cassar mandatos parlamentares e a suspender direitos políticos pelo prazo de sessenta dias, valendo a aplicação dos demais artigos até o final do mandato presidencial corrente. Por último, marcava para 3 de outubro de 1965 as eleições de presidente e vice-presidente da República para o próximo período, de acordo com a Constituição, ou seja, pelo voto direto.

Esse Ato Institucional, vale repetir, que se pretendia fosse único, não estabeleceu qualquer restrição à liberdade de imprensa, muito menos à liberdade de reunião e de associação.

A pessoa e a família

Os jornalistas que fizeram a cobertura da solenidade de edição do Ato Institucional aproximaram-se de Costa e Silva, que os recebeu descontraidamente. Perguntaram sobre se a supressão dos direitos políticos de um indivíduo implicaria a perda do cargo porventura ocupado no serviço público. O general respondeu assim, conforme relata o coronel Hernâni D'Aguiar em seu livro *A revolução por dentro*:

> Acho que uma coisa não arrasta a outra. O direito político pertence aos cidadãos, e sua perda tem consequências exclusivamente pessoais. Mas o cargo pertence à família, e sua perda afetará pessoas inocentes dos atos praticados pelo seu chefe.

A primeira lista

No dia 10, o Comando Supremo da Revolução ainda será responsável por novas manchetes dos jornais, ao divulgar a lista dos primeiros quarenta parlamentares cassados e de 58 cidadãos suspensos em seus direitos políticos. Encabeçavam a relação João Goulart,

Leonel Brizola, Luiz Carlos Prestes, Francisco Julião, Almino Afonso, Abelardo Jurema, Amaury Silva, Elói Dutra, Sergio Magalhães, José Aparecido de Oliveira, Moisés Lupion, Miguel Arraes, Seixas Dória, Darcy Ribeiro, José Anselmo dos Santos e João Pinheiro Neto, entre muitos outros.

Uma surpresa: o ex-presidente Jânio Quadros também teve suspensos seus direitos políticos. Dias antes, escrevera longa carta ao general Castello Branco, em que se congratulava com o golpe e até justificava sua renúncia em função do radicalismo das esquerdas. Castello mostrou a carta a Costa e Silva, que disse pretender cuidar pessoalmente de Jânio, por certo já com a intenção de puni-lo. Correu que, além de motivos políticos, pois, afinal, o ex-presidente era o primeiro responsável por tudo o que acontecera, o ministro da Guerra tinha razões pessoais para assim agir. Quando comandou a 2ª Região Militar, em São Paulo, Jânio era governador e teria se mostrado inconveniente com D. Yolanda Costa e Silva, durante um jantar de gala no palácio dos Campos Elíseos. Esfregara seu pé nos tornozelos daquela que mais tarde viria a ser a primeira-dama do país.

A eleição

Sábado, 11 de abril, foi um dia atípico em Brasília, não pela chuva que caíra de manhã até de noite, mas pelo fato de que a capital federal estava plena de deputados e senadores, prática incomum ainda hoje. Menos os cassados na véspera, é claro, uma parte dos quais já se encontrava asilada em embaixadas, como as da Tchecoslováquia e do Peru. Na Câmara, faltavam quarenta deputados, a maioria pertencente às esquerdas, em especial do PTB.

Era a primeira vez que o Congresso se reunia não só para cumprir a Constituição, mas, também, o Ato Institucional. Às quatro da tarde, o senador Auro de Moura Andrade, presidindo os trabalhos no plenário da Câmara, optou por uma eleição oral, ou seja, cada um dos 438 parlamentares presentes seria chamado e então se levantaria e, em voz alta, declinaria seu voto. Castello Branco era o único candidato registrado e recebeu 361 votos, contra 72 abstenções e 37 ausências, conquistando a maioria absoluta e tornando desnecessário um segundo turno. Mesmo sem serem candidatos, o general Juarez Távora teve três votos, e o ex-presidente Eurico Dutra, dois. Maciçamente, o PSD votou em Castello, já que, dois dias antes, reunido o diretório nacional, em Brasília, 135 de seus integrantes, contra 26, haviam aceitado a recomendação de Amaral Peixoto para apoiar aquela candidatura.

Está registrada, nos anais de áudio do Congresso, a voz de Juscelino Kubitschek, senador por Goiás, a pronunciar o nome de Castello Branco. JK distribuíra nota oficial, na véspera, em que acentuava estar de acordo "com a indicação do nome honrado e digno do general, na certeza de que a conduta e o passado desse ilustre militar asseguram completo respeito às normas democráticas e acatamento à vontade do povo a ser expressa nas urnas de 1965". Os jornais deram pouca atenção ao pronunciamento do ex-presidente. Alguns nem o publicaram, como *O Estado de S. Paulo*.

Tancredo Neves absteve-se.

O cabo Zé Maria

José Maria Alkimin fora escolhido candidato à vice-presidência, num acordo anterior entre o presidente a ser eleito e o PSD. Poucos deram importância ao fato, mesmo tendo Alkimin sido ministro da Fazenda de JK e mesmo sendo considerado uma das raposas manhosas e felpudas da política que boa parte dos militares rejeitava. Terá havido um outro acordo, sigiloso, entre Castello e os chefes militares, no sentido de que o vice-presidente não tivesse a menor chance de assumir o poder, nem por algumas horas. Em função disso, enquanto governante, Castello Branco jamais viajaria ao Exterior. E deixaria seu companheiro de chapa à míngua, sem lhe designar gabinete no Palácio do Planalto ou em qualquer outra repartição pública. Nem direito a residência ou carro oficial teria.

Conta o folclore que, quando Castello e Alkimin se encontraram, na véspera da eleição, o novo presidente teria brincado, chamando o vice de "cabo Zé Maria", por ter o deputado, como vimos, servido sob suas ordens quando tenente, no 12º Regimento de Infantaria, em Belo Horizonte. Castello puxou conversa e indagou a Alkimin o que queria dizer seu sobrenome, em árabe. Mais que depressa, este respondeu que significava "homem forte, homem honesto, homem alto". Um ano mais tarde, ao receber o representante de um país árabe, o presidente repetiria a questão e ouviria: "Alkimin significa homem mentiroso..."

A eleição para vice-presidente exigiu um segundo escrutínio, no Congresso, pois, no primeiro, Alkimin não alcançara a metade mais um dos votos. Teve 203. Contrariando o acordo, Auro de Moura Andrade lançara-se. Não obteve votação significativa, ficou com 150 votos, mas um volume determinante para impor a segunda votação, da qual retiraria seu nome. Alkimin elegeu-se, então, com 256 votos. Mesmo assim, o empresário Antônio Sanchez Galdeano, cujo nome a imprensa costumava ligar a negociatas, recebeu o voto declarado, em alto e bom som, do deputado Aliomar Baleeiro, da UDN. Foi uma forma de protesto contra o vice-presidente a ser eleito.

O *Correio da Manhã* insurgiu-se contra a candidatura de Alkimin, talvez por causa das dificuldades que, quando ministro da Fazenda, criara para a alfândega desembaraçar diversos tapetes persas que D. Niomar Muniz Sodré trouxe de uma de suas viagens à Europa. O texto, duríssimo, chamava o novo vice-presidente de "triste figura", de "maestro da desorganização orçamentária" e de "antigo diretor da Penitenciária das Neves", estabelecimento penal que dirigira em Minas ao ingressar na vida pública.

O farto folclore sobre Alkimin conta também que Negrão de Lima, seu colega de turma na Faculdade de Direito de Belo Horizonte, ao se encontrar com um antigo professor, poucos anos depois de formado, foi perguntado sobre como se saíam então, na vida forense ou política, os outrora alunos. Negrão, em resposta, relacionou um por um, inclusive Gustavo Capanema, então secretário de governo de Olegário Maciel, governador mineiro, e Milton Campos, jornalista e advogado. Ao se referir a Alkimin, disse que estava na Penitenciária das Neves. O mestre lamentou: "Eu sempre disse que esse rapaz não ia dar em boa coisa e que acabaria preso..."

Um dia de saudade

Castello Branco ficou no Rio, no dia da eleição, 11 de abril. Aproveitou a manhã para visitar o túmulo de sua mulher, D. Argentina, no cemitério São João Batista. Sua fotografia com um ramo de flores na mão, contristado e quase às lágrimas, seria publicada na primeira página dos principais jornais do dia seguinte. Como não era seu costume, *O Globo* abriu a imagem em seis colunas.

O general passara telegrama ao deputado Armando Falcão, seu amigo, em que anunciava que, se eleito, encaminharia imediatamente ao Congresso sua declaração de bens, renovando-a quando deixasse a Presidência da República. No dia da posse, *O Globo* publicaria sua modesta fortuna, constante de uma casa, em Ipanema, de um apartamento ainda não pago, no mesmo bairro, um automóvel Aero-Willis, modelo de 1961, e uma sepultura perpétua, no São João Batista, bem como poucas ações de empresas públicas.

Passando o dia em sua residência, com breve presença, à tarde, no Ministério da Guerra, depois de retornar do cemitério, Castello Branco recebeu incontáveis visitas de políticos, governadores, colegas de farda e curiosos. Um grupo de mineiras, da Liga da Mulher

Democrática, entregou-lhe uma nova faixa presidencial, "para que não usasse a faixa oficial, conspurcada pelos maus presidentes que o precederam". O *Jornal do Brasil* contou o episódio, mas sem lhe dar sequência, porque, na posse realizada pouco depois, no dia 15, o novo presidente portaria a faixa tradicional, já meio gasta e puída, porém carregada de simbolismo histórico.

O coronel Wernon Walters, adido militar da embaixada dos Estados Unidos, tentou cumprimentar o presidente eleito, mas fez meia-volta ao notar que verdadeira multidão comprimia-se frente à casa. Walters, como vimos antes, tornara-se amigo de Castello quando da campanha da FEB na Itália. Era oficial de ligação entre o exército americano e o contingente brasileiro, falava perfeitamente o português, além do alemão, o russo, o espanhol, o italiano e o francês, entre outras línguas. Visitava Castello com frequência, em especial durante o período da conspiração. Como se ambos não apreciassem bebidas alcoólicas, tomavam sempre sorvete, que deglutiam com exageradas manifestações de prazer. Quando a candidatura do militar brasileiro ainda se consolidava, seu colega americano mandou para Washington o seguinte relatório reservado, que John W. Foster Dulles reproduziria em seu livro *Castello Branco — a caminho da Presidência*:

> Aparência pessoal: baixo, robusto. O pescoço muito curto e a grande cabeça dão a impressão de que é corcunda. Atitude em relação aos Estados Unidos: admira e aprecia o papel que os Estados Unidos representaram a partir da Segunda Grande Guerra como defensores da liberdade. Outras particularidades: considerado um intelectual, Castello Branco é um homem de altos ideais e inquestionável ética. Amplamente respeitado dentro e fora das Forças Armadas. Basicamente apolítico, vê as Forças Armadas brasileiras como guardiãs da democracia. Participou de dois esforços para impedir a ameaça de ditadura: 1) Em 1954, foi um dos signatários do manifesto contra Getúlio Vargas. 2) Foi uma das personalidades militares que lideraram a revolução que depôs Goulart.

A DITADURA MILITAR E OS GOLPES DENTRO DO GOLPE: 1964-1969

Walters ainda incluiria o seguinte no relatório:

> Castello Branco é um dos mais inteligentes homens que eu tenho conhecido e tem uma integridade de caráter raras vezes encontrada. É um católico de fé religiosa profunda e genuína, indo à missa todos os domingos, pela manhã, e às vezes durante os dias de semana. Tem um mordente sarcasmo, que lhe tem valido alguns inimigos. É um intelectual brilhante e não tolera a mediocridade. Tem um sentimento de dignidade que mantém a distância as intimidades indevidas. É um tanto formal e reservado com aqueles que não conhece bem, e não faz amigos facilmente. Quando provocado, é capaz de revides contundentes, que os atingidos não esquecem prontamente. Não é suscetível a lisonjas e encara com certas reservas os que por esse modo tentam conquistá-lo. As referências ao nome de sua esposa quase trazem lágrimas a seus olhos. O general Castello Branco sempre se revelou um liberal progressista e acredita que uma considerável parte do governo deve ser consagrada ao planejamento econômico, mas ainda assim entende que a iniciativa privada é essencial ao desenvolvimento do Brasil. É um patriota e coloca os interesses do Brasil acima de tudo, mas não é um nacionalista tacanho ou um xenófobo.

Trata-se de um relatório de amigo, sincero, mas, por conta da amizade, um tanto desencontrado, pois deixa de referir que, em 1954, era o manifesto dos militares contra Getúlio que pregava o golpe, bem como não cita que, quando da tentativa de golpe contra a posse de Juscelino, Castello ficara com o general Henrique Lott, precisamente aliado às forças depostas em 1964.

Amigos e parentes de Castello reuniram-se em sua casa para ouvir, pelo rádio, a transmissão da sessão que o elegeria. Os dois filhos, Nieta e Paulo, mais os generais Ernesto Geisel, Golbery do Couto e Silva, Ademar de Queirós, Antônio Carlos Murici, o marechal Mascarenhas de Moraes e outros. A multidão se acumulava do lado de fora. Por diversas vezes, foi cumprimentá-la. Aos jornalistas, uma vez conhecidos os resultados, declarou que os tempos seriam de recuperação nacional e de muito trabalho, conforme as edições do dia seguinte de *O Globo*, *Jornal do Brasil*, *Correio da Manhã*, *O Estado de S. Paulo* e *O Jornal*, entre outros. Sabia, como afirmou, que sua eleição representava um fardo pesado de responsabilidades e que, por isso mesmo, aceitara a candidatura proposta pelas forças políticas.

Não era bem assim, porque seu nome nascera de um movimento muito mais castrense do que civil, mas aquele não era o momento para se contestar o novo e todo-poderoso presidente. Disse, conforme a imprensa:

> Espero em Deus corresponder às esperanças de meus compatriotas nesta hora tão decisiva para os destinos do Brasil, cumprindo plenamente os elevados objetivos do movimento revolucionário, no qual se irmanaram o povo e as Forças Armadas na mesma aspiração de restaurar a legalidade, revigorar a democracia, restabelecer a paz e promover o progresso e a justiça social, esperando entregar, em 1966, ao sucessor legitimamente eleito pelo povo, em eleições livres, uma nação coesa, ainda mais confiante no seu futuro, liberta dos temores do momento atual.

Enquadrar o marechal

Na edição de segunda-feira, 13 de abril de 1964, *O Globo* publicaria importante nota política:

> Sábado, após a sessão do Congresso que elegeu o marechal Castello Branco presidente da República, reuniram-se os líderes da UDN, PSD, PSP e PDC, expedindo a seguinte nota após várias horas de debates e conversas: "Os partidos políticos que subscrevem este documento, tendo contribuído para a eleição do marechal Castello Branco para a presidência da República, declaram que o

fizeram na certeza de que o eminente brasileiro, no exercício da alta investidura, realizará os objetivos de reconstrução democrática que constituem o compromisso da revolução. Por isso, nenhuma reivindicação partidária terão a apresentar na formação do novo governo, que, apenas, desejam ver em condições de promover o bem da República e dar, enfim, ao país, o clima de tranquilidade e de paz pelo qual anseiam os brasileiros. Da mesma forma, esperam do vice-presidente que acaba de ser eleito, Sr. José Maria Alkimin, que se conduza, no setor de sua atuação, com a isenção e a lealdade necessárias à boa ordem da ação governamental. Brasília, 11 de abril de 1964. As). Pelo PSD, Ernâni do Amaral Peixoto; pela UDN, Bilac Pinto; pelo PSP, Arnaldo Cerdeira; e pelo PDC, Juarez Távora."

A nota tinha significado claro: tentava enquadrar o novo presidente nos limites das diretrizes democráticas.

Uma sessão de nostalgia

Naquela segunda-feira, Castello Branco vestiria a farda pela última vez. À tarde, passou o comando do Estado-Maior do Exército a seu sucessor interino, o general Emílio Maurell Filho. O salão do sexto andar do Ministério da Guerra estava repleto: os três ministros militares, com Costa e Silva à frente, todo o alto-comando do Exército, políticos a dar com o pé, parlamentares, governadores, empresários, magistrados, intelectuais, amigos, parentes, jornalistas e, de forma cada vez mais compacta, "bicões" de toda espécie.

No dia seguinte, 14 de abril, *O Estado de S. Paulo* publicou ampla reportagem informando que a cerimônia fora estritamente castrense, segundo o ritual de toda passagem de comando. General de quatro estrelas, naquele momento promovido a marechal, o novo presidente discursou com emoção e nostalgia. Falou de sua história, lembrou a honra de ter integrado a Força Expedicionária Brasileira e demorou-se em cada passagem de sua carreira militar. Disse ser um velho soldado, como fora o pai, e que, depois de 46 anos, deixava a vida profissional, sempre voltada para o Exército, ao qual tudo devia: formação, caráter e habilitações adquiridas. Formulou votos para que o Exército continuasse unido, coeso, disciplinado e eficiente, no pleno cumprimento de sua destinação constitucional, garantia de um Brasil progressista e soberano.

Muitos viram, naquelas palavras, um alerta para — ou até farpas jogadas sobre — Costa e Silva e os outros dois integrantes do Comando Supremo da Revolução, mas foi com emoção que os dois antigos alunos do Colégio Militar de Porto Alegre se abraçaram, com o ministro da Guerra desejando ao companheiro o maior sucesso no exercício da Presidência da República.

Mais tarde, Castello recebeu, em casa, o presidente do Congresso, Auro de Moura Andrade, para tratar da solenidade de posse, no dia 15, em Brasília. Esteve também no Palácio Laranjeiras para um encontro com o presidente interino da República, Raniéri Mazzilli. À noite, demorar-se-ia em conversas com os generais Ademar de Queirós, Cordeiro de Farias, Juarez Távora, Décio Palmeiro Escobar, Ernesto Geisel e Golbery do Conto e Silva, entre outros. Nessa ocasião, sem abrir a guarda e sem dar a impressão de que dividia o poder, o novo presidente admitiu falar sobre a composição de seu governo, conforme escreveria José Wamberto no *Diário de Notícias* do dia seguinte.

"Não discutam, ele vai ficar"

Nenhum dos repórteres políticos registrou, porque ignorávamos, que o grupo militar em torno de Castello Branco detestava Costa e Silva. Naquela noite, não faltaram sugestões para que, ao compor o novo ministério, o presidente viesse a dispensar o companheiro. Foi irredutível, porém, na ocasião e em outras oportunidades, até a posse:

manteria o ministro da Guerra, apesar de dispensar os autonomeados ministros da Marinha, Augusto Rademaker, e da Aeronáutica, Francisco de Assis Correia de Mello. Ouviu ponderações de que Costa e Silva iria lhe causar problemas, que era a hora de livrar-se dele, mas não aceitou. Entre os dois, apesar das diferenças de temperamento e de concepções, havia uma ligação especial que a ninguém era dado conhecer na sua inteireza. Criticavam-se, espetavam-se, faziam comentários maliciosos e, não raro, desairosos, mas se entendiam e se completavam, como duas faces de uma mesma moeda.

Assim, a primeira decisão de governo tomada pelo novo presidente consistiria em confirmar Costa e Silva como ministro da Guerra. Escolheu, também, o almirante Ernesto Mello Batista para a Marinha e o brigadeiro Nelson Lavanére-Wanderley para a Aeronáutica, que decerto julgava mais flexíveis e menos radicais do que os dois integrantes da Junta.

O braço da ordem jurídica

Em almoço reservado nos aposentos particulares de Roberto Marinho, na sede de *O Globo*, à rua Irineu Marinho, 35, no centro do Rio, tão reservado que dele não tivemos conhecimento, nós que trabalhávamos no jornal, Castello Branco abordou a formação de seu governo. Foi no dia 13 de abril, antes da transmissão do comando no Estado-Maior do Exército. Estavam presentes Armando Falcão e Augusto Frederico Schmidt.

O presidente eleito revelou o desejo de ter Milton Campos como seu ministro da Justiça, dadas as profundas e enraizadas convicções legalistas do político mineiro, ex-governador de seu estado e candidato por duas vezes derrotado à vice-presidência da República, companheiro de chapa de Juarez Távora, em 1955, e de Jânio Quadros em 1960. Esperava, assim, não deixar dúvidas sobre o sentimento legalista de seu governo. Numa deferência ao chamado general civil da revolução, Castello pedira ao governador Magalhães Pinto que tratasse das sondagens e do convite inicial ao dr. Milton. Nenhum dos comensais daquele almoço, muito menos o anfitrião, ousou sugerir nomes, ainda que enfatizassem a necessidade de escolhas com base em posições políticas revolucionárias. "E com base especialmente no mérito", Castello atalhou, diálogo muito mais tarde revelado pelo dr. Roberto a um grupo de jornalistas de *O Globo*.

Milton Campos, porém, não queria aceitar o convite. Não, de início. Chamado ao palácio da Liberdade, em Belo Horizonte, participou a recusa a Magalhães Pinto, como conta Luís Viana Filho em *O Governo Castello Branco*. Alegou não ter vocação para ser o braço de uma revolução. O governador mineiro pegou o telefone, ligou para Castello e lhe repetiu a frase do amigo. O presidente eleito, então, pediu para falar com Milton e enfatizou: "O que quero é que o senhor me ajude a implantar a ordem jurídica."

O ex-governador aceitou.

Um patriarca frustrado

No dia 14, véspera da posse, Júlio Mesquita Filho foi de São Paulo ao Rio para um encontro com o presidente eleito. O patriarca do *Estadão*, sem maldade, chegou ao Copacabana Palace disposto, senão a apresentar-se como condômino do poder, a emplacar, pelo menos, um razoável número de ministros. Julgava-se, e com certa razão, um dos artífices do movimento revolucionário. Assim, preparou sua listinha. Achava impossível, por exemplo, que não saísse de São Paulo o novo ministro da Fazenda. Mais do que sugerir, disse esperar que Castello nomeasse o banqueiro Gastão Vidigal, que o atendera em momento difícil, quando a família Mesquita retomava o jornal, em 1945. Surpreender-se-ia, como todo bom paulista quatrocentão, com que suas sugestões não fossem tomadas por lei. O novo presidente, com muita educação e amabilidade, explicou que já convidara o professor Otávio Gouveia de Bulhões — que ocupava a pasta por convite do presidente interino, Raniéri Mazzilli — a permanecer. E assim foi com as demais indicações, o que levaria o jornalista à perplexidade e ao desalento. Houve uma exceção, contudo: Mesquita ficou muito feliz com o anúncio de que Roberto Campos seria ministro do Planejamento.

Quem conta essa história é o comentarista político Villas-Boas Correia, à época responsável por uma das colunas de *O Estado de S. Paulo*, feita da sucursal do Rio.

Havia, em Castello Branco, uma espécie de prevenção contra a aristocracia de São Paulo. O único paulista a integrar o primeiro ministério do marechal não interessava nem um pouco a Júlio de Mesquita Filho. Era Oscar Thompson, agrônomo, por sinal demitido dois meses depois, indicado ministro da Agricultura pelo governador Ademar de Barros, desafeto do proprietário do *Estadão*. Não foi daquela vez que se formou um paulistério no governo da República...

Carregar pedras

Quando Castello Branco chegou a Brasília na manhã do dia 15, ainda não tinha todo o ministério composto. Alguns ministros receberam o convite pouco antes da posse. O embaixador Vasco Leitão da Cunha, que representara o Brasil em Cuba, junto ao governo de Fidel Castro, e que ocupava interinamente o Itamaraty por decisão de Mazzilli, seria confirmado como ministro de Relações Exteriores. Estava já pronta a nomeação de Roberto Campos como titular do Planejamento, logo que a nova pasta fosse estabelecida em caráter definitivo, por decreto presidencial, o que aconteceria no dia 20 daquele conturbado abril de 1964.

O marechal Juarez Távora caíra numa armadilha, meio ingênuo que era. Quando ainda não se tinha certeza da candidatura de Castello, nem se a aceitaria, o eterno tenente de 1922 (quando, aliás, já era capitão) foi à rua Nascimento e Silva tentar convencer o companheiro. Sagaz, o então chefe do Estado-Maior do Exército disse que poderia aceitar, mas desde que ele, Juarez, estivesse disposto a ajudá-lo. A resposta deu bem o perfil do antigo candidato à presidência da República, conforme depôs para John W. Foster Dulles: "Se ele, Castello, e Costa e Silva se encaminhassem para uma ditadura, sua resposta seria 'não'. Mas, se estivessem dispostos a realizar as transformações necessárias ao Brasil dentro de uma ambivalência toleravelmente democrática, então poderiam contar com ele até para carregar pedras."

Juarez foi feito ministro da Viação, uma das pastas mais densas e importantes da época, porque se tratava da estrutura que mais promovia o desenvolvimento, cuidando de portos, dos correios, dos transportes marítimos, rodoviários e ferroviários e de obras públicas de um modo geral.

Rachel de Queirós, velha amiga e conterrânea de Castello Branco, consagrada educadora, jornalista, intelectual e integrante da Academia Brasileira de Letras, foi convidada para o Ministério da Educação. Pensou e recusou, o que determinou sensível decepção no presidente. O sociólogo Gilberto Freire foi sondado. Aceitava ser ministro, mas não da Educação, o que levou o convite ao reitor da Universidade do Paraná, Flávio Suplicy de Lacerda, por sugestão do governador Ney Braga e do deputado Paulo Sarazate, da UDN do Ceará, velho amigo de Castello.

Para o Ministério do Trabalho e Assistência Social, também ficou Arnaldo Lopes Süssekind, professor universitário e especialista em questões trabalhistas, que assumira por designação de Raniéri Mazzilli.

A DITADURA MILITAR E OS GOLPES DENTRO DO GOLPE: 1964-1969

Primeira conversa

O governador Carlos Lacerda precisava ter representação no ministério, tanto pelos serviços prestados à revolução quanto por constituir-se num dos ídolos políticos de Castello, apesar de só virem a se falar, e pelo telefone, quando da deflagração das hostilidades. Coube a Armando Falcão promover o encontro, marcado para a casa de Juracy Magalhães na rua Saint Roman, em Copacabana, dois dias antes da posse.

A conversa começou com o presidente dizendo que ele e sua falecida esposa votaram diversas vezes em Lacerda. O governador, então, lançar-se-ia a um diagnóstico da situação brasileira, segundo Juracy Magalhães dirá depois à *Manchete*, uma análise brilhante. Foi quando, de repente, para surpresa geral, Lacerda passou a se queixar: tantos anos de luta o tinham deixado fisicamente esgotado e emocionalmente exausto. Financeiramente, muito mal. Além disso, sua mulher, D. Letícia, era portadora de grave lesão no ouvido e ele não dispunha de recursos para levá-la a um tratamento no exterior. Assim, pedia que Castello, logo depois da posse, mandasse o ministro das Relações Exteriores designá-lo para alguma missão fora do Brasil. O constrangimento aumentou quando o governador indicou Clemente Mariani, pai de sua nora, para o Ministério da Fazenda.

Depois, surpreso, mas ainda querendo agradar Lacerda, Castello Branco convidaria para a pasta da Saúde o médico Raimundo de Brito, secretário no governo da Guanabara. Sairia também do lacerdismo a deputada Sandra Cavalcanti, a primeira presidente do Banco Nacional de Habitação.

O deputado Daniel Faraco — uma das reservas morais do Rio Grande do Sul, membro do PSD gaúcho, que pouco tinha a ver com o PSD nacional — seria ministro da Indústria e Comércio, formalmente convidado horas antes da posse, no próprio dia 15. Para Minas e Energia, como já referido, Castello Branco pediu que Amaral Peixoto selecionasse nomes mineiros, e a escolha recairia sobre o engenheiro Mauro Thibau, por sinal nascido no Rio.

Constituía preocupação anterior, verificada no governo João Goulart, a formação de uma nova pasta capaz de enfeixar múltiplas estruturas de desenvolvimento regionais diretamente subordinadas à Presidência da República. Assim, recrutou-se o general Osvaldo Cordeiro de Farias para a Coordenação dos Organismos Regionais, embrião do futuro Ministério do Interior.

Para a Casa Civil, por sugestão de Juracy Magalhães, o novo presidente fixou-se no deputado Luís Viana Filho, do PL, misto de político e intelectual, a quem, por sinal, Castello conhecera na porta de casa, quando, em nome de Raul Pilla, o parlamentar foi cumprimentá-lo pela eleição. Juracy não fora inicialmente incluído no ministério, por razões de alta estratégia. Era uma das opções revolucionárias para a próxima sucessão presidencial, e, por isso, foi mandado para Washington, como embaixador do Brasil. De excelentes relações com o empresariado multinacional, ficaria na capital americana até ser chamado, o que, aliás, aconteceria antes do planejado. O ex-governador da Bahia não chegaria ao Palácio do Planalto.

"Não trabalho com teimoso"

O general Ademar de Queirós levou a Castello Branco a sugestão de convidar o general Ernesto Geisel para a Casa Militar. O presidente refugou, alegando que Geisel seria uma boa escolha não fosse tão teimoso. Sondado, apesar disso, Geisel também não quis: "Trabalhar com o Castello? Não posso. Ele é muito teimoso." No fim, acertaram-se.

O general Golbery do Couto e Silva demoraria alguns meses para estruturar e ver formado o Serviço Nacional de Informações, que ocupou. Convidaria para chefe da Agência Central um seu antigo subordinado no Conselho de Segurança Nacional, o coronel João Baptista Figueiredo.

Houve ingerência política e regional ou Castello formou o ministério que bem quis sem interferência fisiológica? Melhor será marcar a coluna do meio, porque, se escolheu quem quis, não raro as indicações partiram de governadores, de líderes políticos e até de partidos. Tudo, porém, de modo a que ao menos parecesse repousar nas mãos do presidente as decisões finais, sem imposições de espécie alguma. Os governadores e os partidos anunciavam não pleitear postos, como fez o PSD, formalmente, pela palavra de Amaral Peixoto, no próprio dia da eleição. Ou como Carlos Lacerda declarara ao *Jornal do Brasil* do dia 12. Outra vez, é melhor marcar a coluna do meio, pois tudo não passou de como se encaminhavam e viabilizavam indicações.

O presidente eleito, respondendo ao repórter do *Correio da Manhã*, na edição do dia 15, disse que suas escolhas baseavam-se no mérito, o que não significava que não conversasse com as lideranças políticas a respeito das opções. Procurava atender também, na medida do possível, as justas expectativas das diversas regiões do país. Sua equipe — afirmou — precisava ser composta por homens de capacidade comprovada.

3
De boas intenções o inferno está cheio

Promessas na posse

No Rio, às sete da manhã do dia 15, Castello Branco já tomara café e, de terno e gravata, aguardava que a filha, Nieta, o genro e os netos se aprontassem para seguir ao aeroporto Santos Dumont e voar no Viscount presidencial para Brasília, onde, às três da tarde, perante o Congresso, tomaria posse como presidente da República.

Mais cedo do que ele acordaram os repórteres e fotógrafos dos principais jornais, que o esperavam na calçada fronteiriça de sua casa, na rua Nascimento e Silva, em Ipanema. Os carros de reportagem que o acompanhariam não esperavam o desvio de trajeto até o Cemitério São João Batista, onde, diante do túmulo da mulher, permaneceu por dez minutos. No aeroporto, esperavam-no os novos chefes das Casas Civil e Militar, Luís Viana Filho e o general Ernesto Geisel. Aproveitou o voo de duas horas e meia e reviu o discurso de posse, composto a partir de notas que dera a Luís Viana para que este, como pediria inúmeras outras vezes, colocasse "música na letra".

No dia seguinte, *O Globo* reportaria, minuto a minuto, o evento da posse do novo presidente. No aeroporto da capital federal, Castello teve grande recepção, com o vice-presidente escolhido, José Maria Alkimin, políticos, militares e futuros ministros. Chegou por volta de onze horas ao palácio da Alvorada, que pela primeira vez visitava. A filha e a família morariam com ele por alguns meses.

No Congresso, presidido pelo senador Auro de Moura Andrade, prestou juramento à Constituição e discursou. Conforme o *Correio Braziliense* do dia seguinte, mostrava-se um tanto nervoso, durante os quinze minutos de seu pronunciamento. Foi interrompido seguidas vezes por aplausos do plenário, em especial quando assegurou que, em janeiro de 1966, passaria o governo ao sucessor democraticamente eleito pelo povo.

Luís Viana Filho relera, naquela madrugada, o discurso de Lincoln em Gettisburg, mas dele aproveitara pouca coisa. Ateve-se às notas do próprio Castello para dar redação final ao texto. Quase todos os jornais do dia seguinte publicaram a oração na íntegra, inclusive a *Última hora*, que, depois de alguns dias sem circular, pois tivera sua redação carioca depredada por alguns vândalos, voltava às ruas com outra direção e outra linha editorial.

No seu pronunciamento, Castello também enfatizou que se pautaria pelo ideal democrático e acentuou que o fato de a esquerda radical estar alijada das decisões nacionais não significava que seu governo fosse cair nas mãos da direita reacionária. Falou da importância da educação e das reformas sociais que procuraria ampliar.

Apenas o *Correio da Manhã* do dia 16 deu ênfase a uma notória ausência na solenidade de posse, plena de autoridades civis, militares, eclesiásticas, embaixadores, empresários, políticos e governadores. Carlos Lacerda não comparecera. Através de Abreu Sodré e de Armando Falcão, o governador carioca fizera chegar a auxiliares do novo presidente que assim agia "por discordar daquele ministério conservador e reacionário", ainda que sob a cobertura do fato de sua mulher encontrar-se acamada. Castello sentiu o golpe, mas, como era de seu estilo, devolveu sutilmente a farpa, ao telefonar ainda naquela noite para Lacerda, buscando notícias sobre a saúde de D. Letícia.

Com sua comitiva, dirigiu-se ao palácio do Planalto, onde, numa curta saudação, receberia a faixa presidencial de Raniéri Mazzilli. Em seguida, passou a assinar os atos de nomeação dos ministros já escolhidos, cuja relação foi anunciada, mais tarde, pelo chefe da Casa Civil. O secretário de Imprensa só seria escolhido dias mais tarde, o jornalista José Wamberto, do *Diário de Notícias*, profissional que toda a classe respeitava pela honestidade e objetividade. Se Wamberto, depois, mais não pôde fazer em matéria de informação, apesar de ter feito muito, foi por conta das interferências da Casa Militar em seu trabalho, pois era frequente o general Ernesto Geisel exigir que lhe fossem submetidos os textos das notas oficiais.

Retornando à noite ao Alvorada, o presidente já empossado celebrou modestamente com a família, com direito a uma taça de champanha, a única bebida que bissextamente apreciava.

Escreveria John W. Foster Dulles, em *Castello Branco — o presidente reformador*, que no dia 16, às seis horas da manhã, o telefone tocou no quarto do hotel Nacional onde dormia o coronel Wernon Walters. Do outro lado da linha, o Castello, que se desculpava por acordar o amigo, a quem convidou para almoçar. Relembraram os tempos da FEB, tendo o presidente surpreendido o adido militar americano com uma afirmação: "Aqui estou, onde nunca pensei estar, exercendo uma função que nunca desejei." Walters respondeu citando Harry Truman, para quem, quando se é presidente, o único futuro que se tem está na memória do povo. Dotado de agudo senso de humor, o coronel presenteou o amigo com um abacaxi de madeira que trouxera do Rio, símbolo das dificuldades a enfrentar. Ouviu a intenção de ser estabelecido no Brasil um regime democrático e constitucional, um recado que certamente Castello esperava fosse logo transmitido ao governo de Washington. A Casa Branca já dava sinais de apreensão diante de notícias referentes à caça às bruxas verificada no Brasil. Acertaram para o dia seguinte uma visita do embaixador Lincoln Gordon ao Planalto, para, pela primeira vez, avistar-se com Castello Branco.

Naquele primeiro dia efetivo de governo, iniciou-se a rotina de reuniões setoriais do ministério, de acordo com os problemas a enfrentar, quase sempre com a presença de Luís Viana e de Ernesto Geisel, aos quais, semanas depois, somar-se-ia o general Golbery do Couto e Silva. Os dirigentes da UDN e do PSD foram convidados ao Planalto, à tarde, dando partida a um ritual semanal.

Choque no Supremo

Desde a vitória do movimento militar e das cassações de quarenta deputados federais que líderes mais extremados não escondiam a intenção de intervir também no Supremo Tribunal Federal. Ressentiam-se especialmente da presença, no plenário da mais alta corte nacional de justiça, de ministros como Evandro Lins e Silva e Hermes Lima.

Para demonstrar que não partilhava aquele estado de espírito, o presidente visitaria oficialmente, no dia 17, o Supremo. Foi recebido com solenidade pelo presidente, Álvaro Ribeiro da Costa, e pelos demais ministros. Tentou dissolver o gelo e fez uma saudação de fé nas instituições jurídicas do país e de confiança no funcionamento da democracia, mas foi tomado de espanto quando, agradecendo, o anfitrião chegou a ser descortês ao alertar para o perigo das ditaduras e dos regimes de exceção. Quebrando então o protocolo, Castello pediu de novo a palavra e foi duro. Lembrou que estava em curso uma revolução e que não se deteria diante de nada para dar fim à subversão e à corrupção.

A DITADURA MILITAR E OS GOLPES DENTRO DO GOLPE: 1964-1969

O Estado de S. Paulo do dia 18 não apenas publicou a íntegra dos pronunciamentos, mas, em editorial, verberou a indelicadeza e até manifestou ponto de vista de que nem o Supremo deveria ser intocável, quando em jogo os destinos da revolução.

Por conta do mal-estar, Álvaro Ribeiro da Costa reuniu seus companheiros, antes de iniciar a sessão seguinte, e informou que, se algum deles viesse a perder os direitos políticos por ato revolucionário, não hesitaria em fechar o Supremo Tribunal Federal e entregar a chave na portaria do palácio do Planalto.

Reação cautelosa

Ainda que poucos nos meios políticos admitissem de público, estava claro que as exortações e até manobras plantadas na imprensa em favor da protelação das candidaturas presidenciais já postas visavam mesmo afastar Juscelino Kubitschek. A um ano e seis meses das eleições presidenciais constitucionalmente marcadas para outubro de 1965, poucos duvidavam de que o ex-presidente seria eleito outra vez, com facilidade. Em especial porque, se já nascera impopular, o movimento militar mais se tornava a antítese do que apregoaram seus líderes. A imprensa internacional saíra na frente e denunciara uma quartelada que tomou o poder pela força, cassava mandatos, suspendia direitos políticos, afastava governadores e proibia a atividade sindical. Talvez não fosse propriamente assim, ou apenas assim, mas a versão era essa.

O PSD fazia malabarismos para manter-se à tona e, se possível, preservar o seu candidato. Antecipava-se aos rumores já ouvidos em círculos mais próximos dos chefes militares. No dia 18 de abril, *O Globo* publicava nota assinada pelo presidente do partido, Amaral Peixoto:

A posse do honrado marechal Castello Branco na presidência da República encerra fase difícil da vida brasileira. A direção nacional do PSD teve, desde o primeiro momento, ação decisiva na eleição do eminente brasileiro. Os votos dos senadores e deputados do PSD honraram o compromisso assumido pela direção do partido. O PSD, na linha dessa atitude política, dispõe-se a prestar ao ilustre presidente Castello Branco a sua colaboração, especialmente por intermédio de suas bancadas no Senado Federal e na Câmara dos Deputados, para a realização do seu programa político e administrativo, traduzido essencialmente no modelar discurso pronunciado perante o Congresso Nacional no ato de sua posse. Entendo, nestes termos, dirigir-me à opinião pública, para reafirmar a posição essencial do PSD, favorável à necessidade de serem efetuadas reformas e tomadas medidas que visem a dar ao Brasil os instrumentos jurídicos e constitucionais indispensáveis ao seu desenvolvimento e ao bem-estar do seu povo, que se encontram consubstanciadas no roteiro que adotamos para a presente sessão legislativa.

Coube ao líder Martins Rodrigues ler o roteiro, que nada mais era do que um prolongado elenco de propostas de reformas, então apresentadas ao debate. Com ele, o PSD esperava diluir o objetivo que se tornava óbvio em setores mais extremados do movimento militar, resumido na obstinação de afastar desde logo a candidatura Kubitschek.

Como o presidente Castello Branco se referira, em sua posse, à necessidade de múltiplas reformas, o PSD tentava jogar um lance adiante: iniciar de imediato o debate a respeito e ocupar os espaços porventura dedicados com exclusividade à reformulação do processo sucessório.

Longo trecho era dedicado à reforma agrária, no qual o partido, até por ideologia e pensamento majoritário de seus integrantes, condenava "a atitude primária e demagógica de reduzir o problema à propriedade da terra, desassistida de medidas que assegurem a sua adequada utilização, tais como a assistência técnica ao lavrador, a concessão de crédito rural, a garantia de preços de sustentação da produção e, finalmente, a correta disciplina entre os trabalhadores e os proprietários rurais".

Só o exame desses aspectos tomaria meses e meses de debates, sem se falar em sua transformação em projetos de lei e de emenda constitucional, mais as discussões e as votações. Os pessedistas não ficavam apenas na reforma agrária. Propunham a reforma bancária, certamente não como João Goulart a planejara, de estatização do sistema financeiro nacional, mas tão cheia de meandros que demandaria uma Legislatura inteira para ser deglutida. Outro item era a correção das distorções da riqueza nacional em termos regionais, com planos para o desenvolvimento do Norte e do Nordeste. Aventava-se a hipótese da criação do Banco Central. O comércio exterior merecia ampla análise, com sugestões para a proteção da produção industrial, paralela às exportações agrícolas. Sugeria-se uma reforma tributária, destinada a rever os impostos vigentes. Depois, vinha a nova Lei de Greve, por certo que com concessões à disciplina e à preservação da ordem, e com ênfase na defesa tanto da propriedade pública e privada quanto do trabalho. A reforma administrativa, "pondo ordem nos serviços públicos e enxugando a máquina do Estado, o combate à inflação, o municipalismo e o papel dos estados na Federação" — tudo integrava as propostas do PSD que, com malícia, muita gente supunha ser o embrião já elaborado do programa de governo de Juscelino Kubitschek, se pudesse ser mantida sua candidatura.

O problema estava em que o partido não atuava em uníssono. Em suas bancadas existiam os que pregavam um engajamento completo com as idiossincrasias e o açodamento dos militares mais radicais. Entre eles, por convicção, os deputados Armando Falcão, Olavo Costa, Ultimo de Carvalho e outros. Por malandragem, o senador Benedito Valadares, entre muitos.

Naquela mesma edição de *O Globo* do dia 18 de abril lia-se uma declaração de Armando Falcão:

> O PSD, pela ação de sua cúpula, tudo fez para apoiar o governo João Goulart. Não fora a oposição do grupo que, dentro do partido, interpretava realmente o sentimento das bases municipais, o PSD teria sido entregue de mãos e pés atados às maquinações e manobras que fazia o situacionismo contra as instituições. Assim, não se pode compreender que, tendo antes manifestado a disposição de dar cobertura à atuação do sr. João Goulart, a cúpula partidária se recuse agora, por via direta ou indireta, a colaborar integralmente com o novo governo. Parece que alguns membros da direção do meu partido não perceberam ter havido uma revolução democrática no país. Os que atiraram o PSD nos braços do ex-presidente não podem, a esta altura dos acontecimentos, considerar-se com direito a pleitear essa ou aquela posição na administração pública, instalada por força da revolução democrática. (...) Se a cúpula pessedista tem a intenção de reabilitar-se e recuperar-se para o eleitorado, há de marchar rapidamente para uma composição com o governo.

Onde morava o perigo

Naquele mesmo dia, *O Jornal* publicava: "O ministro da Guerra, general Costa e Silva, conferenciou ontem com os srs. Francisco Campos e Carlos Medeiros e Silva, autores do preâmbulo e dos artigos do Ato Institucional. Desejou o ministro aclarar alguns pontos relativos à aplicação do Ato Institucional, à medida que forem surgindo."

Nos quartéis, como sempre acontece nessas ocasiões, era grande o número de coronéis que, por terem participado da conspiração e das ações para a queda de João Goulart, julgavam-se condôminos não apenas da revolução, mas do governo. Sentiam-se no direito de opinar sobre todos os temas, rejeitando aquela institucionalização pela metade que significaram a eleição e a posse de Castello Branco. Era preciso tolerá-los e não permitir que abrissem bolsões de indisciplina ou focos de novas conspirações. O próprio marechal-presidente fazia concessões, como as sucessivas cartas do coronel Hélio Ibiapina, que lia e respondia rotineiramente. Aceitou, naqueles dias ainda indefinidos, receber, no palácio Laranjeiras, o coronel Epitácio Cardoso de Brito, comandante de um regimento de Infantaria sediado no Rio. O visitante demorava-se em considerações sobre a política partidária, a necessidade de mais vigor nas punições revolucionárias e até sobre reformas nas leis trabalhistas. Em dado momento, malicioso como sempre, Castello o interromperia para perguntar: "Coronel, como vai o seu comando? O que está fazendo para melhorar a instrução e o desempenho da tropa?"

Reações naturais

Ao perceber que as sugestões e as ilações para a interrupção das campanhas poderiam chegar à supressão das eleições presidenciais, mesmo oriundas de grupos cada vez mais fortes em seus respectivos partidos, os candidatos já lançados reagiram.

Carlos Lacerda — que fora apresentado como candidato em anterior convenção nacional da UDN, em Curitiba, ainda com João Goulart na presidência — não gostou nem um pouco das imaginadas restrições futuras e, ao anunciar que partiria à Europa para "explicar a revolução", disse numa entrevista à TV-Rio, no dia 20 de abril: "Deixarei o país como candidato, permanecerei candidato e retornarei como candidato."

Ademar de Barros, também já oficializado pelo PSP, no início do ano, soltou nota publicada, entre outros jornais, pela *Folha de S. Paulo* a 19 de abril, na qual desmentia que desistira de postular a presidência da República. Através de *O Estado de S. Paulo*, os grupos militares mais radicais haviam difundido um raciocínio que incomodava sobremaneira o governador de São Paulo: "Ele esquecerá o futuro e nós esqueceremos o passado." Uma referência à imagem que os adversários de Ademar forjaram ao longo dos anos, envolvendo-o em permanentes irregularidades com os dinheiros públicos, o homem do "rouba mas faz"...

Juscelino Kubitschek estava em Minas. Viajou para o Rio e, em entrevista a *O Globo* do dia 22 de abril, admitiu suspender o processamento de sua campanha até janeiro de 1965, porque a nação devia um crédito de confiança ao presidente Castello Branco, à obra que seu governo pretendia realizar, de soerguimento administrativo, moral e político do país. O acirramento da campanha sucessória certamente prejudicaria a atuação do novo presidente. Reafirmava, porém, que de forma alguma retiraria sua candidatura, consagrada pela unanimidade do PSD. Ao mesmo tempo, anunciou que passava uma procuração ao presidente do Senado, Auro de Moura Andrade, para que fossem amplamente investigados os seus bens, no país e no exterior. JK sabia que os ventos começavam a soprar contra. Entre os boatos que a UDN espalhava, destacava-se aquele segundo o qual ele detinha uma das maiores fortunas do mundo, cuja origem não poderia explicar, o que o colocaria na alça de mira das cassações. O futuro se encarregaria de demonstrar os limites mais do que restritos de sua fortuna, já que, em pouco tempo, para sobreviver, obrigar-se-ia a pronunciar conferências em universidades dos Estados Unidos e da Europa...

Vem de longe a má vontade

O deputado Edilson Távora, da UDN do Ceará, era contumaz desafeto de Brasília, cidade onde, dizia sempre aos jornalistas, nem passarinho cantava, de tão triste. Assim, aproveitando as profundas mudanças institucionais verificadas no país, propôs, através de *O Globo,* no dia 22 de abril, que o governo militar questionasse se a nova capital tinha mesmo condições de funcionar ou se seria melhor retornar à antiga, no Rio. Apesar de grande número de adeptos de sua tese, no Congresso e no governo, Brasília era mesmo irreversível, como diria, pouco depois, o marechal Castello Branco.

Marcha a ré impossível?

Claro que nenhuma das raposas felpudas da política nacional admitia sequer falar em surdina, quanto mais de público, mas estava evidente que ninguém alimentava maiores esperanças de que o processo político pudesse desenvolver-se conforme os padrões anteriores ao golpe militar. Competia-lhes jogar o "faz de conta", quer dizer, fingir que acreditavam nas intenções dos novos donos do poder de preservar as regras do jogo anterior, interrompidas pelos tanques. Falavam nas entrelinhas, dando sinais aos jornalistas políticos.

Em *O Globo* do dia 20 de abril, reportei fruto de sinais dados pelos chefes do PSD e da UDN:

> Com a vitória do movimento revolucionário, desapareceu a necessidade da precipitação do processo sucessório, que antes havia exigido a fixação prematura das candidaturas de Juscelino Kubitschek, Carlos Lacerda, Ademar de Barros e Magalhães Pinto. Entendem os líderes que as campanhas presidenciais em pleno desenvolvimento até 30 de março devem sofrer um hiato obrigatório, ditado, inclusive, por argumentos de ordem patriótica, de necessidade premente de trégua política e congraçamento geral em torno do governo do presidente Castello Branco. A razão dessas conclusões repousa no fato de que a fixação antecipada do processo sucessório era exigida como forma de garantia para a realização das eleições, ameaçadas pelas tentativas continuístas do ex-presidente Goulart. Deposto o antigo governo, porém, cessaram as razões políticas. Desaparecidas as causas, desaparecem os efeitos.

E depois:

Na sequência dessas conclusões já aparecem defensores de teses complementares, inclusive da retirada das candidaturas atuais, ou melhor, de uma reformulação completa do quadro sucessório, que viria como decorrência da interrupção das campanhas e dos novos rumos agora tomados no país. Na UDN e afins, por exemplo, não pode mais ser ocultado o sentimento de grande hostilidade a uma das partes integrantes do esquema sucessório anterior a 30 de março, ou, mais claramente, à candidatura de Juscelino Kubitschek. Não são poucos os que julgam que o atual senador por Goiás, engajado anteriormente na busca do apoio do presidente deposto, deveria ter sua indicação sujeita a um reexame completo, inclusive por parte do comando militar, mas, especialmente, pelo seu próprio partido, o PSD. Evidentemente, como acentuava ontem um dos mais categorizados líderes udenistas, seria até uma estupidez a cassação pura e simples pelo sr. Kubitschek por candidatar-se (...).

Conversa estranha

Carlos Lacerda contou ao *Jornal da Tarde*, em março de 1977, que, pouco depois da posse de Castello Branco na presidência da República, o presidente da UDN, Bilac Pinto, apareceu no palácio Guanabara, provavelmente no dia 17 ou 18 de abril de 1964, "com uma conversa bem mineira, daquelas que começa e você não sabe onde vai acabar, mas sabe que o fim nada tem a ver com o começo". O deputado acabaria lhe dizendo:

Governador, acho que a sua candidatura, que foi praticamente lançada no Paraná, agora já não faz sentido porque, afinal, houve uma revolução. Então seria o caso, eu acho, e como conheço o seu espírito público e o seu desprendimento pessoal é que me atrevo a fazer essa sugestão, este apelo. Acho que você devia renunciar à sua candidatura, abrir mão dela. Não é bem renunciar, é abrir mão, porque é um outro processo que começou neste país.

Sentindo a conversa muito estranha, Lacerda reagiu com a fórmula clássica. Disse que sua candidatura não mais lhe pertencia, que era da UDN, a quem competia mantê-la ou retirá-la. Bilac então explicou que, se tudo começasse com a UDN abrindo mão de sua candidatura, ficaria impossível ao PSD manter a candidatura de Juscelino Kubitschek.

O deputado mineiro, desde a conspiração, tinha-se ligado ao grupo militar intelectualizado da Escola Superior de Guerra, que já o municiara com a teoria do National War College dos Estados Unidos, sobre a guerra revolucionária e a guerra psicológica adversa, que servira para embasar ideologicamente a revolução e ainda serviria para justificar muitas arbitrariedades no futuro.

Anos depois o repórter conversaria com o general Golbery do Couto e Silva, que já deixara o governo João Figueiredo, posto em desgraça por conta do atentado do Riocentro. Foi durante um almoço no escritório do diretor da Rede Globo em Brasília, Afrânio Nabuco, realizado em janeiro de 1984, quando se colocava a sucessão de Figueiredo. Indaguei-lhe sobre o início do governo Castello Branco e o episódio da retirada da candidatura Lacerda, e ele o confirmou. Tudo se fez a partir da premissa, desde logo reconhecida no próprio palácio do Planalto, de que, se as eleições de 1965 se realizassem conforme determinava a Constituição, Juscelino ganharia disparado. Assim, a estratégia começava pelo afastamento consentido de Lacerda para constranger o PSD. Como o governador reagiu, o remédio foi cassar o mandato de Juscelino, impedindo-o. Não por coincidência, logo em seguida Castello Branco mandaria repetidos recados aos políticos e à imprensa de que o afastamento de JK não implicava benefício a qualquer outro candidato... Tratava-se do reconhecimento reservado de que os tempos eram mesmo outros e de que a candidatura de Lacerda "não inspirava confiança ao governo". Traduzindo: queriam um presidente mais amoldado ao projeto de poder deles, em início de implantação, no qual Roberto Campos pontificava com sua política econômica de total abertura aos Estados Unidos. Também não era gratuitamente que o grupo palaciano, formado por Castello, Golbery, Geisel, Luís Viana e outros, fizera a mosca azul picar Bilac Pinto.

Voltemos, contudo, ao diálogo do presidente da UDN com Lacerda, no palácio Guanabara, ainda em abril de 1964. O governador relatou ao *Jornal da Tarde* ter concordado em que a revolução tinha ainda muito a fazer, que as eleições estavam marcadas para outubro de 1965 e que, portanto, aceitava, mantendo viva sua candidatura, refluir alguns meses na campanha já iniciada. Bilac insistiu. Acentuou a necessidade de um ato patriótico explícito, que seria o belo gesto da renúncia, senão tudo pareceria ambição pessoal. Lacerda retrucou: "Prefiro não ser nem tão belo nem tão patriótico."

E sugeriu que se convocasse outra convenção da UDN, que homologaria ou não, retificaria ou não, o seu nome como candidato. Submeter-se-ia à decisão do partido. Ficou com a pulga atrás da orelha, como declarou. Aí começaram, se já não tinham começado antes, suas divergências com Roberto Campos e a política econômica, parcialmente interrompidas com o convite do presidente da República para que fosse "explicar" a revolução na Europa.

Tinha explicação?

Relataria *O Estado de S. Paulo*, em sua edição de 21 de abril de 1964, que, na véspera, depois de haver almoçado com Castello Branco, no palácio da Alvorada, Carlos Lacerda foi procurado pelos repórteres de Brasília e declarou que esperava se tornar o inquilino

A DITADURA MILITAR E OS GOLPES DENTRO DO GOLPE: 1964-1969

da residência oficial, a partir de 1966. Era mesmo candidato à presidência da República.

Naquele almoço, também compartilhado por Armando Falcão, por ingerência anterior do deputado pelo Ceará, o presidente formalizou o convite ao governador para que se encarregasse da missão de explicar a revolução na Europa e nos Estados Unidos. Era grande a má vontade dos jornais franceses diante do movimento armado, a começar pelo *Le Monde*, mas veículos americanos, como o *Washington Post* e o *New York Times*, não ficavam muito atrás. Ganhavam as primeiras páginas notícias sobre perseguição a políticos de esquerda, prisão de líderes sindicais e estudantis, sobre cassações de mandatos e suspensão de direitos políticos e até sobre torturas praticadas por agentes do novo regime. Os editoriais verberavam as medidas ditas revolucionárias, e uma série de entidades públicas e privadas do hemisfério norte já se pronunciava contra o novo governo brasileiro.

Carlos Lacerda, em seu depoimento ao *Jornal da Tarde*, citaria o encontro anterior que tivera com o presidente, no Rio, na casa de Juracy Magalhães, na rua Saint Romain, em Copacabana, antes da posse:

> Trocamos amabilidades e, a certa altura, eu disse: "Presidente, queria renovar um pedido que lhe tinha feito por intermédio do Juracy. Não tenho dinheiro para viajar e preciso viajar, preciso sair. Se o senhor tiver alguma missão no exterior, compatível, que seja útil ao governo, pois não quero uma viagem de presente, e se o senhor me achar capaz de desempenhá-la gostaria de ir. Tiro umas férias do governo (da Guanabara) e saio, porque estou exausto. Estou na última lona. Quatro anos de trabalho intenso, de tensão, de perigo, o diabo..." Aí o Juracy ainda fez um comentário muito lisonjeiro (...): "Veja, presidente, o que é um governo da UDN! Um homem que está lidando com milhões e milhões de cruzeiros, que está fazendo todas essas obras na Guanabara, podia ter uma viagem paga por qualquer empreiteiro desses, e não tem dinheiro para fazer uma viagem." O Castello respondeu: "Pois não, vou pensar no assunto. Creio que teremos uma missão para o senhor."

O governador conta que, dias depois, viajando para Brasília, sentou-se no avião ao lado do chanceler Vasco Leitão da Cunha, que lhe disse:

> O presidente falou sobre sua ideia. Tem agora uma conferência internacional em Genebra e eu posso nomear você como um dos delegados. Você nem precisa ficar lá. Vai, dá o ato de presença e depois descansa onde quiser.

Ainda segundo a versão do próprio, Lacerda respondeu:

> Vasco, acho que está havendo um engano, um equívoco muito sério nessa história e eu queria desmanchar logo. Não estou pedindo uma sinecura e nem estou pedindo para ir como delegado a uma conferência que não preciso comparecer. Pensei que você me conhecesse melhor. Isso não faz o meu gênero.

De qualquer forma, depois, a 20 de abril, Castello convidou formalmente o governador para explicar a revolução no exterior, conforme Lacerda relataria:

> O presidente disse ter uma missão para mim: "A imagem da revolução está sendo muito deformada pela imprensa estrangeira. Em toda parte apresentam a revolução como um golpe fascista, como um golpe americano, e, sobretudo, há uma grande desconfiança com a história de os militares terem tomado o poder, e que quando os militares tomam o poder não saem mais. Queria que o senhor fosse esclarecer isso lá fora, junto aos governos e junto à opinião pública. O senhor vá aos governos que entender necessário, dê entrevistas." Eu disse: "Ótimo." O Itamaraty me deu o dinheiro das passagens, mais um dinheirinho para a viagem, pouca coisa, aliás, e lá fui eu.

A DITADURA MILITAR E OS GOLPES DENTRO DO GOLPE: 1964-1969

A revolução e os casamentos franceses

Publicou o *Diário de Notícias*, na edição do dia 23, que o governador Carlos Lacerda viajara no dia anterior, em avião da Varig, acompanhado da esposa, do casal Abreu Sodré e do presidente do Banco do Estado da Guanabara, Antônio Carlos de Almeida Braga. O voo seguiria até Milão, com escalas em Madri e Paris. No aeroporto do Galeão, reuniu-se pequena multidão de correligionários para despedir-se de seu líder.

A narrativa, agora, volta ao *Estado de S. Paulo*, cujo correspondente em Paris, Gilles Lapouge, encontrava-se no meio de trinta repórteres, no aeroporto de Orly:

> Lacerda, tenso e cansado, não desembarcou na escala em Madri, preferindo ficar no avião. Combinou com Abreu Sodré que faria o mesmo em Paris, durante os noventa minutos de escala, para evitar conversar com os jornalistas, encontrando-se estafado e sem dormir. Qual a surpresa, porém, quando foi encontrado no restaurante de Orly. (...) Foi provocado por insultos dirigidos ao Brasil, por parte dos repórteres que haviam trazido equipamento de rádio e televisão. Chocado ao ouvir falar em tortura no Brasil, negou enfaticamente. Perguntado sobre quantos haviam sido presos pela revolução brasileira, replicou que, dos 860 originariamente detidos, apenas 260 permaneciam na cadeia, inclusive nove agentes chineses. Quando um repórter descreveu Lacerda como um derrubador de presidentes, o governador replicou: "Eu não derrubo presidentes. Eles caem como frutos maduros. De qualquer maneira, derrubei menos presidentes do que o general De Gaulle." Lacerda declarou que Castello Branco era o mais notável intelectual entre os generais e o mais notável general entre os intelectuais, e objetou que se a França não compreendia o que ocorrera no Brasil era porque os correspondentes dos jornais franceses no Brasil eram comunistas, com apenas duas exceções. Em particular, acusou o correspondente do *Le Monde* de comunista

e qualificou o diretor do jornal de feiticeiro. Para um repórter que defendeu a objetividade do *Le Monde*, esclareceu: "Quando dizem que a revolução brasileira recebeu auxílio do exterior, respondo que isso não é real. Antes da guerra a imprensa francesa apresentava Hitler como um pacifista, porque falava em paz. Hoje, ela comete o mesmo erro quando acredita que Goulart era um reformador." Alguns repórteres perguntaram o que poderia ser esperado da anunciada visita de De Gaulle à América Latina. "Banquetes e discursos", replicou Lacerda, acrescentando que Brigitte Bardot tinha sido o melhor embaixador que a França tinha mandado ao Brasil nos últimos anos.

O governador falava um perfeito francês e seguiu viagem para Milão. Depois, visitou Florença e Atenas. Estava preocupado porque o Itamaraty não lhe tinha remetido as credenciais para representar o Brasil na França, e, conforme relataria Abreu Sodré, decidiu viajar a Paris "com credenciais ou sem credenciais". Era portador de uma carta do presidente Castello Branco ao general De Gaulle. Quando desembarcou pela segunda vez em Orly, enfrentou número ainda maior de jornalistas, dispostos a provocá-lo ainda mais.

O melhor relato dessa nova e mais tumultuada entrevista é do próprio Lacerda, ainda falando ao *Jornal da Tarde*, em 1977:

> A primeira pergunta era se a revolução tinha sido feita com o apoio dos americanos. Eu disse que não, que havia um engano, porque, com o apoio dos americanos, tinha acontecido a libertação da França. Outra pergunta foi assim: "O senhor foi comunista na juventude?" Eu respondi que sim, como o ministro da Cultura francês, André Malraux. Perguntaram: "Como é que o senhor explica essa revolução sem sangue no Brasil?" Eu disse: "É porque as revoluções no Brasil são como os casamentos na França." E foi por aí. (...) Quando os sujeitos perguntaram se havia tortura no Brasil, me deu uma revolta! Quer dizer, tínhamos passado aquele risco

todo, tínhamo-nos livrado de uma guerra civil, tínhamos salvado o Brasil e, portanto, toda a América Latina, de um governo que tendia não para uma reforma socialista, que seria legítima se fosse da vontade da maioria do povo, mas de uma desordem socialisteira e demagógica, e os sujeitos em vez de perguntar sobre o programa de governo vieram com perguntas evidentemente inventadas, como de tortura no Brasil. Eu disse: "Não. Por enquanto ninguém raspou o cabelo de mulher alguma, como foi feito na França no dia da libertação de Paris." O clima que se criou, vocês podem imaginar. Um clima brabo.

Lacerda se queixa de que, em função de suas declarações, a própria embaixada brasileira, chefiada por Raul De Vicenzi, passou a criar um clima horrível junto ao Elysée. Elementos da embaixada se encarregaram de procurar auxiliares do general De Gaulle para dizer que ele, Lacerda, era um jornalista da oposição, um governador atrabiliário e que não representava absolutamente a opinião do Brasil. De Vicenzi acabou lhe dizendo que o general De Gaulle não o receberia.

O governador conta que ficou aborrecido, porque sua missão ia mal, mas entusiasmou-se com o editorial de *O Estado de S. Paulo*, recebido dias depois, que o elogiava. Vibrou, também, com um telegrama de felicitações do presidente Castello Branco: "Bravos pela sua entrevista corajosa em defesa da revolução."

A carta de Castello a De Gaulle foi entregue a um ex-ministro francês, Louis Joxe, que a fez chegar ao general. Logo em seguida, Lacerda passou a ser convidado para dar entrevistas na televisão e no rádio, participando de mesas-redondas, onde os diálogos fluíram melhor e com mais educação, sem provocações ou reações. Durante um jantar com André Malraux, o ministro da Cultura lhe disse ter morrido de rir com as entrevistas de Orly, elogiando sua presença de espírito. A viagem de explicação da revolução envolveu a Inglaterra, a Alemanha, de novo a Itália e, em seguida, Portugal. Recebido por primeiros-ministros e altas autoridades, o governador esteve até com Oliveira Salazar, em Lisboa. Depois, voou para os Estados Unidos. Só retornaria ao Brasil em meados de junho, depois da cassação de Juscelino Kubitschek.

Rompimento com Juracy

Carlos Lacerda relataria, ainda em seu depoimento de 1977 ao *Jornal da Tarde*, que chegara aos Estados Unidos, vindo da Europa, com a tarefa de explicar a revolução, quando, em Nova York, recebeu telefonema do recém-chegado embaixador do Brasil em Washington, Juracy Magalhães, seu velho correligionário da UDN.

Encontraram-se diversas vezes, e Juracy foi protagonista de uma acre discussão com um garçom brasileiro num pequeno restaurante, numa demonstração de que andava com os nervos à flor da pele. Viajaram para Washington. Iriam a um coquetel, e Juracy combinara que esperaria o governador na porta da embaixada, às quinze para as sete. Lacerda se atrasou, segundo seu próprio relato, por no máximo dez minutos, mas já se deparou com um Juracy enfurecido. Ao vê-lo, o embaixador iniciou um diálogo nada agradável, falando da religião da pontualidade que professava. Ao voltar para Nova York, encontrou a mulher doente e sozinha no hotel. Receberia do embaixador, em seguida, convite para retornar a Washington, dali a três ou quatro dias, onde se preparava ampla recepção em sua homenagem, a primeira que se realizaria na embaixada, "com tudo o que há de mais importante na vida da capital americana". Lacerda então pediu desculpas, mas disse que retornava às pressas ao Brasil, por conta do estado de saúde de D. Letícia. Foi o que bastou para Juracy dirigir-lhe impropérios e romper com ele.

É bem diferente a versão do embaixador Juracy Magalhães ao repórter, publicada anos depois, em 1972, na *Manchete*, e em seguida repetida em suas memórias definitivas, ditadas a José Alberto Gueiros. Sobre o atraso, conta que se tratava não de um coquetel, mas de uma audiência com Ralph Burton, chefe do Brazilian Desk no Departamento de Estado. Seriam recebidos às cinco horas em ponto. Por isso, definiu que se encontrassem às quinze para as cinco, e não às quinze para as sete, na porta da embaixada. O governador, que estava hospedado lá, atrasou-se e Juracy foi procurá-lo em seu quarto. Lacerda lia jornal, de cuecas, ao que se seguiu a recriminação: "Carlos, você é doido. Vamos chegar atrasados. Isso não se faz." Contaria o ex-embaixador que foi "uma bronca paternal", e até citaria o comentário de Mr. Burton quando enfim chegaram, atrasados: "O senhor não precisa explicar de quem é o atraso."

Depois, fala da recepção em Washington, que não era recepção, mas uma sucessão de encontros com as figuras mais importantes do governo americano:

> No sábado, como estava combinado, aguardei sua chegada. Lacerda não apareceu. Decepcionado, liguei para o hotel Saint Régis, onde estava hospedado em Nova York. Quem atendeu o telefone foi seu grande amigo, Antônio Carlos de Almeida Braga, presidente do Banco do Estado da Guanabara, o simpático Braguinha, que logo explicou: "Embaixador, o Carlos não vai mais a Washington." Fiquei muito ofendido, pois havia organizado um importante programa de visitas para Lacerda. Insisti com Braguinha, pedindo-lhe que o convencesse a embarcar, pois seria uma falta de cortesia muito grande ter de desmarcar todos os sérios compromissos. (...) Horas depois o próprio Carlos telefonou dizendo que não iria. (...) A muito custo consegui desculpar-me (com os americanos).

Fica evidente, mesmo decorridas tantas décadas, que algo de fato se passou com Lacerda, pois o sucesso de sua missão seria coroado em Washington. A explicação, dada informalmente por Rafael de Almeida Magalhães, vice-governador da Guanabara, e que ficara no exercício do cargo, é de que, naqueles dias, transmitia ao governador, pelo telefone, em detalhes, os boatos, que já dominavam Rio, São Paulo e Brasília, sobre a prorrogação do mandato do presidente Castello Branco. Este terá sido um dos motivos da antecipação da volta de Lacerda ao Brasil, antes da qual, no entanto, concederia longa entrevista no Overseas Press Club de Nova York. Lá, perguntaram-lhe sobre a prorrogação, na qual disse não acreditar. Foram suas declarações, ainda ao *Jornal da Tarde*: "Nessa altura, se não me engano, o Castello já tinha divulgado a famosa frase 'os candidatos ficarão ao sol e ao sereno'."

Febre reformista

O Ato Institucional tinha prazo. Caducariam em três meses seus artigos mais drásticos, como os que permitiam cassações de mandatos e suspensões de direitos políticos. Os demais deveriam vigorar até 31 de janeiro de 1966, quando, presumia-se, terminaria o mandato do presidente da República eleito a 11 de abril de 1964. Um deles concedia ao novo chefe do governo o poder de apresentar emendas à Constituição, prerrogativa que, desde a Constituição de 1946, era exclusiva de deputados e senadores. O Ato determinava que as emendas enviadas pelo palácio do Planalto fossem apreciadas pelo Congresso em trinta dias, a contar de seu recebimento, votadas em duas sessões, num intervalo de dez dias, e aprovadas por maioria absoluta e não mais pelos dois terços antes exigidos. Quanto a projetos de lei de autoria do presidente da República, se o Congresso não os apreciasse em trinta dias, seriam considerados aprovados. Ficava evidente a intenção dos militares de promover amplas reformas institucionais.

Magalhães Pinto foi o primeiro a sugerir reformas políticas. Pregava a diminuição do número de partidos, segundo noticiou *O*

Globo a 27 de abril. Um tanto decepcionado porque seu nome não fora considerado para a chefia do governo, desde a posse de Castello Branco que o governador mineiro aparecia na imprensa defendendo que o novo presidente cuidasse apenas da administração, "deixando a política para os políticos". Imagine-se a reação, mesmo não tornada pública, de um homem cioso de sua autoridade e até vaidoso como Castello, que também imaginava a necessidade de uma série de reformas políticas e eleitorais.

Assim, a 29 de abril, o mesmo *O Globo* divulgava que o presidente da República encarregara o ministro da Justiça de liderar a empreitada reformista.

Castello dava o troco a Magalhães. A estratégia consistiria em que Milton Campos reunisse "todo o material existente sobre a reforma eleitoral, inclusive os projetos engavetados ou em tramitação no Congresso. Na posse de tais dados o ministro constituiria um grupo de trabalho encarregado de estruturar, após consultas a líderes político-partidários, anteprojeto único, síntese do que de mais avançado e necessário houvesse sobre o assunto. Esse anteprojeto seria então encaminhado ao Congresso."

Os primeiros com quem o ministro conversou foram, coincidentemente, Magalhães e seus dois principais auxiliares políticos, Monteiro de Castro e Osvaldo Pierucetti.

Logo surgiram, de variadas origens, sugestões que transcendiam de muito a simples ideia da diminuição do número de partidos, com o que se buscaria acabar com as chamadas legendas de aluguel. Começou a ser aventada, por exemplo, o estabelecimento da maioria absoluta para as eleições de presidente da República, governador e prefeito, que só seriam considerados eleitos caso obtivessem a metade mais um dos votos do eleitorado, em um ou dois turnos. O voto do analfabeto, surpreendentemente, teve no marechal Castello Branco um de seus maiores adeptos.

CARLOS CHAGAS

Premonição de baixarias

Iniciado aquele amplo debate sobre reformas políticas, não deixaram de aparecer sugestões radicais, àquela hora consideradas inadmissíveis. Em *O Globo* do dia 5 de maio de 1964 atribuí à inspiração do marechal Odílio Denis três bordoadas que os meios políticos consideraram verdadeiras baixarias:

> Embora não avançando previsões, certos líderes considerados mais revolucionários alinham as possibilidades de: 1. Eleição indireta do próximo presidente da República pelo Congresso, tese levantada publicamente pelo marechal Odílio Denis. 2. Prorrogação do mandato do presidente Castello Branco, ou sua reeleição, apesar de suas peremptórias declarações de que deseja, a 31 de janeiro de 1966, passar a faixa presidencial. 3. Estabelecimento do sistema parlamentarista de governo, segundo moldes integrais, conforme o modelo defendido pelo deputado Raul Pilla.

Em seguida, na mesma reportagem:

> Revelam-se agora alguns pormenores sobre a investidura do deputado Pedro Aleixo como líder da maioria e do governo na Câmara. Desde o início, a cúpula do PSD reagiu, até violentamente, à tese da formação de um bloco parlamentar com a UDN e o PSP, que fosse liderado pelo sr. Pedro Aleixo. Pretendiam os dirigentes pessedistas, a começar pelo deputado Martins Rodrigues, que, apesar de apoiarem o governo, os deputados dos partidos mantivessem blocos independentes. Propuseram, até, uma reformulação no Regimento Interno, que criasse a figura explícita do líder do governo, desvinculada do líder da maioria. O impasse entre os srs. Martins Rodrigues e Pedro Aleixo ganhou proporções bastante amplas, chegando o parlamentar udenista a ameaçar o início de um trabalho de coleta de assinaturas dentro do PSD, recrutando os

que desejassem integrar o bloco majoritário, mesmo à revelia do sr. Martins Rodrigues. O deputado Rui Santos, da UDN, foi encarregado de reunir as assinaturas, o que representaria o esfacelamento da bancada pessedista e a perda de controle de sua liderança, especialmente quando o deputado Último de Carvalho já capitaneava o movimento pela integração no bloco majoritário. Afinal, e com a interferência dos srs. Gustavo Capanema, Adaucto Lúcio Cardoso, Bilac Pinto e Ernâni Sátiro, foi encontrada a solução de se formar um bloco majoritário com o PSD, a UDN, o PSP e outros partidos, mas tendo por base o programa do governo anunciado pelo presidente Castello Branco em sua posse.

Pontapé inicial

A 11 de maio, o líder Pedro Aleixo declararia ao *Correio Braziliense* que participava, junto com o ministro Milton Campos, da elaboração das reformas e que já tivera alguns projetos iniciais, não propriamente políticos, encaminhados ao Congresso pelo chefe da Casa Civil, Luís Viana Filho. Entre tais, destacavam-se a criação do Serviço Nacional de Informações e a autorização ao Executivo para emitir obrigações do Tesouro Nacional até o limite de 700 bilhões de cruzeiros.

Milton Campos, em reunião ministerial realizada em Brasília, no dia 9, ainda conforme o *Correio Braziliense*, colocara uma série de dúvidas diante de seus companheiros, para que meditassem e contribuíssem também com sugestões: as eleições presidenciais deveriam ser diretas ou indiretas? O voto distrital deveria ser estabelecido para as eleições de deputado? Na forma clássica ou por um sistema misto? A diminuição do número de partidos far-se-ia de modo radical ou preservaria os pequenos partidos clássicos, que não eram de aluguel?

No dia 15 de maio, o presidente Castello Branco concederia entrevista aos correspondentes estrangeiros, no palácio Laranjeiras, no Rio. Conforme *O Globo* do dia 16, declarou que o poder estava enfeixado em suas mãos, como presidente da República; que, de acordo com o Ato Institucional, não tomava parte no processamento destinado a levantar a situação de possíveis implicados em atos de subversão e corrupção, a cargo de comissões especiais e sob a supervisão do Conselho de Segurança Nacional, cabendo-lhe apenas executar o ato; e que não lhe cabia o julgamento ou a apreciação sobre o mérito das conclusões dos órgãos competentes.

O mesmo *O Globo* publicaria, no dia 18 de maio, um resumo do andamento dos estudos sobre as reformas políticas. As tendências eram pela manutenção das eleições diretas de presidente da República, exigida, porém, a maioria absoluta. Caso esta não fosse alcançada, três hipóteses se abririam: novas eleições apenas com os dois primeiros colocados; o Congresso elegeria o presidente, entre os candidatos e até podendo ser votados cidadãos ilustres que não participaram da primeira eleição; a eleição se faria por um Colégio Eleitoral a ser definido em lei. Também ganhava apoio a proposta do voto distrital misto para as eleições de deputado federal e deputado estadual. Seria extinta a eleição isolada de vice-presidente da República, devendo as chapas para presidente obrigatoriamente abrigar o nome do vice, que estaria eleito no caso da vitória do cabeça. Para funcionar, um partido político teria de dispor de pelo menos 500 mil votos, colhidos na última eleição para a Câmara dos Deputados em pelo menos doze estados, com um mínimo de 5% em cada um deles. Ao se candidatarem, todos os candidatos a postos eletivos teriam de apresentar sua declaração de bens, explicando a origem. Os candidatos que fossem militares teriam de passar para a reserva, sem distinção de posto, no momento do registro de suas candidaturas. As campanhas eleitorais só poderiam se iniciar 120 dias antes das eleições, e toda a propaganda teria de ser custeada pelos partidos, vedados os gastos pessoais.

Ademar pelas diretas

Tendo em vista notícias publicadas nos jornais do Rio, sobre estarem os chefes militares inclinados por eleições indiretas de presidente da República, entre os quais o marechal Odílio Denis, o general Justino Alves Bastos e o general Mourão Filho, o governador Ademar de Barros declarou à *Folha de S. Paulo* de 23 de maio que buscaria entendimento com os demais candidatos, Juscelino Kubitschek e Carlos Lacerda, em defesa de suas candidaturas.

Sinais inequívocos

O Congresso discutia as reformas políticas, mas, por baixo do pano, líderes militares ligados ao ministro da Guerra, Costa e Silva, e até assessores do presidente da República, buscavam inserir dois explosivos subprodutos na discussão: a cassação do ex-presidente Juscelino Kubitschek e a prorrogação do mandato do marechal Castello Branco. As duas iniciativas eram mais do que balões de ensaio, ainda que menos do que decisões já tomadas. Cresciam, apenas, e, crescendo, não mais se limitavam a pequenos círculos. Sobre elas se conversava, ainda que a curta voz. Juscelino, alertado, divulgou manifesto que *O Jornal* publicaria, na íntegra, na edição de 26 de maio. Citam-se os trechos:

> Venho suportando em silêncio, com o pensamento voltado para a consolidação das instituições democráticas, a atordoada crescente de um esquema de calúnias e difamações montadas contra mim por meus adversários políticos. (...) Repito o que já disse em outro momento difícil de minha vida: "Deus poupou-me o sentimento do medo." Exerço a compreensão dos pontos de vista e mesmo das paixões alheias, mas isso tem um limite, que me é traçado pela

obrigação de proteger e defender o meu conceito de homem público e a minha honra pessoal. Como sei esperar que amainem as tempestades para prosseguir viagem, sei muito bem como e quando devo enfrentá-las. (...) Chegou a hora de fazer face aos que, mais do que a mim, querem amesquinhar na minha pessoa as tradições democráticas do povo brasileiro e o próprio renome do Brasil. Chegou a hora de dizer que não recuarei em hipótese alguma. Não me intimidarei. (...) O processo terrorista que escolheram os meus adversários políticos não é indicado para obter de mim qualquer renúncia. Pelo terror não me levarão a uma desistência, renegação ou covardia. (...) Não procuram eles atingir apenas um candidato, mas golpear o próprio regime democrático. Fique certa, entretanto, a nação, que não deixarei acusações sem resposta. E de que saberei, de uma ou de outra maneira, cumprir o meu dever.

Naquele mesmo dia, *O Globo* publicava outra armadilha destinada não só a afastar a candidatura de JK, mas a manter Castello Branco no poder: a tese da coincidência de mandatos entre o Executivo e o Legislativo, que seria possível caso o período de governo de Castello Branco fosse estendido por mais um ano. Assim, em outubro de 1966 realizar-se-iam eleições para o Congresso e para presidente da República...

Pego em flagrante

Ainda no noticiário político de *O Globo* de 26 de maio, uma pequena nota a denotar de onde partiam as opiniões mais radicais e extremadas:

O chefe da Casa Militar da presidência da República, general Ernesto Geisel, declarou-nos ontem não ter emitido qualquer opinião, a qualquer líder político, sobre cassação de mandatos ou suspensão de direitos políticos. O desmentido do general Geisel se deve a notícias errôneas, veiculadas por jornais do Rio Grande do Sul, de que ele teria confidenciado opiniões a respeito da situação do sr. Juscelino Kubitschek (...).

Crises estaduais

A revolução continuava devorando governadores, antes de chegar ao ex-presidente da República. Badger Silveira, do estado do Rio, fora deposto pela Assembleia Legislativa fluminense, pressionada por líderes militares da chamada linha-dura. Foi substituído pelo marechal Paulo Torres, que os deputados estaduais tiveram de eleger, *manu-militari*. Em seguida, ainda em maio, seriam afastados Plinio Coelho, do Amazonas, da mesma forma substituído pelo professor Artur Cesar Ferreira Reis, e Aurélio do Carmo, do Pará, pelo coronel Jarbas Passarinho. Mais tarde, cairia o governador Mauro Borges, de Goiás, servindo como interventor o coronel Meira Matos, e depois, "eleito" governador pela Assembleia, o marechal Emílio Ribas Júnior.

O monstro que ele criou

O Serviço Nacional de Informações (SNI) nasceu pela Lei 4.341, de maio de 1964, a partir de projeto do Executivo aprovado pelo Legislativo. Seus três primeiros artigos definem os objetivos:

1. É criado, como órgão da presidência da República, o Serviço Nacional de Informações (SNI), o qual, para os assuntos atinentes à segurança nacional, operará também em proveito do Conselho de Segurança Nacional. 2. O Serviço Nacional de Informações tem por finalidade superintender e coordenar, em todo o território nacional, as atividades de informação e contrainformação, em particular as

que interessam à segurança nacional. 3. Ao Serviço Nacional de Informações incumbe, especialmente: assessorar o presidente da República na orientação e coordenação das atividades de informação e contrainformação afetas aos ministérios, serviços estatais, autônomos e entidades paraestatais.

A jornalista Ana Lagoa escreveu apurada monografia sobre o SNI, em que cita reportagem publicada na *Veja*, na edição de 25 de junho de 1980, de autoria do repórter Moacir de Oliveira Filho. No texto, há uma entrevista do então chefe da Agência Central do SNI, general Newton de Oliveira e Cruz, segundo homem na hierarquia da instituição. Ele informou que o Serviço, desde sua criação, era composto de três patamares principais: a chefia, a agência central e as agências regionais, à época em número de treze. O efetivo sempre foi segredo de estado, e as opiniões dividiam-se em que contava com algo entre 400 e 2.000 funcionários, além de uma incalculável legião de informantes. A Agência Central era o órgão executivo e possuía cinco secretarias: psicossocial (destinada a acompanhar as atividades dos sindicatos e da Igreja), econômica (que controlava as empresas privadas, suas operações e atividades no exterior), política (que seguia as atividades do Congresso, dos parlamentares e dos partidos políticos, em nível federal, estadual e municipal), subversiva (encarregada dos movimentos considerados subversivos e organizações clandestinas identificadas com a ação do comunismo internacional) e administrativa (que cuidava de gerir a máquina que punha a funcionar toda a estrutura). Com a fundação, em 1966, da Escola Nacional de Informações, todos os seus funcionários passaram a provir de seus variados cursos.

Lentamente, claro que por inspiração de seu fundador, o general Golbery do Couto e Silva, o SNI transformou-se num governo dentro do governo, porque, na prática, nenhum passo se dava na administração pública sem o seu aval. Qualquer nomeação nos patamares federal, estadual e municipal só se concretizava depois de o SNI pronunciar-se. No auge de seu poder, chegou a ter fichas referentes a dois milhões de cidadãos, sob a sigla LDB (Levantamento de Dados Biográficos). Apesar de seus responsáveis e antigos gestores exaltarem os rígidos critérios que o levavam a abrir registros sobre as pessoas, a verdade é que boatos, intrigas, informações por ouvir dizer e até ditadas por ressentimentos pessoais de agentes e informantes iam parar em suas fichas, mais tarde transplantadas para discos de computador e, até hoje, patrimônio de algum obscuro porão lacrado e posto sob a guarda dos órgãos que substituíram "o monstro que eu criei", conforme palavras meio arrependidas do fundador.

A referência é para o desabafo feito pelo general Golbery do Couto e Silva quando, já caído em desgraça, em 1981, tendo deixado a chefia do Gabinete Civil do último general-presidente, João Baptista Figueiredo, não propriamente se arrependeu, mas lamentou o fato de o SNI ter caído em mãos de seus adversários.

Golbery cumpriu carreira rotineira no Exército, apesar do cérebro brilhante. Ou talvez por isso. Era capitão de Infantaria, em maio de 1937, quando foi servir na secretaria-geral do Conselho de Segurança Nacional, no Rio. Durante a Segunda Guerra Mundial, depois de haver cursado a Escola de Estado-Maior do Exército, estagiou em Fort Leavenworth, nos Estados Unidos, incorporando-se à Força Expedicionária Brasileira em 1945, como oficial de informações, pouco antes do fim das hostilidades. Como tenente-coronel, em 1951, serviu na Escola Superior de Guerra. Foi um dos signatários do "manifesto dos coronéis" contra o presidente Getúlio Vargas, em 1954. Participou do grupo que conspirou contra a posse de Juscelino Kubitschek, em 1955, e ficou preso por oito dias — sob ordem do ministro da Guerra, general Henrique Lott. Com a posse de Jânio Quadros, em 1961, já promovido a coronel, tornou-se chefe de gabinete da secretaria do Conselho de Segurança Nacional, que funcionava num andar em cima das Lojas da Borracha, na esquina da rua Uruguaiana com avenida Presidente Vargas, no Rio. Lá serviam o major João Baptista Figueiredo e o tenente Heitor de Aquino Ferreira, que se tornariam seus homens de confiança, lotados no então Serviço Federal de Informação e Contrainformação do Conselho. Veio a renúncia de Jânio Quadros e Golbery formou no grupo mais radical, que pretendia negar posse ao vice-presidente João Goulart.

Com a vitória da legalidade, sentindo a iminência de ser transferido para o interior, em função subalterna, e de ter sua carreira interrompida, pediu transferência para a reserva, onde chegou, por força da lei, promovido a dois postos acima, como general de divisão.

Seus íntimos contam que viveu meses de grandes dificuldades financeiras, o que o teria obrigado a frequentar as livrarias do centro do Rio e nelas passar horas, de modo a ler livros que não podia comprar. Seria, no entanto, recrutado pelos empresários que já começavam a conspirar contra o governo Goulart e o movimento de reformas sociais, tornando-se fundador e secretário do IPES, o já citado Instituto de Pesquisas Econômicas e Sociais, fachada para o grupo empenhado em resistir e depois em depor o então presidente da República. O IPES funcionava num grupo de treze salas no edifício Avenida Central, na avenida Rio Branco, no Rio, e dispunha de fartos recursos para a desestabilização do poder constituído.

Golbery instigou a conspiração nas Forças Armadas e recrutou inúmeros oficiais do Exército que conhecera ou que serviram com ele nos tempos de ativa. Segundo René Dreifuss, em *A Conquista do Estado*, citam-se, entre outros, os tenentes-coronéis João Baptista Figueiredo, Ivã Perdigão, Gustavo Moraes Rego, Otávio Alves Velho, Leônidas Pires Gonçalves, Newton Leitão, Danilo Venturini e Otávio Medeiros. O objetivo era conquistar para a conspiração jovens e promissores oficiais de Estado-Maior e, também, generais tradicionais e em funções de comando. Quando estourou o golpe, a 31 de março de 1964, Golbery, sem ter abandonado o IPES, fazia parte do estado-maior informal do general Castello Branco, chefe do Estado-Maior do Exército, com quem servira na Escola Superior de Guerra. Tornou-se imprescindível desde os primeiros dias, e foi o inspirador da criação do SNI por circunstância peculiar: no IPES, havia montado o mais formidável serviço de informações privado do país, com milhares de fichas a respeito das principais figuras da República, inclusive subversivos e golpistas. Em junho de 1964, já aprovado o projeto de criação do SNI, foi só transferir os arquivos da avenida Rio Branco para a avenida Presidente Antônio Carlos, no prédio do antigo Ministério da Fazenda, onde o Serviço passou a ocupar um andar. Pela já citada Lei 4.341, o SNI estava isento "de quaisquer prescrições que determinem a publicação ou divulgação de sua organização, funcionamento e efetivos". O que parecia uma simples assessoria do presidente da República progressivamente tornou-se, por influência do general Golbery do Couto e Silva, um instrumento de ações políticas, desestabilização de adversários e uma agência que não apenas informava, mas agia. Segundo o governador Carlos Lacerda, "um antro de intrigas que só não funcionava às segundas-feiras, quando os matutinos não circulavam". A maioria de seus quadros era recrutada nas Forças Armadas, mas os civis também participavam.

Para produzir informações, além de suas agências regionais, o SNI dispunha das DSIs (Divisões de Segurança e Informações), estabelecidas em cada ministério, e das ASIs (Assessorias de Segurança e Informações), nos demais órgãos do governo e em empresas estatais. As DSIs obrigavam a uma dupla lealdade por parte de seus chefes, subordinados aos respetivos ministros mas devendo obediência ao SNI, que geralmente os indicava. Não raro, as DSIs tinham por missão espionar os ministros e relatar suas atividades políticas e privadas ao SNI. Com relação à DSI do Ministério das Relações Exteriores, por exemplo, eram suas tarefas verificar e informar sobre "a influência e atividades no exterior de brasileiros insatisfeitos com a ordem vigente no Brasil, sobretudo banidos, cassados e asilados políticos; antecedentes e atividades no Brasil do pessoal das embaixadas, consulados e representações comerciais dos países socialistas; organização e funcionamento das organizações internacionais de frentes comunistas; atividades de organizações subversivas de âmbito continental; subversão da ordem, concretizada ou em potencial, no continente; e ameaças à nossa faixa de fronteira e à integridade territorial brasileira".

Atenção especial era dada à Empresa de Correios e Telégrafos, onde os agentes do SNI estavam autorizados a interceptar correspondência de forma provisória ou definitiva, "podendo abrir cartas com o emprego de técnicas especiais, com pessoal habilitado e material adequado" (Normas para Interceptação, Controle e Utilização da Correspondência Postal Contrária aos Interesses Nacionais).

O SNI mantinha estreitas relações com os organismos militares de informação, do CIEx (Centro de Informações do Exército) ao CENIMAR (Centro de Informações da Marinha) e ao CISA (Centro de Informações da Aeronáutica). Sobrepunha-se à Polícia Federal, que, no início, utilizava como seu braço armado, mesmo subordinada ao Ministério da Justiça. Também atuava de cima para baixo com as P-2 (Serviços Secretos das Polícias Militares Estaduais), os DEOPS (Departamentos de Ordem Política e Social das Polícias Civis dos Estados), além dos logo depois formados DOIS-CODIS (Destacamentos de Operações Internas), que funcionariam no Rio, em São Paulo e em outras capitais, compostos por elementos da comunidade de informações e de repressão, integrados por militares, policiais civis e até elementos indicados pela parte do empresariado que financiava as operações contra os adversários do regime. Havia desencontros e muito ciúme entre tantos organismos, em especial entre o SNI e o CIEx, cujo poder era paralelo e quase tão vasto, especialmente quando passou da tarefa de informar para a obrigação de reprimir. Apesar disso, dentro dos intrincados meandros desse submundo, o SNI firmou-se como a cabeça do sistema. De sua chefia sairiam dois presidentes da República, os generais Garrastazu Médici e João Baptista Figueiredo.

A consciência do caçador

Apesar de Luís Viana Filho tentar defender de todas as formas o seu biografado presidente da República, de quem ressaltava o espírito "legalista" e os escrúpulos em suspender os direitos políticos de muita gente, ou de cassar mandatos, a verdade é que Castello não quis ou não conseguiu evitar sucessivas punições revolucionárias. Recusou-se a dar seguimento às fartas listas que lhe enviaram os governadores Magalhães Pinto, de Minas, e Ildo Meneghetti, do Rio Grande do Sul, pelo jeito, porém, mais para afirmar sua autoridade do que para evitar arbitrariedades. Era difícil, contudo, rejeitar sugestões que lhe chegavam do ministro do Exército, via Conselho de Segurança Nacional. Deixou de fora Afonso Arinos de Melo Franco e San Tiago Dantas. Na mesma folha do processo em que era recomendada a punição a Arinos, Castello escreveu: "Sou absolutamente contrário. Não." Diante da proposta de cassação de San Tiago, acentuou: "(...) Trata-se do grande responsável pela institucionalização de Goulart. Julgo, no entanto, imprópria a cassação."

Carlos Heitor Cony foi outro que escapou, mesmo proposto o sacrifício de seus direitos políticos pelo todo-poderoso general Costa e Silva, a quem criticava e ridicularizava semanalmente em suas crônicas no *Correio da Manhã*, sob o título "O ato e o fato". A respeito da proposta de restrição ao jornalista e escritor, feita pelo ministro da Guerra, Castello Branco escreveu de próprio punho, até se equivocando, pois Cony não era deputado e seu caso, portanto, consistiria em suspensão de direitos políticos: "Não vejo razões para cassar-lhe o mandato. É, às vezes, insolente e quase sempre mentiroso. Tem atacado desabridamente o ministro da Guerra e enuncia ideias desrespeitosas às Forças Armadas. Contra mim, formula insultos: 'o presidente é um pau-mandado nas mãos de seus subordinados'. Em vez de retirar-lhe os direitos políticos, o que muito o valorizaria, prefiro deixá-lo com os seus artigos. A revolução sairá ganhando. Em 11 de junho de 64. Castello."

A bondade do presidente era meio estranha, porque Cony, além de preso diversas vezes, sempre passando três ou quatro dias no calabouço de algum quartel, por pressão militar logo perderia o emprego que tinha havia anos, conquistado por concurso, de assessor técnico da Assembleia Legislativa da Guanabara. Ficou à míngua, sem trabalho e já com algumas famílias para sustentar. Ninguém queria empregá-lo, na imprensa, e o *Correio da Manhã* pagava uma miséria. Quem lhe deu a mão e um salário digno foi Adolpho Bloch, da *Manchete*. A ele, até sua morte, nos anos noventa, o escritor retribuiu com fidelidade absoluta. Certa vez, diante do pedido para que escrevesse um artigo simpático aos militares, que pressionavam as empresas Bloch, Cony não se negou. A um grupo de colegas espantados, no oitavo andar do prédio da Praia do Russell, apontou o Aterro do Flamengo, lá embaixo, e desabafou: "Faço o que o Adolpho quiser. Se ele me der uma vassoura e mandar-me varrer o Aterro, descerei imediatamente. Não fosse ele, e eu fatalmente seria varredor de rua em tempo integral!"

Voltando às cassações: até 15 de junho de 1964, enquanto durou o Ato Institucional que ainda não tinha número, pois se pretendia fosse único, Castello Branco cassaria ou suspenderia direitos políticos de 215 cidadãos, entre deputados, governadores, professores, intelectuais, líderes comunistas e simples dirigentes sindicais, para não falar de seus próprios colegas de farda, generais, coronéis ou simples marinheiros, a grande maioria dos quais posta no rumo da rua da amargura, sem condições de encontrar emprego. A revolução chegou ao clímax da violência ao determinar, nos atos cassatórios, que os oficiais da Aeronáutica punidos ficassem proibidos de ser contratados como pilotos e de voar em empresas privadas, como a Varig e outras.

Se evitou muito maiores desatinos, o primeiro general-presidente não terá sua biografia de todo limpa de pecados de perseguição e punição por motivos políticos, crimes de opinião que se imaginava postos à margem da humanidade desde que Hitler fora derrotado, aliás, com a colaboração do então tenente-coronel Castello Branco, chefe de operações do Estado-Maior da Força Expedicionária Brasileira nos campos da Itália.

O maior pecado

O maior pecado, no entanto, Castello Branco cometeria contra Juscelino Kubitschek. Porque se não prometeu que não o cassaria, no encontro na casa de Joaquim Ramos, foi porque a hipótese se afigurava absurda a todos. Deixemos que Luís Viana Filho dê sua versão, em *O Governo Castello Branco*, antes de passarmos a outras:

> Das cassações a mais rumorosa seria a do ex-presidente Juscelino Kubitschek. Ele nunca apoiara ostensivamente a subversão de Goulart, acolitado por Brizola, pois aspirava a eleger-se sucessor daquele, e figurara entre os que tinham votado em Castello. Também, nunca dera uma palavra ostensiva contra a agitação comunista. Inicialmente, não entrara nas cogitações de cassações. Mas, candidato às eleições presidenciais de 1965, foi inevitável ressurgirem as acusações que o acompanhavam fazia algum tempo. Sopravam-nas, inclusive, correligionários de Lacerda, declarado já aspirante à presidência. (...) E o tempo continuou a cavar a sepultura política de Juscelino. Guardei a impressão de que o "Dia D" da cassação do ex-presidente foi o dia 26 de maio, quando o presidente Castello Branco visitou São Paulo e, depois, seguiu para Brasília. Podia ter-se São Paulo

como o centro da "linha-dura", não se conformando jamais com a sobrevivência de Juscelino e do governador Ademar de Barros. Sem meios para pressionar o presidente, a "linha-dura" voltara-se para Costa e Silva, que parecia admitir que ela o cortejasse. Nesses dias, no aeroporto, em São Paulo, o ministro da Guerra transmitiu ao presidente a necessidade da cassação do ex-presidente, pleiteada pelos radicais paulistas, identificados bastante com Lacerda. Imagino que o presidente recebeu a notícia contrafeito, principalmente pela oportunidade com que foi transmitida.

Vale um parênteses no relato do ex-chefe da Casa Civil. Ele "imaginou", ou seja, não quis, no seu leal livro sobre Castello, referir que Costa e Silva foi grosseiro com o presidente, peitando-o na frente de auxiliares e exigindo a cassação de JK. Mais ainda, Luís Viana Filho solta farpas sobre Lacerda e sugere ter sido ele um dos que mais exigiu punição ao ex-presidente. Nesse particular, o biógrafo acertou em gênero, número e grau, porque, naqueles dias no exterior, "explicando a revolução", o governador carioca passava seguidos telegramas a Rafael de Almeida Magalhães, a coronéis da "linha-dura" e a Júlio de Mesquita Neto, de *O Estado de S. Paulo*, indagando "se o corrupto-mor já tinha sido cassado". A vida dá muitas voltas e Lacerda, é claro, negaria tudo em depoimentos posteriores, ironicamente também depois de ter seus direitos políticos suspensos. Mas vale continuar, por enquanto, com Luís Viana Filho:

> Limitou-se (o presidente Castello Branco) a dizer (a Costa e Silva) que, pelo Ato Institucional, cabia aos ministros propor cassações. Aí começou a fatal bola de neve. Conhecedores da posição do ministro da Guerra, os amigos de Juscelino não mais tiveram ilusões sobre o perigo. Carlos Murilo, deputado vinculado ao ex-presidente, propôs tentar-se uma fórmula pela retirada da candidatura, ao tempo em que a cúpula do PSD — Mazzilli, Amaral Peixoto, Tancredo Neves, Alkimin e Martins Rodrigues — buscava um expediente político

capaz de evitar a cassação. As bolas de neve não param no meio da encosta. Tudo em vão. O pedido de cassação, formulado por Costa e Silva, tem a data de 3 de junho. Fundava-se "no interesse da revolução e, particularmente, no dever que incumbia aos chefes do movimento revolucionário de prevenir futuras manobras políticas já suficientemente delineadas, no sentido de interromper o processo de restauração, na órbita do governo nacional, dos princípios morais e políticos". E prosseguia adiante a justificação: "Está em causa o destino da revolução, e, entre os seus atos exemplares, que já atingiram tantas figuras secundárias, não se justifica a injustiça de excluir da sua sanção política figuras de capital importância e de notória responsabilidade no processo de deterioração do nosso sistema de governo e dos altos padrões de moralidade observados durante decênios de regime monárquico e republicano."

Do cadafalso à guilhotina

Para completar a narrativa, é ainda Luís Viana Filho que escreve:

> Acompanhavam a solicitação (de Costa e Silva), entre outros documentos, um relatório do coronel Osvaldo Ferraro de Carvalho sobre lotes de terreno na Pampulha e a denúncia do procurador Alcino Salazar. Durante alguns dias o processo correu os trâmites legais. O PSD fazia as últimas tentativas para salvar o ex-presidente, que, num lance dramático, ocupou a tribuna do Senado, buscando sensibilizar o país. (...) Precisamente entre 26 de maio e 10 de junho, são várias as indicações no diário de Paulo Sarazate, de conversas, inclusive com o presidente Castello, sobre a sorte de Juscelino. Acredito que sobremodo preocupava a Castello alegar-se que a cassação visava afastar da sucessão um notório concorrente. Aliás, Lacerda, então em Nova York, perguntado sobre a cassação, irá considerá-la "um ato de coragem política, um ato de visão", mas ressalvará que teria preferido "batê-lo nas urnas". Divulgado em 8 de junho, o

decreto teve extraordinária repercussão. Solidário com o seu candidato, o PSD imediatamente se retirou do bloco parlamentar recentemente formado para apoiar a revolução, e o presidente Castello buscou minimizar os efeitos no Congresso, como indispensável às reformas. No dia seguinte, tendo ido ao Planalto o ex-governador Etelvino Lins, Castello pediu-lhe para transmitir a Amaral Peixoto e ao deputado Martins Rodrigues as razões que o haviam levado a assinar a cassação. E fez questão de frisar: "A cassação não teve, de modo algum, o objetivo de beneficiar qualquer outro candidato à presidência da República."

"Aquele réprobo!"

Antes de dissecarmos a cassação de Juscelino Kubitschek com outros bisturis utilizados pela imprensa, importa registrar episódio do qual fui testemunha, e que serve para demonstrar como se incrustara em Castello Branco a sombra da dor de consciência.

O secretário de Imprensa da presidência da República, José Wamberto, durante longos anos fez parte daquilo que se convencionou chamar de "o sindicato", ou seja, um grupo de jornalistas políticos que se encontrava todos os dias, no Rio, e até, com muita frequência, entrevistava ou conversava em conjunto com líderes políticos. Integravam o "sindicato" Heráclio Salles e os irmãos Haroldo e Tarcísio Hollanda, do *Jornal do Brasil*, Villas-Boas Correia, do *Estado de S. Paulo*, Oyama Telles, Josemar Dantas e Luís Prisco Vianna, do *Correio da Manhã*, Berilo Dantas, da *Última Hora*, José Augusto de Almeida, do *Diário Carioca*, e eu, de *O Globo*. Não era fácil entrar no "sindicato". Havia um período de provação em que os jornalistas mais jovens eram rejeitados e analisados pelos mais velhos, tendo em vista a necessidade de não serem admitidos profissionais menos interessados em notícias. Durante meses fui posto de quarentena, chamado até de "o balancinha", pelo costume que tinha de, ouvindo qualquer afirmação, confirmá-la com gestos de cabeça.

José Wamberto, do *Diário de Notícias*, era um de nossos cardeais, até ser convidado para a secretaria de Imprensa de Castello Branco, decisão que não nos cabia discutir. Sempre nos favoreceu com informações. Volta e meia, como já vimos, arranjava um jeito de conversarmos com o presidente, quando ia ao Rio ou até nos levando a Brasília.

As rádios noticiaram com destaque a cassação de Juscelino, no dia 8, informação repercutida nas manchetes de todos os jornais, no dia 9. Desafortunadamente, a maioria procurava justificar a violência em seus editoriais, respeitando, porém, os textos das reportagens. Por volta de meio-dia, estávamos nós, do "sindicato", na antiga sede do Senado Federal, no palácio Monroe, na antiga capital, quando o telefone tocou. Era José Wamberto, falando de Brasília e pedindo que, às dezoito horas em ponto, fôssemos à Base Aérea do aeroporto Santos-Dumont, onde Castello Branco desembarcaria, chegando de Brasília com pequena comitiva. O presidente teria um comentário a fazer.

Fomos. Era fácil, naqueles dias, a gente se identificar e entrar em áreas militares, ainda sem a fobia da segurança, que logo se tornaria uma praga para profissionais da imprensa. Um de nós, contudo, ficou para trás. Negava-se a entrar na Base Aérea e a ouvir o que o presidente tinha a dizer. Ficara do outro lado da avenida, na calçada fronteiriça, e pedira apenas que, depois da conversa, o informássemos do conteúdo. Como se o avião presidencial demorasse, e apenas uma grade de ferro separasse da rua a parte do aeroporto destinada ao desembarque das autoridades, enquanto esperávamos podíamos ver o companheiro ao longe. Andava com sofreguidão de um lado para o outro e oferecia com frequência, a quem quisesse receber, aquela fruta nacional tão acorde com os desabafos de nosso povo. Oyama Telles distribuía bananas aos montes, a maioria dos cachos em nossa direção.

O avião chegou. Castello Branco desceu e, com Wamberto a seu lado, foi parcimonioso nas declarações:

> Chamei os senhores aqui para que possam informar aos seus leitores que a cassação de um ex-candidato à presidência da República não representa, de modo algum, ter a revolução se inclinado por outro candidato. O fato de o sr. Juscelino Kubitschek estar alijado da vida pública não significa qualquer definição em favor de outros pretendentes. Boa-noite.

O recado era claro, ainda que poucos, naquela hora, acreditassem nele. Atravessamos a rua e transmitimos a informação ao colega do *Correio da Manhã*, em péssimo estado emocional, pois admirador e amigo pessoal de Juscelino há muitos anos. Única reação de Oyama Telles: "Nunca mais conversarei com esse réprobo!"

"Vencemos no osso!"

Naqueles dias, como, aliás, em todos os dias do exercício do jornalismo, até hoje, os repórteres precisavam desdobrar-se, se pretendiam vencer na profissão. Eu era editor-político de *O Globo*, mas os salários não correspondiam ao peso da responsabilidade de, todas as noites, redigir a coluna de interpretação dos fatos, receber e atualizar as reportagens dos colegas de Brasília e de São Paulo, além de fechar a página e sugerir as "chamadas" para a primeira página. Assim, desde 1963, também trabalhava na TV-Rio. Saía do jornal, na rua Irineu Marinho, por volta de dez da noite, e, antes de poder comprar um "fusca", ia de ônibus até o Posto Seis, em Copacabana, onde, junto com o colega Hermes Cremonini, editava o texto e as imagens do telejornal intitulado "Segunda Edição", que teoricamente ia ao ar à meia-noite, mas, na prática, não raro à uma da manhã.

A DITADURA MILITAR E OS GOLPES DENTRO DO GOLPE: 1964-1969

Como cabia-me um comentário, ao vivo, no fim de tudo, era normal sair de lá por volta das duas da madrugada.

Naquela noite do dia 8, porém, avisei ao companheiro que talvez não tivesse comentário, pois ia ao apartamento do presidente Juscelino, poucos quarteirões adiante, no começo de Ipanema, onde o sentimento e a emoção nacionais estavam explodindo. Centenas, senão milhares de pessoas, aglomeravam-se na rua, na pista, na calçada do outro lado e até na areia da praia, o que tornava missão quase impossível subir ao apartamento do ex-presidente. Consegui. No meio da confusão, depois do que terá sido um interregno de quinze, trinta ou sessenta minutos, pude aproximar-me de JK. Não tenho lembrança de haver dado ou recebido, em toda a minha vida, um abraço tão sentido. Ele me conhecia de anos de exercício profissional. Eu o admirava. Como sempre, o ex-presidente buscava transmitir otimismo. Lembro-me de que, em determinado momento, Negrão de Lima, já encanecido pelos mais de sessenta anos, dirigiu-se aos gritos a um grupo de jovens, conclamando-os a descer até a praia, com ele. Isso porque, se a maioria da massa popular gritava "Juscelino, Juscelino", lá embaixo, numa considerável aglomeração, mais adiante, quase na praia, esgoelava-se outro grupo berrando "ladrão, ladrão". Durou pouco a expedição punitiva chefiada pelo ex-ministro da Justiça e das Relações Exteriores. Logo voltaram, cabelos desalinhados, colarinhos fora do lugar, ternos rasgados e mãos inchadas. Haviam conseguido empurrar para o mar os lacerdistas interessados em transformar em guerra um puro ato de contrição nacional. Negrão, chefe da campanha "JK-65", passou por mim e exclamou: "Vencemos no osso!"

Tive tempo de, correndo, retornar à TV-Rio e entrar no fim do telejornal. Reportei, então, o que parecia ser a origem de uma comoção nacional. Anos mais tarde, o próprio Luís Viana Filho confessaria que a cassação tivera motivação exclusivamente política, quer dizer, ocorrera sem que houvesse comprovação das mentirosas alegações de corrupção ou subversão. A vida mostrou, mais tarde, que Juscelino, para sobreviver, precisaria dedicar-se a conferências remuneradas e aceitar o ninho oferecido por Adolpho Bloch.

Versão do próprio

Juscelino Kubitschek não conseguiria escrever o último livro sobre sua vida, o *Memorial do exílio*. Morreu antes. Coube a Carlos Heitor Cony a tarefa, com base em conversas anteriores do ex-presidente e depoimentos de quantos com ele conviveram, contra e a favor. Sobre a cassação de seu mandato e a suspensão dos direitos políticos, citam-se alguns trechos, no que parece a mais exata versão do próprio:

> No dia 26 de maio (de 1964), um emissário de Costa e Silva procura JK, no Rio. Pede-lhe, dramaticamente, que retire a sua candidatura 'para o bem do Brasil e para o seu próprio bem'. JK compreende a trama que se esboça, mas não pode nem quer fugir ao seu destino. Até então, nunca recuara em posições amadurecidas. A candidatura, sobretudo naquele instante e naquela pressão, não lhe pertence: é do partido e da grande parcela do povo que já se arregimenta eleitoralmente para 1965. Ele é a esperança de que a fase de transição cruenta deverá acabar e que o Brasil voltará a ser um país livre (...). Ao regressarem a Brasília, Costa e Silva e Castello Branco conversam sobre o assunto. São Paulo exigia outra cabeça, a de JK. Castello pergunta se não há alternativa; pessoalmente, é com amargura que ele degolaria o homem que o ajudou a eleger-se. Mas Costa e Silva sabe que não há solução. A única seria a retirada da candidatura de JK pelo próprio, mas tornara-se inviável. Os estrategistas de ocasião armam então os seus esquemas: adotam duas táticas para conter a estupefação nacional que o fato irá provocar. Uma é simples, até certo ponto menos suja: a cassação será ditada

por motivos exclusivamente políticos. E essa foi a posição inicial do próprio Castello Branco. Mas, se houvesse gritaria maior, o recurso seria jogar lama no passado recente da nação, desencavando inquéritos e acusações que, já em tempos de Jânio Quadros, haviam-se desmoralizado pela evidência dos fatos. Essa lama incluiria diversas etapas, inclusive a ideológica, que dava JK como comunista — anos mais tarde essa acusação poderia parecer um delírio dos primeiros beneficiários do movimento armado de 1964; nem por isso deixou de ser acionada, embora fosse, na verdade, mais do que um delírio, uma burrice.

A covardia humana

Avisado da iminência da cassação por companheiros da cúpula do PSD, inclusive o vice-presidente José Maria Alkimin, que procurara o presidente Castello Branco para certificar-se, Juscelino resolve aguardar os acontecimentos em Brasília, disposto a fazer, ao menos, um pronunciamento de protesto na tribuna do Senado.

Muitos anos depois, na sua fazendinha de Luziânia, próximo da capital federal, ouviria do ex-presidente que, após o seu discurso, a maioria do Senado abriu alas, não para deixá-lo passar sob aplausos, mas para fugir dele. Contou que, deixando o plenário apenas com D. Sarah ao lado, caminhou pelos salões da Câmara Alta no rumo do estacionamento, onde um carro o aguardava. Pouquíssimos lhe dirigiram a palavra, a maioria virava ou rosto ou escafedia-se, à sua passagem.

Não tendo mais dúvidas de que a ignomínia seria praticada, foi a 4 de junho que pela última vez ocupou a tribuna parlamentar. Naquela noite mesmo regressou ao Rio. O *Correio da Manhã* do dia 5 foi o único jornal a reproduzir, na íntegra, a sua oração de despedida, da qual vão alguns trechos:

Na previsão de que se confirme a cassação dos meus direitos políticos, que implicaria a cassação do meu direito de cidadão, julgo do meu dever dirigir desta tribuna algumas palavras à nação brasileira. Faço-o agora para que, se o ato de violência vier a consumar-se, não me veja eu privado do dever de denunciar o atentado que, na minha pessoa, vão sofrer as instituições livres. Não me é lícito perder uma oportunidade que não me pertence, mas pertence a tudo o que represento nesta hora. Julgo, sem jactância, ser este um dos mais altos momentos de minha vida pública. Comparo-o ao instante em que recebi a faixa presidencial, depois de uma luta sem tréguas com forças de toda ordem, inclusive as da tirania, que em vão tentaram deter a vontade do povo brasileiro. (...) Neste momento, sinto uma perfeita correlação entre a minha ação presidencial e a iníqua perseguição que me estão movendo. (...) Sou ainda o mesmo cidadão, ontem detentor do governo, chefe constitucional das Forças Armadas, aquele que amparou e promoveu seus mais ferrenhos adversários. Hoje, um homem desarmado, sem possibilidade de reação material. (...) Se me forem retirados os direitos políticos, como se anuncia em toda parte, não me intimidarei. Não deixarei de lutar. Do ponto de vista de minha biografia só terei de me orgulhar desse ato. (...) É com terrível sentimento de pesar que espero a consumação das iniquidades para breve. Meu voto aqui já serviu para eleger o atual presidente da República, em cujo espírito democrático confiei. (...) Mais uma vez tenho nas mãos a bandeira da democracia que me oferecem neste momento em que, com ou sem direitos políticos, prosseguirei na luta em favor do Brasil. Sei que nesta terra brasileira as tiranias não duram. (...) Homem do povo, levado ao poder sempre pela vontade do povo, adianto-me apenas ao sofrimento que o povo vai enfrentar nesta hora de trevas que já está caindo sobre nós. Mas dela sairemos para a ressurreição de um novo dia, dia em que se restabelecerão a justiça e o respeito pela pessoa humana. (...) Muito mais do que a mim, cassam os direitos políticos do Brasil. (...) Aos meus amigos do exterior, peço que não julguem o Brasil por esse deplorável ato de fraqueza política. (...)

Diante do povo brasileiro, quero declarar que me invisto de novos e excepcionais poderes, neste momento, para a grande caminhada de liberdade e do engrandecimento nacional.

O povo, porém, calou-se e deixou o ex-presidente abandonado, exceção à noite do dia 8, em que a "Voz do Brasil" divulgou, com mais quarenta cassações, aquela que atingiu JK. Um grupo de jovens comandados por um velho, no caso, Negrão de Lima, redimiu oitenta milhões, ao expulsar das calçadas de Ipanema os representantes da iniquidade que tentavam vaiar o ex-presidente.

Por que só agora?

Exultaram os jornais que formavam o pano de fundo do movimento militar. *O Estado de S. Paulo* saudou a cassação em longo editorial. Além de reafirmar críticas e abusar da soberba contra o adversário, Júlio de Mesquita Filho clamava por mais punições. Por ordem expressa de Roberto Marinho, *O Globo* foi comedido. A *Tribuna da Imprensa* comemorou, não sem indagar por que os partidários de JK apenas agora se insurgiam contra as cassações, não tendo feito o mesmo quando o Comando Supremo da Revolução cassou João Goulart e Leonel Brizola.

Disposto a tudo

No edifício onde Juscelino morava, no Rio, residia o embaixador da Espanha no Brasil, que já oferecera asilo ao ex-presidente, na hipótese de tentarem prendê-lo ou humilhá-lo fisicamente. Bastaria subir dois lances de escada, a tempo de impedir que agentes da Polícia Federal, caso a tanto designados, se deslocassem da portaria para o apartamento de JK. Não foi necessário, ainda que o embaixador tivesse procurado o Itamaraty e solicitado passaporte para que o ilustre cassado deixasse o território nacional. Era sopa no mel, porque o que mais desejava o governo revolucionário era ver Juscelino pelas costas. Permanecendo no Brasil, seria um constante foco de inquietações.

Em poucos dias os militares providenciaram a documentação e, na noite de 14 de junho, acompanhado da mulher, o ex-presidente viajou para Madri, num avião da Ibéria. Também em suas lembranças na fazendinha, já na década de 1970, JK recordaria ter feito o que nunca fizera em toda a sua vida pública. Ao dirigir-se para o Galeão, levava um revólver na cintura. Havia boatos de que a Aeronáutica não o deixaria embarcar.

Nas velhas instalações do aeroporto concentrava-se uma multidão de amigos e correligionários. Não pôde, contudo, despedir-se deles, conduzido à força para uma área reservada. Até suas duas filhas viram-se objeto de grosserias por parte de oficiais da Força Aérea, proibidas de abraçá-lo. Um deles chegou a puxar a pistola, elevando-a sobre a cabeça. Maristela estava grávida e desmaiou. D. Sarah viera em outro carro e fora conduzida diretamente à aeronave. Quando JK, em seguida, dirigia-se ao seu encontro, deu-se o clímax de toda aquela baixaria. Alguém gritou que ele não embarcaria. Nesse momento, já na pista, Juscelino apalpou o pequeno revólver, um 32 com cabo de madrepérola, passado para o bolso do paletó. Tomara a determinação: atiraria na barriga do primeiro oficial que o embargasse, raciocinando que certamente seria morto em seguida. Apesar de tudo, subiu as escadas do avião da empresa espanhola. Mesmo assim, não passaram os sobressaltos, pois a torre de controle demorou muito tempo para liberar a aeronave. Agentes policiais entraram diversas vezes no avião e o encararam demoradamente. Por fim, a porta se fechou, os motores giraram e Madri foi ficando perto...

A história do lobo e do cordeiro

O jornal que mais se empenhou na cassação de JK foi, também, o que mais noticiou o processo que em tanto resultaria: *O Estado de S. Paulo*. Na edição de 26 de maio o matutino publicou, em reportagem preparada pela sucursal do Rio, que o ex-presidente ofendera a revolução ao declarar, em nota oficial distribuída à imprensa, que o processo terrorista escolhido por seus adversários políticos não provocaria a retirada de sua candidatura. Os repórteres de São Paulo, naquele mesmo dia, ouviram o general Costa e Silva, que se encontrava na cidade. Provocado, o ministro acentuou: "O pronunciamento do sr. Kubitschek, em razão de sua linguagem violenta e, também, em certo sentido, do seu desafio, parece-me muito semelhante ao discurso de 30 de março do sr. João Goulart."

No dia seguinte, demonstrando dispor de excelentes fontes junto ao gabinete de Costa e Silva, ou de Castello Branco, ou dos dois, o jornal relataria que, ao viajarem de São Paulo para Brasília, o presidente e o ministro tiveram uma altercação. Costa e Silva exigia uma decisão imediata sobre a cassação de Juscelino, e Castello tentava empurrar a questão com a barriga ao acentuar que aquele assunto não deveria ser discutido "em público". O público, no avião presidencial, era constituído do general Ernesto Geisel, de Luís Viana Filho, de José Wamberto e outros integrantes do gabinete de Castello, e do coronel Mario Andreazza, do gabinete de Costa e Silva.

O Estadão, porém, não parava de fazer das notícias fatos políticos. Com o jornal do dia 26 na mão, a 27 os repórteres da sucursal do Rio procurariam JK para saber o que achara das declarações do ministro da Guerra. O ex-presidente se disse chocado e fez que não percebeu a semelhança daqueles diálogos com outro, que o lobo manteve com o cordeiro. Analisou o mérito do que Costa e Silva falara e registrou que não via semelhança entre o que afirmara e o anterior pronunciamento de Jango: "A linguagem violenta do meu manifesto é muito menos ofensiva do que as calúnias e injúrias com que diariamente me agridem."

Era lenha no fogo. Na edição de sábado, 30 de maio, o jornal da família Mesquita voltaria à carga e escreveria que altos funcionários que trabalhavam no caso Kubitschek tinham encontrado mais do que o suficiente para justificar a cassação do senador por Goiás. Alegava-se que, entre 1942 e 1950, ele obtivera, na Caixa Econômica, empréstimos irregulares de 950 milhões de cruzeiros. Ademais, segundo o *Estadão* apurara, durante a presidência de Juscelino, a Superintendência do Plano para a Valorização Econômica da Amazônia, subordinada diretamente ao palácio do Catete, praticara irregularidades financeiras. Destacava-se também que JK fora eleito presidente com o voto dos comunistas...

A cada acusação ou especulação o *Estado de S. Paulo* procurava o ex-presidente, que, ingenuamente, a todos atendia e a tudo respondia. Claro que os jornalistas cumpriam seu papel, saindo atrás das notícias, mas, é evidente, também estimulavam uma discussão artificial.

Na toca da onça

Rafael de Almeida Magalhães fora escolhido vice-governador da Guanabara pela Assembleia Legislativa, dada a cassação do vice eleito pelo povo, Elói Dutra. No exercício interino do governo, uma vez que Carlos Lacerda se encontrasse no exterior, tinha seguidas audiências com Castello Branco. Rafael contaria a John W. Foster Dulles, quando da preparação do livro *Castello Branco — o presidente reformador*, que, a 30 de maio, encontrou o presidente mergulhado numa pilha de documentos de denúncia contra Juscelino e outros "candidatos" à cassação. Ouviu de Castello o comentário de que aquele trabalho consumia boa parte de seu tempo, que deveria ser utilizado para os reais problemas da nação, mas que o fazia porque, em maioria, tratava-se de "versões dos inimigos desses homens". Estava preocupado com o caso de Juscelino e entendia que não deveria cassá-lo, pois a punição prejudicaria a imagem do Brasil lá fora. Faria tudo o que estivesse a seu alcance para não atingir o ex-presidente, desde que este não criasse uma situação insustentável, mantendo-se como candidato.

A tramitação das punições revolucionárias era complicada. Feitas as denúncias, por ministros, governadores e até excepcionalmente por cidadãos sem função pública, o material ia à Comissão Geral de Investigações, chefiada pelo marechal Estevão Taurino de Rezende. Lá, procediam-se às investigações, e os processos, aos quais os acusados não tinham acesso, eram remetidos à Casa Militar da presidência da República. O Conselho de Segurança Nacional podia ser acionado — neste caso, reunia-se para apreciar e pronunciar-se sobre a punição —, mas, muitas vezes, os ministros recebiam as cassações apenas para assinar, porque quem de fato decidia era o presidente da República.

No caso de Juscelino, depois da proposta de Costa e Silva e do parecer favorável da Comissão Geral de Investigações, o processo foi ao general Ernesto Geisel, depois ao presidente Castello Branco, que, antes de assinar a cassação, colocou o tema em discussão perante o Conselho de Segurança Nacional. Todos os ministros se pronunciaram a favor, inclusive Milton Campos, da Justiça. Apenas Roberto Campos, do Planejamento, negou-se a assinar e, na ocasião, pediu demissão do cargo — iniciativa que não seria aceita por Castello Branco.

Amaciando o PSD

A cassação de JK foi anunciada a 8 de junho. Fica, no entanto, a questão: por que ele terá escolhido o dia 4 para pronunciar seu discurso de despedida no Senado? Teria perdido as esperanças, quando o próprio governo ainda parecia hesitar?

A resposta está no profissionalismo do PSD e na argúcia de seu presidente, Ernâni do Amaral Peixoto, com décadas de experiência política, responsáveis por lhe fornecer o sentido exato das coisas como aconteciam, não como ele gostaria que ocorressem.

Amaral Peixoto contaria a John W. Foster Dulles que se encontrava em Brasília, em seu apartamento funcional, quando o telefone tocou. Era o presidente Castello Branco, que o convidava para jantar aquela noite. Prevenido, como sempre, o comandante do PSD perguntou se podia levar o deputado Joaquim Ramos. Era uma espécie de código ou senha a que o presidente da República se acostumara: Amaral jamais conversava com ele sem testemunhas. Assim, respondeu que o convidado poderia levar quem quisesse.

No palácio da Alvorada, o jantar foi servido nos aposentos particulares de Castello, que não convocou qualquer testemunha. Só os três, que conversaram sobre mil assuntos, inclusive os hábitos de Getúlio Vargas, de quem Amaral fora ajudante de ordens e, depois, genro. O presidente interessava-se pela rotina e os métodos do antecessor. Passadas quase duas horas, Amaral pediu licença para se retirar. Castello levou os dois deputados até a porta principal de sua residência particular e se espantou ao ver que tinham ido num Volkswagen. Brincou, indagando como um homem tão importante utilizava um carro tão pequeno, mas finalizou, já na calçada:

> Temos um assunto a resolver. Quero informá-lo — é uma atenção que lhe devo — de que, nas próximas 48 horas, será tomada uma decisão muito importante para o Brasil. O senhor sabe que não resultará de qualquer espécie de pressão. Decidirei considerando tão somente o interesse do país: "Estou certo de que o senhor compreenderá o que for mais necessário."

No carro, quando já cruzavam a guarita do palácio da Alvorada, Amaral comentou com Joaquim Ramos: "Juscelino está cassado."

Chegando em casa, telefonou para o ex-presidente, no Rio, a quem pediu que voasse imediatamente para Brasília. No dia seguinte, transmitiu-lhe a impressão, determinante do discurso feito no plenário do Senado, no dia 4.

Protesto, sim; rompimento, não

Depois da cassação, o PSD não ficou calado. As bancadas do partido expediram nota oficial, endossada pelo diretório nacional, protestando contra o ato e declarando-se em posição de "independência" diante do governo. Conforme *O Globo* do dia 10, uns poucos exaltados queriam que, no texto, constasse o rompimento e, até, a denúncia de que o Conselho de Segurança Nacional não se reunira e que as assinaturas de concordância foram colhidas individualmente nos gabinetes e casas de cada um dos ministros e demais integrantes. A hipótese exasperou os cardeais pessedistas, que jamais adotariam a sugestão, pelo fato mesmo de serem pessedistas. O presidente telefonou depois a Amaral Peixoto e disse que respeitava a decisão do partido, mas que esperava que seus deputados e senadores continuassem a votar "com os interesses do Brasil".

Filinto Müller, que ocupava a liderança do governo no Senado, sentiu-se na obrigação de entregar o cargo, mas, dadas suas estreitas ligações com os militares, até sugeriu o nome do sucessor, o senador Daniel Krieger, da UDN do Rio Grande do Sul. Este ouvira de Castello, dias antes da cassação, que suas responsabilidades com a revolução não lhe permitiam poupar JK. Krieger pediu, porém, e foi atendido, para que nenhum outro senador viesse a ser punido, condição para que aceitasse a liderança do governo. A relação preparada pela Comissão Geral de Investigações previa mais de quinhentas cassações. O presidente, porém, conseguira reduzi-la a 71 nomes. Entre os poupados, o deputado Tancredo Neves, do PSD mineiro. A linha-dura, insatisfeita com o enxugamento da lista, fez chegar seu desapontamento ao ministro da Guerra. Registrou-se até o protesto da guarnição de Minas Gerais, através de majores e coronéis, descontentes com o fato de que apenas dez mineiros haviam sido punidos, volume ínfimo ante os 238 sugeridos pelo governador Magalhães Pinto e pelos órgãos de segurança militar do estado. Esse detalhe é apresentado por John W. Foster Dulles em *Castello Branco — o presidente reformador*, com o adendo de que, de Recife, o coronel Hélio Ibiapina reclamara, junto ao próprio presidente, por carta, "não haver nenhum pernambucano na relação". Castello sairia pela tangente e responderia ao subordinado e amigo que nem a CGI nem a secretaria do CSN forneceram qualquer denúncia originária do estado.

"Não forcei nada!"

Virou voz corrente que Carlos Lacerda forçara a cassação do adversário que, mais tarde, tornar-se-ia seu aliado na Frente Ampla. Em seu depoimento ao *Jornal da Tarde*, dado em março de 1977, o ex-governador da Guanabara diria:

> Eu não forcei nada! Forcei, isto sim, o rompimento com Cuba e essa foi uma das primeiras divergências que tive com o Vasco Leitão da Cunha (ministro das Relações Exteriores), que instruído ou não pelo Castello Branco resistia à ideia. (...) Mas voltando à cassação do Juscelino: na última ou penúltima vez que vi o Renato Archer ele me contou essa história (...). O fato foi o seguinte: o Alkimin telefonou ao Renato, de Belo Horizonte, e disse: "Olha, o presidente Castello me chamou a Brasília e disse que precisa falar comigo com urgência, e num tom de voz muito estranho. E me disse que depois vai ao Rio e me leva no seu avião. Como, naturalmente, quando chegar ao Rio o Castello terá carro oficial, você e o Joaquim Ramos vão no

carro de vocês e me apanham no aeroporto. Se puder, conto o que é que ele quer falar comigo". E assim se deu. (...) O Alkimin entrou no carro com o Renato e o Joaquim Ramos e aí, com fama ou não de mentiroso, contou que Castello lhe havia dito: "Dr. Alkimin, tenho muita pena, mas achei que tinha o dever de comunicar ao senhor em primeiro lugar, dadas as suas relações com o dr. Juscelino. O dr. Juscelino votou em mim e eu fiz o senhor vice-presidente da República. Então, tenho o dever de ser o primeiro a lhe dizer que infelizmente cheguei à conclusão de que é indispensável à revolução cassar os direitos políticos do dr. Juscelino. Não me é possível poupá-lo."

Lacerda continua:

Quem conhece o Castello sabe que ele nunca diria que foi uma imposição. Terá sido ou não? É possível que tenha sido, porque houve uma tal barganha de cassações. O Costa e Silva me contou que, na hora de cassar gente, como o Castello não queria cassar o Afonso Arinos, ele, Costa, impôs: então também não pode ser cassado Fulano de Tal. Nem o Ademar. (...) Quer dizer, havia uma certa barganha nisso: você cassa esse, então eu casso o outro, ou então você não cassa. Voltando ao relato do Alkimin: "Eu tenho (Castello disse ao vice-presidente) o dever de cassar os direitos políticos do dr. Juscelino e queria que o senhor fosse o primeiro a saber." Diz o Alkimin: "Vocês imaginem a minha situação! Fiquei raso no chão. Ser o vice-presidente da República que cassa o Juscelino, de quem fui ministro e de quem continuo a ser, e sou, amigo fraternal. E além disso um homem que ajudei a convencer a votar no Castello Branco!" Terminada a conversa, que foi curta, Castello diz ao Alkimin: "O general Geisel lhe explicará o resto." E se levantou. Prossegue Alkmin: "Eu procurei o general Geisel, chefe da Casa Militar, que então me disse: o presidente me incumbiu de lhe informar que isso em nada beneficiará a candidatura do governador Carlos Lacerda."

Lacerda acrescenta:

Comentário de Alkimin para o Archer: "Além de me dar uma notícia dessas, ainda me fizeram a injúria de pensar que eu ia ficar muito feliz em saber que o Carlos Lacerda não ia ter chance de ser candidato. Acho que pensaram que aquelas nossas brigas parlamentares fossem eternas..."

O nosso companheiro

É preciso abrir espaço para pequena recapitulação, de maneira que cheguemos ao final dos 13 anos em que trabalhei em *O Globo*, onde comecei como repórter e terminei como editor político e responsável pela coluna política, que, aliás, criei depois de muita insistência. Entrei pela primeira vez na redação do jornal na segunda semana de novembro de 1958. Eram sete horas da manhã e eu levava uma carta de apresentação para Roberto Marinho, escrita por um amigo de meu pai que, nos idos da década de 1930, fora seu companheiro de juventude. A recomendação era para que chegasse bem cedo, porque o dr. Roberto entrava no jornal pontualmente às 7h30. Colocado na sala de espera, vi quando chegou. Logo depois, mandou que me chamassem ao seu gabinete.

Expus meu problema sem meias palavras: cursando o terceiro ano de Direito na Pontifícia Universidade Católica, não queria e não podia mais ficar na dependência de mesadas. Um dos caminhos para os jovens universitários de classe média que precisavam trabalhar e continuar estudando era a reportagem. Não escondi que vinha de uma experiência de trinta dias no *Jornal do Brasil*, em outubro, onde cheguei de todo ignorante das coisas de imprensa, tendo saído mais ou menos do mesmo jeito. Ao ser dispensado, recebera palavras de estímulo do chefe de reportagem, Clóvis Paiva, mas o problema era a falta de vagas. Naquele mês, quatro estagiários iniciaram seu período de teste no matutino então dirigido por Odylo Costa, filho, responsável por sua modernização. Éramos Luís Orlando Carneiro, Juvenal Portella, Roberto Quintaes e eu. Havia lugar para um só, e Luís Orlando, com muita justiça, foi o vencedor. A ironia ficou em que nenhum dos três dispensados desistiria da carreira, obtendo todos o inquestionável sucesso profissional em poucos anos.

Meu pai, ao perceber minha primeira frustração, conseguiu a carta de apresentação que Roberto Marinho leu; em seguida, pediu-me que voltasse dali a alguns dias. Retornei mais duas vezes. Ele franzia os olhos como quem não esperasse tanta insistência. No dia 25, porém, pegou-me pelo braço e levou-me à redação.

Ainda não eram oito horas da manhã e, diante da mesa de seu irmão, Rogério, que naqueles tempos fechava a edição junto com o secretário Lucílio de Castro, disse apenas: "Faça uma experiência com esse moço. Ele é recomendado por um amigo a quem não posso negar o pedido."

Ficou acertado que começaria naquela tarde mesmo, porque, apresentado ao chefe de reportagem, Alves Pinheiro, ele comentou que eu poderia cobrir o lançamento, pela editora Vozes, de *O livro vermelho da Igreja perseguida*, de Albert Gater. Conservo um exemplar até hoje, com dedicatória, sem nunca ter passado das orelhas e do prefácio, material usado no texto que *O Globo* publicaria, com destaque, no dia seguinte. Vivíamos o auge da Guerra Fria e tudo quanto deixasse mal o comunismo era tratado com carinho no jornal. No dia seguinte, fui mandado ao Museu da Quinta da Boa Vista para entrevistar um cientista que defendia ser autóctone o habitante primitivo do continente americano. Outra chamada na primeira página. A partir daí, incorporei-me à reportagem. Percorria favelas, flagrava camelôs no centro da cidade, entrevistava pessoas que vinham à redação e participava das tradicionais enquetes telefônicas que faziam a alegria de Alves Pinheiro, sempre que algum fato inusitado ocorria, fosse um desastre, uma crise política ou um acontecimento internacional. Também era designado para entrevistas coletivas em embaixadas e enviado a penitenciárias, sempre que havia denúncias de maus-tratos de presos, a concursos de beleza, exposições de arte e tudo o mais.

Assim transcorreu o que restava do ano, bem como 1959, numa faina que os repórteres de hoje abominariam, porque os integrantes da equipe saíam, acompanhados de um fotógrafo, geralmente com quatro ou cinco tarefas diárias, sempre as mais variadas. Rarissimamente nos era concedido um dos quatro jipes da reportagem, reservados para os repórteres de polícia, o setor "menina dos olhos" de Pinheiro. Íamos mesmo de bonde.

De sindicato a clube

Os repórteres e comentaristas políticos costumavam atuar, senão em conjunto, ao menos reunidos. O ponto de encontro era sempre o palácio Monroe, no final da avenida Rio Branco, aonde chegávamos no meio da tarde, depois de cada um ter frequentado suas fontes pessoais. Não havia propriamente uma bolsa de notícias, muito menos uma troca detalhada de informações, mas sempre uma das mãos ajudava a outra. O palácio Monroe nos dava uma vantagem excepcional, porque, sabendo de nossa tradição, os principais parlamentares, quando longe da capital federal, nunca deixavam de passar por lá. Havia, também, uma mordomia: podíamos estacionar nossos carros na garagem privativa, ao ar livre mas com vaga garantida.

De 1963 em diante estávamos sempre juntos Oyama Telles e Luís Prisco Viana, do *Correio da Manhã*, Villas-Boas Correia, do *Estado de S. Paulo*, Carlos Alberto Wanderley e Berilo Dantas, da *Última Hora*, Heráclio Salles, Haroldo Hollanda e Tarcísio Hollanda, do *Jornal do Brasil*, e José Augusto de Almeida, que passara de *O Globo* para o *Diário Carioca*, entre outros menos frequentes.

A DITADURA MILITAR E OS GOLPES DENTRO DO GOLPE: 1964-1969

Carlos Lacerda, anos antes, quando o Congresso ainda funcionava no Rio, brigara com a crônica política, que acusava de estar a serviço de Magalhães Pinto, e chamara o grupo de "Sindicato da Mentira". A primeira denominação continuou, mas sem o sobrenome. Compúnhamos "o Sindicato", que, mais tarde, em 1966, daria origem ao Clube dos Repórteres Políticos, cuja função era convidar um líder, ministro, governador ou parlamentar, todas as quintas-feiras, para um almoço no restaurante da Casa da Suíça, na rua Cândido Mendes, na Glória. Cada um pagava a sua despesa e rateávamos a conta do convidado. A ideia do clube nascera da iniciativa de Berilo Dantas, da *Última Hora*, e eu fui escolhido, por votação direta e secreta, seu primeiro presidente. A cada ano elegia-se uma nova "diretoria", cujo trabalho era convidar o homenageado, avisar os colegas e confirmar o número de participantes na enorme mesa que o restaurante nos reservava, numa sala especial. Durante o almoço, o visitante da semana não conseguia comer direito, tantas as perguntas a que respondia. Aquela foi uma forma de contrabalançarmos, no Rio, a influência crescente de Brasília, onde os parlamentares e ministros permaneciam e cada vez mais faziam política.

Na capital federal, *O Globo* possuía excelente sucursal, por muitos anos dirigida por Antônio Praxedes. O redator-político de Brasília era Flamárion Mossri. Falávamos todos os dias e o material que enviava, ainda via telex, ia para a minha mesa, onde muitas vezes era reduzido, cortado ou não utilizado — para irritação permanente do querido amigo.

Aqueles foram anos felizes, apesar do sacrifício imposto a minha mulher e minhas duas filhas, então bem pequenas, que apenas me viam aos sábados, dia em que a redação de *O Globo* trabalhava em ritmo de plantão somente para a reportagem policial. O jornal não circulava aos domingos, bem como os matutinos não iam para a rua às segundas-feiras. Domingo era dia de trabalho dobrado, geralmente feito pelo telefone.

A prorrogação

A emenda constitucional que prorrogou o mandato do presidente Castello Branco foi votada, em primeiro turno, na sessão do Congresso realizada a 16 de julho de 1964. Teve 205 votos a favor, o mínimo necessário, contra 96. O segundo turno apenas referendaria a decisão, com mais folga, a 22 de julho.

Castello, como vimos, tentava passar uma série de reformas, em especial a político-institucional, no prazo que o Ato Institucional arbitrariamente estipulara para que as propostas apresentadas pelo governo fossem, se não votadas, consideradas aprovadas. O problema é que, à teoria revolucionária e arbitrária, levantavam-se a prática e as manhas do Congresso. Assim, primeiro no grupo palaciano que pensava longe, depois nos grupos políticos alinhados em gênero, número e grau ao autoritarismo militar, começou a germinar a ideia da prorrogação do mandato do presidente por, pelo menos, mais um ano.

Fica difícil imaginar quem aventou originalmente a tese, mas não errará quem supuser que tudo começara no cérebro do general Golbery do Couto e Silva, que logo mobilizaria lideranças políticas para viabilizá-la. No fundo, a mesma motivação: a revolução estava cada vez mais impopular e, mesmo com Juscelino Kubitschek cassado, ficava óbvio que qualquer outro candidato das oposições seria eleito. Inclusive um poste. Carlos Lacerda ainda imaginava deter popularidade suficiente para eleger-se num pleito mais ou menos livre, mas até seus companheiros da UDN, como Bilac Pinto e Daniel Krieger, duvidavam da hipótese de ser contrariada a natureza das coisas. A revolução não tinha mesmo o apoio da maioria da nação e, a cada dia transcorrido, a situação pioraria. Para eles, e para alguns pretendentes à presidência da República, como Magalhães Pinto e Ademar de Barros, uma única solução surgia como forma de preservar suas candidaturas para o futuro: a manutenção de

Castello Branco no poder. Começaram a ser de menor importância as declarações do presidente de que realizaria eleições e passaria o governo ao eleito, qualquer que fosse, na data prevista. Não eram para valer, talvez nem para ele, ou, se fossem, restringiam-se a uma decisão isolada.

O tumor estourou no dia 13 de julho, quando *O Globo* publicou em seu noticiário político, de minha autoria:

> O governador Magalhães Pinto, que se encontra no Rio desde sábado, disse que a revolução não pode admitir, agora, a abertura de disputas sucessórias. Desta forma, defende a permanência do marechal Castello Branco na presidência da República, não usando sequer a fórmula da prorrogação do mandato através de emenda constitucional. Entende que o atual chefe do governo não foi eleito para completar o mandato do presidente João Goulart, mas para concretizar os ideais revolucionários do movimento militar de 31 de março. O mandato do presidente Castello Branco foi outorgado por força da própria revolução. (...) Assim, deverá durar o tempo necessário à revolução completar sua missão. Ontem, o sr. Magalhães Pinto realizou uma série de contatos políticos, destacando-se as conferências com os governadores Ademar de Barros, Ney Braga e Lomanto Júnior. Esteve com o líder do PTB, deputado Doutel de Andrade, e entrevistou-se, também, com chefes militares. A todos, o governador mineiro procurou levar a tese da necessidade absoluta da prorrogação do mandato do presidente Castello Branco (...). Apesar de não desejar polêmica com o governador Carlos Lacerda, como frisa, o sr. Magalhães Pinto acentua que cada qual tem o direito de expressar e defender a posição que melhor atenda às suas convicções. É pela prorrogação do mandato do presidente, tese que, acredita, será aprovada ainda esta semana pelo Congresso. (...) Também no Rio, o governador Ademar de Barros declarou-se pela prorrogação do mandato do presidente Castello Branco. Acentuou que essa tese está nas ruas

como aspiração dos verdadeiros setores revolucionários. (...) Acrescentou que a oposição do governador Carlos Lacerda é prematura e que o governador está se antecipando às decisões do Congresso. Disse que continua candidato à presidência da República, o único, aliás, já lançado em convenção nacional.

E, depois, uma revelação:

> O sr. Afonso de Camargo Neto, vice-governador do Paraná, criticou o sr. Carlos Lacerda pela carta que dirigiu ao sr. Bilac Pinto, presidente nacional da UDN, porque o governador da Guanabara novamente mostrou com toda a clareza o lado negativo de sua figura humana, que são a intranquilidade e o personalismo. Disse que Lacerda intitula-se democrata, mas faz ameaças ditatoriais e se coloca contra a necessária reforma política e, também, contra o Congresso.

As inconveniências baianas

Ainda na mesma edição *O Globo* publicava as declarações do deputado Rui Santos, secretário-geral da UDN, segundo as quais o telegrama do governador Carlos Lacerda — em que pedia a imediata convocação de uma convenção nacional do partido — não sensibilizara a comissão executiva. O deputado Antônio Carlos Magalhães, da bancada baiana da UDN, acrescentaria que 1965 não apresentava clima para uma campanha presidencial e que um comício em praça pública, com os ânimos exaltados como estavam, poderia resultar negativamente. Carlos Lacerda era seu candidato, mas apenas em 1966 "seria conveniente começar a campanha"...

Um jeitinho legislativo

Aquela edição de *O Globo* do dia 13, segunda-feira, estava plena de material explosivo. Outra matéria dava conta:

> O destino da emenda que prorroga o mandato do presidente Castello Branco está dependendo da interpretação do presidente do Congresso Nacional, senador Auro de Moura Andrade. No projeto das emendas políticas que deverá ser votado até quinta-feira, não figurava a prorrogação. Tratava-se do estabelecimento da maioria absoluta para as eleições presidenciais e de governador. A prorrogação foi incluída no substitutivo apresentado pelo deputado João Agripino, da UDN. Essa inclusão está suscitando dúvidas. Não tendo sido solicitada pelo Executivo, que propôs as outras reformas, mas não essas, perguntam alguns parlamentares se é legítima para efeito de votação única, na forma ditada pelo Ato Institucional (...). Há quem afirme que o presidente do Congresso admitirá a discussão e votação do substitutivo.

Uma surpresa democrática

Ainda no dia 13, noticiava a editoria política de *O Globo*:

> O sr. Pedro Aleixo, líder do governo na Câmara, continua contrário à prorrogação do mandato do presidente Castello Branco. Não pretende, porém, intervir de forma alguma no encaminhamento de questões que, a partir de agora, dependem exclusivamente da soberania do Congresso. Falando ontem a *O Globo*, o sr. Pedro Aleixo disse que não defenderá a prorrogação do mandato do presidente. Limitar-se-á a apoiar as teses da maioria absoluta para as próximas eleições, na forma da subemenda do deputado Ulysses Guimarães, bem como o voto dos analfabetos, a elegibilidade dos sargentos e

demais proposições constantes do projeto do governo. Revelou o sr. Pedro Aleixo que não tem conhecimento da determinação do presidente Castello Branco de recorrer ao Supremo Tribunal Federal contra a prorrogação do seu mandato. E insistiu em renovar as reiteradas declarações do presidente da República de que não pretende a prorrogação e deseja passar o governo ao sucessor a 31 de janeiro de 1966. Esses pronunciamentos do marechal continuam válidos, disse o líder da maioria. No entanto, o Congresso é livre para tomar as deliberações que a sua maioria julgar convenientes.

Pedro Aleixo estava, literalmente, em cima do muro. O importante a notar naqueles dias, porém, era a hesitação do presidente Castello Branco em aceitar aquilo que seus assessores planejaram e que as forças parlamentares governistas apenas faziam funcionar. Seria essa, mesmo, a disposição do primeiro militar presidente do ciclo que se iniciava? Ou também ele posicionava-se docemente constrangido diante da possibilidade de continuar no poder, apenas jogando para a plateia?

Mutirão interesseiro

Continuaria *O Globo* a liderar o noticiário sobre a prorrogação do mandato de Castello Branco. No dia 14 de julho:

> O governador Magalhães Pinto, antes de retornar a Belo Horizonte, teceu elogios ao comportamento do chefe do governo, louvando sua atitude de manter-se à margem de quaisquer entendimentos (para a prorrogação) e até se declarando contrário à prorrogação de seu mandato. Julga o governador, no entanto, que o presidente não terá como recusar-se a permanecer por mais um ano no palácio do Planalto, se o Congresso assim o determinar.

A DITADURA MILITAR E OS GOLPES DENTRO DO GOLPE: 1964-1969

No dia 15 de julho:

> Depois de conversar por mais de quarenta minutos com o sr. Carlos Lacerda, na manhã de ontem, na residência do senador Miguel Couto Filho, o governador Ademar de Barros disse a *O Globo* que continua favorável à prorrogação do mandato do presidente Castello Branco, especialmente por julgar necessária a coincidência de mandatos. (...) O sr. Ademar de Barros não admite retirar sua candidatura à presidência da República, atitude que seria a negação de toda a luta que vem mantendo desde o início de sua carreira política. (...) E concluiu: "A revolução foi feita dentro da linha pura da democracia, tendo significado um não às esquerdas. Não permitiremos um sim para a direita."

Também no dia 15:

> Apesar da reserva natural dos chefes militares, confirmou-se plenamente que a maioria é pela prorrogação do mandato do presidente Castello Branco. Acrescente-se, como dado novo, que essas impressões já foram transmitidas pelos chefes militares ao presidente Castello Branco, nos últimos dias. Ao defenderem a prorrogação, eles argumentam: 1. Inevitavelmente, a deflagração de uma campanha sucessória com vistas às eleições presidenciais de 1965 tumultuará o panorama político, impedindo a concretização dos ideais da revolução. 2. A luta aberta de políticas antagônicas, sem que a revolução tenha tempo de completar a necessária solidificação de suas bases, determinará o esvaziamento da autoridade do presidente Castello Branco, abrindo a porta para agitações futuras. 3. A revolução não é antidemocrática, mas essencialmente democrática, e isso já foi demonstrado um sem-número de vezes. Não é contra as eleições, mas, apenas, contra as eleições presidenciais em 1965.

E ainda:

> Embora sem confirmação, corria nos meios políticos, ontem, que alguns chefes militares teriam procurado o sr. Francisco Campos para saber das possibilidades jurídicas de um reforçamento do Ato Institucional em alguns de seus dispositivos.

Ficavam claras algumas premissas, a partir daquela maior, a de que os detentores do poder não queriam arriscar-se a perdê-lo através de eleições para a presidência da República. Ao mesmo tempo, à exceção de Carlos Lacerda, que inegavelmente via mais longe, os demais governadores e, em especial, Ademar e Magalhães, também candidatos à chefia do governo, identificavam na prorrogação uma forma de ganhar tempo. Estavam fracos, mas imaginavam que se fortaleceriam com mais um ano de oxigênio. Na verdade, os governadores de São Paulo e de Minas Gerais aplicavam um golpe no governador da Guanabara, naquele momento, em termos eleitorais, o mais forte dos três.

Quanto aos ministros e chefes militares, aquela era uma oportunidade de permanecerem um ano a mais em suas posições. Os governadores iludiam-se também com essa hipótese. Imaginavam que, se o mandato de Castello fosse prorrogado, por que não o deles? Até Carlos Lacerda contava com tal compensação, mesmo quase solitário na trincheira dos que se opunham à prorrogação.

O PSD abre questão

Querendo ou não os militares, nada se fazia no Congresso sem o apoio do PSD, e o maior partido nacional estava dividido a respeito da prorrogação. Seus dirigentes sabiam, é claro, que, se não acatassem por bem as diretrizes do novo regime, acabariam tendo de aceitá-las por mal, ou seja, à força. Assim, tentavam tirar o melhor proveito de um apoio imposto. Ao mesmo tempo, porém, não queriam ficar mal com a opinião pública, ainda ressentida com a cassação do mandato de Juscelino Kubitschek. Por tudo isso e pela sua própria essência, o PSD decidiu abrir a questão em suas bancadas. Coube ao líder na Câmara, Martins Rodrigues, anunciar a estratégia, segundo a edição de *O Globo* do dia 16 de julho:

> É praticamente certo que o Congresso votará pela prorrogação do mandato do presidente Castello Branco, hoje ou amanhã, na forma do substitutivo aprovado há dias na Comissão Especial. Os cálculos das lideranças partidárias apontavam 220 votos favoráveis à tese, no total de 409 deputados, e 40 senadores, no total de 66. Deverão ser aprovados, também, a maioria absoluta nas eleições presidenciais, na forma do substitutivo Ulysses Guimarães, o voto do analfabeto nas eleições municipais, a elegibilidade dos sargentos e a suspensão das isenções fiscais para jornalistas, professores e magistrados.

Esse último item não encontrou maiores resistências, porque, afinal, parecia injusto que essas categorias não pagassem imposto de renda, desde a promulgação da Constituição de 1946, uma forma que os constituintes então encontraram para agradar os profissionais da imprensa, estendendo o benefício aos juízes e professores.

A reportagem continuava:

> A perspectiva da aprovação da emenda que prorroga o mandato do presidente Castello Branco até 31 de janeiro de 1967 só se delineou nas últimas 48 horas e foi ontem reconhecida pelo presidente da Câmara dos Deputados, sr. Raniéri Mazzilli, que afirmou acreditar na aprovação da matéria, tendo em vista os diversos pronunciamentos no plenário e, ainda mais, a decisão do PSD de abrir a

questão. A maioria do PSD votará pela prorrogação. (...) Além dos pronunciamentos do ministro da Guerra (favoráveis à prorrogação), outro fator determinou o apoio da maioria do PSD: ontem, o deputado Anísio Rocha disse estar autorizado pelo marechal Eurico Dutra a anunciar que o ex-presidente via na prorrogação a única forma de consolidar e concretizar os ideais revolucionários. (...) Na UDN, apesar das restrições dos srs. Pedro Aleixo, Ernâni Sátiro e de um grupo de parlamentares ligados diretamente ao governador Carlos Lacerda, sabe-se que a maioria do partido votará pela prorrogação. De 93 deputados, 70 adotam a tese. Também a carta do sr. Bilac Pinto ao sr. Carlos Lacerda, em termos enérgicos — semelhantes aos que lhe dirigiu o governador carioca —, contribuiu para que grande número de udenistas, solidários ao seu presidente, ficassem de seu lado. No PTB, embora as previsões adiantem que a maioria de suas bancadas estará contra a prorrogação, espera-se que um mínimo de 35 deputados sufrague a emenda, mais por posição tática de se colocarem contra o sr. Carlos Lacerda do que por posição doutrinária. Os outros partidos deverão dar perto de 50 votos à prorrogação.

Guerra epistolar

Carlos Lacerda chegara dos Estados Unidos. E logo se inteirou dos detalhes do processo de prorrogação do mandato do presidente Castello Branco. No dia 12, enviou extenso telegrama a Bilac Pinto, o primeiro, porque outro se seguiria, em termos igualmente ou mais duros e agressivos. O *Diário de Notícias* publicou a íntegra do que ficaria conhecido como a declaração de guerra do governador carioca às lideranças de seu partido.

Eis alguns trechos:

Depois de ter ouvido argumentos e pesando bem minhas responsabilidades no destino da revolução democrática brasileira, venho requerer a V. Exa. a convocação da convenção do nosso partido para decidir sobre a candidatura presidencial e apreciar a conduta dos representantes do partido em face da intentada prorrogação dos mandatos. Além de contrariar compromisso expresso do Ato Institucional e a vontade declarada do presidente Castello Branco, a propalada prorrogação constitui um ato de covardia diante do povo que desejou a revolução e somente beneficia os oportunistas e os sinistros aventureiros que novamente se conluíam para roubar do povo a revolução que o libertou. (...) Como candidato do partido, virtualmente indicado por suas seções estaduais à convenção adiada a meu pedido, reclamo urgente e autêntico pronunciamento das seções estaduais, uma vez devidamente informadas sobre as consequências dessa manobra no clube fechado de Brasília. (...) Não me queixo nem sequer censuro os que no meu próprio partido tomaram decisão tão grave na minha ausência sem sequer a cortesia de uma consulta. (...) Confesso que o que me horroriza é a renitente e impenitente incapacidade para compreender os problemas políticos, revelada pelos que se supõem capazes de resolvê-los. Ressuscitar a maioria absoluta agora é entregar aos piores a faculdade de impor os seus conchavos sobre a livre manifestação da vontade do eleitorado. Nova asneira, assim, se está por cometer contra a vontade expressa do presidente, embora a pretexto de lhe fazer a vontade. (...) Não podíamos ter melhor presidente num regime de transição de prestígio e autoridade moral do que o marechal Castello Branco. Mas nem a ele nem a ninguém delegamos nossa confiança no julgamento do povo. (...) As eleições devem ser feitas pelo voto direto do povo e na data marcada, enquanto o inimigo ainda está desarticulado. (...) veja se com seu espírito público e nunca desmentido sentido de responsabilidade encontra meio de consultar as bases udenistas sobre a conduta a seguir. (...) Reafirmo que sou candidato e o partido deverá destituir-me dessa candidatura se já não a quiser.

Resposta dura

Bilac Pinto respondeu ao telegrama de Lacerda, tendo convocado as bancadas e o diretório nacional da UDN para uma reunião formal em Brasília, no dia 22, para a qual, inclusive, convidou o governador. Datada do dia 14, sua resposta chegou por carta ao palácio Guanabara. *O Estado de S. Paulo* do dia 15 a publicaria na íntegra. A seguir, alguns parágrafos:

> Todos reconhecemos em V. Exa. um líder de qualidades excepcionais. Sabemos, por igual, que V. Exa. exerce extraordinária influência nas bases de nosso partido. Cumpre-nos, entretanto, ponderar-lhe que os processos dialéticos destrutivos que costuma empregar contra os adversários não devem ser adotados, como fez no seu telegrama, contra nossos próprios companheiros, pois isso nos levaria fatalmente à divisão. A UDN é um partido cujos quadros são constituídos de homens dignos, dentre eles figurando nomes ilustres, de respeitável tradição política, que nem se intimidam nem se submetem a tipo de liderança carismática que procure afirmar-se à custa de ataques injustos à sua conduta política. Ninguém, nem mesmo V. Exa., com seu fulgurante talento, será capaz de liderar o nosso partido e captar o seu apoio mediante táticas terroristas. (...) O presidente Castello Branco está convencido de que a maioria absoluta é um princípio que poderá concorrer para a estabilidade das instituições republicanas e a eficiência dos governos. Afirma que hauriu essa convicção não apenas no estudo de nossa história política, mas igualmente na pregação feita pelo brigadeiro Eduardo Gomes, por Prado Kelly, Aliomar Baleeiro e também por V. Exa., além de muitos outros líderes de nosso partido. É este um exemplo expressivo do "poder das ideias", difundidas através da prática udenista. (...) A aceitação da tese da maioria absoluta, porém, não implicava o acolhimento da fórmula contida no projeto governa-

mental que, desde logo, sofreu a crítica de vários de nossos companheiros. (...) Diferentes pontos de vista inspiraram a apresentação de várias subemendas ao projeto do Poder Executivo por deputados e senadores udenistas. Dois de nossos líderes tiveram participação ativa na fase inicial dos trabalhos: o deputado Pedro Aleixo, líder do governo, que, por convicção pessoal e refletindo o pensamento do marechal Castello Branco, sempre se bateu pela aprovação da emenda da maioria absoluta e jamais admitiu a prorrogação do mandato do presidente da República como processo para o estabelecimento da coincidência da eleição presidencial com a eleição de deputados e senadores. O outro, o senador Daniel Krieger, que, falando e agindo em seu nome pessoal, inclinava-se pela solução da extensão do atual período presidencial, para mais adequadamente obter a coincidência de mandatos, e em favor desse ponto de vista trabalhou junto à Comissão Mista, tendo influído no sentido de lograr parecer favorável desse órgão. Fora do ambiente da Comissão Mista, até o momento em que seu telegrama foi divulgado, nenhuma consulta havia sido feita aos membros da bancada udenista na Câmara acerca das diversas proposições que versam sobre a maioria absoluta. Somente a partir de sexta-feira última o líder Ernâni Sátiro iniciou a distribuição dos formulários destinados a colher a opinião dos deputados acerca dessa e das demais emendas constitucionais. Esse trabalho, aliás, não poderia ter sido feito antes, porque não existiam cópias ou avulsos das subemendas apresentadas. Como vê V. Exa., até agora não foi feita sequer a coordenação da nossa própria bancada na Câmara no sentido de apoiar, em plenário, determinada fórmula da maioria absoluta. Por este relatório verificará V. Exa. a grave injustiça de seu libelo infamatório contra a representação do nosso partido no Congresso Nacional. Cordiais saudações. Bilac Pinto.

A mesma virulência de sempre

A batalha epistolar prosseguiria. Em 15 de julho, Carlos Lacerda enviou um segundo telegrama a Bilac Pinto, após ter recebido a carta do presidente da UDN, no dia anterior:

> Na véspera do trágico erro que mais uma vez uma superada liderança política vai cometer e por cujas consequências vocês um dia afinal serão responsabilizados, não desejo comentar os termos de sua carta em resposta ao meu apelo. Creio que o presidente Castello continua pessimamente assessorado quando é levado a afirmar que o povo sofre menos no seu governo. Não chega a ser traição a atitude da liderança udenista, porque ela nem sequer tem consciência disso, movida por seus motivos que compreendo e deploro. Mas com isto, penso, o povo ao menos lucrará um resultado: o fim de falsas lideranças políticas cuja crônica incapacidade, cuja falta de previsão e cuja mediocridade já causaram tantas derrotas e acabam de derrotar mais uma revolução. Prorrogação de mandatos e maioria absoluta, nesta conjuntura, juntas ou separadas, constituem a destruição de uma revolução que vocês não entendem porque dela não participaram senão para desfigurá-la. Espero que mostre este telegrama a quantos terão lido sua carta e para evitar contratempos rogo-lhe o cuidado de divulgá-lo você mesmo. Não tenho mais o que fazer em Brasília, de onde vim com a certeza de que mais uma vez a habilidade iria destruir o resultado de nosso sacrifício. Desta vez com requintes de hipocrisia e com uma alegre inconsistência e leviandade que chega a ser pitoresca. O libelo infamatório que vocês estão promovendo, não por palavras, mas materializado em atos, constitui a vergonha de uma nação. Você está presidindo a liquidação da UDN, e isso não é tão grave. Gravíssimo é que vocês estão liquidando o que existia de democracia no Brasil ao colaborar para a prorrogação dos mandatos e a maioria do Congresso, não à maioria absoluta que serve à maioria do povo. Adeus.

A DITADURA MILITAR E OS GOLPES DENTRO DO GOLPE: 1964-1969

"O diabo tem ficha no Partido"

Na noite do dia 15, Lacerda estava em Belo Horizonte. Fizera, então, longo pronunciamento pela TV-Itacolomi, que seu sobrinho, Cláudio Lacerda, reproduziria, na íntegra, em *Carlos Lacerda e os anos sessenta — oposição*. Entre outras afirmações, disse o governador carioca:

> O povo foi para a rua e pediu a revolução. (...) O Exército, atendendo a esta vontade evidente do povo, acabou o serviço. E, agora, procura-se convencer o Exército de que o povo está contra. Eu não entendo. Há uma coisa de profundamente errada em tudo isso. (...) Será que o povo a está abandonando (a revolução)? Será que o povo se tornou reacionário? Será que o povo aderiu àqueles que quis expulsar do poder? (...) Não faz sentido. (...) Agora se fala em prorrogação de mandato. É esta a reforma de base que prometiam ao povo? Retirar do povo o direito de escolher? Dizer "agora você vai ser tutelado"? Isso é democrático? Isso é revolucionário? Na última vez que se prorrogou mandato no Brasil foi a 10 de novembro de 1937, e tivemos uma ditadura de oito anos. (...) Nós fizemos uma revolução para perpetuar a democracia, não para destruí-la a pretexto de salvá-la. (...) Este homem (Castello Branco) assumiu dizendo "entregarei o poder dia 31 de janeiro de 1966 a quem for eleito no dia 3 de outubro de 1965". Um Ato Institucional foi promulgado com base nessa data, nesse compromisso, e agora, de repente, diz — não, isso não valeu, a palavra de um general do Exército brasileiro não conta para nada, este homem se enganou, ou foi leviano, ou não sabia o que estava dizendo. Vai ser obrigado a se desdizer, vai apresentar o Brasil ao mundo inteiro como um país em que há um governo que, em nome de uma revolução, pratica uma usurpação. (...) Eu nunca vi uma epidemia de leviandade como esta. (...) O único argumento que até agora vi para esta prorrogação, quer dizer, para esta ditadura a prazo fixo, esta ditadura de letra bancária a 180 dias,

no caso, a dezesseis meses de prazo para vencimento e cobrança em banco, o único argumento que vi foi este: "Não, o governo vai estar impopular em 1965 e popular em 1966; logo, em 1965, o inimigo da revolução ganha, mas em 1966, não, ele perde." Saí daqui candidato do professor Bilac Pinto à presidência da República. (...) Quando estou lá fora, e ninguém me consultou, ninguém me perguntou se eu tinha desistido de ser candidato, encontro posições tomadas ao contrário. (...) Em nome de quem? Quem lhes deu procuração? (...) Compreendo muito bem por que o presidente de um partido tem de defender a ovelha negra. Porque a ovelha negra também é parte do rebanho. O presidente de um partido é muitas vezes advogado do diabo, quando o diabo tem ficha no partido...

Na ocasião, restaram poucas dúvidas a respeito de quem seria a ovelha negra e o diabo: era a Magalhães Pinto, governador de Minas, a quem Lacerda se dirigia.

Aumentava a temperatura política

Vale citar outro trecho da reportagem política de *O Globo* do dia 16 de julho de 1964:

> Nos últimos acontecimentos tornou-se visível a atuação do chamado "Comando Revolucionário", órgão que muitos supunham desintegrado desde a posse do presidente Castello Branco, mas que deu mostras de sua influência — não como poder de fato, mas como estuário de opiniões uniformes — no processo de polarização parlamentar em torno da prorrogação. Os líderes militares e civis que atuaram para a deflagração do movimento revolucionário, entrosados, são ainda força considerável, destinada a opinar, também, em futuras decisões da vida nacional.

Em seguida, o cerne do comentário:

> A grande maioria das forças políticas que se congregam pela prorrogação do mandato do presidente Castello Branco está convencida da superação do quadro sucessório delineado até então. Acreditam, mesmo, que a adoção do princípio da maioria absoluta pelo chefe do governo traduziu seu desejo de não deixar que a cassação dos direitos políticos do sr. Juscelino Kubitschek redundasse em proveito eleitoral para qualquer das candidaturas já lançadas. Embora escudada em princípios doutrinários, a maioria absoluta teve também o seu objetivo político, de vedar os horizontes às candidaturas dos srs. Carlos Lacerda e Ademar de Barros. Isso não quer dizer que o governo se oponha a tais indicações, mas, apenas, que todas as candidaturas voltam à estaca zero.

Não foi tão fácil

Quem conta o que aconteceu no Congresso a 16 de julho, na primeira votação da emenda constitucional da prorrogação, é o veterano jornalista Flamárion Mossri, então repórter de *O Globo* em Brasília. Ele lembra que a aprovação não foi tão fácil assim, porque, à medida que os deputados votavam, verificava-se número de negativas e abstenções bem maior do que o previsto. No final, havia 204 votos a favor na representação da Câmara, que se pronunciava primeiro que a do Senado. Faltava um, e o presidente do Congresso, senador Auro de Moura Andrade, teve de suspender temporariamente os trabalhos, para que os líderes do governo saíssem à caça do derradeiro apoio. Já era de madrugada. Descobriram que o deputado Luís Bronzeado se encontrava em casa, dormindo. Despachou-se imediatamente um carro para buscá-lo. Quando a oposição já clamava pela reabertura e o encerramento da apuração, e contava haver derrotado o governo, chegou o parlamentar da UDN da Paraíba e votou favoravelmente.

Vergonhoso espetáculo

A longa sessão do Congresso foi acompanhada, do palácio Guanabara, por Carlos Lacerda e seus partidários. Ainda de madrugada, pleno de indignação, ele redigiu extensa nota oficial distribuída aos jornais pela manhã e publicada no dia 18, entre outros, pelo *Estado de S. Paulo*. A metralhadora giratória aproximava-se dos 360 graus. Chamou de vergonhoso o espetáculo que culminaria com a busca de "um deputado que não queria votar contra a sua consciência" e que foi levado ao plenário para, "a instâncias de seu líder", ver-se "obrigado a votar 'sim'".

Em outro trecho, desabafava o governador carioca:

> Essa votação é, pois, ilegal, além de imoral. Resta a esperança, devo dizer, remota, de que o Congresso, tomado de remorsos, reveja a sua posição, verifique que a própria imoralidade que cometeu esta madrugada constituiu a maior condenação contra si mesmo e, nesse segundo turno previsto para a semana que vem, revendo sua posição, restabeleça no Brasil o direito que tem o povo de eleger o seu governo. (...) Não me afasto da linha de apoio ao presidente da República, ainda que o considere politicamente errado no momento. (...) Falo por todos os eleitores do Brasil, ainda que não me tenham dado procuração para falar por eles. Falo pelos eleitores do ex-presidente Juscelino Kubitschek, privados muito mais do que ele próprio de escolher o seu governo. Falo pelos eleitores do ex-presidente Jânio Quadros, que já eram e já seriam meus eleitores. (...) O que me interessa é informar ao presidente da República que, até agora, não mudou a política econômica do governo e que, se essa política continuar a que foi nos últimos trinta anos, nós teremos mentido ao povo brasileiro dizendo que fizemos uma revolução. (...) Saiba o povo brasileiro que foi traído pela escassa, difícil e tumultuada maioria formada esta madrugada em Brasília. Mas saiba também que nem todos desertaram, que nem todos os renegaram e que os que lhe são fiéis estão presentes.

Um senhor repórter

Hélio Fernandes não apenas assistiu como reportou os principais acontecimentos políticos dos últimos sessenta anos no Brasil. A queda do Estado Novo, em 1945, irá encontrá-lo em *O Cruzeiro*, onde começou como auxiliar para, em menos de um ano, tornar-se diretor de redação, lá permanecendo até 1948. Como todo profissional de verdade, fazia para depois poder mandar fazer, ou seja, escrevia. Foi quando publicou uma série de artigos em defesa dos alunos da Escola Naval, que se haviam revoltado em protesto pela forma grosseira com que eram tratados pelo respectivo comando. Assis Chateaubriand não gostou, mandou parar, e Hélio Fernandes demitiu-se, passando uma temporada na Europa. De volta, chefiou a seção de esportes do *Diário Carioca* e, em 1952, assumiu a direção de redação da revista *Manchete*. Novamente em atrito com o patrão, no caso, Adolpho Bloch, escreveu na *Revista da Semana* e criou o Noticioso Mauá, na *Rádio Mauá*. Dirigiu a assessoria de imprensa do candidato Juscelino Kubitschek, em 1955, e se tornou diretor de *A Noite* com a vitória do candidato. Logo seu espírito inquieto o separou de JK, de quem se tornaria adversário pelo resto da vida.

Iniciou, em 1958, a publicação de uma coluna política, primeiro no *Diário de Notícias*, depois na *Tribuna da Imprensa*, que adquiriria, em 1962, de M.F. Nascimento Brito, diretor do *Jornal do Brasil*. Brito, casado com uma das filhas da Condessa Pereira Carneiro, dona do *JB*, comprara a *Tribuna da Imprensa* de Carlos Lacerda. Até morrer, o governador da Guanabara teve abertas as colunas do jornal que fundara para escrever, com sua própria assinatura ou com pseudônimos, e isso mesmo depois de romper com os militares e de ter suspensos, em 1969, os direitos políticos. Hélio Fernandes, amigo pessoal e correligionário de Lacerda, manteve, na *Tribuna de Imprensa*, a mesma linha polêmica, irreverente e desassombrada dos anos 1950, e jamais ofereceu ao leitor a notícia amorfa, insossa e inodora. Ao contrário, buscava sempre a informação analisada, dissecada e comentada. Nos meses de Jânio Quadros e nos anos de João Goulart, o jornal formou na oposição. Dava furos políticos seguidos, e Hélio Fernandes foi processado inúmeras vezes pela Lei de Imprensa, preso arbitrariamente outras tantas, até mesmo em Mato Grosso e em Fernando de Noronha. Por ironia, a primeira prisão decorreu de uma ordem do ministro da Guerra de João Goulart, o general Jair Dantas Ribeiro. As outras aconteceram após o golpe militar. Antes mesmo de Lacerda romper com Castello Branco, Fernandes já se antecipara e colocara a *Tribuna* contra a política econômica de Roberto Campos.

Hélio Fernandes esteve, aliás, a um passo de se tornar um dos deputados federais mais votados do Rio de Janeiro, nas eleições de 1966, segundo indicavam as pesquisas. A poucos dias do pleito, porém, porque mostrara faceta pouco elogiável do regime e de seus dirigentes, num ato de pura vindita, teve os direitos políticos suspensos pelo presidente Castello Branco.

Mesquita dobra Lacerda

Fernandes contou em detalhes, na *Tribuna da Imprensa*, a irritação — que também chamou de acomodação — de Carlos Lacerda diante da emenda prorrogacionista:

> Passados alguns dias, Lacerda se rendeu, viu que as coisas não estavam nada satisfatórias, intensificou as conversas com este repórter. Depois de exaustivas explicações, convenci o governador: com a prorrogação não haveria eleição presidencial em 1965, isso era óbvio. Três dias antes da votação da prorrogação, fiquei mais veemente. E disse a Lacerda: "Não é possível que não perceba que estão destruindo você e consolidando o golpe e a ditadura?" Lacerda então respondeu: "O que me dizem é que a prorrogação passa

fácil." Refutei, eram quase três horas da manhã, e quem telefona de Brasília? Armando Falcão. Disse que estava tudo preparado para a aprovação da prorrogação. Lacerda disse que não haveria essa vitória. Falcão, espertíssimo, respondeu perguntando: "Quem está aí com você, é o Hélio Fernandes?" Lacerda confirmou, ele também confirmou de lá: "Vamos ganhar por mais de oitenta votos."

A seguir:

Consegui convencer Lacerda a participar e fazer um programa de televisão (no dia seguinte e no outro, véspera da votação), marcamos um almoço para o dia seguinte, no próprio Guanabara. Num restaurante simples e simpático, para funcionários e secretários, que Lacerda improvisara no belo jardim do Guanabara. Cheguei às quinze para a uma, falei com Lacerda, ele me pediu que esperasse, já iríamos almoçar. Fiquei na janela da antessala, quando vejo parar um carro e dele saltarem Júlio Mesquita, do *Estado de S. Paulo*, a maior influência que alguém poderia ter sobre Lacerda, Abreu Sodré, depois governador, e Armando Falcão (...). Fui embora correndo, Lacerda gritou da janela para que não me deixassem ir, meu "fusca" era veloz, não houve jeito. Saí do Guanabara já tendo a certeza de que Lacerda não resistiria ao dr. Júlio. Não resistiu mesmo. À noite o governador me telefonou explicando: "Doutor Júlio Mesquita me disse que, se a prorrogação não for aprovada, haverá um golpe e nenhuma eleição." Respondi: "Não podemos viver de ameaças e intimidações, governador. Se concordar agora, mais tarde haverá nova ameaça, outra e mais outra, e o resultado será sempre o mesmo que acontece quando o medo sai vitorioso." Lacerda não respondeu logo, fez uma pausa e comunicou o que eu já havia concluído, era facílimo: "Não vou à televisão, prometi isso ao dr. Júlio." Como eu disse, o dr. Júlio tinha espantosa influência sobre Lacerda, jamais conheci nada igual. Isso ocorreu numa segunda-feira, à tarde e à noite. Lacerda realmente não foi à televisão. Era governador e, além do mais, atração da televisão. Falava quando queria. Ainda não existia a TV Globo, o que também não era importante, pois Carlos Lacerda e Roberto Marinho viveram sempre um grande romance de amor e ódio, brigavam e se reconciliavam com a mesma insistência. Quando a TV Globo estava para surgir, Lacerda fez uma grande campanha contra o acordo Roberto Marinho-Time Life e conseguiu que Castello criasse uma comissão para investigar o assunto. A comissão concluiu que o acordo não poderia funcionar, que era o que servia maravilhosamente a Roberto Marinho. Isso é outra história, mas Nascimento Brito foi o grande prejudicado. Tinha um acordo operacional com a CBS que não pôde ser cumprido. E Roberto Marinho "despachou" o Time-Life, ficou sozinho e vitorioso.

Bonifácio cruel e inflexível

É ainda um trecho do artigo de Hélio Fernandes:

> Na terça e na quarta-feira não nos falamos. A votação estava marcada para a noite de quarta. Tudo foi comandado por José Bonifácio de Andrada, extraordinário e pitoresco personagem. Já fora presidente da Câmara, era secretário-geral, fazia a chamada para a votação. Tinha uma lista de deputados na mão, mas nem consultava, fazia tudo de cor e salteado. Começava pelo Amazonas, dizia o nome do deputado, ele mesmo respondia "vota sim" ou "vota não", não errava nunca. Quando chegou ao estado da Guanabara, chamou e perguntou: "Como vota o deputado Célio Borja?" Este, que devia tudo a Carlos Lacerda, não podia votar contra ele. Mas por conveniência, carreirismo explícito e adesismo implícito também não votaria jamais contra os que estavam no poder. Colocou-se discretamente no fim do plenário, embaixo de um jirau. Respondeu baixinho à pergunta de José Bonifácio. Este insistiu. Célio Borja levantou um pouco a voz. José Bonifácio, do mesmo partido de Célio, mas por pura maldade, perguntou novamente. Borja então não teve saída. Levantou-se e em tom duro e veemente, bem alto,

respondeu: "Voto sim, estou a favor da prorrogação e V. Exa. sabe disso." E José Bonifácio, cruel e inflexível, registrou: "Célio Borja vota sim". O plenário caiu na gargalhada.

Hélio Fernandes prossegue, na *Tribuna da Imprensa*:

> A votação continuou, sim e não. Se existisse uma liderança, por menos importante que fosse, a prorrogação teria sido liquidada. José Bonifácio completou a lista, ele mesmo um irreverente e cético total; ficou perplexo e surpreendido: não havia mais ninguém para chamar, estavam todos ali, não apareceria mais ninguém. E a votação estava empatada, houve espanto, silêncio e medo de indecisão: o que fazer? Ninguém percebeu que João Agripino, excelente figura, governador da Paraíba e ministro de Jânio, saíra discretamente do plenário. Ele sabia que o deputado Luiz Bronzeado, da sua Paraíba, passava as tardes num bar perto da Câmara. Foi lá, pegou Bronzeado pela mão, levou-o até a Câmara. Entrou no plenário pela porta dos fundos, passou por baixo do jirau, José Bonifácio viu o deputado e imediatamente gritou, perguntando, respondendo e exultando: "Como vota o deputado Luiz Bronzeado? Vota sim, está encerrada a votação, a prorrogação está aprovada." Inacreditável o relato histórico. De memória, mas rigorosamente verdadeiro. Poucos perceberam, mas ali começava o novo golpe dentro do golpe (foram vários), acabava a eleição presidencial, os candidatos de Lacerda na Guanabara e de Magalhães Pinto em Minas foram derrotados (no ano seguinte, em 1965). E a ação de Golbery-Castello foi tão sibilina, tão maquiavélica, que os próprios militares se insurgiriam contra a eleição de Negrão de Lima e Israel Pinheiro. Pensariam que tinham sido derrotados, quando na verdade esse era o plano engendrado. Seria necessário um novo ato para dar posse aos governadores. Carlos Lacerda ficou distante e discreto. Só voltaríamos a conversar depois da derrota de Flexa Ribeiro. Quarenta e oito horas depois da prorrogação escrevi um artigo que está todo no título: "Carlos Lacerda, candidato invencível para 1965, uma eleição que não vai haver."

A premonição do óbvio

O artigo ao qual Hélio Fernandes se refere na nota anterior, escrito dois dias depois de aprovada a emenda da prorrogação, levou o presidente Castello Branco e seu grupo ao paroxismo. Nada faria, por ora, ao jornalista. São seus parágrafos principais:

> E a candidatura Carlos Lacerda? Continua forte e bem disposta, com evidentes reflexos na opinião pública. Mas ou eu muito me engano, ou o governador da Guanabara continua sendo o mais forte dos candidatos a uma eleição que nao vai haver. Ou só haverá dentro de certas condições. O sr. Carlos Lacerda paga, neste momento, por dois terríveis erros que vão amargar e amargurar os próximos anos de sua vida: 1. A viagem à Europa, numa hora em que o país e a revolução esperavam e até exigiam tanto de sua liderança. 2. Ter ficado placidamente no cinema do palácio Guanabara assistindo "Moscou Contra 007" enquanto em Brasília um Congresso desarvorado e sedento de uma orientação que não chegava quedava-se perplexo e aprovava a prorrogação do mandato presidencial por apenas um voto.

Depois:

> Se o sr. Carlos Lacerda, habitualmente tão lúcido, tivesse compreendido que naquele momento se jogavam o destino de sua própria candidatura e a sorte do poder civil por muitos e muitos anos, teria corrido para Brasília e derrubado a prorrogação do mandato presidencial. Recorde-se que, quando chegou de sua malfadada viagem à Europa e se manifestou imediatamente contra a prorrogação, a UDN toda correu para os seus braços, evidenciando que aquela era a orientação certa. Mas, na hora exata em que deveria se mostrar mais firme, o sr. Carlos Lacerda afrouxou. O Congresso sentiu que "havia entre o céu e a terra muito mais coisas do que pode alcan-

çar nossa vã filosofia" e afrouxou junto com o líder. Naquele dia, quase sem sentir, e assistindo cinema até às 4h10 da manhã, o sr. Carlos Lacerda assinava sua sentença de morte eleitoral e sepultava melancolicamente uma boa dose das esperanças e das possibilidades de chegar à presidência da República. E o que é mais grave: insensivelmente infringira ao poder civil a mais contundente das derrotas sofridas desde 1937. Agora, os acontecimentos não podem mais ser controlados a distância e o sr. Carlos Lacerda perdeu o pulso da situação. Continua sendo o mais popular e o mais amado dos líderes brasileiros, o único líder civil da revolução. Mas o que adianta isso para uma revolução que se afirma acima de tudo e sobretudo militarista, principalmente com suas preferências para 1966? Vire-se para onde se virar e o sr. Carlos Lacerda encontra um candidato militar, e todos com evidente supremacia sobre ele. Supremacia que não se manifestava antes da revolução, mas que agora cresceu espantosamente. Pode-se dizer, sem medo de errar, que a revolução tirou do sr. Carlos Lacerda todas as bandeiras e se apresta para tirar-lhe agora até a "vontade" de se candidatar. Outra coisa que vai funcionar e até fulminar quase inapelavelmente o sr. Carlos Lacerda: as inimizades que foi acumulando em seus quase vinte anos de liderança na política e no jornalismo, e no decorrer de algumas das mais formidáveis campanhas a que este país já assistiu. Não se pode ser Carlos Lacerda a vida toda sem provocar ódio e frustração.

Em seguida, no mesmo texto, uma análise do quadro sucessório revolvido de pernas para o ar a partir da prorrogação:

O sr. Ademar de Barros, neste momento, além do alívio que deve estar experimentando por se sentir seguro no governo de São Paulo, tem uma outra satisfação: está se vingando do sr. Carlos Lacerda e do muito que já sofreu, merecidamente, diga-se, nas suas mãos. O sr. Magalhães Pinto, que nunca morreu de amores pelo sr. Carlos Lacerda, já se enfileira também no esquema Ademar, e com evidente satisfação. Não podendo se candidatar, Magalhães e Ademar já ficam visivelmente satisfeitos que Lacerda também não possa. Quanto ao desmentido feito pelo ministro da Guerra, Costa e Silva, à sua própria candidatura, é óbvio, inevitável e rigorosamente compreensível. Aliás, o desmentido e a candidatura do ministro da Guerra estão na linha da mais autêntica coerência histórica.

Trinta e cinco anos depois desses fatos, mantendo-se firme na trincheira da imprensa, Hélio Fernandes escreveria, ainda na *Tribuna da Imprensa*, que Carlos Lacerda, Ademar de Barros e Magalhães Pinto cometeram o erro terrível de não terem cursado a Escola Militar do Realengo e saído generais. Sem a revolução de 1964, era possível que um dos três chegasse à presidência da República...

"Troupier" com muito gosto

Também pertence a esse mestre de todos nós um dos textos mais ricos em interpretação a respeito da prorrogação do mandato do marechal Castello Branco, publicado em sequência:

> A prorrogação do mandato do marechal Castello Branco foi planejada, calculada, milimetrada. E executada com extrema eficiência, domínio do tempo, com surpresa para todos os personagens. De todos, mesmo, que eu chamo de três lados. 1. Os que estavam no poder até 31 de março e foram derrubados, por culpa até mesmo da própria ambição e ignorância total do que se passava nos círculos militares. 2. Do grupo chamado de golpista, no qual se colocavam em primeiro plano Carlos Lacerda e Juscelino Kubitschek. Lacerda, pela ação sempre incontrolável. Juscelino, pela omissão e pelo apoio que dera ao fortalecimento do próprio Castello Branco. 3. Da maioria dos militares já candidatos à sucessão de Castello em 1965 e não em 1967. Desses, quem se recuperou primeiro foi

Costa e Silva. Isso nos meios militares, já que muitos se consideravam sucessores naturais de Castello. Como Cordeiro de Farias, o general mais moço do Exército brasileiro, atingindo esse posto aos 39 anos. Na FEB (Força Expedicionária Brasileira), Cordeiro já era general importante. Castello, apenas tenente-coronel. Costa e Silva era ridicularizado pela dupla inseparável Castello-Golbery. Os dois só o chamavam de "troupier". Como eram primários, não percebiam que era desse pejorativo "troupier" que vinha a força de Costa e Silva. Enquanto os outros viviam em gabinetes confortáveis e refrigerados, Costa e Silva fez carreira na tropa. Quando precisou dessa tropa, ela estava formada, disciplinada e em posição de sentido, apoiando o "troupier".

Esses adendos ao tema principal sempre fizeram o charme dos artigos de Hélio Fernandes, que, a respeito da prorrogação do mandato do marechal Castello Branco, ainda continuaria:

Quando surgiu a ideia concretizada e lançada por Golbery, da prorrogação do mandato de Castello, Juscelino já estava cassado. E, sabe-se hoje, escrevia cartas violentas, ofensivas, cruéis contra Castello, mas fazia questão que fossem sigilosas, que ninguém tomasse conhecimento. Então, qual o objetivo das cartas? Manifestação de ódio, como está bem claro? Vingança sem sentido, pois era tudo particular? Ressentimento, amargura, desespero? Por que não lutou, não veio para a batalha em campo aberto? Carlos Lacerda estava na Europa, acredito que tenha sabido do fato, mas a prorrogação lhe parecia coisa tão distante quanto a Europa da qual gostava tanto. Quando voltou, sentiu o perigo, achou que havia alguma coisa no ar, e não eram os aviões de carreira. (Royalties para o bravo barão de Itararé). E, em vez de se preocupar com a prorrogação propriamente dita, o que o tocou mais forte foi o meu artigo "O general Humberto do Amaral Peixoto". Depois de várias conversas telefônicas nos encontramos finalmente, ele já havia chegado há mais de dez dias. Quando eu disse a ele que a prorrogação tinha dois objetivos distintos, mas se completando, Lacerda não acreditou. Mostrei então a ele os dois objetivos: prorrogar realmente a permanência de Castello-Golbery no poder para executar os planos de consolidação do grupo militar e, mantidas as eleições para os governos da Guanabara e Minas, trabalhariam para derrotar os candidatos de Lacerda e Magalhães Pinto.

Prossegue:

> Se as eleições para governador de Minas e da Guanabara fossem mantidas junto com a de presidente da República, em 1965, Golbery convenceu Castello do seguinte: Lacerda seria eleito presidente da República, não interessava se seu candidato a governador fosse derrotado. E Lacerda seria eleito infalivelmente. João Goulart, Brizola, Arraes, Jânio, Juscelino e Ademar de Barros já estavam cassados, não poderiam ser candidatos. [Nota do Editor: Hélio Fernandes se equivoca aqui, pois Ademar de Barros só seria cassado em 1966.] E para eleições diretas não havia nem haveria um só candidato militar. Diante do que mostrei a Carlos Lacerda, ele ficou preocupado, sentiu que eu tinha "informação e não informe".

Panos quentes

À exceção do SNI, poucos poderiam supor o rompimento do governador Carlos Lacerda com o presidente Castello Branco, que, para caracterizar-se, demoraria ainda algum tempo. Entre a primeira e a segunda votação da emenda da prorrogação, amigos do governador convenceram o presidente a convidá-lo para almoçar.

A reportagem é do *Diário de Notícias*, edição do dia 19 de julho, domingo:

Depois de conversar duas horas com o presidente Castello Branco, ontem, durante almoço no palácio Laranjeiras, o governador Carlos Lacerda declarou que vai reiniciar imediatamente seus contatos com o eleitorado brasileiro, pois continua candidato, não sabendo apenas quando poderá concorrer à sucessão, em virtude de o Congresso ainda estar votando a prorrogação do atual chefe do governo. (...) Em companhia dos srs. Armando Falcão e Rafael de Almeida Magalhães, o governador da Guanabara chegou ao palácio Laranjeiras por volta do meio-dia e meia, sendo imediatamente levado à presença do presidente. O problema político, conforme suas informações, esteve sempre em segundo plano, não tendo sido abordada a questão da prorrogação e da maioria absoluta, a não ser quando o presidente lhe deu para ler uma cópia da carta que havia enviado ao senador Daniel Krieger, líder do governo no Senado. O sr. Carlos Lacerda recomendou aos repórteres presentes que procurassem conhecer os termos daquele documento, pois nele estava bem clara a posição do presidente, contrária à prorrogação, embora acentuando que respeitaria qualquer decisão do Congresso. (...) O sr. Carlos Lacerda frustrou, logo após, a intenção de deputados estaduais que estudam a apresentação de emenda à Constituição da Guanabara, prorrogando o seu mandato. Acentuou que não permanecerá no governo da Guanabara um dia depois do fixado — 5 de dezembro de 1965 —, quando passará tranquilamente a chefia do executivo ao vice-governador Rafael de Almeida Magalhães, "sabendo que a Guanabara ficará em boas mãos".

Foram duas farpas no próprio Castello, ainda que endereçadas com delicadeza: continuaria sua campanha para presidente da República e não aceitava a prorrogação do próprio mandato. Pelo menos para a imprensa.

Só outra revolução

Foi apenas na segunda-feira, dia 20, que os vespertinos (os matutinos não circulavam naquele dia da semana) noticiaram as perigosas consultas feitas pelos chefes militares ao professor Francisco Campos, autor do preâmbulo do Ato Institucional, sobre a possibilidade de ser revigorado aquele instrumento revolucionário. De forma curta e grossa, o jurista, que os adversários chamavam de "jurila" (misto de jurista e de gorila), respondeu que apenas outra revolução justificaria outro Ato Institucional. Para ele, nem o presidente da República, nem o Congresso poderiam alterar ou prorrogar o Ato, que juridicamente estava acima da Constituição e das atribuições do chefe do governo. Os fatos, pouco mais de um ano depois, iriam desmenti-lo.

Nova carta de Lacerda

No dia 21 de julho de 1964, véspera da segunda votação da emenda da prorrogação, o governador Carlos Lacerda enviou carta a Bilac Pinto, demonstrando que, apesar do almoço do dia 18 com o presidente Castello Branco, não arrefecera em sua oposição à mudança da data das eleições presidenciais. *O Estado de S. Paulo* publicaria o documento na íntegra, em sua edição do dia 22. A seguir, alguns trechos:

> Antes que cesse essa absurda correspondência entre nós, pedi ao secretário Raul Brunini que leve este bilhete como derradeiro apelo ao bom-senso, que não lhe falta, e à inteligência, que lhe sobra. Na verdade, Bilac fui posto à margem da UDN. Dê-se a isso o nome triste de traição ou o nome mais ameno de distração. Na prática, foi o que se deu. Ainda mais depois do que se passou com o senador Daniel Krieger na sua casa. Mas o que importa é o fato

de estar a UDN sendo levada a tomar uma posição que significa um passaporte para o desconhecido. Na verdade, se se tratasse de preservar uma obra revolucionária, o que se deveria fazer era encurtar e não prorrogar o mandato do presidente Castello Branco. Sem que isso represente qualquer juízo de ordem pessoal, o fato é que bem pouco há de revolucionário nesse governo. Agora, com a prorrogação combinada com a maioria absoluta, torna-se bem mais difícil para nós preservarmos, ao mesmo tempo, o apoio do povo e a obra da revolução. Existe uma última esperança, ainda: a de que, uma vez aprovada a tese da prorrogação, os prorrogados resolvam convergir num princípio para formar um governo verdadeiramente revolucionário, isto é, de transformação nacional. Os indícios não são esses. (...) Confesso a minha impaciência, mais que a minha revolta. Estou farto, caro amigo, e um pouco cansado de ver antes, dando a impressão de ver demais. Mesmo que não cesse a saraivada de insultos que estou recebendo por ter dito o que penso, sem visar pessoas mas situações a que essas pessoas nos arrastaram. Brasília não só afasta presidentes, mas, agora, também candidatos à presidência. (...) Cumpro um dever, Bilac, não apenas na UDN, mas um dever patriótico, advertindo mais uma vez que a votação da prorrogação e da maioria absoluta entrega os destinos da revolução aos nossos adversários, atende ao que há de mais imediato na vontade dos militares, mas não atende aos objetivos finais de todos nós. O que se está preparando é, na realidade, a volta dos decaídos ao poder. Vai-se perder a oportunidade de apelar para o povo, o povo que fez a revolução, o povo que compeliu as Forças Armadas a agirem, e agora é tratado como se fosse ele o irresponsável e até o indesejável. Estamos marchando rapidamente para um "nasserismo" obscuro e indefinido. Votando a prorrogação e a maioria absoluta, o Congresso estará votando pela ditadura militar que fatalmente se estabelecerá no país, faltando apenas saber quem será o ditador, pois certamente não será o marechal Castello Branco. Este poderia salvar-nos e salvar o país, se tivesse o rasgo difícil de formar um governo de união revolucionária para a transformação democrática do país. (...) Não tenho, como você talvez pensasse, a pretensão de acertar. Quem sabe estou errado. Não sei mais como me esforçar para abrir os olhos dos companheiros, para alertar vocês todos. (...) Derrotado amanhã, é possível que me recolha à insignificância de prefeito municipal metido a governador. Mas Bilac, se fosse para atender aos meus temores, mudaria a sede do governo para um abrigo antiaéreo mergulhado num subterrâneo qualquer, para não ver nem ouvir o que vem por aí. E o que me entristece é ver tanta gente boa e séria, empenhada, pelas mais diversas razões, até pela simples raiva, nesta insensatez. (...) Bilac, numa palavra: votada a prorrogação, não haverá eleição nem em 66 nem tao cedo. Isto é o 10 de novembro com aprovação do Congresso. (...) Provavelmente, você me dirá que é tarde. Acredito, embora sempre haja a esperança de que não seja tarde para um ato de lucidez. Com as minhas recomendações a sua mulher, um abraço do as) Carlos.

"O futuro demonstrará o erro"

No início de sua carta, Lacerda faz menção "ao que se passou com o senador Daniel Krieger". Em suas memórias, *Desde as missões*, o representante gaúcho esclarece, referindo-se a um episódio ocorrido não na residência de Bilac Pinto, mas no Congresso:

> Num encontro com a bancada da UDN o governador carioca havia emitido, com a veemência de seu temperamento e o brilho de sua inteligência, opinião contrária à prorrogação. Com o mesmo ímpeto, ratifiquei a nossa posição favorável à medida. (...) Quando descia a escada que dá acesso ao primeiro andar da Câmara, radiante com a solução, avistei o deputado Paulo Sarazate e afirmei: "Vencemos a primeira etapa". Atrás do deputado cearense vinha Carlos Lacerda. Eu não o vi. Se tivesse visto, não teria pronunciado a frase. Ao perceber sua presença, tentei corrigir a involuntária

indelicadeza. Aproximando-me dele, disse: "Governador, a prorrogação é necessária e a protelação das eleições não prejudicará a sua candidatura. O senhor é o nosso candidato. Lutaremos, na oportunidade, pela sua vitória. Aguarde com serenidade. Ninguém lhe arrebatará a presidência." O governador manteve-se dentro das regras da urbanidade, contestando-me: "O futuro se encarregará de demonstrar o seu erro..."'Despedimo-nos, aparentemente sem ressentimentos recíprocos. Eu nunca os tive, mas o meu eminente correligionário os guardou. (...) Foi na volta ao Rio que o governador dirigiu o primeiro telegrama ao presidente do partido, solicitando a convocação da convenção nacional da UDN para a escolha do candidato à presidência.

Castello a Krieger: "Não quero!"

A referida carta que o presidente Castello Branco enviou ao senador Daniel Krieger, no dia 13 de julho, dava conta do sentimento que o chefe do governo transmitia a seus auxiliares, sem que se saiba ao certo se espontâneo ou milimetricamente engendrado para que o processo chegasse onde chegou. O documento foi lido na Câmara, no dia seguinte, pelo deputado Lourival Batista, e publicado a 15 de julho pelo *Diário de Notícias*:

> Peço a sua atenção para o assunto desta carta e do objetivo principal nela contido, o de bem ficarem caracterizadas a posição de V. Exa. e a minha na montagem e encaminhamento da última emenda constitucional. Na apreciação, por parte do Congresso, da maioria absoluta, surgiu uma subemenda, não de iniciativa do governo, nem de V. Exa., mas de um membro do Congresso, propondo a prorrogação do mandato do atual presidente da República. Essa proposição é de autoria do eminente senador João Agripino, cujo nome é garantia de que a mesma não saiu de um conluio governamental.

A minha posição é contrária a tal iniciativa, e a de V. Exa., de apoio à mesma. Aí V. Exa. não age como líder do governo, e, sim, na sua posição legítima e exclusiva de membro do Congresso, igual à do senador paraibano. Assinalo que V. Exa., de maneira inconfundível, tem sabido separar uma condição da outra. Tenho conhecimento de que seu ponto de vista está assentado na percepção que V. Exa. tem de que tal medida atende, com oportunidade e alcance, ao interesse do Brasil. Sou contra a prorrogação do mandato do atual presidente da República por entender que não ajuda o aperfeiçoamento das instituições políticas brasileiras, e, ao mesmo tempo, pelo resguardo pessoal que devo ter em relação ao assunto. A vocação de continuísmo é um fator de perturbação política. Vejo também o fundamento que tanto robustece a autoridade do presidente, qual seja o de um mandato que, além de legal, deva ter também a legitimidade da origem ou de condições políticas já consagradas. Creio que esse aspecto é muito discutível na prorrogação sugerida. Desconfio, finalmente, que poderá trazer uma repercussão internacional de suspeição de um próximo desdobramento de ilegalidade. Apresento assim a V. Exa. as razões de ordem política e pessoal que ditam minha atitude. Estamos, portanto, com pontos de vista opostos, V. Exa. nobremente e eu, sinceramente. Estou informado de que V. Exa. está preocupado com o futuro na nação. Eu, talvez, mais com as lições do passado. De qualquer maneira, não estamos movidos por um interesse de ocasião. Desejo que tudo isso fique bem claro, não só para se respeitar a autenticidade de sua atitude, como também o decoro e acerto da minha posição. Renovo a V. Exa. a minha confiança na sua alta e invulgar qualidade de líder do governo no Senado federal. Ass. Castello Branco.

O *Jornal do Brasil*, comentando o documento, escreveria em editorial ser inatacável a posição do presidente no episódio, "estando o país diante da prorrogação ou da agitação".

Mas quis...

A edição de *O Globo* de quinta-feira, 23 de julho de 1964, marcaria o encerramento do tumultuado evento da prorrogação:

> Por 284 votos contra 100, o Congresso Nacional aprovou, na tarde de ontem, em segundo turno, a emenda constitucional de autoria do senador João Agripino, que prorroga os mandatos do presidente e do vice-presidente da República por um ano. A votação foi a seguinte: na Câmara, 238 votos a favor e 94 contrários; no Senado, 46 a favor e 6 contra. Na mesma sessão foi aprovada a emenda que institui a maioria absoluta para a eleição de presidente e vice-presidente da República, por 294 votos contra 38, na Câmara, e 42 contra 3, no Senado. Foi rejeitada a emenda que instituía o voto dos analfabetos. (...) A promulgação verificou-se em sessão do Congresso realizada às 21 horas.

Magalhães Pinto, do palácio da Liberdade, em Minas, declarou:

> Como me manifestei no dia da primeira votação, considero um ato de consolidação da revolução a atitude do Congresso Nacional confirmando o seu voto, por expressiva maioria, em favor da emenda que prorroga o mandato do presidente Castello Branco. Minha presença no movimento teve o melhor sentido patriótico, de oferecer ao governo a oportunidade de melhor cumprir os postulados da revolução.

Carlos Lacerda, do palácio Guanabara, no Rio, comentou: "Não estou interessado no assunto." Em seguida, viajou para Petrópolis.

Do lado de dentro

E o presidente Castello Branco, que por diversas vezes pronunciou-se contra a prorrogação do próprio mandato, mas que, no final, acabou aceitando-a? Não se duvidará da sinceridade de alguém, pelo menos até provas em contrário, mas não deixa de ser estranho que as circunstâncias, e os amigos, tenham levado um dos homens mais teimosos do Brasil a desdizer-se e aceitar continuar no governo contra a própria vontade. Teria sido tudo uma farsa, uma montagem? Como aceitar essa versão, porém, se os depoimentos a respeito de Castello, vindos dos que trabalharam com ele, são pautados pela declaração de honestidade intelectual?

Vale, nessa nuvem de conflitos, dar a versão dos castelistas, na citação de trechos a respeito da prorrogação constantes do livro de Luís Viana Filho, *O Governo Castello Branco*. Diz o biógrafo:

> O esfacelamento parlamentar [Nota do Editor: decorrente da cassação de Juscelino Kubitschek, que levou o PSD a abandonar o bloco governista] tornou evidente a exiguidade do mandato de Castello Branco. Como reformar o país em menos de dois anos? Como fazê-lo em meio às graves dificuldades que arrostava com o Legislativo? Realmente, a ideia [da prorrogação] não era de todo nova. Temia-se pelo destino da revolução depois de 1965. O que viria, após prazo tão exíguo? No dia 6 de maio, na Granja do Riacho Fundo (...) houve um jantar de que, além do presidente e do ajudante de ordens, major Murilo Santos, participaram os deputados Costa Cavalcanti e Paulo Sarazate. O tema principal da conversa foram as hipóteses que preservariam a revolução depois de 1965. Espírito naturalmente inquieto, Sarasate dormiu no assunto, sobre o qual, já no dia seguinte, juntamente com Bilac Pinto, começou a catequizar Pedro Aleixo, que se manifestou contrário à sugestão. Para ele, Castello deveria cumprir apenas o mandato para o qual fora eleito. Era preciso, porém, evitar o malogro em 1965, e Sarasate telefonou

A DITADURA MILITAR E OS GOLPES DENTRO DO GOLPE: 1964-1969

para o marechal Ademar de Queirós, que se encontrava no Rio. Não seria a dilatação do mandato presidencial fórmula adequada? O *Jornal do Brasil* também entrou em campo: "Eleições, sim. Eleições diretas e pelo voto universal. Mas eleições na data certa. Em outubro de 1966." E dias depois, a 20 de maio, o jornal voltava a insistir: "Não queiramos perder a revolução pela incapacidade de consolidá-la. A matéria-prima dessa consolidação chama-se tempo. Se quisermos ser suficientemente realistas e sensatos, transferindo o pleito para 3 de outubro de 1966, obteremos muito mais do que a coincidência de mandatos."

Continua Luís Viana Filho:

> A ideia estava no ar. Na verdade, houve um intervalo. Na primeira semana de junho, contudo, o presidente solicitara de Milton Campos a redação das reformas políticas, que compreendiam as questões da maioria absoluta e do voto do analfabeto. A primeira, era velha aspiração da UDN, e a segunda, reiterada bandeira da demagogia das esquerdas. A emenda seria o estopim da prorrogação, e em torno dela se uniriam os favoráveis à eleição presidencial, em 1966, e os receosos da vitória de Carlos Lacerda, cuja oposição fortaleceu a prorrogação, quando esta parecia fadada ao insucesso. A história, entretanto, não se fizera tão curta. Pelo São João, Castello fora ao Ceará, em viagem sentimental, com o fito de rever amigos, lugares familiares e as festas folclóricas, que lhe haviam proporcionado tantas alegrias.

Naquele tempo, presidentes cearenses podiam visitar sentimentalmente o Ceará sem que a imprensa paulista lhes vibrasse tacape e borduna, como faria décadas mais tarde quando o presidente da Câmara, Paes de Andrade, no exercício da presidência da República, visitou Mombassa, sua cidade natal. Mas essa é outra história.

Voltemos a Viana Filho:

Na sua ausência, veio a emenda da prorrogação. Por motivos táticos, foram duas. Havia poucos dias que Anah Melo Franco [Nota do Editor: mulher do senador Afonso Arinos], sempre atenta e interessada nas atividades do marido, adoecera, contribuindo esse fato para amiudar as visitas dos colegas do Senado a Afonso Arinos. Numa delas, encontraram-se os senadores João Agripino e Daniel Krieger, que, por mais de uma vez, aventara a prorrogação, que voltou à baila. Afonso Arinos, acremente afastado de Lacerda, não via com bons olhos a possibilidade de uma vitória deste; João Agripino trazia recordações dos episódios que antecederam à renúncia de Jânio Quadros; e Krieger acreditava que Lacerda, presidente, se tornaria ditador. Nisso, aliás, todos pareciam de acordo. Por que não protelar por um ano o mandato do presidente, dando-lhe mais tempo às reformas, além de se adiar a eleição presidencial? Em um ano muitas coisas ocorreriam. E ali mesmo, entre os livros de Afonso Arinos (em sua senhorial residência, na rua Dona Mariana, em Botafogo, no Rio), redigiram-se as duas emendas, uma assinada por Arinos, outra por João Agripino, que, afinal, seria a adotada. Também Afonso Camargo Neto, vice-governador do Paraná, entregou a Rondon Pacheco emenda no mesmo sentido. A prorrogação correu grave risco quando, estando o presidente no Ceará, se lhe atribuiu haver declarado que, se aprovada a prorrogação, renunciaria.

Pedro Aleixo resiste

É importante prestar atenção no que escreveu Luís Viana Filho em função do noticiário dos jornais referente ao fato de que Castello não aceitava a prorrogação: "Exagero, certamente."

E logo depois:

A verdade, porém, é que ele [Castello] relutou longamente antes de se conformar com a decisão do Congresso. Paulo Sarasate, que tinha fácil acesso a Castello, não perdia oportunidade para conceber, reformar e adaptar emendas aceitáveis pelo presidente. A 30 de junho, viajando para Brasília com o presidente, Sarasate conversara longamente com este e aqueles sobre a maioria absoluta, a coincidência de mandatos e a extensão do mandato presidencial. Como sempre, não lograra êxito. Entretanto, como aconteceu num jantar a 2 de julho, na residência do deputado Nilo Coelho — cujas recepções ficariam famosas pela fidalguia dos anfitriões, Nilo e Maria Teresa, que levavam à solidão de Brasília um toque dos brasões do Recife —, muitos amigos do presidente continuavam a insistir pela sua concordância. Certa vez, Cordeiro de Farias, já desanimado, pedira-lhe que, pelo menos, calasse. Nota do "diário" de Paulo Sarasate, em 5 de julho: "Nove horas. Embarque do presidente. Insiste em não admitir prorrogação e diz que falará à tarde com P. Aleixo e D. Krieger." Realmente, falaria com ambos. E a Pedro Aleixo, rebatendo os que costumavam tê-lo como insubstituível, observara: "Doutor Aleixo, os cemitérios estão cheios de insubstituíveis." Aos mais íntimos, reafirmava que a 31 de janeiro de 1966 queria "reformar-se totalmente". A verdade, porém, é que a ideia crescia. Ainda no dia 4 de julho, o governador Magalhães Pinto, falando em Belo Horizonte aos estagiários da Escola Superior de Guerra, afirmara não haver clima para eleição em 1965, e, dias depois, também em Belo Horizonte, Costa e Silva emitia igual juízo. Assim, premido pelos amigos, Castello buscava uma fórmula de recusa que não ferisse os companheiros. Chegou a conceber um plano: para não molestar o senador Krieger, que lançara a sua liderança no resultado, sugeria ficar a questão aberta, ao tempo em que Pedro Aleixo, como líder, externaria todo o pensamento presidencial. Tinha o inconveniente, essa solução, de quebrar a unidade parlamentar do governo.

Continua:

Nova pedra ia entrar no jogo. Justamente por esse tempo, Carlos Lacerda retornara da rumorosa viagem a título de explicar a revolução. Dele se dizia ser indiferente ou infiel às amizades, as quais imolava constantemente. A tal ponto que o número de seus ex-amigos seria tão grande quanto a corte de admiradores, sempre a cercá-lo e a aplaudi-lo. Parecia necessitar desse impulso externo para constante agitação, ora escrevendo, ora discursando, ora viajando às carreiras de um lado para outro. Concomitantemente, uma límpida fonte de inteligência lhe jorrava incessante, conquistando os que dele se acercavam. (...) Ele não olhava para trás. Falta irreparável e que lhe impediu oportuna autocrítica, certamente indispensável para a justa medida das coisas: a paciência na ambição e o equilíbrio nos julgamentos. Para atingir algum objetivo, parecia não conhecer obstáculos nem limitações de qualquer ordem, investindo como força selvagem e avassaladora. Muitos o temiam. Mas, com facilidade igual à do ataque, reconciliava-se, colocando-se acima do bem e do mal, como se incapaz de distinguir um do outro.

A confissão: o SNI era contra Lacerda

O ex-chefe da Casa Civil de Castello Branco, a pretexto de relatar episódio desconhecido da imprensa, acabou informando que o SNI, desde aquela época, buscava intrigar o governador carioca com o presidente da República:

> Há, porém, um episódio que dificilmente será algum dia conhecido inteiramente. Apresentadas as emendas da prorrogação, com integral apoio do senador Krieger, Sandra Cavalcanti, cujas vinculações com Lacerda eram sabidas, foi ao Senado, donde, numa ligação telefônica internacional, explicou-lhe o que se passava. Dele obtivera

— segundo ela disse na ocasião — o apoio à prorrogação, o qual João Agripino se incumbiu de transmitir a Rafael de Almeida Magalhães, que assumira interinamente o governo da Guanabara. Lacerda, no entanto, ao regressar, deu como inverídico o que Sandra informara a Agripino, e, no dia 8, fez longa e apaixonada exposição contra as emendas. Lembre-se, porém, um pormenor. Na véspera de Lacerda reassumir, os serviços de informação forneceram ao presidente ampla estimativa da situação. Era um documento conciso, redigido em quatro itens, nos quais se analisava o possível comportamento de Lacerda, em face de suas declarações sobre a maioria absoluta e a prorrogação do mandato presidencial. Após algumas considerações, vinha a previsão: "Dentro dessa situação, o sr. Carlos Lacerda romperá em curto prazo (3 a 4 meses) com o governo federal porque: precisa de uma bandeira, e a bandeira oposicionista, de ataque, que é a que mais lhe convém, só poderá ser a da pureza revolucionária contra supostos desvios ou incapacidade do governo Castello Branco."

O general Golbery do Couto e Silva acertara em cheio. Desconfia-se de que tivesse algum informante ou agente provocador entre os militares que se diziam radicais e viviam em torno de Lacerda e de Rafael de Almeida Magalhães.

Viana Filho prosseguia:

> Seria essa a maneira, ao parecer dos serviços de informação, de capitalizar setores que lutavam por privilégios — proprietários rurais e grupos econômicos — e desvincular-se da impopularidade que o austero programa anti-inflacionário traria inevitavelmente para o governo.

Adiante, o texto esboçava as perspectivas sobre as dificuldades, quer no setor político, quer no administrativo, e especialmente no econômico-financeiro, gravemente atingido pela agitação de uma campanha eleitoral. Afinal, concluía:

O governo não terá mais, pois, grande probabilidade de levar a cabo seu programa de restauração financeira, de normalização da vida nacional e de implantação de reformas profundas.

Para o presidente, que fremia pelas reformas, o fim era melancólico. Ele próprio lançou esta observação:

Perspectivas sombrias, expressas no item 4, e sem alternativas. Resta-nos somente: um esforço unido e inabalável do governo de fazer uma administração pelo bem público; enérgico face à desordem; procurar honrar o meio militar etc.

De qualquer modo, Castello jamais iniciaria as hostilidades, que não desejava. Sinceramente, admirava Lacerda. Paulo Sarazate, ao anotar no seu diário o jantar no Alvorada, em 9 de julho de 1964, deixou esta observação sobre o presidente: "31 de janeiro de 1966, [Castello] quer 'reformar-se' inteiramente. Elogiou Carlos, rebatendo ligeira restrição de..." E no dia seguinte, depois de avistar-se com o presidente, escreveu no diário: "Prestigiar candidato da revolução, mesmo sendo Carlos, replicou o presidente a L. Viana."

Realmente, para aplacar as queixas do governador, um dos primeiros cuidados de Castello, quando aquele regressou, foi convidá-lo para um almoço, em que o cercou de provas de estima e apreço, que produziram bom efeito. Conta-se que, nessa oportunidade, assim dialogaram:

— Presidente, para evitar explorações, trouxe-lhe uma coleção dos discursos que pronunciei no estrangeiro.
— Tenho a gravação de todos, governador.
— Por que tanto interesse por eles, presidente?
— Primeiro, pela admiração que lhe devoto; segundo, porque sou seu aluno, em política; e terceiro, governador, por uma questão de defesa pessoal.

A verdade é que, ao se retirar do Laranjeiras, Lacerda expressara-se de maneira que talvez não fosse a mais adequada para a ocasião:

> Não vim para discutir o problema da minha candidatura com o presidente Castello Branco; ele é um simples eleitor. Não o procuro na condição de herdeiro presuntivo do trono.

Nada, entretanto, acalmaria Lacerda, que, ao reassumir o governo, discursou contra a prorrogação. Algumas frases dão ideia do seu fremente estado de espírito:

> Afirmo que o adiamento das eleições, por si só, impopulariza a revolução e consagra seus inimigos. Uma parte do Congresso que votou no presidente Castello Branco por medo dos tanques agora procura prorrogar-lhe o mandato por medo do povo.

Por fim, após falar duas horas naquele tom, parecia buscar uma conciliação:

> Confio no presidente Castello Branco. A revolução, em suas mãos, será popular desde já. Serei seu amigo e seu colaborador, e, se o povo quiser, a 7 de outubro de 1965, o seu sucessor.

Luís Viana Filho ainda detalharia:

> Dificilmente o fosso não se alargaria passo a passo. Lacerda continuou a sua marcha. Queria libertar-se da impopularidade dos atos do governo? Hermano Alves escreveu no *Correio da Manhã*: "Lacerda sempre foi um político audacioso e rebelde que não gosta de pegar na alça do caixão alheio. Aos poucos a prorrogação aparecia como arma contra Lacerda, reunindo muitos dos que o combatiam. San Tiago Dantas, por exemplo, embora já mortalmente enfermo, veio a campo para a aplaudir. Na realidade, a prorrogação se tornara um

caleidoscópio político. Alguns a viam como a vitória de Magalhães Pinto contra Lacerda." Difícil demovê-lo. No dia 15, Lacerda partiu para Belo Horizonte, onde voltou a discursar: "Uma revolução que teme o povo é uma contrarrevolução. Uma revolução que se esconde do povo é uma quartelada." Era a réplica a Magalhães Pinto e a Costa e Silva, que, na véspera, ali mesmo, haviam reafirmado a necessidade da prorrogação. Enquanto Lacerda dividia, Magalhães buscava congregar os revolucionários. Dissera com bom humor: "Estou perigosamente desambicioso." Não seria tanto assim, provavelmente. No entanto, ao noticiar as articulações promovidas pelo governador de Minas entre civis e militares, nos dias próximos, o *Jornal do Brasil* procurou reunir os fatos, refletindo-lhe o pensamento: "A maneira como o presidente Castello pretendeu encaminhar as reformas — aquelas mesmo que o governo deposto não quis ou não soube realizar — ameaça levar a revolução de abril a se converter numa nova e perigosíssima fonte de amarguras e desilusões para o povo. (...) A primeira das reformas, para o sr. Magalhães Pinto, há de ser aquela que afaste da atmosfera nacional o espantalho da agitação eleitoral, que consumirá este resto de mandato sem que a revolução se tenha completado e levando o povo ao pior dos desesperos, que é o desespero causado pela falta de perspectiva."

Adiante, Viana Filho completaria, sobre a prorrogação:

> Sem dúvida, o pior era a divisão dos revolucionários. O deputado Raimundo Padilha, dos mais irritados contra Lacerda, exigia dura resposta de Bilac [Nota do Editor: em face do telegrama e da carta do governador ao presidente da UDN]. Outro deputado, Guilherme Machado, tido como homem de fórmulas conciliatórias, a quem Lacerda reclamara a "fala de cobertura", não vacilara na resposta: "Como dar cobertura a você se a sua metralhadora gira?" Diante dele, ninguém se sentia seguro. (...) A roda da prorrogação continuava girando, independentemente da ação de Lacerda e da vontade do presidente.

"Agora é uma situação de fato"

No dia 24 de julho de 1964, o presidente Castello Branco dirigiu-se à nação, através de nota oficial distribuída pela secretaria de Imprensa, que os jornais do dia seguinte publicariam:

> As pessoas que me falaram sobre o assunto sempre respeitaram o meu ponto de vista contrário à proposição do senador João Agripino. Apesar da minha repetida rejeição à ideia, muitos políticos trabalharam para a sua consecução, formando-se mesmo uma corrente favorável e ponderável no meio revolucionário e político. Agora é uma situação de fato. Pessoal e politicamente preferiria terminar o meu mandato a 31 de janeiro de 1966. Aqueles que apoiaram e lideraram a prorrogação parecem desejar que o governo, com o acréscimo do mandato, tenha mais tempo para reajustar a administração, consolidar a fundo a ordem jurídica, corrigir o mais possível a inflação, restabelecer as condições da melhor marcha do desenvolvimento, terminar a proposição de reformas, dando a tudo uma fase mais ampla de início de aplicação. Procuro discernir o que me cumpre fazer. Não quero desertar do destino da revolução. Decido pelo acatamento à decisão do Congresso Nacional.

Um trecho dessa mensagem, redigida de próprio punho pelo marechal Castello Branco, fora retirado pouco antes da divulgação. Coube ao coronel Meira Matos — rotineiramente consultado pelo presidente, nos momentos mais graves — sugerir a supressão. Segundo Luís Viana Filho, era o seguinte:

> Identifico todos os acusadores. São quase os mesmos que, de 1930 para cá, têm ido aos bivaques dos granadeiros como alvoroçadas vivandeiras, provocar extravagâncias do poder militar. Eles sempre passaram ao largo do meu portão.

Envelheceu e murchou

Os principais jornais do dia 1º de agosto publicaram a extensa carta de Carlos Lacerda ao líder de seu governo na Assembleia Legislativa da Guanabara, Emílio Nina Ribeiro, antes dirigida a Castello Branco, mas que teria, à última hora, por cautela de Rafael de Almeida Magalhães, entre outros, o destinatário mudado. Se enviada ao presidente, a missiva selaria o rompimento definitivo entre eles, o que só aconteceria mais tarde.

No documento que *O Globo* reproduziu na íntegra, Lacerda afirma que, em quatro meses, a revolução envelheceu e murchou, e que suas críticas não podem ser desvinculadas do presidente Castello Branco. Começa tratando de informações segundo as quais estariam em andamento, nas assembleias de diversos estados, iniciativas que buscavam prorrogar — a exemplo do que se fizera com o do chefe do governo federal — mandatos de governadores:

> Não desejo me esconder atrás de pretextos. (...) Meu mandato termina no dia 5 de dezembro de 1965. É assim que está na lei, foi assim que o povo votou em mim, certo de que teria nova oportunidade de escolher um governador. Ninguém é insubstituível. Há vários modos de servir na vida pública, inclusive saindo dela quando chegar o momento. (...) Prefiro ter candidato a ver prorrogado o meu mandato. (...) Antes uma ditadura real do que aquela mascarada de legalista. Aquela pode ser curta e realizar uma obra revolucionária. Esta se embrulha em palavras, confunde realismo com politicagem, transformação com reforma, reforma com revolução, dura demais e se desgasta. O bom, mesmo, é nenhuma ditadura. (...) Compreendo e respeito, ainda que não admire, a aflição com a qual os revolucionários procuram, em alterações legais como a que o Congresso acaba de votar, a realização de uma revolução que engasgou com um caroço parlamentar. (...) Ferido na minha sensibilidade de democrata e patriota, traído na minha lealdade, nem por isso desanimo do

Brasil e dos brasileiros. Felizmente o povo é muito melhor do que os que pretendem tutelá-lo. (...) Estou farto de ser boi-de-piranha, primeiro da UDN, depois de uma revolução que está sendo loteada. (...) A pior consequência do que está ocorrendo é que ninguém mais acredita em ninguém. (...) Não desejo ofender ninguém e formulo a todos, do almirante Amaral Peixoto aos demais, meus parabéns pela consagradora vitória que obtiveram, transformando a revolução num golpe que michou. Estão esvaziando a revolução com as reformas que não reformam coisa alguma, enquanto a grande reforma, que consiste em implantar um governo competente e trabalhador no Brasil, continua por fazer. (...) Nós a faremos com o povo, em 1966, 1967, em 1968 ou no ano 2000. Os que não estivermos mais entre os vivos esperamos que os jovens a façam. Mas ela há de ser feita, a despeito dos que se sentam em cima de todo esforço de transformação do Brasil, desde 1930 até o 10 de abril de 1964. (...) Infelizmente, a revolução está sendo roída pelos que têm vergonha dela. (...) Não posso repartir com os vencidos a responsabilidade da vitória. As eleições? Nós íamos ganhá-las. Por isso o adversário tentava evitá-las. Derrubado o adversário, evitou-se a eleição! (...) Até agora, portanto, a revolução só atingiu um objetivo: derrotar a minha candidatura. (...) Enquanto isso, o desemprego. Enquanto isso, a carestia. (...) Nunca senti, como neste momento, interpretar e exprimir com tanta fidelidade o sentimento da maioria do povo brasileiro. E muitos dos que não me entendem, como de costume, entenderão mais adiante. (...) A revolução, no passo que vai, marcando passo, não tarda a se converter numa triste piada. Pois assim, quanto mais anda, mais não sai do lugar. (As) Carlos Lacerda.

Logo que conhecida a carta, apareceram os bombeiros. Roberto de Abreu Sodré tomou o avião, em São Paulo, e, desembarcando no Rio, declarou que a missiva não significava o rompimento do governador com o presidente da República. Muitos especularam que Lacerda, com o texto, unira-se ao almirante Silvio Heck, dos mais radicais revolucionários, que dias atrás pedira a decretação ostensiva de uma ditadura revolucionária.

O partido da revolução?

O governador Ney Braga, do Paraná, estava em Porto Alegre no dia da aprovação do segundo turno da emenda da prorrogação. Declarou ao correspondente de *O Globo* na capital gaúcha que começava, naquele momento, as tratativas para a formação do Partido da Revolução, que deveria englobar todos os setores políticos alinhados ao presidente Castello Branco. Disse que inúmeros líderes já trabalhavam naquele sentido, mas citou apenas dois, por coincidência seus correligionários no Partido Democrata Cristão, o general Juarez Távora e o deputado Franco Montoro. Muitos entenderam que aquele anúncio visava apenas abrir portas aos salvados do PDC, que desapareceria caso o Congresso aprovasse a diminuição do número de partidos. Juarez Távora, no dia seguinte, confirmaria ao *Diário de Notícias* seu apoio à formação do novo partido.

Novas reformas

Entusiasmado pela aprovação da emenda da prorrogação e da maioria absoluta, apesar da derrota do voto do analfabeto, o presidente Castello Branco reuniu seus principais auxiliares, dia 27 de julho, para traçar o segundo roteiro de reformas políticas. Informou *O Globo* estarem em pauta, a partir de então, a reforma agrária e a diminuição do número de partidos políticos.

Nesse encontro, havido em Brasília, o presidente deu, privadamente, uma resposta às acusações que, de público, eram-lhe feitas por Carlos Lacerda. Disse que seu governo não aceitava condestáveis, nem civis nem militares, e que a administração não seria empalmada por partido algum, mesmo contra a opinião de setores políticos que formaram na primeira linha da revolução, como, por exemplo, os udenistas ligados ao governador da Guanabara. Seu governo tampouco seria dirigido por interesses econômicos particulares.

No dia seguinte, a UDN reuniu suas bancadas em Brasília e, através de nota oficial, declarou-se pronta para a votação de novas reformas. Para a direção udenista, o Congresso faria todas as reformas que o presidente quisesse. Líderes do PSD também se apressaram em concluir no mesmo rumo. Amaral Peixoto, presidente da sigla, declarou a *O Globo* que seu partido não se sentia nem vencido nem vencedor com a revolução.

Uma candidatura por uma embaixada?

Carlos Lacerda, depois de oficializada a prorrogação, passou a se constituir numa fonte permanente de preocupação para Castello Branco e seus auxiliares, que não gostariam — pelo menos por ora — de tê-lo como inimigo. Logo após a votação da emenda já fora difícil ao governo conter o presidente da Câmara, Raniéri Mazzilli, que pretendia de todas as formas processar Lacerda por ofensas ao Congresso. Amaral Peixoto concordara, de início, com o companheiro, tal a virulência dos pronunciamentos anteriores do governador da Guanabara. Depois, contudo, refluiria, aconselhado por amigos do presidente da República — entre eles, o deputado Paulo Sarazate. Importava, naquela hora, o mínimo de sequelas e querelas no esquema da revolução. Na edição de 20 de julho, e nas posteriores, *O Globo* abriria espaço para as queixas do presidente da Câmara, que chegou a consultar a Procuradoria-Geral da República.

Para acalmar o governador, mas, também, de modo a colocar mais uma pedra diante de sua candidatura, Bilac Pinto foi procurá-lo, como Lacerda contou ao *Jornal do Farol*, "cada vez mais estranho". Disse:

"Olha, Carlos, você não diga nada a ninguém, porque o Castello não quer que ninguém saiba, mas ele tem um convite para lhe fazer. Só quero que você esteja preparado para um convite muito sério."

E mais não falou, deixando a dúvida no ar. É ainda Lacerda que acrescenta ter recebido, em seguida à de Bilac, a visita de Armando Falcão:

Olhe, você não conte a ninguém, não comente nem em casa, porque o presidente faz questão de conservar o mais rigoroso sigilo. Ele quer surpreendê-lo com a notícia, mas a mim confidenciou que quer convidá-lo para chefe da delegação do Brasil nas Nações Unidas.

É verdade que o governador da Guanabara dava frequentes sinais de enfado em seu cargo. Julgava já ter feito tudo o que podia em termos administrativos no Rio de Janeiro. Só pensava, mesmo, em sua candidatura à presidência da República, apesar do adiamento das eleições por um ano e de sua excepcional intuição, que o levava a supor que o povo teria cassado — por muitos anos — o direito a escolher diretamente o chefe do governo. O que pretendia, mesmo, era encontrar uma forma de continuar na crista da onda ao longo daquele período imprevisto. Aos íntimos não escondia que, ao sugerir a formação de um ministério verdadeiramente revolucionário, como contrapartida à prorrogação, imaginava-se nomeado ministro do Planejamento no lugar de Roberto Campos, cuja política combatia cada vez com mais veemência.

A hora das astúcias

Lacerda não terá ficado satisfeito ao saber que Castello pretendia isolá-lo em Nova York por razoável temporada. Mas manteve-se firme e comentou que "chegara a hora de também ter suas astúcias". Bilac Pinto não conseguira conter o ímpeto das seções estaduais do partido que seguiam o governador da Guanabara e que obrigaram o presidente da UDN a convocar, para 8 de outubro, em São Paulo, a convenção nacional que decidiria sobre os rumos da candidatura presidencial já lançada em Curitiba — a do próprio Lacerda. A "astúcia" do governador consistiu em telefonar para o ministro das Relações Exteriores, Vasco Leitão da Cunha, e lhe indagar sobre quando se daria a abertura da Assembleia Geral da ONU. Soube que seria em setembro, antes, portanto, da reafirmação de sua candidatura, mas ouviu do chanceler que havia um problema de bastidores, mais uma querela entre os Estados Unidos e a União Soviética, que faria os trabalhos começarem só lá pelo dia 20 de outubro, ou seja, depois que seu nome tivesse sido outra vez confirmado na convenção.

Assim, estaria livre para aceitar o convite e se tornar embaixador na ONU, onde chegaria já como candidato lançado. Acabaria confessando a Vasco Leitão da Cunha o porquê de sua indagação. Foi quando, ainda conforme seu depoimento ao *Jornal da Tarde*, o telefone tocou. Era o presidente, pedindo-lhe que fosse ao palácio Laranjeiras. Lá, o jogo foi aberto:

> Governador, chamei o senhor aqui porque estive pensando que sua candidatura está crescendo muito. Acho que o senhor vai ser realmente o meu sucessor. Tenho um grande orgulho nisso, um apreço enorme pelo senhor. (...) Mas acho que, para completar o seu nome, enfim, a sua imagem, falta uma grande atuação internacional. (...) Faz falta uma grande voz brasileira falando por um novo Brasil revolucionário na Assembleia da ONU. Dizer o que fizemos no Brasil: uma grande revolução sem sangue. Que livramos o país da desordem e da influência comunista. É uma grande tribuna mundial. E o seu nome ganhará, então, projeção lá fora e aqui dentro. Agora, estou muito preocupado porque vejo que a UDN tem uma convenção para ratificar sua candidatura à presidência da República. E quero ser muito franco com o senhor. Quero mandar uma grande voz do Brasil. Não quero mandar um candidato de uma facção, de um partido.

Lacerda revela ter respondido a Castello:

> Presidente, vamos por partes. Em primeiro lugar, quero lhe dizer o quanto estou honrado com o convite, que é realmente uma oportunidade para mim. (...) Agora, não sou candidato à ONU. Quero que isso fique bem claro entre nós. Sou candidato a seu sucessor. E há uma convenção marcada para o dia 8 que me impede de sair daqui antes disso. Porque eu também não posso ir para a ONU e voltar dias depois para uma convenção. Agora, o que me impede de aceitar esse seu convite é essa condição que o senhor me impõe de não ir candidato. Em primeiro lugar, já sou candidato. O que pedi foi apenas uma homologação, porque o Bilac Pinto pensa que a revolução talvez tenha mudado as regras do jogo. Mas creio que não mudou a regra do jogo da realização das eleições. Eu não posso abrir mão dessa convenção. Não posso abandonar os meus companheiros, os que confiaram em mim e me fizeram candidato para dizer-lhes "bom, até logo, vocês se arrumem, agora sou delegado na ONU".

Castello Branco replicou que ficaria realmente difícil Lacerda ir para a ONU como candidato. Ainda falaram das datas, e o presidente lembrou que o embaixador americano lhe dissera que a Assembleia Geral seria aberta a 5 de outubro. O governador, segundo sua versão, teria treplicado:

> O senhor tem um informante muito melhor e mais à mão. Está aqui o telefone. O senhor ligue para o seu ministro do Exterior e ele vai lhe informar.

O presidente assim procedeu e ouviu de Vasco Leitão da Cunha que os trabalhos seriam realmente adiados para o dia 20 ou depois. Lacerda ainda argumentou que a ONU estava cheia de candidatos, que Adiei Stevenson, por exemplo, era delegado dos Estados Unidos na organização e por duas vezes saíra candidato pelo Partido Democrata. Castello retrucou:

> O meu ponto de vista é diferente do seu. Insisto que a revolução precisa da sua voz na ONU. Mas só posso dá-la a alguém que represente o Brasil como um todo, não a um candidato de um partido.

Final do encontro, ainda conforme Lacerda:

> Bom, presidente, eu vou para a convenção e o senhor tome a sua decisão. Fique inteiramente à vontade.

Claro que o assunto transpirou e Lacerda não foi mesmo convidado para representar o Brasil na ONU.

Dois constrangimentos

Já foi aqui referido que Castello Branco chamava de quando em quando um grupo de jornalistas políticos para conversar. Relatei também a vez em que fomos convocados ao Laranjeiras — Heráclio Sales, do *Jornal do Brasil*, Villas-Boas Correia, do *Estado de S. Paulo*, Oyama Telles, do *Correio da Manhã*, e eu, de *O Globo* — para ouvir do presidente, viúvo de D. Argentina, um delicado desmentido acerca de seu suposto noivado com Sandra Cavalcanti.

Ora importa registrar que, nesta ocasião, no instante em que Castello já se levantava, cometi um daqueles atos típicos de um repórter, especialmente se mais jovem. Ao chegar, fora alertado por José Wamberto, secretário de imprensa da presidência, que Castello não gostaria de falar de política naquele dia. Ainda assim, tomei a liberdade de lhe perguntar sobre se pretendia mesmo nomear o governador Carlos Lacerda para as Nações Unidas. O presidente respondeu com dureza — não havia ainda decisão a respeito — e retirou-se.

Confusão generalizada

Os dias que se seguiram à prorrogação do mandato de Castello Branco foram de confusão generalizada, e não apenas por conta das sucessivas cartas e declarações agressivas feitas por Carlos Lacerda, mas devido a suas consequências. Os militares estavam divididos: os generais, com o presidente; os jovens oficiais, com o governador. A 1º de agosto, *O Globo* publicou nota explosiva:

> Alto líder da UDN confidenciou ter a imprensa dado pouca importância à homenagem prestada por vários parlamentares ao ministro Cordeiro de Farias, em Brasília. Há quem especule no sentido de que as referências a possíveis candidaturas militares à presidência da República, em 1966, tinham endereço certo, na pessoa do general Cordeiro de Farias. Embora os líderes do PSD neguem qualquer articulação pela candidatura do atual ministro do Interior, não são poucas as especulações nesse sentido.

Dois dias depois, no mesmo jornal:

> Ontem, um dos mais íntimos auxiliares do presidente Castello Branco ressaltava que a atitude do sr. Carlos Lacerda liga-se diretamente ao desmoronamento de suas pretensões eleitorais, desfeitas com a prorrogação do mandato do presidente e a aprovação da maioria absoluta. Consciente das dificuldades de chegar ao palácio do Planalto, o governador procura jogar lenha da fogueira. Ao criticar o governo, está pressionando o presidente Castello Branco no sentido de convocá-lo para exercer a função de orientador supremo da revolução, espécie de superministro, eminência parda e condestável do regime. Alcançado esse objetivo, ficaria perto do poder quase como o presidente, posicionando-se para as eleições de 1966. Quanto à primeira hipótese, os assessores presidenciais julgam impossível: jamais Castello Branco dividiria o poder com alguém. Elimina-se, assim, também a segunda, isto é, o sr. Carlos Lacerda corre para se transformar num líder da oposição.

A DITADURA MILITAR E OS GOLPES DENTRO DO GOLPE: 1964-1969

O governador Magalhães Pinto, de passagem pelo Rio, reclamou que as atitudes de Lacerda não colaboravam para a solução dos grandes problemas nacionais. Aproveitou para conversar com o chefe da Casa Civil, Luís Viana Filho, sobre a situação dos outros dez governadores que, como ele, concluiriam mandatos em 31 de janeiro de 1966, ou seja, na mesma data em que Castello Branco deixaria a presidência não tivesse prorrogado seu período administrativo. Minas, Maranhão, Goiás, Mato Grosso, Pará, Paraná, Amazonas, Rio Grande do Norte, Bahia, Espírito Santo e Guanabara encontravam-se naquela situação. Pelas Constituições estaduais, assim como pela lei que criou a Guanabara, os governadores daqueles estados tinham mandato de cinco anos, ao contrário dos demais, de quatro.

Do que mais se falava, pois, era da prorrogação do mandato desses governadores por mais um ano, à maneira do presidente da República. Outras fórmulas, no entanto, existiam, como a posse dos vice-governadores para cumprir aquele período, a escolha de governadores-tampões, eleitos pelas Assembleias Legislativas para governar por apenas doze meses, e até mesmo a realização de eleições diretas em 1965, conforme constitucionalmente previsto. A palavra de ordem era a coincidência de mandatos entre todos os governadores, o presidente da República e o Congresso.

Magalhães não desejava outra coisa senão continuar no palácio da Liberdade, ganhando tempo para pleitear, depois, a sucessão de Castello. Até começou a trabalhar para que a Assembleia Legislativa de Minas lhe prorrogasse o mandato, o que aconteceria mais tarde, ainda que o presidente viesse a anular tal extensão. Carlos Lacerda, tão exaltado com a mudança das regras do jogo presidencial, vivia repetindo que não ficaria no governo um minuto após o término do mandato para o qual fora eleito, mas, no fundo, não estava infenso à hipótese.

Apesar de discussões e debates constantes, esse tema só seria mesmo resolvido quase um ano depois, em meados de 1965, e de forma surpreendente.

O menos pior

PSD e UDN, os dois maiores partidos, adversários tradicionais, mesmo sem conversar, concluíram que o menos pior, naqueles dias tumultuados, seria dar força a Castello Branco. Aumentavam os boatos sobre insatisfação militar e novos golpes, agora que as regras do jogo da própria revolução haviam sido rompidas com a prorrogação do mandato do presidente. Falava-se também em candidaturas militares e até na extinção das eleições presidenciais diretas. Não faltaram raciocínios, lá e cá, sobre a necessidade de salvar os dedos, agora que os anéis tinham ido embora. No meio do tiroteio, portanto, cogitava-se até a possibilidade de Castello ser reeleito. Tudo isso, é claro, nas cúpulas, porque, nas bases, o povo era desconsiderado.

Castello reagiu com veemência à possibilidade, conforme *O Globo* do dia 10 de agosto, nem sequer admitiu tomar conhecimento dela, constrangido que já andava com a prorrogação. Pedro Aleixo, líder do governo na Câmara, que ficara contra a prorrogação, da mesma forma colocou-se a respeito da reeleição remota, e foi autorizado pelo presidente a encerrar o assunto com ampla negativa.

Em Salvador, no dia 8, Castello Branco concedera entrevista coletiva e evitara polêmica com Carlos Lacerda e com suas análises cada vez mais acres contra o governo. Até elogiou o governador, e ressaltou seu apreço pessoal "ao administrador, ao líder político e ao revolucionário". No fundo, porém, anotava mentalmente tudo e não perdoava, uma das características de sua personalidade. Aproveitou para dizer que não dava ouvidos a notícias sobre intranquilidade nos meios militares. Pouco lhe importavam as opiniões de grupos tradicionalmente descontentes com qualquer situação. Não se referiu pessoalmente, é claro, mas a farpa foi para o almirante Silvio Heck, que continuava reunindo oficiais em sua residência, na Lagoa Rodrigo de Freitas, sequioso da volta ao autoritarismo puro.

A política econômica sob fogo

Roberto Campos conseguira deslumbrar Castello Branco pelo brilho de sua inteligência e pela confiança com que impunha as diretrizes da política econômica; aliás, a mesma que de quando em quando ressurge no país, desde Campos Sales: o importante era equilibrar receita com despesa e reduzir a inflação ao mínimo, mesmo com o sacrifício dos salários, congelados, da diminuição das exportações, da abertura total às importações e, em especial, da paralisação do desenvolvimento.

Para demonstrar o apreço especial do presidente para com seu ministro do Planejamento, bastaria citar um fato: nas longas reuniões do ministério, no Planalto ou no Laranjeiras, a moda naquele governo austero era servir suco de caju, água mineral e cafezinho para os ministros; a Roberto Campos, porém, mandava servir uísque.

A propósito do néctar escocês e de Roberto Campos, uma curiosidade: a TV-Rio — naqueles tempos, líder inconteste de audiência — costumava convidar repórteres políticos para participar de um programa de debates, nas noites de sexta-feira, programa que depois passaria a se chamar "O assunto é política", comandado por Oliveira Bastos. Nos anos de 1964 e 1965, fiz parte de seu chamado "corpo permanente", antes de me tornar comentarista da emissora. Sempre que Roberto Campos era o entrevistado, havia uma sadia disputa entre os jornalistas; todos queriam estar presentes. Não só pelo gosto de tertúlias abrilhantadas pela capacidade do ministro quanto pelo fato de que chegava sempre acompanhado de um auxiliar com vasta sacola a tiracolo. Nela vinham uma enorme jarra de vidro, dessas de servir água, e muito gelo. Além, é claro, de um ou dois litros de JB, até hoje, senão o melhor, pelo menos o mais claro e transparente dos uísques. Campos manejava a jarra, por malícia e gozação, e a todo momento indagava os entrevistadores: "Mais um pouco de água, meu caro? Estamos debaixo de holofotes infernais, precisamos hidratar-nos." Os últimos blocos, é claro, tornavam-se os mais animados...

Nos próprios setores revolucionários verificaram-se as primeiras contestações ao modelo que, na época, não se chamava nem neoliberal nem globalizante. Carlos Lacerda bateu firme, mas não apenas ele. O deputado João Calmon, segundo homem dos *Diários Associados*, logo abaixo de Assis Chateaubriand, saudou a revolução lançando campanha nacional pela recuperação econômica e fazendo todos os veículos do grupo desencadearem intensa campanha popular intitulada "dê ouro para o bem do Brasil". Parte da classe média doou suas alianças; senhoras contribuíram com joias; senhores, com seus avantajados relógios de luxo. O total amealhado foi entregue ao Tesouro Nacional em concorrida solenidade.

Pouco depois, entretanto, era o mesmo João Calmon, o "João Sem Medo" das crônicas de David Nasser em *O Cruzeiro*, que investia violentamente contra Roberto Campos, a quem acusava de favorecer e dar todas as vantagens ao capital estrangeiro que quisesse estabelecer-se no Brasil, ao mesmo tempo que tratava as empresas nacionais a pão e água.

Minas não mais em silêncio

Qual não foi a surpresa geral quando, a 11 de agosto de 1964, mesmo rompido pessoalmente com Carlos Lacerda, o governador Magalhães Pinto convocou a reportagem política, no Rio, para concordar em gênero, número e grau com o amigo-desafeto. No dia 12, *O Globo* publicou:

> O governador mineiro declarou-se, ontem, contrário às diretrizes econômico-financeiras do governo, dizendo que a estagnação do desenvolvimento nacional, provocada e acentuada durante a administração deposta pela revolução, não está sendo convenientemente combatida pelo governo e, mais ainda, é capaz de levar o

Brasil a rumos imprevisíveis. Ele não culpa o presidente Castello Branco pelo quadro de dificuldades extremas hoje verificado, mas entende que o chefe do governo deve reformular alguns dos conceitos de sua política econômico-financeira, instituindo a prioridade essencial para o desenvolvimento. (...) Afirmou que suas críticas têm caráter construtivo, ao contrário de outras formuladas apenas em função de interesses pessoais contrariados. Acha que o incentivo ao desenvolvimento deve ser promovido sobre três bases fundamentais: 1. No plano interno, com o incremento a obras públicas em todas as regiões, impedindo-se a qualquer custo a sua paralisação ou o arrefecimento de seu ritmo. A construção de estradas, barragens e similares, além de produzir resultados a longo prazo para a economia, pode absorver de imediato grande parte da mão de obra disponível, principalmente agora que o desemprego assume proporções assustadoras. 2. Ainda no plano interno deve o governo adotar uma política de amparo às atividades privadas, na produção, no comércio e na indústria, que, paralelamente às obras públicas, também determinaria o duplo resultado de ampliar o mercado de trabalho e contribuir para a melhoria de nossa situação econômica. 3. No plano externo deve o Brasil assumir atitudes firmes junto aos países mais ligados a nós, cultural e institucionalmente. Não devemos aparecer no consenso mundial como pedintes, mas temos o direito de exigir, dentro do mundo livre, auxílio verdadeiramente eficaz. É necessário que não nos preocupemos com a tarefa de "explicar a revolução" no exterior. Com 100 milhões de dólares pode ser implantada uma siderúrgica, que representa extraordinário avanço na economia de qualquer país. Os Estados Unidos, porém, gastam 150 milhões de dólares por ano no Vietnã.

Em seguida:

>O incentivo ao desenvolvimento preconizado por Magalhães Pinto como única forma de evitar o caos pode ser promovido sem a interrupção do combate à inflação. Não podemos ficar subordinados

à aplicação de normas rígidas e ortodoxas, disse o governador, porque, se porventura deram certo em alguns países, não estão acordes com a situação nacional. O problema brasileiro exige soluções brasileiras. Até a improvisação é um fator necessário, na matéria. Não se combate a inflação com o aumento de impostos. No Brasil, a taxa de tributação é das mais elevadas do mundo. Muito menos se combate a inflação com a paralisação de atividades básicas ou suplementares, unicamente pela existência de déficits em nossos balanços anuais. Acima de tudo é necessária a criação de novas fontes de renda.

Acentuava *O Globo*, logo após, que Magalhães Pinto levara, dois dias antes, aquelas ponderações a Castello Branco, que ficou de examiná-las. O governador sustentara um atrativo ponto de vista político para embasar suas críticas econômicas: disse ao presidente que a hora era de enfrentar os problemas financeiros e que as questões políticas podiam e deviam ficar para depois.

Tamanha foi a blitz desencadeada a partir das declarações de Magalhães Pinto, como tão pequeno era o conhecimento dos jornalistas a respeito da teimosia de Castello Branco, que, nos dias seguintes, praticamente a imprensa inteira passou a abrigar em suas colunas notas e comentários sobre a iminência de mudanças profundas na política econômica. O mínimo que se dizia era que o presidente ficara impressionado com os argumentos que lhe chegavam, desde Carlos Lacerda até os governadores de Minas, do Nordeste, do Rio Grande do Sul e de São Paulo.

Prova dessa ilusória tentativa de mudanças estava no texto deste repórter, na edição de *O Globo* de 13 de agosto, a respeito da posição que Castello adotava:

> Não é possível delinear-se com segurança a posição exata do presidente, mas a informação de seus assessores é de que o problema econômico o vem preocupando bastante. Certo que não deseja, em momento algum, dar a impressão de estar cedendo a pressões

esdrúxulas ou estar intimidado pela veemência de certos ataques contra ele dirigidos. No entanto, a situação econômica nacional vem merecendo sua atenção especial, pela gravidade verificada. Os observadores, em maioria, entendem que, no caso de alteração da política econômica, o presidente não terá como deixar de substituir os ministros da Fazenda, Otávio Gouveia de Bulhões, e do Planejamento, Roberto Campos. Julgam difícil que os dois economistas possam continuar à frente de suas pastas, naquela hipótese. (...) Poderia, inclusive, ser criado o ministério extraordinário do Desenvolvimento, que teria a incumbência de coordenar medidas atinentes ao incentivo às atividades básicas da vida nacional nos setores público e privado.

A honestidade do Dr. Julinho

Ainda a respeito da celeuma criada, uma decisiva participação do diretor de *O Estado de S. Paulo*, Júlio de Mesquita Filho. Ele apoiava integralmente o governo revolucionário, mas era muito ligado a Carlos Lacerda, que o respeitava como a um pai. Diante da celeuma, o "dr. Julinho" optou por fórmula ética e incontestável. Sob a coordenação de Frederico Heller, respeitadíssimo editor do jornal, promoveu um verdadeiro seminário internacional, convidando economistas e catedráticos da França, da Alemanha e dos Estados Unidos, além de brasileiros, para um diagnóstico profundo da política econômica do governo. Depois de dias seguidos de debates, a conclusão foi de que a dupla Campos-Bulhões estava no rumo certo e era a solução para o Brasil. Assim, o *Estadão* se engajou por completo no projeto e nos postulados dos ministros do presidente Castello.

A falta que San Tiago fez

A 6 de setembro de 1964, aos 53 anos de idade, morreu San Tiago Dantas, vitimado pelo câncer. Ex-ministro das Relações Exteriores e da Fazenda no governo João Goulart, antes do golpe militar empenhara-se na tentativa de unir as esquerdas numa espécie de frente única, cujo objetivo maior seria limitar a ação dos radicais. Separou as esquerdas em positiva e negativa, incluindo-se no primeiro grupo e citando Leonel Brizola como representante da outra. Incompreendido, depois de 31 de março esteve para ser cassado, poupado por decisão pessoal do presidente Castello Branco. Gravemente enfermo, ainda tentou colaborar com o PTB, pelo qual era deputado federal por Minas Gerais. Sua ausência determinaria o fim do ponto de equilíbrio no trabalhismo, com a divisão do partido entre os que aderiram completamente aos governos militares e os que se engajariam na contestação aberta ao regime.

"Le general" no Brasil

Ao preparar sua viagem à América Latina, Charles de Gaulle, em carta ao presidente Castello Branco, datada de setembro, formalizou o desejo já anunciado de visitar o Brasil. Chegou a 11 de outubro, vindo do México, a bordo do cruzador *Colbert*. Antes, dissera ao embaixador do Brasil em Paris, Mendes Viana, que não gostaria de ter maiores contatos com o governador da Guanabara, Carlos Lacerda. Este, em Paris, em entrevista já referida, falara que a viagem se resumiria a banquetes e discursos.

Lacerda facilitou as coisas e não compareceu nem à chegada nem à partida do general, que depois do Rio foi a Brasília. Na antiga capital, desfilou em carro aberto, do cais do porto ao palácio Laranjeiras, onde se hospedou. Sua passagem pela avenida Rio Branco foi apoteótica, com o povo nas ruas, saudado até por operários que trabalhavam numa obra próxima da Biblioteca Nacional. Viajou para Brasília em companhia de Castello.

Roberto Campos, presente no avião presidencial, registraria em *O Globo*, anos mais tarde, em 1970, trechos da conversa entre eles. O presidente francês disse que não compreendia muito bem as ditaduras sul-americanas. Foi quase agressivo ao perguntar por que a história registrava tão numerosos ditadores. Castello, com um francês perfeito, respondeu: "Um ditador sul-americano é um homem, não necessariamente um militar, como nós dois, que acha extremamente agradável agarrar o poder e extremamente desagradável deixá-lo. Eu deixarei o poder em 15 de março de 1967. E o senhor, que planos tem?"

Luís Viana Filho comentaria a malícia de Castello diante de um De Gaulle então no apogeu, e que por certo não pensava em abandonar a chefia do Estado francês.

Na Universidade de Brasília, o general discursou — de improviso, aparentemente — por uma hora aos estudantes. O singular é que havia feito distribuir, antes, um texto de seu pronunciamento, e quem o seguiu linha a linha percebeu que nem uma palavra fora trocada. A memória sempre foi uma de suas características mais marcantes.

ID# 4

Ninguém segura a volta à ditadura

Fecha-se o cerco

O *Diário de Notícias* situava-se à direita de *O Estado de S. Paulo*. Dava ampla cobertura ao governo do marechal Castello Branco e abria espaço para as correntes mais radicais. Noticiaria, pois, a 20 de outubro de 1964, nova reunião dos chefes militares, inconformados com o novo lançamento, em convenção da UDN, da candidatura de Carlos Lacerda — que consideravam precipitação indevida. Ficaria claro o veto dos ministros Costa e Silva e Cordeiro de Farias, que o deputado Costa Cavalcanti traduziu em longa entrevista.

O presidente Castello Branco concordaria com eles, segundo o jornal de João Dantas, temendo que Ademar de Barros reagisse e se lançasse também a uma campanha, o que determinaria que PSD e PTB, para não ficar atrás, inventassem algum candidato. Chegou-se inclusive a falar na hipótese do lançamento de Amaral Peixoto, apesar de o presidente do PSD negar. Suas preocupações eram de outra ordem. Depois de horas de conversa, em Brasília, com os presidentes da Câmara, Raniéri Mazzilli, e do Senado, Auro de Moura Andrade, objeto de investigações num IPM que corria em São Paulo, ele iria desabafar, conforme *O Globo* do dia 21:

> Afinal de contas, o que mais deseja o presidente da República? Suas mensagens são religiosamente aprovadas pelo Congresso, com o apoio do PSD...

Acompanhado de Filinto Müller, Joaquim Ramos e Ovídio de Abreu, Amaral Peixoto foi ao palácio Laranjeiras, no dia 23 de outubro, para acentuar que o PSD não desejava acobertar qualquer um de seus membros no processo de combate à corrupção e à subversão, mas que estava apreensivo diante de boatos sobre perseguição a muitos de seus líderes. A presidência da República divulgaria nota tranquilizadora, em que acentuava haver terminado o ciclo das punições baseadas no Ato Institucional, mesmo com a ressalva de que os corruptos e subversivos continuariam a ser investigados, de acordo com a legislação normal.

Mesmo assim, ainda conforme *O Globo* do dia 21, registrava-se inquietação em vários estados. No Ceará e no Maranhão, deputados federais e estaduais eram intimados a comparecer aos inquéritos conduzidos nos quartéis, sem respeito às imunidades. Havia boatos de que o governo promoveria uma intervenção federal no governo de Mauro Borges em Goiás. Em Niterói, capital do estado do Rio do Janeiro, o prefeito Silvio Picanço fora levado à renúncia por pressão militar.

Na mesma edição de 21 de outubro, *O Globo* também informaria que o governador Magalhães Pinto decidira não comparecer à convenção de seu partido, em São Paulo, para demonstrar que discordava do lançamento — para ele, prematuro — da candidatura de Carlos Lacerda à presidência da República.

A DITADURA MILITAR E OS GOLPES DENTRO DO GOLPE: 1964-1969

Uma no cravo, outra na ferradura

Repercutiu mal nos quartéis a nota oficial do palácio do Planalto segundo a qual estavam encerradas as punições revolucionárias. Assim, através do secretário de Imprensa, José Wamberto, o presidente Castello Branco fez chegar aos comentaristas políticos dos principais jornais "a convicção de que os setores que presentemente agitam o país com boatos e falsas apreensões sobre a normalidade institucional pretendem, apenas, identificar suas causas particulares com o regime democrático, quando deveriam preocupar-se mais em se defender das acusações contra eles lançadas".

O *Jornal do Brasil* do dia 26 de outubro, na coluna "Coisas da Política", escrita por Heráclio Salles, identificou Raniéri Mazzilli e Auro de Moura Andrade como alvos da mensagem presidencial.

Japona não é toga!

Os ministros militares estavam em pé de guerra, pressionados por suas bases, porque, diante do envolvimento de seu nome em irregularidades empresariais, conforme um IPM que corria em São Paulo, o senador Auro de Moura Andrade retornara subitamente da Europa e, ainda no aeroporto do Galeão, no Rio, dissera aos jornalistas que "japona não era toga!". O presidente do Senado acusava os chefes militares de pretenderem estabelecer uma ditadura fascista no Brasil.

Castello Branco tomaria as dores de seus companheiros e comentaria, conforme *O Globo* do dia 26: "Não é a japona que vai julgá-lo. É a toga mesmo..."

O ministro da Justiça, Milton Campos, tentara botar panos quentes na crise, considerando perfeitamente normal a reação de Auro de Moura Andrade, porque as acusações tinham de ser respondidas. Era um direito dos envolvidos; cabia-lhes provar sua inocência. Em nenhuma hipótese o caso poderia envolver a estabilidade das instituições democráticas.

A versão do próprio

Em suas memórias, *Um Congresso contra o arbítrio*, Auro de Moura Andrade dá sua versão:

> Naqueles dias de outubro, agravara-se o meu estado de saúde. Eu vinha de árduas lutas. De noites insones porque ocupadas pelo trabalho; porém, a cada dia, estavam mais comprometidas minhas forças físicas. Já agora precisava cuidar de mim. Com minha mulher e meus filhos mais novos, de seis e oito anos, segui para a Europa, onde pretendia, na Alemanha, submeter-me a uma operação recomendada. Assim que cheguei ao hotel, vindo do aeroporto, o telefone do Brasil chamou-me. Era meu filho mais velho que ficara, dizendo-me que um grande escândalo envolvia meu nome, num IPM instaurado na Caixa Econômica Federal, de que era presidente o dr. Favorino Rodrigues do Prado Filho, meu cunhado. Voei de Genebra a Paris, onde alcancei uma conexão da Air France para o Brasil. (...) Nunca me enganei que haveria de sofrer ao mesmo tempo a consideração dos honrados e dos conscientes e a inveja dos incapazes, dos obtusos e dos frustrados.

Em outro trecho, relata sua chegada ao Rio na manhã de 24 de outubro de 1964:

> O avião da Air France em que eu regressava adiantou-se quarenta minutos sobre o seu horário (...). Ao desembarcar no Galeão, esperava-me toda uma bateria de fotógrafos, a imprensa inteira, e antes que me dirigisse à estação de passageiros, ali mesmo, ao pé da escada do avião, os jornalistas mostraram-me os seus jornais, com as suas manchetes, perguntando-me "o que o senhor tem a dizer?" Eu me dirigi à sala de imprensa, sem pronunciar uma só palavra. Meu avião seguia para São Paulo e o meu destino era a minha cidade, para deixar na minha casa a minha mulher e meus dois

filhos. Pedi uma máquina, papel, papel carbono, que me deram, e datilografei com cópias o que tinha a dizer. O manifesto não tinha nome. Porém, ficou conhecido como "japona não é toga", expressão constante do seu final. Dizia o seguinte: "Duas vezes a guerra civil foi evitada porque declarei vaga a presidência da República, salvando a ordem constitucional. Na última, em abril, expus a minha vida. O tenente-coronel que hoje me julga, não sei onde estava naquelas horas de perigo. Mas, porque expus a minha vida, ele não precisou expor a dele, e agora fala em nome de uma revolução que achou feita e me expõe a honra. Esta revolução foi feita para salvar o Brasil, mas está sendo literalmente liquidada por homens que pretendem implantar a ditadura e por isso a coroam de infâmias, de misérias e injustiças. Já é tempo de dar o toque de recolher a essa gente; do contrário o Brasil não saberá para onde vai. Numa total inconsciência de seus atos, agem com a irresponsabilidade de incendiários de nações. Protegidos pela imunidade do Ato Institucional, que para alguns deu poderes absolutos e para o resto da nação cassou os direitos mais elementares, sentem-se como se estivessem acima das leis. São eles os grandes intocáveis, que se julgam juízes infalíveis de toda a nação e sentem-se feridos em sua vaidade se as suas vítimas provarem inocência. Distorcem os fatos, ignoram as leis, apontam como crimes os atos honestos e regulares e fazem explodir o escândalo para atingir aqueles que lhes embargam os passos e que ainda sustentam os últimos redutos democráticos desta República. (...) Ninguém ignora que, à sombra dessa revolução, cresceram muitos inimigos da democracia que querem fechar o Congresso, revogar a Constituição, suprimir as liberdades do povo e implantar um regime ditatorial e fascista. (...) O presidente Castello Branco não está livre de ser a próxima vítima, e então será o fim dos democratas que ele representa. Esses processos políticos, que reuniram em seu bojo tanta infâmia, não podem ser senão uma trama contra as instituições. Já não é uma democracia um regime em que um tenente-coronel julga o presidente do Congresso Nacional, um major julga um cientista de renome mundial e um tenente julga um professor universitário.

Esse homem não tem direito a tal procedimento. Não sou réu em seu tribunal de violências, de prisões, de parabeluns, de coações e de suspeições, onde obrigaram infelizes servidores a confessar crimes que não praticaram e a prestar depoimentos falsos, prendendo testemunhas que não queriam mentir, até que mentissem. Pago hoje o amargo preço de ter evitado, duas vezes, que o sangue corresse no Brasil, para isso fazendo imenso sacrifício. Os que queriam sangue não puderam tê-lo. Pois bem: bebem honras. Saciam-se nas honras, mostrando seus relatórios, onde estão as suas palavras construídas sobre um monte de arbitrariedades, falsas interpretações, e querem que a sua palavra seja sentença e escândalo. Esses filhos de Marte não acharam guerra pela frente. Encontraram a presidência da República vaga e livre. Não precisaram tomar palácio algum, porque, antes deles, nós o havíamos feito. Então, extravasaram seu ímpeto guerreiro atrás de escrivaninhas dos IPMs, ganhando diárias e gozando momentos de poder absoluto, rindo das lágrimas das mães, esposas e filhas, e levando à suprema humilhação e vergonha suas vítimas indefesas. Por fim, querem as manchetes, querem mostrar-se ao povo como heróis revolucionários, mas só podem mostrar as armas virgens e a pena poluída. Saí do Brasil para cuidar da saúde; voltei da porta do hospital ao saber que era apunhalado pelas costas. Aproveitaram-se da minha ausência para ultrajar-me perante a minha nação. A minha saúde que vá para o diabo. Mas a minha honra de homem público há de ser defendida e mantida íntegra. Expus a vida por essa revolução; mas não lhe dou a minha honra, que pertence à minha família e à minha nação. De um homem como eu, com uma longa e austera vida pública, com serviços prestados ao Brasil em horas trágicas, que teve dependente de seus atos, de sua conduta, de suas palavras e de sua decisão a sorte de sua nação, e soube salvar a paz, as liberdades do povo e a honra nacional, ninguém pode, a não ser um inimigo da democracia e do povo, dizer o que foi dito, sem estar cometendo a mais ignominiosa injustiça. Vou examinar esse relatório e demonstrar que japona não é toga, e o que está por dentro não é juiz!"

A DITADURA MILITAR E OS GOLPES DENTRO DO GOLPE: 1964-1969

Um grito contra a prepotência

Os jornais noticiaram a reação do senador nas suas primeiras páginas, mas, entre os poucos com coragem de comentá-las, destacou-se o *Correio da Manhã*, em editorial, do qual sobressaem alguns trechos:

> Enfim, delineia-se uma resistência enérgica à prepotência militaresca que ameaça avassalar ainda mais esta nação privada dos mais elementares direitos e reduzida a um estado de fato. Depois das palavras do presidente do Supremo Tribunal Federal, verberando as práticas desumanas contra prisioneiros inermes, temos, agora, a palavra do presidente do Congresso Nacional (...). Falaram o Judiciário e o Legislativo. Mas onde está a palavra e onde se encontra a ação do chefe do Executivo, em defesa da lei de que se diz escravo e de que deve ser o guardião? (...) Este país não deseja a volta dos dias tumultuosos que levaram ao desfecho de abril. Mas deseja ainda menos a descida pelo declive a que o estão arrastando e que transforma japonas em togas e sabres da Cavalaria em gládio da falsa justiça.

A *Última Hora* atribuiria ao presidente do Congresso o mérito de "haver pagado para ver". Já *O Globo* censurou o senador, mesmo acentuando que sua reação merecia respeito:

> Não hesitamos em dizer que o documento redigido e firmado no aeroporto do Galeão padece de perigosa distorção. É que, em seu candente texto, o intrépido presidente do Senado, ao referir-se a grupos militares, abre caminho a polêmicas de evidente inconveniência. Aqui o seu erro.

O episódio "jurídico-militar" encerrou-se meses depois, com a Auditoria Militar de São Paulo decidindo arquivar o IPM contra Auro de Moura Andrade, por absoluta inocuidade e falta de provas para as acusações de envolvimento em irregularidades na Caixa

Econômica Federal. Outra acusação contra ele, a de utilizar franquia postal, caiu pela própria lei, onde se lia que os presidentes da República, do Supremo Tribunal Federal e do Congresso não precisavam colar selos em sua correspondência.

"Não retiro nada"

Depois de reassumir seu posto em Brasília, o presidente do Congresso viajou para o Rio, a fim de se encontrar com a cúpula do PSD, angustiada diante do episódio do "japona não é toga". No palácio Monroe, antiga sede do Senado, ponto de reunião de políticos e jornalistas, na tarde de 26 de outubro, declarou que seu pronunciamento do último sábado, no aeroporto do Galeão, era definitivo e nada mais tinha a acrescentar. Disse que não retirava uma palavra sequer. Com Amaral Peixoto, Joaquim Ramos, Vitorino Freire e outros, recusou-se a atenuar os termos de sua fala anterior. Alguns, como Filinto Muller, pediram que explicasse à imprensa que falara no calor da emoção e em função de informações que mais tarde se revelaram exageradas. Auro de Moura Andrade não aceitou recuar.

No dia 27, *O Globo* publicaria:

> Com a decisão do senador Moura Andrade de não voltar ao assunto, cria-se um sério problema para o PSD. A maioria de seus dirigentes via possibilidade de um esfriamento da situação através de um pronunciamento do presidente do Congresso, pelo rádio e a televisão, já anunciado como provável. Essa notícia chegou a ser levada ao presidente Castello Branco pelo deputado Armando Falcão. O melhor seria silenciar, para os cardeais pessedistas. Atitudes públicas de apoio ao senador ampliariam a área de atrito entre o partido e muitos chefes das Forças Armadas. Pronunciamentos contrários determinariam o início de um processo de desintegração do PSD.

Mesmo pressionado pelos ministros militares, que pretendiam de Castello uma resposta mais dura do que o seu comentário antes referido, sobre deverem os acusados se defenderem em vez de se confundirem com as instituições, o presidente resistiu. Declarou ao senador Daniel Krieger e ao deputado Pedro Aleixo, seus líderes no Senado e na Câmara, que o incidente não implicava risco para as instituições. Era um fato isolado que não comprometeria o regime democrático.

Aleixo declarou a *O Estado de S. Paulo* do dia 27:

> Todas as apreensões dos que as possuem desaparecem na presença do marechal Castello Branco, pois sua tranquilidade é um lenitivo para os que a ele chegam apreensivos.

Boatos sem conta

O país estava cheio de boatos, entre eles o de que os encarregados militares dos múltiplos IPMs desencadeariam uma blitz contra governadores, parlamentares e políticos, determinando prisões e exigindo depoimentos de pessoas importantes. Falava-se em prontidão do Exército no Maranhão, Piauí, Goiás, Paraná, Minas e São Paulo. A Rádio Tupi de São Paulo chegou a informar sobre uma suposta invasão de militares ao gabinete de Auro, no Senado, logo desmentida. Do que mais se falava era da demissão do general Amaury Kruel do comando do II Exército, dadas as posições nem sempre revolucionariamente ortodoxas do ex-ministro da Guerra de João Goulart. Nada se confirmou. O governador Ademar de Barros chegou a viajar para o Rio no meio da semana, conferenciando com Amaral Peixoto e Carlos Lacerda, ele que, por motivos particulares, só passava na antiga capital os sábados e domingos.

Respeitar a lei

Em *O Globo* desse mesmo dia 27 de outubro de 1964 lia-se:

> O ministro da Guerra, general Costa e Silva, em conversa com o deputado Amaral Neto, da noite de ontem até a madrugada de hoje, afirmou que o país está em plena tranquilidade e que a determinação do governo é de inteiro respeito ao Poder Legislativo e às leis vigentes. Acentuou haver absoluta coincidência de pontos de vista entre o presidente da República, ele e os demais chefes militares. Segundo disse, pretendem todos um objetivo determinado: o respeito às leis e aos ideais da revolução. Em nenhum momento da conversa do ministro da Guerra com o parlamentar carioca foi abordado o problema dos inquéritos nem houve referências aos parlamentares envolvidos. O sr. Amaral Neto disse ao general Costa e Silva que não discursará atacando qualquer de seus companheiros do Legislativo. Frisou, ainda, não ter prestado qualquer declaração à imprensa no sentido de se classificar como porta-voz do ministro da Guerra. O noticiário naquele sentido, concluiu, é inteiramente falso.

Amaral Neto defendia-se da acusação de ter trabalhado para aumentar a temperatura ao anunciar medidas revolucionárias contra o Congresso e seu presidente, o que fora, aliás, verdade. Foi chamado pelo ministro da Guerra para receber um "carão" e desmentir-se, o que fez.

Ademar de Barros, em entrevista ao mesmo jornal, no dia 28, denunciou a existência de escritórios de boatos instalados no Rio e em Brasília, reconhecendo um estado artificial de tensão. Acentuou que as declarações do senador Auro de Moura Andrade cabiam perfeitamente numa democracia, "onde é lícito a cada um exprimir o seu pensamento". Com relação aos boatos de que seria "jantado" nos próximos dias, depois de o general Amaury Kruel ser "almoçado", disse: "Seria o fim se tentassem tirar-me do governo de São

Paulo. Nesse caso estaríamos frente à negação da revolução de 31 de março, com o triunfo dos vermelhos." Algum tempo depois, o veterano político paulista seria chamado de daltônico, pois deposto pelos verdes...

Ponto para Lacerda

Derrotado na resistência que moveu contra a prorrogação do mandato de Castello Branco, mas decidido a manter sua candidatura presidencial, mesmo aceitando moratória de um ano, Carlos Lacerda praticamente arrancou de Bilac Pinto, presidente da UDN, a realização de uma convenção extraordinária do partido. A alegação fora de que seria necessário reexaminar o quadro sucessório; na verdade, porém, Lacerda queria e sabia que as bases udenistas o reafirmariam. Mais da metade dos diretórios regionais o apoiava, o que, pelos estatutos, justificava a convenção. Não podendo ficar contra, mesmo diante da má vontade do diretório nacional e da maior parte das bancadas na Câmara e no Senado, Bilac marcou dia e local: 8 de novembro de 1964, em São Paulo.

O governador carioca então decidiu percorrer todas as capitais do país, antes da reunião, sensibilizando seus correligionários a comparecerem em massa. Desenvolveu intensa maratona. Em sua primeira viagem, a Florianópolis, segundo lembra seu sobrinho, Cláudio Lacerda, em *Carlos Lacerda — os anos sessenta — Oposição*, afirmou:

> Adiar a convenção seria sinônimo de adiar outra vez a eleição. E adiar a eleição não seria mau pelo fato de continuarmos a ter um mau governo. Seria mau porque daria aos inimigos da democracia a bandeira da democracia.

Depois, em São Paulo:

> A eleição é uma consequência natural da revolução, e a revolução seria uma contrarrevolução, seria um retrocesso, seria um Estado Novo apenas com nome mudado se pretendesse, em nome da paz nacional, evitar a eleição, que é a única forma de assegurar a paz de um povo democrático.

A imprensa seguia milimetricamente a tertúlia, que não se dava mais apenas entre Lacerda e o presidente de seu partido, mas entre o candidato e o governo que almejava suceder. O presidente da República, segundo *O Globo* de 1º de novembro, utilizara outra vez frase pronunciada logo após a cassação do mandato de Juscelino Kubitschek:

> Os candidatos que se lançarem prematuramente ficarão ao sol e ao sereno. Antes da hora, não é hora. Depois da hora, também não é hora.

No *Jornal do Brasil*, Carlos Castello Branco registraria as fracassadas tentativas de Bilac Pinto em adiar a convenção. A 4 de novembro, escreveu o papa do jornalismo político:

> A representação parlamentar da UDN estava visivelmente angustiada ontem à tarde, na expectativa de sua reunião com o sr. Carlos Lacerda. Cenhos franzidos, uma relativa palidez e uma absoluta discrição, todos se preparando para um encontro difícil, se bem que de consequências mais ou menos previsíveis. Nem de um lado nem de outro alimentavam esperanças de que o governador da Guanabara fosse ceder totalmente à advertência feita pelo presidente da República quanto à oportunidade do lançamento de candidaturas. O sr. Carlos Lacerda retornava de uma excursão ao Nordeste, na qual obteve êxito invulgar. (...) De cada seção udenista que visitou conseguiu grandes manifestações de apoio e uma reafirmação da indiscutível liderança que exerce no partido.

Na convenção do dia 8, em São Paulo, no auditório da *Gazeta*, Lacerda foi conciliador. Queria unir o partido, forçando a adesão das cúpulas, que lhe eram contrárias, à pressão das bases, que cada vez mais entusiasticamente o respaldavam. Tentou fazer um discurso moderado, no qual apresentou seu plano de governo, e, ao final, rebateu a imagem que dele faziam seus adversários. A 9 de novembro, *O Estado de S. Paulo* publicaria a fala de Lacerda, de que se seguem trechos:

> "Falo das intrigas e das distorções. Falo da imagem desfigurada que os nossos próprios erros ensejaram, e a malícia, a perfídia e o ódio procuram fixar contra nós. Não agora, mas há muitos anos, procura-se evitar que um momento como este chegasse até nós. Uns por minha causa, outros por nossa causa. Uns porque não me querem na presidência, outros porque não quiseram nunca uma revolução para valer e detestam a ideia de um partido no qual os eleitores, depois de ouvirem os líderes, tomam decisões soberanas, democraticamente. Habituei-me de longa data a ser, nessas ocasiões, uma das vítimas expiatórias. (...) E a obra [dele mesmo] de um agitado, de um revolucionário, de um demolidor (...) que consome todas as suas energias em disputas estéreis para satisfação egoística de seus sonhos de imensurável cobiça. Na imprensa, na tribuna, no governo, ele tem passado como um furacão devastador. Seus discursos são um brado de guerra, um grito de despeito, uma explosão de ódio. Seus lábios não pronunciam louvores, senão em divinização de sua excelsa pessoa, mas trovejam sempre nefandos impropérios contra todos os homens de seu país. A dignidade de nossa raça, o brio de nosso povo, a honra de nossa pátria, tudo ele tem procurado enxovalhar, nos acessos de seu mórbido rancor. (...)" Senhores, esta súmula do que tem sido dito de mim, ultimamente, foi escrita quando eu tinha cinco anos de idade. Essas palavras foram pronunciadas contra um candidato à presidência da República com o qual nem de longe me comparo: Rui Barbosa (...). Atraído no começo da vida

pelo choque de ideologias, sofri muito para aprender que a democracia não comporta uma ideologia determinada. (...) Não adianta ouvir muito, e muitos, se não nos dispomos a escutar a todos (...). A ideologia cria preconceitos que geram a prevenção insuperável. (...) Chegou o tempo da nitidez e da definição. Porque o povo mudou e vem na nossa direção. (...) Vamos, pois, ao encontro do povo. Ele agora vem conosco com a condição única de não tardarmos, de não vacilarmos, de não nos escondermos atrás de pretextos sutis.

Apesar de major...

Em 1961, o governador de Goiás, Mauro Borges, major do Exército, filho de um dos caciques locais, Pedro Ludovico, formara ao lado da legalidade, contrapondo-se ao golpe frustrado do marechal Odílio Denis. Não fora perdoado por sua posição e, quando os golpistas tomaram o poder, em 1964, passou a ser observado como inimigo, apesar do apoio ao movimento revolucionário. Sua deposição era questão de tempo.

A 6 de novembro, o *Correio da Manhã* publicaria:

> Noticia-se que o general Riograndino Kruel (irmão do general Amaury Kruel, comandante do II Exército), chefe do Departamento Federal de Segurança Pública, irá hoje a Goiânia tomar o depoimento do governador Mauro Borges, acusado de estar envolvido em um processo de subversão comunista que se desenvolvera em seu estado. Em tempos normais não seria por demais estranhável que o chefe de um executivo estadual prestasse esclarecimentos sobre ações ou omissões de seu governo. Mas os tempos não são normais. A missão do general Riograndino é menos buscar informações elucidativas do que a de pressionar o sr. Mauro Borges, dentro de um esquema montado pelo coronel Danilo Cunha Melo, e que ontem teve o beneplácito de outras altas autoridades. As informações ofi-

ciosas, as notícias filtradas pelo DFSP através de órgãos suspeitos de divulgação, procuram colocar o sr. Mauro Borges não na condição de depoente, mas de réu. É como réu que se quer mostrá-lo à nação, e ao povo de seu estado, onde teve esmagadora vitória nas urnas. Os fatos sobre a "subversão" goiana são singelos: prendeu-se quase toda a diretoria da empresa governamental que procura explorar as riquezas minerais do estado, a Metago. Pouco depois surgiu a acusação de que aquela companhia estaria envolvida em contrabando de minerais estratégicos e outros. Prendeu-se um pobre coitado, chamado Tarzan de Castro, que estivera envolvido em incidentes na cidade de Dianópolis, onde fazia agitação agrária, em virtude da qual já estava sendo regularmente processado pela Justiça fazia muito tempo. Pois bem, este homem, que na época fora preso pela polícia de Goiás, conseguiu fazer chegar ao *Correio da Manhã* uma declaração de que fora torturado e de que as perguntas que dele queriam extorquir visavam apurar não a existência de possíveis núcleos de treinamento de guerrilhas, mas a incriminação do governador Mauro Borges. Apesar da evidente fraqueza das acusações alicerçadas nas declarações de Tarzan de Castro, apresenta-se a acusação de que o governo goiano financiava guerrilheiros. A terceira acusação é ainda mais descarada. O coronel Danilo Cunha Melo descobriu um louco. Em vez de encaminhá-lo humanitariamente a um hospital, trancafiou-o em seu quartel. Esse homem, o polonês Pawel Gutko, acusou um oficial de gabinete do governador goiano de receber regularmente, por seu intermédio, envelopes lacrados contendo dinheiro vindo da Cortina de Ferro. O dinheiro serviria para o sr. Mauro Borges fomentar a revolução.

Os advogados Sobral Pinto e José Crispim impetraram *habeas-corpus* preventivo junto ao Supremo Tribunal Federal em favor do governador Mauro Borges.

Mentiu, enganou-se ou cedeu?

É implacável o papel da imprensa na história. Tratando-se da fonte primária dos acontecimentos, registra os fatos sem que seus personagens tenham ainda oportunidade de retocá-los conforme seus interesses, nos livros de memórias, ou na voz de seus simpatizantes, nas biografias.

No dia 17 de novembro de 1964, *O Globo* estampou manchete de primeira página: "Castello reafirma que não cogita de intervir em Goiás nem em Sítio". Na página 5, o texto de abertura da reportagem política:

> O presidente Castello Branco voltou a repetir à direção do PSD, ontem, em encontro tido com os srs. Amaral Peixoto, Joaquim Ramos e Ovídio de Abreu, que o governo não cogita da intervenção federal em Goiás nem da decretação do Estado de Sítio ou qualquer outra medida de exceção. Deseja, isto sim, que a situação criada em torno do governador Mauro Borges se resolva em termos estritamente legais. Entende que os processos em curso, nos quais está implicado o governador goiano, devem seguir os trâmites normais das leis vigentes, e não permitirá quaisquer atitudes que fujam àquela determinação. A Justiça será acatada. Os líderes pessedistas, conforme informaram à imprensa, saíram tranquilos do encontro com o chefe do governo. Na oportunidade, reiteraram sua confiança nas instituições democráticas, garantidas pelo presidente. A conversa durou cerca de uma hora e foi realizada no palácio Laranjeiras pela manhã. Com a conversa presidencial, o PSD parece que retorna à situação de tranquilidade, com relação não somente ao caso de Goiás, mas também à normalidade institucional, que muitos julgaram em perigo. As apreensões começaram a dominar os pessedistas na noite de sábado, depois de divulgada a segunda nota oficial do ministro Milton Campos, a qual acusava o governador Mauro Borges de concentrar sua força policial em

> Goiânia e armar civis em seu estado. Tomando conhecimento do documento, o sr. Amaral Peixoto cancelou um pacífico programa familiar e passou a conferenciar com outros líderes do seu partido. Procurou contato imediato com o presidente Castello Branco e, pelo telefone, ouviu palavras tranquilizadoras. Mas os boatos continuaram, e coube-lhe então apelar para o bom senso de alguns elementos mais exaltados, inclusive o deputado Doutel de Andrade, líder do PTB, que já sugeria a convocação de uma sessão extraordinária do Congresso para domingo. Em sua palestra com o presidente, o sr. Amaral Peixoto recebeu convite para procurá-lo no Rio, ontem de manhã, o que fez em companhia dos srs. Joaquim Ramos e Ovídio de Abreu.

Mais abaixo, continua o noticiário:

> Se a impressão de alguns círculos, em Brasília, é de que o Supremo Tribunal Federal concederá o *habeas corpus* ao governador Mauro Borges, para que ele não seja processado pela Justiça Militar, em outros setores já se levantam algumas especulações sobre os efeitos de tal ato, se realmente verificado. Acredita-se que o ambiente de tensões poderá recrudescer, em virtude da reação de alguns líderes militares mais apaixonados. Dessa forma, espera-se que até amanhã, quando deverá ser julgado o recurso, a situação continue em compasso de espera. Na opinião de alguns juristas o governador Mauro Borges poderá ser processado simultaneamente na Justiça Militar e perante a Assembleia Legislativa. Nesta, pelo crime de responsabilidade ocasionalmente caracterizado em concurso com crimes militares no processo ora em fase de denúncia na sede da Auditoria Militar da 4ª Região, em Juiz de Fora.

Apesar da palavra empenhada pelo presidente Castello Branco, o mesmo *O Globo* do dia 19 informava:

A direção do PSD voltou a participar de um sentimento de apreensão, nas últimas horas, em relação ao caso de Goiás. Recém-chegado dos Estados Unidos, e antes de assumir o seu posto, o líder do partido na Câmara, deputado Martins Rodrigues, foi colocado a par dos acontecimentos, ouvindo de seus companheiros impressões nada otimistas quanto ao desdobramento da crise que envolve o governador Mauro Borges. Estão os pessedistas, como frisam, diante de dois tipos de constatações divergentes e não têm como fugir a uma conclusão pessimista: de um lado as palavras tranquilizadoras do presidente Castello Branco, repetidas há dias ao presidente do próprio PSD, de que nada se fará além dos estritos limites legais, e que o governo obrigará o acatamento das decisões judiciais, quaisquer que venham a ser. De outro lado observam, no entanto, o desenvolvimento progressivo de um esquema militar que vai aos poucos obstando os passos do sr. Mauro Borges. O coronel-aviador Haroldo Veloso (o líder das revoltas de Jacareacanga e Aragarças, durante o governo Juscelino) praticamente imobilizou o governador, ao apreender os aviões do estado, ao mesmo tempo que prossegue na atividade de patrulhar e esquadrinhar cada centímetro do território goiano, como em verdadeira operação de guerra. Paralelamente, tropas do Exército são reforçadas, guardando os entroncamentos rodoviários de Goiás, além de adotarem outras medidas.

Prossegue a reportagem, alinhando as queixas do maior partido nacional:

> Os pessedistas vão mais além do enfoque sobre a crise goiana. Notam em todo o processo uma preocupação maior de se atingir o partido na pessoa de seus líderes mais e até menos representativos. Tirante os primeiros atos da revolução, executados sob a vigência dos dispositivos excepcionais do Ato Institucional, relacionam só nas últimas semanas os seguintes acontecimentos: os ataques ao deputado Raniéri Mazzilli, presidente da Câmara (acusado num IPM de favorecer os fiscais de renda de São Paulo e, por isso, eleger-se às

custas deles), bem como ao deputado Ulysses Guimarães e outros, caso que foi entregue à Justiça comum em São Paulo. As acusações ao senador Auro de Moura Andrade, que obrigaram o imediato regresso ao país do presidente do Congresso, para uma defesa veemente e até violenta. O cerco ao governador Mauro Borges, incentivado ao máximo. As acusações que obrigaram a ida do senador Wilson Gonçalves ao Ceará, pois teve grande parte de seus líderes regionais sob a mira de elementos revolucionários. A divulgação de inquéritos a serem desenvolvidos contra o senador Filinto Muller, pelo simples fato de uma de suas filhas integrar o quadro de um dos departamentos subordinados ao Ministério da Viação e que esteve à disposição da presidência da República no governo passado. Por último, inclusive, impressões anunciadas por elementos radicais, de pretenderem não permitir a continuação do sr. Amaral Peixoto na primeira linha dos acontecimentos políticos, tendo em vista suas relações com situações anteriores. De todas essas constatações o PSD não tem como deixar de concluir: está em andamento um processo que visa atingir o partido, procurando alijá-lo da vida política, apesar de sua condição majoritária no Congresso. Os pessedistas acentuam não raciocinar sobre hipóteses, mas alguns de seus líderes chegam a admitir que, por trás de todas as articulações, esteja o receio de que as próximas eleições de 1966 tragam a vitória ao candidato à presidência da República a ser lançado por eles, e que, por sinal, ainda não foi escolhido.

Ainda um parágrafo no que pode ser considerado um desabafo do PSD:

> Objetivamente, sobre o caso Mauro Borges, o PSD apresenta dois raciocínios: o partido não tem como deixar de apresentar todo o seu apoio ao correligionário, pois a seção pessedista goiana é das mais fortes e representativas, e também porque após sua derrubada certamente virá o imprevisível, e, com ele, os pessedistas não se aventurarão a colaborar. A situação do governador está em mãos

da Justiça, e o Supremo Tribunal Federal deverá apreciar, nos próximos dias, o *habeas corpus* ali impetrado. Esperam que a concessão do recurso se dê pela unanimidade dos ministros, uma vez que os juristas por eles consultados não divergiram na afirmativa de que o caso não é da alçada ou competência da Justiça Militar. (...) As leis existem para ser cumpridas, mas os pessedistas, paradoxalmente, manifestam apreensões a partir da concessão do *habeas corpus*: como se comportarão os setores mais radicais? Que destino se dará ao aparato militar estabelecido no estado de Goiás? Seus articuladores concordarão em recolher, novamente, as tropas aos quartéis e os aviões aos hangares? E essa atitude não teria um inequívoco sabor de vitória para o governador Mauro Borges? A todas essas perguntas o PSD não responde. Vai simplesmente esperar.

Intranquilidade geral

Os dias seguintes foram piores, em matéria de apreensões nos meios políticos. Tinha-se apenas a impressão, depois confirmada pelos fatos, de que o presidente da República e o ministro da Guerra falavam em respeito às leis e prometiam não intervir em Goiás apenas para ganhar tempo, para mobilizar um tal aparato militar que desestimulasse qualquer reação por parte do governador Mauro Borges quando viesse a ser deposto.

No dia 21 de novembro, *O Estado de S. Paulo* divulgou a intenção do governo de reformular a Constituição de forma a retirar da alçada do Supremo Tribunal Federal o julgamento de casos ligados à segurança nacional, que ficariam afetos, em última instância, ao Superior Tribunal Militar, em maioria composto por oficiais-generais das três Forças. Do que mais se falava era de entendimentos entre os altos chefes militares e os juristas Francisco Campos e Carlos Medeiros e Silva, autores não só do Ato Institucional mas também da Constituição do Estado Novo, de 1937.

A 22 de novembro, véspera da decisão do Supremo Tribunal Federal, o presidente Castello Branco fez chegar aos líderes dos partidos a informação de que em hipótese nenhuma o governo determinaria a prisão do governador. Era uma espécie de novo compromisso, já preparado para vir na esteira do primeiro, não cumprido, de que não haveria intervenção em Goiás. Houve, assim que conhecida a sentença da mais alta corte nacional de Justiça, no dia 23.

Naquele dia, ainda sem que se soubesse do resultado da decisão do Supremo, *O Globo* publicou na primeira página, com grande destaque, entrevista exclusiva do jurista Francisco Campos, uma nítida tentativa de influenciar os votos dos ministros:

> O professor Francisco Campos disse ontem, a respeito do caso de Goiás, que mesmo que a Constituição daquele estado designe foro especial para julgamento do sr. Mauro Borges, a Constituição Federal define a competência da Justiça Militar para o julgamento dos crimes contra a segurança nacional, e, do confronto das duas Constituições, a precedência hierárquica é da Federal. Declarou: "Incurso na lei de Segurança Nacional e sujeito à jurisdição militar, não se justificaria, no caso do governador Mauro Borges, a competência da Assembleia Legislativa de Goiás para conceder licença a fim de ser ele processado."

Na entrevista, por sinal curta, o célebre "Chico Ciência", já velhinho, aproveitou para desmentir que estivesse redigindo um novo Ato Institucional e acentuou que só uma nova revolução o justificaria. Tampouco trabalhava no texto de uma nova Constituição. Também ressaltou que havia dois meses que não via seu amigo general Costa e Silva, ministro da Guerra.

Homens que não se curvam

Quem relatou o procedimento do Supremo no caso Mauro Borges foi Auro de Moura Andrade, em suas memórias:

> Como já se viu, o Supremo, àquela época, reunia um grupo de homens extraordinários, que por nada se curvavam ante a violência. O relator do processo foi o ministro Gonçalves de Oliveira, que concedeu a ordem por extensas e bem fundamentadas razões jurídicas que alinhou em seu voto. O ministro Evandro Lins, manifestando-se de acordo com o douto e brilhante voto do eminente ministro-relator, fundamentou com segurança a sua decisão e igualmente concedeu a ordem impetrada. O ministro Victor Nunes Leal seguiu os mesmos caminhos da verdade legal, concedendo a ordem, e assim o fizeram os ministros Hermes Lima, Villas-Boas, Cândido Motta Filho e Hahnemann Guimarães. O ministro Pedro Chaves, que São Paulo conhece pela sua inteligência, pela força de seus argumentos, pela solidez de sua cultura, e que fora elevado da presidência do Tribunal de Justiça de São Paulo para o Supremo Tribunal Federal, do mesmo modo que seus companheiros, prolatou seu voto favorável com tanto vigor e tanta certeza jurídica que, em certos momentos, chegou a emocionar a assistência e também alguns de seus pares. Encerrou-o com estas palavras: "Aí está o perigo da consumação da violência. Todo o cidadão tem o direito, assegurado pela Constituição, de só ser processado e julgado por juiz competente e na devida forma legal. Negar ao governador de um estado o foro a que tem direito pela prerrogativa de função que exerce e a que foi levado pelo voto do povo é sujeitá-lo a um processo segundo forma diferente daquela que é a forma legal no foro a que está sujeito, é violar um direito individual e atentar contra a autonomia do estado, caráter inerente à Federação. O perigo é iminente. Urge evitar a consumação da violência, ainda que hipotética."

Auro de Moura Andrade cita ainda a parte final do voto de seu conterrâneo:

> Recebi a revolução de 31 de março como manifestação da Providência Divina em benefício de nossa pátria. Não me mantive antes em atitude contemplativa. Tive a coragem de alertar a nação, em discurso de 11 de agosto de 1962, para o desfiladeiro tenebroso em que estávamos sendo conduzidos. Resta-me, ainda hoje, ânimo para conceder a ordem de *habeas corpus* que nos foi impetrada, para com ela salvar a ordem jurídica, único caminho pelo qual o eminente presidente da República poderá conduzir a nação brasileira.

Foi a 23 de novembro que o Supremo concedeu por unanimidade o *habeas corpus* ao governador Mauro Borges, decidindo ainda que nem a Justiça comum nem a Justiça Militar poderiam processá-lo sem o prévio assentimento da Assembleia Legislativa de Goiás. "E agora?" — conforme o noticiário político de *O Globo* no dia 24 — era a pergunta que mais se fazia em Brasília, no Rio e em Goiânia.

Imediatamente conhecida a decisão do Supremo, mais como bombeiro do que como incendiário, Castello Branco divulgou nota oficial, preparada desde a noite da véspera, quando, após uma sessão de cinema no Alvorada, Luís Viana participara ao presidente as previsões contrárias aos interesses do governo.

A primeira versão do documento, escrita pelo chefe da Casa Civil, desagradou os chefes da Casa Militar e do SNI. O general Geisel, dentro de suas peculiares características, disse ao presidente que a nota era muito "água-com-açúcar" e que a situação exigia algo mais contundente. Foi acatado. Todos os jornais do dia 24 a publicaram na primeira página. Nela, Castello acentuava o desejo de acatar as decisões judiciais, mas, ao mesmo tempo, enfatizava o propósito de que a revolução não transigiria com a ameaça representada pelo governo de Goiás:

Com essa ameaça não deve, não pode e não transigirá o governo da revolução. A democracia será mantida. E o governo sabe bem discernir entre oposição e contrarrevolução. Seria impatriótico permitir que, tentando abrigar-se nos refolhos da lei, pudessem os adversários da revolução preparar livremente a sua destruição. De fato, eles não o farão. Pode, pois, a nação estar certa de que, dentro das atribuições conferidas pela Constituição e as leis, há uma determinação para impedir que subsista a atual ameaça à integridade e ao futuro da revolução.

Mais claro o presidente não podia ser. Naquele mesmo dia 24 reuniu o ministro da Justiça, Milton Campos, e os líderes Daniel Krieger e Pedro Aleixo. No dia seguinte, ouviu os militares, entre eles os generais Ademar de Queirós, Cordeiro de Farias, Golbery do Couto e Silva e Ernesto Geisel. A intervenção foi decretada a 26 de novembro, e por sessenta dias — não por quinze, como pretendia Castello. Estava desde muito planejada e preparada pelo coronel Meira Matos, da Casa Militar, a quem coube executá-la. Os rumores eram de que Mauro Borges resistiria, mobilizando-se assim, segundo Luís Viana Filho, um aparato militar muitas vezes superior ao necessário, ou seja, "àquele de que disporiam os adversários", e que, verificou-se, era nenhum. Tanques rolaram suas esteiras pelas avenidas de Goiânia, soldados armados de fuzis e metralhadoras policiavam cada esquina do centro da cidade e até um batalhão de paraquedistas sobrevoou a capital de Goiás, tudo para mostrar a inutilidade de uma resistência que não havia.

Mauro Borges deixou o palácio das Princesas, ocupado pelo coronel Meira Matos, retirando-se para sua residência particular. Dias depois, por exigência do interventor e sob a ameaça de fechamento, a Assembleia Legislativa votaria o impedimento do governador e de seu vice, sendo eleito um novo chefe do executivo estadual. Foi o marechal Emílio Ribas Júnior, indicado pelo palácio do Planalto, que completou o mandato de Mauro Borges, então processado e absolvido pela Justiça Militar. O novo governador, viúvo, passaria à crônica do estado por haver se casado no exercício do mandato com uma senhora algumas décadas mais jovem. Passou a lua de mel na Pousada do Rio Quente, complexo hidrotermal a duas horas de Goiânia. Lá, até hoje, pode-se frequentar um poço de águas vulcânicas cuja temperatura nunca é inferior aos quarenta graus, apelidado de "poço do governador" por suas qualidades afrodisíacas...

Explicações ao PSD

O presidente da República, preocupado com a reação do PSD, partido ao qual Mauro Borges pertencia, escreveu carta ao deputado Amaral Peixoto, explicando a intervenção. Referiu-se, sem particularizar, a uma ação armada que o já ex-governador estaria preparando e que "seria um foco de perturbação da integridade nacional e das realizações pacíficas da revolução".

Amaral Peixoto deixou para responder apenas no final de janeiro, "quando as paixões serenaram", e renovou o apoio do PSD ao governo, tendo em vista "os altos interesses nacionais que exigem de todos nós compreensão e espírito de sacrifício". Os dois textos seriam publicados na biografia do primeiro general-presidente, escrita por Luís Viana Filho.

Algumas feridas custariam a cicatrizar. Parte da bancada pessedista, por exemplo, mobilizou-se para derrubar a intervenção na Comissão de Constituição e Justiça da Câmara, que dera parecer favorável à suspensão do ato presidencial. No plenário, o governo ganhou, e a disposição foi aprovada por 192 votos contra 140. No Senado, não houve problema para a aprovação.

CARLOS CHAGAS

Aproveitando a oportunidade

Logo que decretada a intervenção federal em Goiás, diversos governadores, com as barbas de molho ou vislumbrando no episódio uma forma de melhor se afirmar junto ao poder revolucionário, saíram em apoio à decisão do presidente Castello Branco. Por telegramas ou mensagens escritas que fizeram chegar ao palácio do Planalto, solidarizavam-se com a degola de Mauro Borges: Lomanto Júnior, da Bahia, Virgílio Távora, do Ceará, Paulo Torres, do Rio de Janeiro, Paulo Guerra, de Pernambuco, Jarbas Passarinho, do Pará, Petrônio Portella, do Piauí, e Edgar Cerqueira, do Acre. Por telefone, manifestaram-se Carlos Lacerda, da Guanabara, Magalhães Pinto, de Minas, e Ademar de Barros, de São Paulo.

A louvação dos governadores levou Castello a tranquilizá-los com uma declaração que *O Globo* de 28 de novembro publicou com destaque:

> A líderes mais chegados que com certa ansiedade lhe perguntam sobre as perspectivas abertas com o afastamento do sr. Mauro Borges do governo de Goiás, o presidente Castello Branco tem respondido: "Pode estar certo de que não haverá nenhum *próximo* na medida em que essa previsão envolva a predisposição de possibilidades de atos revolucionários sobre outros governadores. O caso Mauro Borges foi especialíssimo, tratando-se de pessoa seriamente implicada em processos de subversão."

Cadernos de Prestes

A cúpula do Partido Comunista estava sendo cassada. Luiz Carlos Prestes e seus companheiros haviam caído na clandestinidade já a 1º de abril de 1964. A polícia política movia férrea perseguição a todos, para não falar no SNI e nos serviços de informação das Forças Armadas. Ainda em maio quase prenderam Prestes, em São Paulo; os policiais chegaram minutos depois num "aparelho" onde o secretário-geral do PCB se escondia. Apesar do silêncio na imprensa, os rumores eram de que, na pressa da fuga, Prestes deixara para trás seus cadernos de endereços, nos quais constariam nomes os mais variados e que, portanto, logo seriam procurados, muitos presos e levados a depoimento. O maior temor então consistia em estar listado nos "cadernos de Prestes". A possibilidade servia para intranquilizar muita gente, e boatos sobre a presença de Fulano ou Beltrano naquela relação eram ventilados como forma de atingir adversários.

Na Bahia, a 28 de novembro, o governador Lomanto Júnior declarou para *A Tarde*:

> Consta-me que nos cadernos do sr. Luiz Carlos Prestes haveria realmente o nome de dois governadores, um acusado de subversão e o outro de corrupção. A primeira vaga já foi preenchida. Não será na Bahia que se encontrará candidato para a segunda!

A reação do Supremo

E o Supremo Tribunal Federal, como reagira ao decreto de intervenção em Goiás? Afinal, tratava-se de um ato contrário à sua decisão unânime de fazer justiça a Mauro Borges.

A propósito, o *Correio Braziliense* de 27 de novembro de 1964 publicou:

> O ministro Ribeiro da Costa, presidente do Supremo Tribunal Federal, acentuou ontem que se pretende atualmente fazer com que o STF dê a impressão de ser composto por onze carneiros que expressam sua debilidade moral, fraqueza e submissão. No entanto,

o povo pode se convencer de que o Supremo é composto por onze leões, o que quer dizer, dotados de fortaleza moral. Adiantou que o povo deve contar, nas suas horas mais difíceis, com o STF, que tendo os olhos na Constituição, e somente nela, decidirá sempre com independência e altivez as questões levadas ao seu exame. Acrescentou que, no caso do governador Mauro Borges, o Supremo decidiu pela única forma cabível, dentro da Constituição, e contra consideráveis interesses políticos. A pessoas de sua intimidade, o sr. Ribeiro da Costa tem salientado sentir-se agastado com a atual situação, embora tenha apoiado inteiramente a revolução e continue apoiando o presidente Castello Branco. Sobre a atitude do sr. Carlos Lacerda, pedindo a suspeição de cinco ministros do STF, acentuou: "Trata-se de coisa de um demente." Ressaltou que os cinco ministros referidos pelo candidato à presidência da República eram dignos do maior respeito, juristas de alto valor moral e intelectual que não merecem imputações violentas e covardes. Entende que o autor do pedido de suspeição é um homem integrado num único lema, o do "crê ou morre", e, por isso, não admite soluções contrárias ao seu pensamento.

Ademar faz coro

Ademar de Barros jamais se sentira confortável frente ao novo governo. Fingia não ver nem ouvir, mas ouvia e via perfeitamente o desdém com que os militares o tratavam por conta da imagem construída a seu respeito ao longo das décadas, a do político "que rouba mas faz", para dizer o mínimo. Sabia muito bem que estava permanentemente na alça de mira da linha-dura e até dos mais próximos auxiliares do presidente Castello Branco. Para não falar do próprio. Era tolerado, apenas.

Começou a reagir. A 26 de novembro de 1964, *O Globo* publicaria o texto da conferência feita pelo governador paulista, no Rio, para as dondocas da Campanha da Mulher pela Democracia (CAMDE), do qual se destacam alguns trechos:

> A mulher brasileira deve levantar mais alto do que nunca o seu rosário, pois a hora não é de desmobilização, mas de permanência nas estacadas cívicas, integrando-se na cruzada pela paz porque a hora é de concórdia, tornando-se imperioso que o diálogo político não seja impregnado pelo ódio e pela radicalização.
>
> (...) Não creio nos líderes carismáticos ou em falsas vestais do puritanismo, mas na tolerância, na compreensão e na justiça serena e imparcial que não se verga. A República é regida por três poderes, e se oficializarmos um quarto não seremos uma democracia, mas uma farsa. Fui cognominado de "tigre malaio" e advirto que um tigre não se deixa cavalgar ou acicatar. Pode ser abatido de tocaia, de emboscada, nunca subjugado. Mais do que vinditas e agitações passionais, é preciso compreender e perdoar.
>
> (...) Não nos imponham o monólogo, mas o diálogo, porque democracia é o debate, a controvérsia, o direito sagrado de crítica e de defesa. Mulheres do Brasil: não permitam a incompreensão e a intolerância. Não devemos nos converter em ilhas açoitadas pelos vendavais da ira. Fora da lei não há salvação. (...) O Brasil não pode ser desfigurado pela sanha fratricida. São Paulo é um oásis onde há bonança e alegria, pois a tempestade lá não chegará. Ninguém bradará "Saulo, Saulo, porque me persegues?" Fizeste uma revolução sem sangue porque entregaste os destinos de nossa pátria à Virgem padroeira. Quando nós, homens, empunhamos as armas, o inimigo já estava vencido, derrotado pelas mulheres.
>
> (...) Em São Paulo, durante o primeiro mês da revolução, congelei preços para evitar a especulação desenfreada que então se prenunciava. Os preços foram congelados sem que houvesse falta dos produtos necessários à alimentação. (...) Não é possível permitir que o custo de vida cresça continuadamente como vem ocorrendo, especialmente no que se relaciona aos produtos de consumo obrigatório. Como será, porém, possível deter o custo de vida se os im-

postos crescem, se o preço da gasolina aumenta em elevada escala? Elevar impostos, tem sido provado, não é boa política econômica. (...) Nas democracias o desenvolvimento econômico não é um fim em si mesmo. É um instrumento para ajudar o povo.

Infelizmente, os economistas do governo federal têm demonstrado não pensar dessa forma. Em suas pregações, esquecem a difícil realidade vivida pelo povo. Parecem ter a impressão de que os trabalhadores, os comerciários, os bancários e os servidores públicos dispõem de reservas que lhes irão assegurar a tranquilidade até que seja anunciada a data para a desejada estabilidade econômica sem inflação e com preços estáveis. (...) Enquanto os salários sobem pela escada em caracol, os preços sobem de elevador.

Era a primeira estocada do governador na política econômica de Roberto Campos. Integrava-se assim, pois, à posição já adotada por Carlos Lacerda e Magalhães Pinto. Calculavam, os três maiores líderes civis da revolução, que logo a tempestade se voltaria contra eles e seus planos políticos para o futuro.

Candidatura na baixa

No dia 2 de dezembro, *O Globo* publicou:

> Voltou a agitar a UDN a atitude hostil do governador da Guanabara, que passou de suas investidas contra o Supremo Tribunal Federal (havia pedido a punição de cinco de seus onze ministros, que acusava de inimigos da revolução) a ataques violentos a ministros do governo e, não muito velados, ao próprio presidente Castello Branco. A impressão de líderes udenistas é de que a atuação do sr. Lacerda não deixará de ter continuidade e consequências, isto é, vai desdobrar-se com toda a veemência, marcando cada vez mais suas divergências com o governo e a revolução. A partir dessa constatação, e mesmo sem compreender completamente os objetivos finais

A DITADURA MILITAR E OS GOLPES DENTRO DO GOLPE: 1964-1969

> de seu candidato, a UDN se deixou dominar por um ambiente de perplexidade frente ao dilema do qual não pode mais fugir: ficar com o governo ou com o seu candidato. A nenhum dos dirigentes da UDN o sr. Lacerda deu conhecimento antecipado de sua nova linha de conduta. (...) Foi recebida com repulsa nos círculos jurídicos de São Paulo a afirmação do governador Carlos Lacerda, em entrevista concedida anteontem, de que não acataria a decisão do STF relativamente à aplicação de dispositivos do Ato Institucional sem a devida autorização legislativa. O prof. Miguel Reale, ex-secretário de Justiça, disse estar de pleno acordo com a decisão do Supremo.

No dia 3, a *Última Hora* apresentaria nota oficial e uma entrevista do líder do PTB, Doutel de Andrade, que se julgava no dever de denunciar mais uma impostura do governador carioca:

> Impõe-se arrancar novamente a máscara do incorrigível tartufo. Sua insólita agressão ao Supremo Tribunal Federal não é fruto apenas da insânia, mas audaciosa manobra política realizada com a falta de escrúpulos e o cinismo que o caracterizam. (...) Somos oposição, mas oposição clara, firme e irredutível às injustiças e à política do atual governo, contrário ao povo e aos interesses nacionais. Nossa oposição, porém, nada tem de subversiva. Não nos interessam a desordem, o terrorismo, a insurreição e a ilegalidade. (...) A menos que o marechal Castello Branco deseje, quando de seu julgamento pelo tribunal da história, também o melancólico papel de ter sido o Hindemburgo de um novo Hitler.

A lenta formação de mais um adversário

O *Jornal do Brasil* do dia 4 relatava o encontro havido, na véspera, entre o governador Magalhães Pinto e o ministro Milton Campos, em Belo Horizonte. Disse o governador que a posição de Minas era de inteira solidariedade ao presidente Castello Branco e à revolução. Demonstrou ao ministro a sua repulsa ante os violentos ataques do sr. Lacerda ao governo.

Discordar de aspectos da política federal — salientou — era um direito de qualquer brasileiro e de qualquer revolucionário. Ele mesmo opunha restrições ao encaminhamento da política econômico-financeira. No entanto, acima das divergências — insistia o governador — deveria existir uma identificação plena entre os verdadeiros revolucionários, para que se pudesse levar adiante o programa de recuperação nacional.

Castello sente-se atingido

Carlos Lacerda, porém, continuava escrevendo ao presidente, sempre batendo firme na política econômica e em Roberto Campos. A 28 de novembro, queixou-se da desnacionalização da indústria, da importação de máquinas usadas dos Estados Unidos e da venda de terras a estrangeiros, sem perdoar, também, Jorge Serpa, Walter Moreira Sales, Roberto Marinho e os ministros Otávio Bulhões e Mauro Thibau — a todos acusando de negocistas.

No final, conforme relataria Luís Viana, acrescentou o governador carioca:

> Está em jogo a dignidade do governo, e, com ele, a autenticidade da revolução. V. Exa. não precisa que lhe diga o quanto confio em sua dignidade e na limpidez de seu patriotismo. É para tais sentimentos que apelo, para que destrua essas alegações, já comprovadas, ou tome as providências que delas naturalmente decorrem.

Dois dias depois, a 30 de novembro, nova carta, mais agressiva:

> Não posso mais calar minha reprovação à política econômica que está sendo imposta à revolução pela inexplicável ascendência, inacessível à crítica construtiva, impermeável à razão e ao bom senso, que tem no seu governo elementos comprometidos com as ideias e métodos do adversário, como é o caso do sr. Roberto Campos.

Castello, daquela vez, queimou-se. Replicaria respondendo às críticas do governador numa carta datada de 3 de dezembro de 1964, também reproduzida por Luís Viana Filho:

> Respondo à sua carta de 28 do mês último e o faço pelo compromisso pessoal que lhe expressei por telefone de Brasília, no dia seguinte ao recebimento. Apesar da descortês sentença, constante de sua carta complementar, de 30 do mesmo mês, para cientificar-me de que os problemas que está levantando "não precisam de contestação", eu preferi, assim mesmo, enviar-lhe esta resposta. Quanto às suas críticas acerbas e injustas, esclareço o seguinte: 1. "A política do governo conduz o país a um desastre nacional e internacional". Estou honestamente convencido do contrário, e nisso sou apoiado por muita gente de alto valor, não pertencente ao ministério. (...) 2. "Dois ministros de estado fazem a proteção da Hanna". Isso é muito mais contra mim do que contra dois ministros. Seria muito grave se tal acontecesse. As informações que chegam ao seu conhecimento são mentirosas. (...) A acusação do senhor governador ultrapassa os dois ministros e atinge em cheio outros ministros e o presidente da República. Creia, senhor governador, nós também temos fibra e espírito público para tratar dos interesses nacionais. 3. "Está em jogo a dignidade do governo e, com ela, a autenticidade da revolução". É o que pensa, sem razão e sob a forma inusitada de um insulto, um dos mais eminentes chefes da revolução. Isso é o que pensa o senhor governador. Mas o que se passa é isto: não periclita a dignidade do governo, e a revolução não está sendo coberta de indignidade. Não periclita, mesmo, com os seus renovados e redobrados ataques. A

nossa conduta assenta em seriedade e em homens sérios. Se algum dia tomar parte em nossos estudos e decisões, a sua honradez não irá corar. (...) Li ontem, penosamente, o seu artigo da *Tribuna da Imprensa*, sem compreender os motivos que o ditaram, nem atinar com o objetivo dos inesperados ataques ao meu governo e à minha pessoa. Eu deploro a sua resolução de se associar à campanha que a *Tribuna da Imprensa* empreende contra a ação governamental e, pessoalmente, contra o chefe do governo. É, sem dúvida, um direito seu. (...) As provocações já são inúmeras. Mas eu, além de não me intimidar, não perderei a serenidade e a dignidade do meu cargo. Não desejo absolutamente entrar em polêmica. (...) Expresso o meu profundo pesar por perder a ajuda de um dos mais autênticos e históricos revolucionários e ao mesmo tempo por ganhar um oposicionista. A iniciativa é do senhor governador.

Apagar o fogo

No dia 3, à noite, comparecendo à TV-Rio, e já tendo recebido a carta de Castello Branco, Lacerda não recuaria. Em entrevista-pronunciamento, continuou agredindo Roberto Campos, denunciou o que disse ser "a negociata da Hanna" e até perdeu a serenidade, batendo diversas vezes com os punhos na mesa. Foi quando pela primeira vez, de público, repetiu imagem que já fazia em particular. Chamou o presidente de "anjo da rua Conde Laje", menção às casas da zona de baixo meretrício, na Lapa. Nas paredes das salas onde as moças alegres esperavam clientes, havia sempre um anjo num pequeno oratório.

O ministro do Planejamento, no dia imediato, replicou, dando asas à sua malícia, pois levara uma Bíblia, e leu trechos do Eclesiastes e do Sermão da Montanha, inclusive aquele que diz serem bem-aventurados os pobres de espírito.

Percebendo que a carta do presidente significava o rompimento com o governador, apesar de nenhum jornal ter chegado a publicá-la, amigos comuns tentariam apagar o perigoso incêndio que ameaçava queimar as relações entre eles. Abreu Sodré, Armando Falcão, Danilo Nunes, Prudente de Moraes Neto e outros.

Lacerda contaria ao *Jornal da Tarde* que, a 5 de dezembro, ainda se encontrava em seu apartamento na Praia do Flamengo, pela manhã, quando irrompeu sala adentro Júlio de Mesquita Filho, recém-chegado de São Paulo, afirmando, emocionado, que a revolução não poderia dividir-se e que ele não tinha o direito de investir contra Castello Branco, o que promoveria um rompimento. Ainda que de má vontade, ali mesmo Lacerda pegou a máquina de escrever e redigiu curta mensagem de conciliação ao presidente. O dr. Julinho pegou o papel, assinado pelo governador, e dirigiu-se ao palácio Laranjeiras. Depois de ler, Castello comentaria "o quanto o Brasil devia e mais deveria a Carlos Lacerda pelo seu patriotismo e espírito público".

Luís Viana daria outra versão, comentando que o leão vestia a pele de cordeiro e reproduzindo alguns parágrafos da carta que chama "de falso arrependimento":

> (...) de sua carta o que mais me impressionou foi sua reação de mágoa e até de revolta ante o que reputou insultuoso à sua intenção e à sua conduta. Isso seria muito grave para mim, pelo apreço que lhe demonstrei e que mantenho. E ainda mais grave para a sorte da revolução e do país a que ambos servimos. Não posso dar maior prova de sinceridade para com o amigo, e de responsabilidade para com o Brasil, de que entregar em suas mãos a decisão dos assuntos que motivaram a minha divergência, que não é passional nem motivada por qualquer interesse que não seja o seu êxito, que é o de todos nós. (...) V. Exa. receba estas minhas palavras como o sinal da minha amizade e da minha confiança na sua integridade. Se é isso que lhe faltou, aqui o tem. V. Exa. merece isso. E ainda mais, o Brasil. Seria injusto não acrescentar que devo estas palavras ao bom conselho dos que são melhores do que eu. Com um aperto de mão, aceite a amizade do Carlos Lacerda.

Duraria pouco a trégua, porque, como é natural, não ficariam de braços cruzados os ministros, empresários e jornalistas objetos dos virulentos ataques do governador carioca. Uniram-se num denominador comum, no caso, a necessidade de reagir, até de se vingar de Lacerda, sempre buscando deixá-lo mal com o presidente Castello Branco. Até o intrigando, do que viria a se queixar muitas vezes. Colhia o que plantara, pois sabedor de que o grupo palaciano que cercava o presidente também o detestava, a começar pelo trio Luís Viana-Ernesto Geisel-Golbery do Couto e Silva, dispostos a barrar-lhe todas as possibilidades de se tornar o próximo presidente da República.

Ainda demorava, no entanto, o rompimento definitivo, quando Lacerda se livraria de todas as restrições e passaria a chamar Castello Branco de "Napoleanão", a maior ofensa possível, dada a vaidade do presidente e seu próprio reconhecimento de ser um dos mais feios generais do Exército. Pior ainda ficaria, porque o governador adiante diria que Castello não era mais o "anjo da rua Conde Laje", quieto na parede dos prostíbulos, mas descera e se tornara uma das moças alegres daquelas casas...

Calmaria antes da tempestade

Na edição de *O Globo* de 5 de dezembro, informava a reportagem política que a carta do presidente Castello Branco a Carlos Lacerda fora identificada como mais uma etapa no processo irreversível de rompimento entre eles, mas que o chefe do governo, por sua vez, não queria se precipitar. Através do secretário de Imprensa, José Wamberto, o presidente pedia para lhe ser atribuído o raciocínio de que nunca se ouvira dizer de um porto separar-se de um navio: "Este, sim, é que rompe suas amarras e, pela força de suas próprias máquinas, abandona o refúgio seguro para ganhar os mares tempestuosos. Aliás, para navios de tais características, a fuga para o oceano chega a ser uma fatalidade."

O Estado de S. Paulo omitiu a participação de Júlio de Mesquita Filho na tentativa de evitar o rompimento de Lacerda com Castello, certamente por modéstia do jornalista, mas, a 7 de dezembro, saudaria a receptividade com que o presidente recebera o *mea-culpa* do governador. Noticiou que estava sustada e superada a crise, não fazendo coro com outros jornais, como o *Correio da Manhã*, que sustentava ter havido apenas uma trégua, pronta para ser rompida por Carlos Lacerda assim que começasse o novo ano. Ou até antes, porque o episódio revelaria apenas a calmaria antes da tempestade.

Reação dos ministros

Os ministros Roberto Campos, Otávio Gouveia de Bulhões e Mauro Thibau haviam sido acusados de corrupção por Carlos Lacerda, que lhes atribuiu favorecimento à multinacional Hanna. A 7 de dezembro, segundo noticiariam quase todos os jornais, eles enviaram representação ao ministro da Justiça, Milton Campos, para que processasse o governador carioca por crime de calúnia. Milton endereçou o expediente ao consultor-geral da República, Adroaldo Mesquita da Costa, para que emitisse parecer.

Reforma eleitoral

O Globo também publicou, na edição do dia 7, que o presidente Castello Branco encomendara ao Tribunal Superior Eleitoral um estudo com sugestões para a reforma eleitoral. Uma das ideias do TSE, que o governo apoiava, consistia em reduzir o tempo para as campanhas, que deveriam desenvolver-se em prazos restritos, impedindo que sua deflagração prematura prejudicasse a administração pública:

> A luta política acirrada, segundo a Justiça Eleitoral, não deve tornar impossível que se respire, no país, outro clima que não o sucessório. Fala-se num prazo de três a seis meses, mas imediatamente surge uma questão: valeria a reforma, mesmo aprovada pelo Congresso, para a campanha presidencial de 1966? E que efeitos ela despertaria no quadro político atual? Deverá atingir os candidatos já lançados e em campanha, como Carlos Lacerda, pela UDN, e Ademar de Barros, pelo PSP? Tornará nulas as convenções já realizadas para o lançamento de candidatos?

Milton Campos, em entrevista, acentuou que não havia, de parte do Executivo, o propósito de atingir qualquer dos candidatos já lançados, ainda que surgisse uma dúvida: o ato jurídico perfeito teria se completado com as convenções, lançando candidatos, ou apenas aconteceria quando do registro das candidaturas, previsto pela lei anterior para ocorrer apenas em março?

Essas questões exasperavam Carlos Lacerda e, sem sombra de dúvidas, serviam para inquietá-lo. Parte da UDN saiu a campo, sob a liderança do deputado Ernâni Sátiro, para dizer que o partido não permitiria a anulação da convenção de novembro, que indicara o governador carioca, não porque temesse os resultados de novo escrutínio, mas porque a nova lei não poderia atingir atos jurídicos perfeitos.

Muita gente via, naquelas manobras, o dedo do general Golbery do Couto e Silva, a quem Lacerda acusava de trabalhar em tempo integral contra sua candidatura. Tinha razão.

Uma dúvida também preocupava as lideranças políticas: falava-se na necessidade da coincidência de mandatos estaduais. Em onze estados, haveria eleições para governador em 1965. Nos outros, tais se realizariam em 1966, conforme os períodos administrativos dos dois grupos, os primeiros de cinco e os demais de quatro anos. Fazer o quê?, especulava-se. Prorrogar por um ano os mandatos dos governadores que deixariam seus cargos em janeiro de 1966 ou encurtar aqueles que iriam até janeiro de 1967?

O lento afastar de Magalhães

Num estilo bem diferente do de Carlos Lacerda, Magalhães Pinto também vinha emitindo sinais de discordância com a política econômica de Roberto Campos. O governador mineiro não agredia o presidente Castello Branco, ou, se o fazia, era "mineiramente", isto é, nas entrelinhas e nos comentários reservados. Claro que as relações entre os palácios da Liberdade e do Planalto também acabariam por se deteriorar, mas bem mais tarde. Desde o início do governo Castello que Magalhães expunha, em cartas ao presidente, suas posições políticas e administrativas. Ficou contra o lançamento prematuro de candidaturas à sucessão, depois da prorrogação do mandato de Castello Branco, certamente porque a UDN preferira insistir e indicar o governador da Guanabara, e não ele. Nesse aspecto, manteve uma aliança tática com o presidente da República.

O Globo de 17 de dezembro de 1964 publicaria que, em rápida passagem pelo Rio de Janeiro, o governador de Minas fizera chegar carta ao presidente, ponderando sobre a política de minérios do ministro do Planejamento, que acabara de beneficiar a Hanna, empresa americana à qual estavam ligados alguns expoentes nacionais, como Augusto Frederico Schmidt. Escreveu:

> As circunstâncias destinaram a V. Exa. a responsabilidade de tomar uma decisão de repercussões a curto e a longo prazo, que influirá na industrialização e no desenvolvimento econômico do país. A solução que se adotar, qualquer que ela seja, não deverá con-

correr para a formação de fato em favor de companhias estrangeiras, notadamente a Hanna Corporation, do qual resultaria a permanência do Brasil na condição de mero fornecedor de matéria-prima. Inquéritos de opinião pública, realizados com isenção, indicaram as tendências do povo para uma direção contrária às concessões à Hanna, já altamente favorecida pelo volume e riqueza das jazidas que graciosamente lhe foram concedidas, sem nenhuma contrapartida para Minas Gerais. Homem público de rara visão, sabe muito bem V. Exa. que não se deve contrariar o sentimento popular, sem que para isso concorram manifestas e invencíveis razões de ordem pública. (...) A história oferece repetidos exemplos de resistência a determinados tipos de penetração econômica estrangeira para assegurar-se a independência econômica e o progresso do país. São posições nacionalistas que se impõem como meio de prevenir, em momentos críticos, o estabelecimento de bases de dominação da economia interna por forças externas, alheias e insensíveis aos interesses da nacionalidade. Tais atitudes não significam, entretanto, repúdio à colaboração e ajuda externas de que tanto precisamos (...). Não desejo, senhor presidente, cingir-me ao terreno da crítica. (...) A revolução não deve comprometer-se em sua projeção histórica com um esquema que, no futuro, venha a ser repudiado pelas novas gerações. A curto prazo considero oportuno sugerir: expedição de decreto em que se declare a caducidade das concessões que não estejam sendo corretamente exercidas (...), a suspensão de novas concessões ou autorizações e, consequentemente, a reincorporação ao patrimônio público das reservas que ainda se possam salvar da gratuita e indiscriminada concessão.

No dia seguinte, o presidente Castello Branco receberia o senador João Agripino, da UDN da Paraíba, ministro de Minas e Energia no governo Jânio Quadros, para conversar sobre a política de minérios. Em seguida, reuniria o Conselho de Segurança Nacional. Resultado: foram mantidas, e mais tarde seriam até ampliadas as concessões à Hanna. Roberto Campos vencera mais uma.

A DITADURA MILITAR E OS GOLPES DENTRO DO GOLPE: 1964-1969

Ninguém se entende

Continuava fervendo a questão sobre o que fazer diante das eleições de governador em onze estados, marcadas para 3 de outubro de 1965. Seus governadores, cinco pertencentes à UDN (Aluízio Alves, do Rio Grande do Norte, Luís Cavalcanti, de Alagoas, Carlos Lacerda, da Guanabara, Magalhães Pinto, de Minas Gerais, e Fernando Correia da Costa, do Mato Grosso), obviamente se inclinavam pela prorrogação dos mandatos, à semelhança do que acontecera com o mandato do presidente da República.

Bastava essa tendência, porém, para colocar o marechal Castello Branco do lado oposto, ou seja, prorrogação, só a dele. O presidente abria, então, o leque de opções: os vice-governadores poderiam ser chamados a completar o ano prorrogado; cada Assembleia Legislativa elegeria um governador-tampão; assumiriam os presidentes das assembleias legislativas; ou, finalmente, as eleições se realizariam conforme a lei, pelo voto direto, na data fixada pela Constituição.

Era impossível encontrar unanimidade nos onze estados e no plano federal a respeito. Cada grupo, dentro de cada partido, tinha seus interesses.

Ademar na frigideira

O governador Ademar de Barros continuava fingindo não perceber a profunda má vontade que tinham para com ele os setores militares, em especial os mais radicais. Recuara, ao não colocar sua campanha presidencial na rua, ao contrário de Carlos Lacerda. Desdobrava-se em declarações favoráveis ao presidente Castello Branco. No sábado, 19 de dezembro de 1964, reuniria os jornalistas políticos do Rio, Belo Horizonte e Brasília para um almoço em São Paulo.

O *Jornal do Brasil* do dia 20 registrava suas opiniões, expressas no encontro:

> Concordou plenamente com a tese da limitação das campanhas, segundo se propunha na reforma eleitoral. Só seis meses antes da eleição os candidatos deveriam estar liberados para se apresentar. (...) Mostrou-se disposto até a anular a convenção do PSP que o havia lançado, ainda no governo João Goulart. (...) Entende ser o momento de união em torno do presidente Castello Branco para a realização da obra revolucionária. (...) Não se negou a responder ao noticiário de alguns jornais que o apontam como o próximo governador a sofrer sanções revolucionárias e a perder o mandato: "Não vejo motivos para isso. Fui revolucionário muito antes da maioria dos integrantes do movimento democrático. No auge do prestígio do governo passado, era eu quem comparecia à televisão e ao rádio para atacar de frente o processo de subversão em desenvolvimento." (...) Revelou que certa feita foi convidado por Leonel Brizola para uma conversa secreta, onde o cunhado do presidente o convidou para assinar um manifesto pedindo a decretação da República Sindicalista do Brasil. (...) Colocou o general Cordeiro de Farias a par da conversa. (...) Finalizou dizendo que os invejosos e os intrigantes não conseguiriam tirá-lo do palácio dos Campos Elíseos e que qualquer ação precipitada contra ele determinaria uma reação em cadeia nos próprios setores revolucionários e populares.

O final da reportagem ainda registrava:

> Ao almoço oferecido pelo sr. Ademar de Barros à crônica política compareceram perto de cem jornalistas. O governador foi saudado pelos srs. Murilo Antunes Alves, em nome dos jornalistas de São Paulo, Lamartine de Godói, pelos jornalistas mineiros, e Carlos Chagas, pelos jornalistas do Rio de Janeiro.

A DITADURA MILITAR E OS GOLPES DENTRO DO GOLPE: 1964-1969

Um lacerdista presidirá a UDN

A edição de *O Globo* que circulou no dia de Natal revelaria que era já trabalhada a candidatura do deputado Ernâni Sátiro, da Paraíba, na UDN, para substituir Bilac Pinto, cujo mandato de presidente do partido se encerraria em janeiro.

O "amigo velho", como era conhecido, por dirigir-se assim a todo interlocutor, não escondia sua tendência pela candidatura presidencial de Carlos Lacerda, já então erodida e até combatida pela maioria da cúpula udenista. De Bilac Pinto a Pedro Aleixo, de Adaucto Cardoso a Aliomar Baleeiro, Afonso Arinos, Paulo Sarazate, Dinarte Mariz e muitos outros, a palavra de ordem era uma só: entre Castello Branco e Carlos Lacerda, ficariam com o presidente da República.

A mosca azul voava meteoricamente entre o palácio do Congresso, em Brasília, e um edifício na rua do México, no Rio, onde funcionava a sede do partido...

Material combustível

No último dia do ano, *O Globo* noticiaria a decisão do deputado Raniéri Mazzilli, apoiado pela direção do PSD, de ir à luta contra o sistema revolucionário, não recuando de sua candidatura a mais um mandato como presidente da Câmara. Protestava contra o rótulo de antirrevolucionário que lhe queriam pregar na testa, pois cumprira o seu dever em todos os acontecimentos políticos de que participou como presidente da Câmara.

Na véspera, o também pessedista, mas dissidente, deputado Peracchi Barcelos, se declarara candidato irreversível, mas todos sabiam que, se insistisse, perderia na bancada do PSD e, depois, mais fragorosamente ainda, no plenário.

Nos corredores do palácio do Planalto já se tratava do lançamento da candidatura do deputado Bilac Pinto como o anti-Mazzilli, reavivando a velha disputa entre PSD e UDN.

Bomba no Ano-Novo

Passadas as festas de fim de ano, mais recrudesceria o noticiário político. O presidente Castello Branco fez chegar aos jornais, através de confidências do deputado Adauto Lúcio Cardoso, o primeiro sinal de que os militares tinham vindo para ficar. Essa interpretação, é claro, contrariava não apenas informações, mas posicionamentos claros que o presidente adotaria depois, mesmo malogrados, em favor de uma candidatura civil para substituí-lo. Mais uma evidência de que política não se faz em linha reta. O noticiário de *O Globo* do dia 5 de janeiro de 1965, contudo, não deixava dúvidas:

> O presidente Castello Branco teceu algumas considerações sobre o problema sucessório num encontro que teve há dias com destacado líder udenista, voltando a repetir que a precipitação das campanhas não terá como deixar de prejudicar sua obra de governo. Mostrou-se preocupado com o rumo que os acontecimentos poderão tomar no corrente ano, de vez que os próximos doze meses deverão ser inteiramente dedicados à obra de recuperação nacional. Se no seu curso sobrevierem as disputas político-partidárias e as acirradas lutas eleitorais, a revolução estará sendo fundamentalmente prejudicada. O presidente perguntou ao prócer udenista por que o seu partido insistia na candidatura do governador da Guanabara, quando a melhor fórmula seria a da eleição de um militar, mais integrado no espírito da revolução e em condições de contar com o apoio geral das forças que presentemente se entregam à tarefa do soerguimento nacional. (...) Pela revelação de alguns dos mais autorizados porta-vozes da revolução, não é outra a tendência regis-

trada em seu bojo. Recorda-se, inclusive, a resposta do presidente da República a *O Globo*, em sua última entrevista coletiva, dois meses atrás. Perguntado sobre o prazo limite para a concretização inicial da obra revolucionária, respondeu: "Pelo menos, ainda, por mais um quadriênio..." (...) Do conceito atribuído ao presidente Castello Branco de que um militar seria melhor continuador da obra revolucionária, vai-se até recentes palavras do ministro da Guerra, general Costa e Silva, que não considera o sr. Lacerda um revolucionário. Se o movimento de março deverá ter um candidato, positivamente, este não será o governador da Guanabara. (...) Líderes militares, como os generais Juarez Távora, Cordeiro de Farias, Golbery do Couto e Silva e outros, manifestam-se favoráveis à tese de que o atual candidato da UDN à presidência da República é incompatível com a revolução, enquanto candidato. (...) A atual atitude do governador é examinada em pormenores, por eles. Sentem que o arguto candidato já percebeu de onde sopra o vento e justamente por isso é que procura, a cada passo, divorciar sua posição pessoal dos inevitáveis desgastes iniciais da política de recuperação nacional. O episódio da política dos minérios não foi isolado. Pelo contrário, enquadrou-se na sequência de uma atitude tipicamente eleitoral. Como o candidato não se conteve e ultrapassou os limites que ele próprio fixara para os ataques ao Executivo, houve a carta-recuo. Como os ataques, apenas tática.

Derrotar o PSD

Sentia-se o presidente Castello Branco suficientemente forte para aplicar uma derrota no PSD ou, no reverso da medalha, era pressionado e tinha de satisfazer a parte mais radical de seu pano de fundo militar, a linha-dura? Tanto faz, porque, no final de 1964, começaria a ser preparada, nos corredores e porões dos palácios Laranjeiras e do Planalto, manobra para impedir mais uma reeleição do deputado Raniéri Mazzilli à presidência da Câmara e do senador Auro de Moura Andrade à do Senado. Ambos ocupavam aqueles cargos desde 1958, porque os regimentos internos das duas casas do Congresso permitiam reeleições permanentes.

O assunto fora abordado pela primeira vez num voo comercial de Brasília ao Rio, que, naquele tempo dos Electras da Varig, durava quase quatro horas. Viajaram lado a lado os líderes da UDN, Ernâni Sátiro, e Martins Rodrigues, do PSD. No banco de trás, mas participando da conversa, ia o deputado Pedro Aleixo, líder do governo. Conforme *O Globo* do dia 11 de dezembro, os dois maiores partidos com representação no Congresso não chegaram a um entendimento, porque o PSD, com maiores bancadas nas duas casas, reivindicava as duas presidências, segundo Martins Rodrigues deixara claro. A UDN, seguindo a orientação do presidente da República, avisou que não aceitaria mais aquelas duas reeleições. Queria um entendimento, desde que fosse para destituir Mazzilli e Auro. Até aceitaria outro nome do PSD para o Senado, mas exigia a Câmara.

Claro que essas coisas eram ditas através de muitos circunlóquios e indiretamente, pois a palavra de ordem, durante muitos dias, era a de que estaria próximo o acordo entre os partidos.

Houve um princípio de racha no PSD, porque Raniéri Mazzilli, tornando sua candidatura à reeleição um ponto de honra, não evitava dizer-se um candidato de luta. Quando perguntavam contra quem, lembrava ter-se recusado a tomar conhecimento das acusações formuladas contra ele num IPM de São Paulo. Peracchi Barcelos, deputado pelo Rio Grande do Sul, e coronel da reserva da Brigada Gaúcha, posicionara-se como a solução revolucionária dentro do partido, e teve o apoio da maioria dos governistas do PSD, liderados por Nilo Coelho, Armando Falcão e outros.

Nilo Coelho se aproximara do presidente Castello Branco por circunstância peculiar: gourmet reconhecido, oferecia com frequência almoços e jantares ao marechal, nos quais mandava sua cozinheira esmerar-se nos pratos nordestinos e nas sobremesas típicas da região. De quando em quando, enviava ao palácio da Alvorada doces especialíssimos, que faziam a satisfação de Castello.

Em telegrama a Amaral Peixoto, datado de 14 de dezembro, Peracchi formalizara sua pretensão, sob os aplausos da UDN e do presidente da República, mas para a irritação da cúpula pessedista, que preferia, conforme costume antigo, resolver tudo primeiro entre quatro paredes. Martins Rodrigues estrilou, dizendo que o coronel-deputado se tinha precipitado e criado um fato novo, antecipando-se a consultas às bancadas. O PTB reagiria através de Doutel de Andrade, que repudiava a interferência do poder Executivo em assuntos internos da Câmara.

Do lado de dentro

Vale dar a palavra a Luís Viana Filho, que dedicaria várias páginas de *O governo Castello Branco* à questão das presidências da Câmara e do Senado:

> Em 4 de fevereiro de 1965 o presidente fez chegar a Pedro Aleixo o juízo desfavorável à reeleição de Mazzilli para a Câmara dos Deputados. Tinha este, então, 55 anos, e em qualquer lugar chamaria a atenção pela postura digna, as roupas bem-postas, o vinco da calça impecável. Era jovial, afável, atento e capaz nas suas tarefas do parlamento, mas nunca parecia esquecer que representava algum papel. (...) Fizera carreira como funcionário do Ministério da Fazenda onde, ao tempo do presidente Dutra, servira no gabinete de Guilherme da Silveira. Fora a sua ponte para a política: em 1950, tornou-se deputado federal por São Paulo. Na sua ascensão fizera inimigos que nunca lhe perdoariam a influência junto aos servidores daquele ministério, aos quais ajudava. Por sua vez, estes lhe carreavam votos nas eleições. (...) Castello era visceralmente contrário à

perpetuação nos cargos, por acreditá-la nociva ao país e, sempre que possível, influiu nas substituições. Nessa ocasião também não desejou a reeleição de Auro de Moura Andrade. (...) Contudo, além de não querer lutar nas duas frentes (o que evitou sistematicamente), Daniel Krieger influía para preservar a quietude no Senado, onde, afinal, a revolução não encontrava obstáculos. A substituição de Mazzilli tornou-se assim objetivo do presidente (...) Seria difícil batalha. No mesmo dia Castello telefonou a Martins Rodrigues, líder do PSD na Câmara, comunicando-lhe aquele ponto de vista. (...) Martins Rodrigues conhecia bastante o presidente e sabia que ele não se engajaria no assunto para ficar a meio caminho. (...) Por achar difícil chegar-se a um *tertius*, Martins Rodrigues lembrou a Paulo Sarazate a intervenção de alguém de grande autoridade, sugerindo o ex-presidente Dutra, cuja casa tornara-se uma espécie de Meca do PSD. O problema, aliás, não era novo, pois desde dezembro que começara a ser tratado na imprensa e conversado no mundo político, onde o apresentavam como pedra de toque nas relações entre o presidente e o PSD, cuja tendência, juntamente com o PTB, seria aglutinar-se em torno de um candidato da oposição. Falava-se em Mazzilli, Martins Rodrigues e Amaral Peixoto. Para tentar um acordo, o presidente incumbiu Milton Campos de convidar o deputado Gustavo Capanema, do PSD, para aceitar a candidatura à presidência da Câmara. Era a maneira suasória de resolver o problema. Capanema, entretanto, recuou do oferecimento. Do PSD, o único a lançar-se em campo, disposto a arrebatar o posto, fora o pessedista Peracchi Barcelos, que formara com a revolução e estava longe de ser um ortodoxo. (...) Quando o PSD, em 17 de fevereiro, se reuniu para proceder à escolha (na bancada) Peracchi teve apenas 32 votos, contra 58 de Mazzilli. Ao veto do presidente, o PSD respondia com uma decisão de luta, embora não desejasse dar essas cores ao fato. E, certamente para amenizar, a alta direção do partido comunicou a indicação de Mazzilli ao presidente, que apesar de a receber como um desafio, se limitou a reafirmar categoricamente o propósito de não admitir a própria reeleição ou prorrogação (já tinha admitido

A DITADURA MILITAR E OS GOLPES DENTRO DO GOLPE: 1964-1969

uma). (...) Castello, ciente da deliberação do PSD, tratou de organizar as próprias forças. Nesse mesmo dia Adauto Cardoso, Nilo Coelho, Cordeiro de Farias e Golbery do Couto e Silva jantaram no Alvorada, assentando-se a criação do Bloco Revolucionário na Câmara. Começou, então, a ciranda dos candidatos. Do PSD surgiram Nilo Coelho, Antônio Feliciano e João Calmon. O PSP oferecia Alfredo Nasser e Henrique La Rocque. Na UDN despontavam Bilac, Adaucto Cardoso e Pedro Aleixo. E uma grande interrogação ficava no ar, à espera da palavra do presidente. (...) Durante uma semana Castello não teve descanso: a exemplo do que fizera em outras oportunidades, ele próprio comandaria a batalha, e o primeiro passo consistiu na escolha de Bilac para enfrentar Mazzilli, que poucos admitiam poder ser derrotado, dado o apoio do PSD em aliança com o PTB. (...) Imediatamente, houve que organizar o bloco, novo instrumento de ação política do presidente e da revolução. (...) Na ocasião o bloco reuniu 184 deputados e Adauto Cardoso tornou-se o seu presidente. (...)

Ninguém ignorava que atrás de tudo estava o presidente Castello. (...) Chegado o dia da eleição, embora confiasse na vitória, nem por isso o governo deixava de admitir um malogro. (...) Contudo, Rondon Pacheco, ativo partícipe do proselitismo em favor de Bilac (...), concluíra por uma previsão de vitória com a margem de vinte votos. O presidente dispusera as peças do jogo como um chefe de estado-maior. Nessas ocasiões, ele chegava a dizer com bom humor: "Não vou fazer operação de cadete, mas de estado-maior." Dele era inseparável o Serviço Nacional de Informações para acompanhar o desenrolar da refrega, razão por que se montava um sistema de comunicações entre a Câmara e a "Sala 17" (onde ficava o general Golbery do Couto e Silva, no palácio do Planalto). Geisel, Golbery, Moraes Rego, Murilo Ferreira e Heitor Ferreira acompanharam a apuração dos votos que iam sendo comunicados ao presidente em meio a um despacho com Milton Campos. A apuração foi emocionante. Mazzilli despontou na frente e assim foi quase até o fim, quando Bilac alcançou a dianteira, vencendo por 33 votos: 200 a 167.

Quem exultou mais com a vitória, por olhar adiante e tirar dela efeitos em que poucos pensavam, naquele período, foi o general Golbery. Ele defendia, havia muito, a dissolução dos partidos e a formação de um da revolução. Na prática, foi o que funcionara na eleição de Bilac Pinto, com muitos deputados do PSD e até do PTB bandeando-se para o aprisco revolucionário. Ou teria sido apenas governista?

Aprendizes de feiticeiro

Na vida, há uma certeza: nenhuma mulher pode estar "um pouquinho grávida", quer dizer, ou está, ou não está. Em política, é diferente. A referência vai para quaisquer mudanças de atitudes e posições em que se lançam, cautelosa ou envergonhadamente, pessoas e grupos, de início sem reconhecê-las, tateando e ainda imaginando poder deixar uma janela aberta para voltar atrás.

O governo Castello Branco ficara um pouquinho grávido ao admitir ou até promover a prorrogação do mandato do presidente. Até então, a diretriz consistia em respeitar as instituições democráticas, depois do vendaval do Ato Institucional. Ficava claro, porém, só para utilizar outra imagem, que o tigre provara carne humana e gostara.

Nos tempos de colégio a gente ouvia a história do tigre que, na Índia, não tinha mais forças para correr atrás dos outros bichos da floresta. Assim, com fome, aproximou-se de uma aldeia e surpreendeu um velho (ou terá sido uma criança?), que, apavorado, não conseguiria fugir. A fera provou, jantou e gostou. Suas refeições, a partir de então, passariam a vir da aldeia, até que os aldeões se reuniram, organizando uma sortida e dando cabo do tigre.

Custaria muito — mas muito mesmo, no caso, 21 anos — até que a sociedade se organizasse e matasse o felino. Registre-se, ainda no começo do movimento militar, que o primeiro naco de carne humana fora deglutido quando o governo Castello Branco admitiu mudar as regras do jogo depois de começado, ou seja, quando o presidente descumpriu sua promessa de passar o mandato ao sucessor na data antes marcada. E há também a história dos contos infantis: o aprendiz de feiticeiro começou a fazer mágicas e, depois, não soube mais como parar.

Após a prorrogação de Castello, começaram as sugestões para que se alterassem as leis em proveito da revolução, ou de seus gestores, sempre mascaradas e mescladas com o anúncio de que seriam iniciativas "reformistas" e necessárias ao aprimoramento do Brasil.

Fazer o que diante das eleições aos governos de onze estados, marcadas para acontecer junto com a adiada eleição presidencial de 3 de outubro de 1965?

Ninguém duvidava de que o povo votaria contra os candidatos revolucionários. Logo, portanto, surgiriam ideias para a prorrogação dos mandatos dos respectivos governadores. Magalhães Pinto até se precipitou, obtendo da Assembleia Legislativa de Minas mais um ano de permanência no poder. Seus adversários não engoliriam a iniciativa. Nem Pedro Aleixo, líder do governo na Câmara, nem Milton Campos, ministro da Justiça, desafetos do governador mineiro, que lhes havia surripiado o controle da UDN local. Tampouco Castello Branco. Para o presidente, a prerrogativa de continuar não poderia estender-se a patamares inferiores, em especial a Magalhães, em quem não confiava.

No governo, ganhara o primeiro plano das discussões a necessidade de não fortalecer amigos-inimigos, como Magalhães e Lacerda, em consonância com a tática de mascarar tudo em pitadas de falso pudor democrático. Assim, falava-se na importância das reformas, entre as quais a eleitoral, que promoveria a coincidência de todos os mandatos, com eleições gerais num só dia, mais a reforma agrária, a reforma do ensino e tantas outras.

Para o caso específico dos mandatos em onze estados, as opiniões variaram conforme birutas de aeroporto. Em nova carta ao presidente, datada de 6 de fevereiro de 1965, Lacerda resvalara para a dubiedade ao acentuar que, "se as eleições de 1965 fossem condição indispensável para a eleição presidencial de 1966, deveriam, a qualquer risco, realizar-se". Mas se não fossem... Com todas as letras, segundo reproduziria Luís Viana Filho, o governador acrescentava:

> A palavra de V. Exa., indo ao encontro da conveniência nacional e do evidente e crescente desejo popular, basta como garantia de que os assuntos, em 1965, em matéria eleitoral, não condicionam a sucessão presidencial de 1966. Não se fará, pois, do adiamento de 1965 precedente para o adiamento de 1966 (...).

Tirar as castanhas com a mão do gato

É certo que Lacerda, quase ao mesmo tempo, adoraria outras posições, pois, se chegara a admitir a prorrogação de seu mandato, calcado no exemplo de Magalhães Pinto, em Minas, também cogitara da permanência do vice-governador Rafael de Almeida Magalhães como governador-tampão. Aventaria ainda a possibilidade de se eleger um governador-temporário, pelo período de um ano, podendo ser o presidente da Assembleia Legislativa carioca. Tudo dependia de sua candidatura presidencial, ainda de pé.

Acontece que, no Congresso, fortalecia-se o rolo compressor do governo, com boa parte da bancada da UDN já infensa à candidatura presidencial de Lacerda, somada ao PSD inteiro, ao PSP e até ao PTB, que, para prejudicar seu inimigo histórico, mostrara-se disposto a celebrar acordos até com o diabo, quanto mais com Castello Branco.

A DITADURA MILITAR E OS GOLPES DENTRO DO GOLPE: 1964-1969

A 9 de fevereiro, outra carta de Lacerda ao presidente:

> Um jornal respeitável, o *Jornal do Brasil*, divulga hoje que acho bom o adiamento das eleições. (...) Pela segunda vez em pouco tempo uma carta minha a V. Exa. é objeto de inconfidência, e de novo procurando me deixar mal, sem deixar V. Exa. bem. Na verdade, ninguém fica bem servido pela intriga, senão os intrigantes. (...) Desta vez a intriga visa dar a impressão de que o candidato à sucessão presidencial tem medo do julgamento do povo e "acho bom" o adiamento das eleições. Não acho bom. Poderei achar inevitável, dado que talvez seja um mal menor (...). Convém deixar claro: se considero justo o temor que existe em seu governo de ver derrotada a revolução nas eleições parciais de 65, não duvido quanto à nossa vitória na eleição presidencial de 66. A não ser que a pretexto de união nacional o governo de V. Exa. viesse a se engajar contra mim, com um candidato divisionista, o que não creio (...). Parece-me temerário substituir a eleição por subterfúgios. Estou certo de que V. Exa. apresentará à nação razões capazes de convencê-la de que as eleições são inconvenientes, sem que o povo pense que a revolução foi feita para acabar com o direito do povo de escolher o seu governo.

Naquele momento, em suma, Lacerda imaginava beneficiar-se do adiamento das eleições estaduais, mas desde que todo o ônus e a responsabilidade de mais aquele casuísmo ficassem na conta da presidência da República, e, é claro, desde que mantida sua candidatura ao palácio do Planalto no ano seguinte...

Problemas militares

No pé da coluna política — iniciada com a informação, vinda de fonte do palácio Laranjeiras, de que o presidente Castello Branco não conversara a respeito de nova prorrogação de seu mandato, hipótese que não admitia —, *O Globo* de 18 de janeiro de 1965 publicaria, sob o entretítulo "Duas Correntes Militares":

> Para os observadores, dois pronunciamentos militares dos últimos dias estão sendo considerados bastante graves, na atual conjuntura. Na esfera mais radical da Marinha veio a público um comandante reformado desde 1937, mas muito ligado aos almirantes Zenha, Vampré e Rademaker. De nome Mário dos Reis Pereira, o oficial reformado, ao ser exonerado da SUDEPE (Superintendência do Desenvolvimento da Pesca), ao final de uma disputa entre o Ministério da Marinha e o Ministério da Agricultura, declarou que iria conspirar novamente com os almirantes, pois no atual governo os melhores nomes eram "as três múmias", os Srs. Juarez Távora, Eduardo Gomes e Milton Campos. Consta que sua nota oficial, fartamente distribuída aos jornalistas, foi submetida inicialmente ao ex-ministro Melo Batista. O segundo pronunciamento foi do general Guedes, em Belo Horizonte, sábado: disse ser pessoalmente contrário às eleições para a prefeitura de São Paulo, já marcadas pelo Tribunal Regional Eleitoral paulista, pois todos os candidatos até agora apresentados são antirrevolucionários, e a pregação de suas campanhas tem sido feita com base na oposição ao governo.

JK irrequieto para voltar

O ex-presidente Juscelino Kubitschek, exilado em Paris, vivia um dos piores e mais depressivos períodos, mesmo não sabendo que passaria outros ainda mais agudos. Não parava de escrever aos amigos, revelando aí uma inequívoca veia literária, mas sempre falando de tristeza, abandono e solidão. Passara o pior Natal de sua vida, acompanhado apenas do fiel escudeiro, o coronel Afonso Heliodoro, da Polícia Militar de Minas, seu eterno ajudante de ordens. Assim, *O Globo* de 20 de janeiro publicaria:

A DITADURA MILITAR E OS GOLPES DENTRO DO GOLPE: 1964-1969

O sr. Milton Prates chegou há dias de Paris e confirmou a disposição do ex-presidente de regressar ao Brasil assim que pronuncie uma série de conferências em universidades dos Estados Unidos, o que fará dentro de algumas semanas. Trouxe o sr. Milton Prates uma carta do sr. Juscelino Kubitschek, em resposta à que lhe enviou o deputado Amaral Peixoto pelo ex-deputado José Pedroso, nos primeiros dias do ano. Para o sr. Kubitschek não há possibilidade de prolongamento maior do seu exílio. Torna-se imperioso o seu retorno, não por questões políticas, mas por motivos pessoais. Sua mãe está idosa e ele, particularmente, não consegue mais ficar afastado do convívio dos seus. Regressa, mas sem a mínima intenção de se intrometer em questões políticas. Não admite e não autorizará, por outro lado, que se criem movimentos políticos em torno de seu nome. Nem sabe, mesmo, onde fixará residência, se no Rio ou em Belo Horizonte. O que o PSD examina mais detalhadamente são as consequências do retorno do sr. Kubitschek. Já se tenta, entre os pessedistas, um trabalho de sondagem junto ao governo, para que possam conhecer de antemão as disposições das lideranças revolucionárias com relação ao seu ex-candidato. Provavelmente o sr. Filinto Muller, por suas ligações pessoais com o presidente Castello Branco, deverá tomar a iniciativa de procurá-lo. Afirmará a intenção do sr. Kubitschek de não se intrometer em assuntos políticos e nem permitir que seu nome seja envolvido em quaisquer movimentos. Tentará obter do governo, em contrapartida, as preliminares de uma diretriz mais ou menos geral, qual seja a de que o sr. Kubitschek não será incomodado pela ação de revolucionários mais radicais. Pretende o PSD, dessa forma, assegurar-se de um mínimo de condições necessárias à tranquila permanência do sr. Kubitschek no país. Entre os argumentos a serem usados pelo sr. Filinto Muller estão o apoio pessedista à maioria das proposições do governo. O partido vem colaborando com o esforço revolucionário para a superação de nossas dificuldades. Pode esperar, em função disso, que não se criem maiores áreas de atrito contra seus líderes, especialmente os que já tiveram cassados os seus mandatos e suspensos os seus direitos políticos. Depois de conferenciar com o sr. Amaral Peixoto, declarou o senador Filinto Muller a *O Globo*: "O ex-presidente Juscelino Kubitschek não se asilou nem foi expulso ou convidado a deixar o país. Saiu por sua livre e espontânea vontade, para evitar que em torno de sua presença se criasse um clima de agitação prejudicial a todos. Para evitar que sua casa, muito naturalmente, se transformasse num centro de protesto contra a grave injustiça que se cometeu contra ele, fato que poderia acarretar maiores problemas." Em Paris, disse ainda o sr. Filinto Muller, sua grande preocupação é a consolidação da democracia no Brasil. "Seu retorno não depende apenas de sua vontade pessoal. Sei que ele vive de pensamento voltado para cá. Tem dito que preferia viver na mais longínqua aldeia de Minas Gerais a viver em Paris. Ele pode voltar tão livre como livre deixou o Brasil. Posso assegurar que ele não vem para fazer agitação, como, no exterior, não tem permitido que, em torno de seu nome, se faça agitação." (...) Por fonte ligada ao palácio Laranjeiras, podemos informar que não existe, no governo, a disposição de se impedir o retorno do sr. Kubitschek ou de se articular, desde já, qualquer manobra para complicar sua permanência no país. Entendem os principais líderes da revolução, à exceção, por certo, dos mais radicais, que o sr. Juscelino Kubitschek já foi punido com a cassação de seu mandato e a suspensão de seus direitos políticos. Não se justificaria agora, simplesmente por seu regresso, a abertura de novas sindicâncias ou inquéritos sobre sua atuação.

Infelizmente, o redator da coluna política de *O Globo* mostrava-se otimista demais, apesar da ressalva feita à exceção dos líderes revolucionários mais radicais. Quando o ex-presidente retornasse, em outubro, passaria por constrangimentos profundos — como o de ter de depor durante horas a fio, em função de inquéritos policiais militares. Voltaria para o exílio, dessa vez em Portugal, mas não livre de perseguições quando, pela segunda vez, regressasse. Não o perdoavam por continuar sendo a figura mais popular do país.

"Quem, eu? Jamais!"

A evidência de que não eram apenas os setores radicais que se opunham à volta de JK, mas de que a revolução inteira temia a presença do ex-presidente no país, viria em *O Globo* do dia 27 daquele mês, quando o senador Filinto Muller, apesar de suas declarações anteriores e certamente depois de alguns entendimentos na presidência da República, declarou:

> Jamais tratei com o governo do problema da volta do sr. Juscelino Kubitschek ao país. O que se sabe sobre a volta do ex-presidente é apenas o que está publicado nos jornais, nos últimos dias. Pessoalmente, entendo que ele dispõe de condições para retornar no momento em que entender. (...) Classifico, no entanto, de pura fantasia as notícias sobre uma possível missão que eu teria desempenhado junto ao governo, em nome do sr. Kubitschek, para sondar as condições em que se daria a sua volta.

A vez de Brizola

Por coincidência, um dia depois o *Correio da Manhã* publicaria informações sobre outro exilado:

> Informações chegadas de Montevidéu dão conta de que o ex-deputado Leonel Brizola rompeu outra vez relações com o sr. João Goulart. Quando seguiram para asilar-se, os dois líderes trabalhistas estavam praticamente sem se falar. Com o passar do tempo, pelos laços familiares e pela influência de amigos comuns, voltaram às relações cordiais. Há pouco, no entanto, tiveram nova discussão a respeito da retomada do poder no Brasil. Parece que o sr. Goulart é da ala "menchevique" dos asilados, que acredita no retorno por meios pacíficos. Já o sr. Brizola filiou-se (ou terá fundado?) o grupo "bolchevique", que deseja o retorno pela força.

Brizola, naquele período, tentara organizar a luta armada, correspondendo-se com Fidel Castro, de quem teria recebido até auxílio financeiro, engajando-se num movimento guerrilheiro até hoje meio obscuro, na serra do Caparaó, entre Minas e o Espírito Santo. Esse movimento foi tentado por sargentos expulsos do Exército e da Marinha, mas praticamente suprimido no nascedouro por ação das forças de segurança e repressão.

Eterno prorrogacionista

Há anos que o deputado Esmerino Arruda, do Ceará, ganhava o noticiário toda vez que se cogitava de coincidência de mandatos, ou seja, da realização, numa só data, das eleições para a presidência da República, para o Congresso e para os governos estaduais. Sua fórmula, por coincidência, era sempre a mesma, tendo apresentado algumas emendas constitucionais a respeito, nunca consideradas: a prorrogação dos mandatos de deputados e senadores.

No início de 1965, a tese rondava os gabinetes parlamentares, e Esmerino não perderia tempo. Anunciou que preparava outra emenda, já com cinquenta assinaturas, que implicaria a prorrogação dos mandatos parlamentares e, novamente, do presidente Castello Branco. Foi imediatamente desmentido pelo deputado Paulo Sarazate, também do Ceará e um dos mais íntimos amigos do presidente da República. *O Globo* publicaria a reprimenda de Sarazate a 23 de janeiro de 1965:

> Contesto, de maneira formal e de uma vez por todas, que se esteja cogitando de apresentar ou coordenar qualquer projeto, emenda ou subemenda constitucional referente à prorrogação de mandatos. Nenhum deputado conversou comigo a esse respeito, motivo por que se torna duplamente estranhável o envolvimento de meu nome

em tais versões. Sobre o assunto, aliás, o sr. presidente da República já fez pronunciamento de tal maneira categórico que a nenhum de meus amigos seria dado, a meu ver, insistir na matéria. De minha parte, afirmo e reafirmo: desconheço qualquer proposição referente à prorrogação de mandatos, seja de congressistas, seja do presidente da República.

Samba do marechal indeciso

A política jamais foi uma ciência exata ou, mesmo, nunca se fez através de linhas retas. Estava em pauta a decisão que o governo tomaria a respeito das eleições de governador de onze estados, constitucionalmente marcadas para outubro daquele ano de 1965, e o noticiário político mais parecia biruta de aeroporto, refletindo as perplexidades, a falta de definições por parte do governo e, em especial, os interesses dos diversos grupos revolucionários que colocavam suas intenções acima de tudo.

Tomem-se apenas, para ilustrar aqueles tempos, os títulos da coluna política de *O Globo*:

"O presidente prefere as eleições diretas para a coincidência" (11 de janeiro de 1965).

"Castello não tratou com ninguém sobre a tese da prorrogação dos governadores" (18 de janeiro).

"O PSD espera a realização este ano de eleições diretas nos onze estados" (21 de janeiro).

"Valadares e Capanema apontam 1966 como data ideal para as eleições de governador" (22 de janeiro).

"Para a UDN admitir eleições em 65 será abrir as portas para a contrarrevolução" (25 de janeiro).

"Castello decide até março o problema das eleições nos estados" (27 de janeiro).

"O PSD decide lutar pelas eleições em outubro de 1965" (28 de janeiro).

"Castello não teme o resultado das urnas" (28 de janeiro).

"O problema das eleições ganha novas fórmulas enquanto não surge a decisão do presidente" (29 de janeiro).

"Castello decide-se pelo adiamento do pleito de outubro" (30 de janeiro).

"Os partidos aceitam como ideia superada as eleições em outubro" (1º de fevereiro).

"O PSD não se nega a apoiar o adiamento das eleições" (3 de fevereiro).

"O presidente prefere a tese da prorrogação de mandatos em onze estados" (5 de fevereiro).

"A eleição nos estados passa a depender da renovação das mesas da Câmara e do Senado" (10 de fevereiro).

"Observação de Castello reacende a tese da maioria absoluta e das eleições diretas nos estados" (13 de fevereiro).

"Acertado acordo PSD-PTB pelas eleições diretas nos estados" (17 de fevereiro).

"O próximo passo será adiar as eleições estaduais" (26 de fevereiro).

"É ponto pacífico que as eleições não se realizarão" (3 de março).

"Provável, mas não certa a prorrogação de mandatos dos governadores" (4 de março).

"Milton Campos é pelas eleições diretas, mas anunciará o adiamento" (6 de março).

"As Assembleias elegerão governadores indiretos" (11 de março).

"Castello decidirá sobre o adiamento das eleições" (15 de março).

"Adaucto prevê adiamento das eleições nas próximas horas" (16 de março).

"Castello a Magalhães: ainda examina a melhor fórmula" (17 de março).

"Castello a Armando Falcão: a solução na próxima semana" (18 de março).

"Milton Campos ainda sem condições de anunciar a solução" (19 de março).
"Governo proporia eleições indiretas sem inelegibilidades" (20 de março).
"Castello decidirá sobre o adiamento das eleições" (22 de março).
"Governo optou ontem pela realização de eleições diretas nos onze estados" (23 de março).

Em suma, e apesar de já ter o insubstituível Stanislau Ponte Preta inaugurado a moda do "samba do crioulo doido", logo apareceria o "samba do marechal indeciso", conhecidas as razões que o levariam a decidir, sozinho e como um comandante de tropa, os destinos das eleições constitucionalmente previstas para aquele ano.

Um santo entre pecadores

Milton Campos era um político acima de qualquer suspeita, sinônimo de honradez e honestidade. Também tinha suas manhas e seus interesses, é óbvio, pois assinara o decreto de cassação do mandato de Juscelino Kubitschek e estivera entre os que levaram o presidente Castello Branco a tornar nula a decisão da Assembleia mineira que prorrogara o mandato do governador Magalhães Pinto por um ano. Até por isso, era férreo defensor da realização das eleições diretas de governador, naquele ano mesmo de 1965. Como ministro da Justiça, porém, cabia-lhe sustentar e viabilizar politicamente as decisões de Castello e do governo. Depois de muitas conversas, com a participação de Golbery do Couto e Silva, Luís Viana Filho e Ernesto Geisel, o presidente determinara ao ministro que comparecesse ao Congresso, a 22 de março, para finalmente anunciar a solução encontrada pelo governo, que deputados e senadores candidamente aprovariam: o mandato-tampão por um ano, com os governadores temporários eleitos pelas Assembleias Legislativas. Assim, haveria coincidência de mandatos entre todos os governadores, a serem eleitos em 3 de outubro de 1966, por enquanto ainda junto com o futuro presidente da República.

Farisaísmo

O problema foi que, no dia 20 de março, chegaria ao palácio das Laranjeiras outra carta de Carlos Lacerda a Castello Branco. O governador, esperando tirar óbvios dividendos do adiamento das eleições estaduais, tentava aproveitar-se da situação, ficando bem e deixando mal o governo federal. Aparecia como um campeão das eleições. Escreveu que considerava um erro contra o aperfeiçoamento da democracia a eleição de governadores-tampões pelas assembleias, manifestando-se favorável à prorrogação do próprio mandato:

> Uma vez que oficialmente se afirma a inconveniência da realização de eleições (estaduais), a solução é a adoção pura e simples da fórmula que o Congresso adotou em relação ao mandato presidencial: a prorrogação. Não estou interessado em prorrogação (sic), até porque teria que me desincompatibilizar para tentar merecer a honra de ser seu sucessor. Não desejo assumir responsabilidades, aliás, indeclináveis, em face de meu estado e dos demais. O melhor, o certo, o corajoso, o democrático é realizar eleições.

Castello deu pulos de raiva, irritando-se ao máximo com as colocações do governador carioca. Segundo deporia Luís Viana Filho, o presidente achou que a carta era, "antes de tudo, farisaica". Marcara vários pontos de interrogação no original. Como a se demonstrar um homem comum, sujeito a emoções e vaidades, Castello mudaria tudo. Mandou que o ministro da Justiça anunciasse a inesperada solução: seriam mantidas as eleições diretas para governador do

A DITADURA MILITAR E OS GOLPES DENTRO DO GOLPE: 1964-1969

Pará, Maranhão, Rio Grande do Norte, Paraíba, Alagoas, Goiás, Minas, Mato Grosso, Guanabara, Paraná e Santa Catarina. Uma bomba, que os jornais do dia 21 noticiariam sem saber se saudavam ou lamentavam, dadas tantas e imediatas composições contraditórias que precisaram ser feitas da noite para o dia, nesses diversos estados.

Lacerda e Magalhães Pinto não podiam, de público, acusar o golpe recebido abaixo da linha da cintura, apesar de perceberem a nítida orientação de seus adversários incrustados no governo, ou, quem sabe, constituindo o próprio governo: se seus candidatos fossem derrotados em 1965, estariam reduzidas a pó suas perspectivas de chegar à presidência da República. Dispunham, no entanto, de uma só reação possível: lançar seus indicados e trabalhar para que fossem eleitos, mesmo sabendo que a opinião pública, posicionada contra o movimento militar, identificaria neles os seus inimigos...

Lacerda + derrota = eleições

A imprensa, no dia 23 de março de 1965, e os biógrafos e historiadores, mais tarde, seriam unânimes em reconhecer que o presidente Castello Branco, até a véspera, estava disposto a decidir pelo adiamento das eleições diretas dos governadores dos onze estados, enviando ao Congresso emenda constitucional que determinaria a eleição de governadores-tampão por um ano. Mudou porque ficara extremamente irritado com a carta recebida de Carlos Lacerda, que nos bastidores aceitava e até desejava a solução esdrúxula, mas que, para o público, passava por defensor intransigente das eleições diretas.

Esses motivos, porém, tinham de permanecer em cone de sombra, pois seria, para o grupo palaciano, prestigiar o governador carioca, transformando-o em campeão do voto popular. Assim, através do ministro Milton Campos, outra versão seria fabricada e publicada pelos principais jornais.

Eis trechos da coluna política de *O Globo* do dia 23 de março de 1965:

> Assessores do ministro Milton Campos deixaram transparecer, ontem, alguns dos determinantes que levaram o governo a optar pelas eleições diretas, nos onze estados, como fórmula para a coincidência de mandatos. Sugerem que foi por motivos políticos, mais do que doutrinários, que o presidente preferiu as eleições diretas, embora viesse dando maior ênfase aos argumentos pelo adiamento do pleito por um ano. Os motivos políticos podem ser resumidos numa única constatação, a que o presidente chegou na manhã de ontem, com toda intensidade: qualquer projeto de emenda constitucional tratando do adiamento das eleições seria derrotado no Congresso, inclusive pela votação de vastos setores revolucionários. Não foi possível o equacionamento de um denominador comum sobre o adiamento. Os partidários de uma fórmula de adiamento não admitiam as outras, quer dizer, fossem votar pelo mandato-tampão, não aceitariam a prorrogação dos atuais governadores. Quem preferisse a nomeação dos vice-governadores não aceitava os presidentes das Assembleias Legislativas assumindo os governos por um ano. (...) Poucos dias atrás o problema ganhou intensidade com a Assembleia mineira votando a prorrogação do mandato do governador Magalhães Pinto (que foi até cumprimentado por escrito pelo presidente da República, mas cuja prorrogação foi tornada nula pela emenda constitucional). As articulações do marechal Castello Branco continuavam, mas sem conduzi-lo a qualquer decisão. Cada depoimento que ouvia contrariava o anterior. Foi quando o governador Carlos Lacerda alterou seu ponto de vista, escrevendo longa carta ao presidente. Declarou-se pela prorrogação do próprio mandato. Depois, no último parágrafo, mudou de opinião, ou, ao menos, procurou tirar partido da situação, declarando-se pela eleição direta. A ida do ministro Milton Campos ao Congresso estava prevista para ontem. Muitos líderes do governo anunciavam que a decisão final não seria levada pelo ministro da Justiça, pois o presidente ainda

pesava as várias hipóteses. Pela manhã, no entanto, o chefe do governo reuniu-se com o sr. Milton Campos. De um demorado balanço da situação chegaram à fórmula das eleições diretas, única em condições de evitar a derrota no Congresso. Pessoalmente, o sr. Milton Campos exultou, pois era nesse sentido a sua manifestação, desde o levantamento do problema.

Em seguida, uma nota enviada pela sucursal de *O Globo* em Brasília:

> O governo, com a definição que ontem levou à Câmara, por intermédio do sr. Milton Campos, desarvorou inteiramente os grupos partidários oposicionistas, que se viram frustrados no seu tema político predileto, deixando atônito o PTB e surpreendido o PSD. A mensagem presidencial com a emenda sobre as eleições nos estados poderá ser remetida ao Congresso amanhã, quarta-feira, segundo nos informou o ministro Luís Viana Filho. Deverá trazer as seguintes determinações: as eleições programadas em onze estados da Federação deverão realizar-se normalmente em outubro do corrente ano, eleitos os seus governadores para um período de quatro anos (e não de cinco, como determinavam suas constituições estaduais). Nos demais estados, cujas eleições estão programadas para 1966 (seus governadores tinham mandato de quatro anos), os governadores eleitos terão mandato eventual de três anos, a fim de que se logre a coincidência de mandatos, na área estadual, a partir de 1969. A escolha dos governadores estará sujeita ao critério da maioria absoluta (metade mais um dos votos), já estabelecido para a eleição do presidente da República. Só será considerado eleito governador o candidato que obtiver a maioria absoluta dos votos. Caso não o consiga, caberá à Assembleia Legislativa homologar ou não a escolha. No caso da não homologação, serão convocadas novas eleições diretas, para as quais só poderão concorrer os dois candidatos mais votados na eleição anterior.

No domingo, véspera da ida do ministro da Justiça à Câmara para anunciar as eleições diretas de governador, realizara-se, na capital de São Paulo, eleição direta para prefeito. Apesar das peculiaridades da política paulista e paulistana, fora eleito o candidato das simpatias da revolução, o brigadeiro Faria Lima.

O Estado de S. Paulo da terça-feira, 23, comentaria que esse fora um outro argumento em favor da decisão de Castello Branco pelas eleições diretas de governador: quem sabe seus candidatos nos estados também viessem a vencer, da mesma forma em clima de ordem?

Operação três passos

Março de 1965 seria um mês marcado não apenas pela ebulição política, mas por apreensões militares, aliás, injustificadas. Entraram no Rio Grande do Sul, pelo Uruguai, o coronel do Exército Jeferson Cardim de Alencar Osório e o tenente da Brigada Gaúcha, Alberi dos Santos Vieira, à frente de 21 ex-soldados e marinheiros então exilados em Montevidéu.

O coronel vinha de uma permanente atuação política nas esquerdas e no próprio Partido Comunista. Como tenente, integrara a Aliança Nacional Libertadora. Preso diversas vezes, participou da campanha do "Petróleo é Nosso", em 1953. Integrara a assessoria do general Henrique Lott, quando de sua candidatura à presidência da República, e formara na primeira linha dos militares que se opuseram ao golpe dos ministros Denis, Heck e Moss contra a posse de João Goulart.

O movimento de 1964 o encontraria em Montevidéu, onde exercia um cargo civil na representação do Loide Aéreo Brasileiro. Ingressando clandestinamente no território nacional, imaginava participar de uma resistência armada. Depois de oito dias, porém, segundo entrevista concedida ao *Coojornal*, em 1978, teve de voltar ao Uruguai por inviabilidade total de sucesso. Seria transferido para a reserva, pelo Ato Institucional, e teria sua patente cassada.

A DITADURA MILITAR E OS GOLPES DENTRO DO GOLPE: 1964-1969

Ligado a Leonel Brizola e a Darcy Ribeiro, a 19 de março de 1965, conforme suas declarações, com pouco dinheiro e armamento precário, atravessou — pela segunda vez — a fronteira com seus companheiros, em Santana do Livramento, e deu início à operação Três Passos. Seguiram de táxi para aquela cidade, no norte do estado, atacando o presídio e o destacamento militar, com sucesso, no dia 25. Ocuparam a estação de rádio local, onde foi lida proclamação revolucionária. Apoio mesmo, contudo, da população e de contingentes militares, não teriam nenhum. Assim, seguiram para o município de Tenente Portela, onde também travaram luta com o destacamento militar e confiscaram alguns fuzis e duas metralhadoras. Seguiram para Santa Catarina e chegaram ao Paraná, com os mesmos resultados: continuavam apenas 23.

Perseguidos por diversas unidades do Exército, resolveram dispersar. Jeferson Cardim de Alencar Osório seria preso nas proximidades da cidade de Leônidas Marques. Consta que foi espancado, submetido a interrogatórios e condenado, pela 25ª Auditoria Militar, a oito anos de prisão. Preso no Rio, acabaria fugindo em 1968. Exilado na embaixada do México, depois viajaria para Cuba e Argélia, sempre tentando organizar uma força armada para se contrapor ao regime militar. Anistiado em 1978, recebeu de volta a patente, obrigado a permanecer na reserva, mas teria sua anistia anulada pelo Superior Tribunal Militar e seus direitos de oficial seriam cassados pelo então ministro do Exército, Walter Pires, inclusive perdendo os vencimentos.

A hora da média

Conhecidas as escaramuças em que o Exército, em poucas horas, dominara a quixotesca aventura, aproveitaram os políticos, a propósito, para fazer média com a revolução. Nas direções não apenas da

UDN e do PSP, mas no PSD e no próprio PTB, bem como nos pequenos partidos, a repulsa à ação comandada pelo coronel Osório foi imediata. A 30 de março de 1965, o *Correio da Manhã* registrou que os presidentes de todos os partidos esforçavam-se para minimizar o episódio revolucionário, desdobrando-se em declarações de apoio ao presidente Castello Branco. Para todos, o objetivo comum era a realização das eleições de outubro e a consolidação das instituições democráticas.

No dia seguinte, segundo o porta-voz do palácio Laranjeiras disse a *O Globo,* a interpretação do marechal Castello Branco para o episódio era de que determinados setores antirrevolucionários, banidos da vida nacional, mostravam-se desesperados com as possibilidades de êxito da política revolucionária, cujos primeiros efeitos já começavam a se fazer sentir. Assim, tinham precipitado uma ação armada visando tumultuar o país. O presidente estava atento, mas não emprestava maior significado ao ocorrido.

Fala ou não fala?

Marcada para 30 de abril de 1965, nas dependências do Estádio Caio Martins, em Niterói, a XV Convenção Nacional da UDN seria tranquila e pacífica, apenas para eleger o substituto do deputado Bilac Pinto na presidência do partido, cujo mandato terminava. Era candidato único o deputado Ernâni Sátiro. A reunião deveria ser pacífica e tranquila, mas não foi, pois duas bombas estavam havia semanas armadas e anunciadas para explodir no plenário: 1. Carlos Lacerda compareceria para fazer duríssimos ataques à revolução e ao presidente Castello Branco. 2. O deputado Amaral Neto, já se lançando candidato à sucessão do governador da Guanabara, repetia diariamente que não deixaria Lacerda discursar, valendo-se até do desforço físico.

Preocupado mesmo estava Bilac Pinto, naquela tarde de sábado. Homem afeito à conciliação, apesar de às vezes duro em seus discursos, o novo presidente da Câmara dos Deputados tentara dissuadir os dois companheiros de suas intenções belicosas. Obteve sucesso junto a Carlos Lacerda, mas fracassou com Amaral Neto. O governador carioca compareceu, mas, quando se dirigia à tribuna dos oradores, esta foi ocupada pelo deputado, cercado pelos quatro filhos, jovens na flor do vigor físico, e por outros auxiliares. Estabelecera uma trincheira intransponível, num espetáculo muito pouco democrático. Só pela força poderia ser tirado de lá. Pelo microfone, gritava que Lacerda não falaria.

Da tribuna, realmente, o governador não falou e nem tentara dirigir-se a ela. Discursaria da mesa diretora dos trabalhos, sem fazer caso de Amaral Neto. De início a balbúrdia foi infernal, proporcionada pelos partidários de um e de outro. Só depois de dez minutos alguém se lembraria de desligar o microfone da tribuna, e o governador então pôde ser ouvido. Cumpriu a promessa feita a Bilac Pinto e não agrediu nem Castello nem a revolução. Reafirmou sua candidatura presidencial. O deputado Adauto Lúcio Cardoso estava preparado para defender o movimento militar e o presidente da República — o que não seria necessário.

O Globo publicou detalhada reportagem na segunda-feira, dia 2 de maio, expondo os fatos e o vexame, e abrindo espaço para o novo presidente da UDN, que declarara:

> Foi lamentável o espetáculo oferecido pelo deputado Amaral Neto. Ele tem contra sua atitude a totalidade do partido, desde as bases até as bancadas. Reconheço a qualquer um o direito de protestar contra quem quer que seja. Até de acusar. De ser veemente. Jamais, no entanto, de tumultuar uma assembleia pública, contrariando as normas mais simples de ética e de civilidade.

Amaral Neto vangloriava-se, acentuando que "o difamador" merecera aquela reação, tomada em defesa de sua honra. Lacerda, dias atrás, rejeitara sequer examinar sua candidatura ao palácio Guanabara e declarara que ele não tinha condições morais para se apresentar. Assim, Amaral Neto apenas reagiu, não tendo por que pedir desculpas a ninguém.

Quem não gostou do recuo de Carlos Lacerda foi Magalhães Pinto. Os dois tinham acertado deflagrar uma frente de oposição a Castello Branco, e o governador de Minas, no dia da convenção a que não compareceu, expedira dura nota oficial de crítica ao presidente da República. Ficaria sozinho, segurando o pincel, sem escada.

Declarou, então, ao *Estado de Minas*, como publicado na edição de 3 de maio:

> Se o governador da Guanabara mudou de posição, o problema é dele, homem livre para tomar as atitudes que bem entender. Minas, porém, fica onde sempre esteve, cumpridora dos compromissos assumidos...

O rompimento inevitável

Carlos Lacerda era cada vez menos governador e mais candidato. Já organizara sua equipe de campanha, até com o aluguel de um avião DC-3 da Varig, em tempo integral, e, quase que semanalmente, visitava alguma parte do território nacional. Um grupo de empresários paulistas e cariocas encarregava-se de financiar as despesas, e Abreu Sodré lhe servia de tesoureiro. Seus pronunciamentos candentes voltavam-se sempre mais contra a política econômica do governo Castello Branco, que começara a criticar ainda durante a viagem de "explicação" da revolução à Europa e aos Estados Unidos.

Lacerda tornava-se, pelo menos nos comícios e entrevistas, cada vez mais nacionalista e crítico da política que, naqueles idos, ainda não se chamava de globalizante, mas que era a mesma coisa. Só que as bolas estavam misturadas, e ele mesmo as misturava. O candidato dizia que a revolução não se tinha feito para devolver as refinarias de petróleo a seus antigos donos da iniciativa privada. Ao mesmo tempo, entretanto, verberava também o oposto. Insurgira-se, por exemplo, contra a prática do ministro do Planejamento de comprar empresas estrangeiras concessionárias do serviço público, quase todas sucateadas, a preços altíssimos, ditados por suas matrizes no exterior. Chegou a dizer-se disposto a subir no mesmo palanque que Leonel Brizola, então exilado no Uruguai, para protestar contra a compra da AMFORP pelo preço que Roberto Campos acertara.

Brizola, aliás, procurado pelo *Correio do Povo* no pequeno sítio da cidadezinha de Atlântico, onde, para sobreviver, criava ovelhas e galinhas, responderia com quatro pedras na mão, rejeitando a aproximação.

Era uma sucessão de denúncias contra o favorecimento às multinacionais, como a já referida Hanna, autorizada a pesquisar e extrair minérios, prejudicando a Vale do Rio Doce. Lacerda combateria, sobretudo, o PAEG (Plano de Ação Econômica do Governo), elaborado pelo ministro do Planejamento. A 17 de maio de 1965, escreveu carta ao presidente Castello Branco, de quem estava afastado, mas com quem ainda não rompera. Em anexo, apresentava um "programa alternativo para a economia". O problema é que passara o texto também à *Tribuna da Imprensa*, que o publicaria na íntegra, irritando o marechal. Cita-se um trecho da carta:

> Rogo a V. Exa., pelo seu patriotismo e pela sua responsabilidade, que leia o trabalho ao qual dediquei dias de esforço e que é, para mim, um caso de consciência. Considero muito grave a situação econômica do país. Mais grave, hoje, do que na véspera

da revolução. Pois, então, todos tinham certeza de que aquela situação iria acabar. Hoje, ou sabemos que se acaba com esse plano (o PAEG), ou como esse plano acaba com a revolução e coloca o país num dilema insuportável entre restauração ou ditadura. Ela merece mais do que atenção dos técnicos, pois precisa da reflexão dos homens de estado. (...) V. Exa. encontrará à hora que quiser as alternativas quando ouvir as vozes autorizadas que se levantam em todo o país e às quais faço eco. (...) Permita que, para esclarecer confusões armadas pela maciça campanha dirigida todos estes dias contra a minha colaboração ao seu governo, eu divulgue junto com o estudo esta carta, que conclui por um voto de confiança na sua isenção e nas inspirações do seu patriotismo, pois foi com os mesmos sentimentos que a escrevi.

Um dia depois, pela TV-Rio, o governador faria um longo resumo do seu programa, demorando-se por quase três horas diante das câmeras. Disse que o propósito do PAEG era desconfiar do Brasil e acusou seu autor, Roberto Campos, de brincar com números, fazendo o malabarismo das estatísticas, manipulando os algarismos com a mesma leviandade com que os demagogos usavam os adjetivos. Insurgindo-se contra a compra das concessionárias sucateadas, falaria a certa altura:

> É preciso que alguém tenha a coragem de dizer, no Brasil de hoje, no qual o Ministério do Planejamento tornou-se um superministério, e seu ministro, de fato, o primeiro-ministro, que esse ministério foi criado para estatizar a economia brasileira e que, portanto, não faz sentido numa revolução que veio para libertá-la dessa terrível ameaça. Planificação global da economia é incompatível com uma sociedade democrática.

A DITADURA MILITAR E OS GOLPES DENTRO DO GOLPE: 1964-1969

Mais adiante:

> Na prática, a inflação não está sendo combatida. Mais da metade da economia brasileira é controlada pelo Estado. Ora, só se está combatendo a inflação privando de crédito a produção livre, diminuindo a capacidade aquisitiva do consumidor livre, enquanto não se toca na área da economia estatizada, que é a mais desperdiçada, a mais adulterada e a menos produtiva; portanto, a mais inflacionária. O que se está fazendo é empobrecer o Brasil para enriquecer o Estado, e enriquecê-lo com papel pintado. (...) Nenhuma política econômica é certa quando esquece o ser humano. Uma política econômica que vê com indiferença desenvolver-se o desemprego onde ele não existia; que se conforma com a hipótese de transformar torneiros, ajustadores e metalúrgicos em serventes de pedreiro e capinadores não tem compreensão humana, mas não tem sequer sabedoria econômica, pois não avaliou devidamente o que significa de atraso para o Brasil. (...) A revolução entregou-se, no campo decisivo da crise brasileira, às teorias de um só grupo de técnicos. Esse grupo julga ser a economia uma ciência exata, e não uma técnica em plena evolução. (...) o mal-estar geral tem uma causa: a política econômico-financeira. (...) Regredimos, pelo menos, dois anos em um. E essa regressão é progressiva. Apesar dos anúncios sobre a vinda em massa de investimentos estrangeiros, estes não vieram. Os ingressos, em 1964, foram menores do que em 1963, e as perspectivas para 1965, a julgar pelo primeiro trimestre, são ainda mais desalentadoras. (...) o melhor negócio no Brasil, no momento, é entrar em concordata. O Brasil tem todas as desvantagens do socialismo sem as suas vantagens. Todos os inconvenientes do capitalismo, sem os seus benefícios.

Prosseguia a saraivada de Carlos Lacerda:

> Dizia Lenin que o drama da mediocridade consiste em ver as árvores e não perceber a floresta. Se o tático genial da revolução comunista quisesse dispor de um instrumento para levar o Brasil ao caos e prepará-lo para aceitar o estatismo, não teria instrumento

mais eficaz do que este (o PAEG) que está amesquinhando o Brasil. Depois de alienar o proletariado, lançando-o à beira do desespero ainda silencioso, mas pronto para ir à forra na primeira eleição que lhe derem o direito de decidir, essa política econômica separa a revolução da classe média, confiscando-lhe até o salário. Quanto aos empresários, trata-os com sistemática desconfiança, como se, em vez de instrumento do progresso, eles fossem fatores de perturbação do pedantismo com que se alinham os algarismos das fantásticas previsões de planejadores sistematicamente desmentidos pelos fatos.

Chegava, depois, a cada uma das múltiplas referências aos fatores de produção:

> O PAEG "planificou" um superávit de 50 milhões de dúzias de ovos para 1965, enquanto o Plano Trienal do sr. Celso Furtado (ministro do Planejamento de João Goulart) "planificou" um déficit e 141 milhões de dúzias de ovos para o mesmo ano. Ninguém jamais saberá qual dos dois adulterou mais as estatísticas ou a qual dos dois faltou mais cooperação das galinhas... Quanto ao leite, oferta e procura aparecem equilibradas. Se há fila do leite, portanto, não é culpa dos técnicos do Planejamento. Eles deram leite. As vacas é que escondem o delas (...) A inflação não acaba a curto prazo. A esta altura todos os prazos já garantidos foram e serão ultrapassados. O que é que se pretende então, mantendo um plano que já se sabe que não deu certo? Levar o país ao desespero para justificar a não realização de eleições? Irritar o povo, este ano, para que ele derrote a revolução e seja privado de votar no ano que vem, como quem priva de doce a criança que faz malcriação?

A longa peroração do candidato contra a política econômica aproximava-se dos trechos finais:

> Não somos — e seria insânia — contra o combate decidido contra a inflação. Mas não podemos aceitar a deflação calamitosa, separada da produção, como alternativa inexorável. Não se continue,

pois, a realejar o óbvio como resposta às evidências que fingem não perceber. Não se trata de abandonar a luta contra a inflação, mas de não fazer dela o único polo da revolução. O progresso alcançado antes, durante e até a despeito do surto inflacionário dos últimos anos, está sendo destruído de modo irrecuperável em nossa geração, e seria um crime de bradar aos céus se uma revolução se fizesse para atrasar ainda mais o Brasil. O povo, penso, faria mais sacrifícios se ainda estivesse convencido de que eram úteis. Mas não está. E não precisa convencer-se, pois, à parte alguns sacrifícios indispensáveis e que foram unanimemente aceitos, o maior quinhão resultado do dirigismo sem direção, da rotina que é o ópio do dinamismo que se esperava de uma revolução.

E depois:

O povo esperou que contra a especulação agisse com muito mais energia o governo da revolução. A verdade é que alguns grupos econômicos, exatamente os mais comprometidos, os mais poderosos, os que exerceram função eminente na tarefa de fazer dinheiro enquanto se comunizava o Brasil, em troca do silêncio sobre sua corrupção, não só ficaram impunes como continuam a influir. Mas o povo nunca esperou que, em nome da pureza revolucionária, se fizesse uma política econômica por definição antirrevolucionária, derrotista, divisionista, contrária à iniciativa privada e favorável à estatização sem socialismo, descrente das possibilidades reais do Brasil. (...) Não sei se consigo transmitir a convicção de que estou possuído, de que o que mais falta à nação, para recuperar-se, é a confiança que ela ganhou e perdeu. (...) Não faltei ao meu dever para com o Brasil, para com a revolução, para com o presidente, para com ninguém. O que tinha que dizer, disse.

A réplica de Campos, a tréplica de Lacerda

Dois dias depois, a 19 de maio, por requisição do ministro da Justiça, formou-se cadeia de rádio e televisão, ocupada pelo ministro Roberto Campos, o principal atingido pela fala de Carlos Lacerda. Ele defenderia a política econômica das críticas, mas, pessoalmente, em vez de defender-se, atacaria com violência o governador. Chamou-o de ignorante, ambicioso, egoísta, insano e oportunista, e o definiu como moralmente exposto, movido pela obstinação de chegar à presidência da República a qualquer preço e custo. Também ironizou o adversário, criticando sua ação econômica no governo da Guanabara e acusando sua administração de viver à custa do Tesouro nacional. Lembrou a participação de Lacerda nos episódios do suicídio de Getúlio Vargas e da renúncia de Jânio Quadros, acusando-o de artífice daquelas crises. Poucas vezes a ironia e a verve de Campos tiveram de ser tão exigidas.

A 25 de maio, Carlos Lacerda formulou a tréplica, numa carta pessoal ao presidente Castello Branco, que, singularmente, não distribuíra à imprensa, cujo texto Cláudio Lacerda recuperaria nos arquivos do tio. Um dos mais longos documentos de Lacerda, expresso em mais de quarenta laudas, conteúdo escrito em sua máquina Remington e repassado às secretárias para a versão final. O governador-candidato já não poupava o chefe do governo, como de outras vezes, valendo registrar alguns parágrafos:

> Fiquei certo de que V. Exa. ia estudar o assunto e dar resposta, conforme declarou ao chefe da minha Casa Civil (referia-se à proposta alternativa de política econômica). Antes disso, porém, o Ministério da Justiça requisitou uma cadeia nacional de rádio e TV e nela o ministro do Planejamento desenvolveu um longo raciocínio com três aspectos fundamentais: 1. Resposta agressiva, repleta de falsidades e novas promessas à análise da política econômica do

governo. 2. Repulsa, com desprezo e com sofisma, à sugestão que fiz. Nenhum esforço sério para comparar a alternativa que propus com a situação real do país. 3. Desaforos e infâmias contra mim e contra o meu governo. Combate político à minha candidatura à presidência da República, encarada como se fosse uma afronta, pelo Ministro do Planejamento. (...) A repulsa feita entre pretensões à ironia e um soberbo desdém pela "ignorância do governador da Guanabara" e do público em geral comprovam que não se queria alternativa. Pois, mesmo ignorante, sei aprender com quem sabe. E conheço a situação do país. (...) A ideia de me atribuir o crime de ter contribuído para a queda e o suicídio de Getúlio Vargas é a habitual covardia de muitos que, não podendo acusar as Forças Armadas desse suposto crime, atribuem-no a mim, transformando-me em vítima expiatória de longas omissões e súbitas conversões. A ideia de me atribuir a renúncia do sr. Jânio Quadros e outras faz-me — pela primeira vez nos últimos anos — ficar pasmo. Como pode quem tem essas opiniões ser praticamente o orientador do governo da revolução no setor principal, que é o do planejamento? Quanto à oposição que liderei contra o governo Kubitschek, se foi odiosa e sistemática, porque V. Exa. cassou os direitos políticos desse benemérito presidente, cujo único erro foi afastar do BNDE o grande ministro da revolução em que está metamorfoseado o sr. Roberto Campos? (...) para me ofender, e ver se me irrita, atribuiu-me a prática de oportunismos políticos. A estupidez já não me irrita. Mas a mentira, sim. De todos os ataques, só esse é inédito. (...) o tema central de minha crítica, fundamento da alternativa que propus, era este: 1. O setor mais inflacionário da economia é o estatal. 2. Este não pode ser reduzido, nem a sua eficiência aumentada, em pouco tempo. Nem em treze meses nem em dois anos, nem, talvez, num quadriênio. 3. Logo, não se deve contar com o fim da inflação tão cedo. O setor maior e mais inflacionário, o da economia estatizada, não pode ser recuperado. 4. O que não convém é, mantendo a área estatal inflacionada, esvaziar a área da economia privada para custear a estatal. 5. Por isso, contando com inevitável certo grau de inflação durante certo número de anos, concentrar esforços em provar a baixa progressiva, racional e cautelosa da taxa inflacionária; e, ao mesmo tempo, desencadear a produção. 6. Para isto, convém dotar a iniciativa privada de meios para ajudar o país a sair da inflação com produção. E ativar urgentemente a administração pública, melhorando a sua produtividade por providências audaciosas. Pois a área estatizada, abrangendo mais da metade da economia nacional, é a grande área do desperdício e da exigência de recursos até aqui retirados da iniciativa privada — como antes eram retirados da emissão de papel-moeda. 7. Para isso, ainda, é essencial uma política de fé, de mobilização do povo, de atenção com os seus problemas e motivações.

Depois:

> Mas senhor presidente, meu estudo, que não é só meu, mas de gente que entende do assunto mais do que o senhor Roberto Campos, pois conhece o Brasil que ele desconhece, foi endereçado a V. Exa. Levei-o ao conhecimento do povo para que ele não ficasse no desconhecimento de minhas razões e à mercê da máquina de desinformação das informações e da corrupção da opinião pública, que está sendo montada. (...) A linguagem, os argumentos, a orientação dada pelo ministro do Planejamento à sua polêmica demonstram que será inútil discutir com ele em termos de saber qual a política que melhor convém à revolução. Ele nada tem com ela, e é contra ela na medida em que ela derrubou aqueles aos quais antes servia — como servirá amanhã a quem quer que, sucedendo a V. Exa., queira utilizar os seus serviços. (...) Senhor presidente, faço-lhe um apelo à inteligência e à sensibilidade para que abra seu espírito ao exame desapaixonado da política econômica, tão ligado à situação geral e aos destinos da revolução. Coloco à sua disposição, sem pretensões pessoais ou secreto desígnio, os trinta anos que tenho de 'ave agourenta', como diz o seu ministro. (...) A máquina de propaganda e de corrupção da opinião pública já montada e funcionando vai

eliminar, dentro em pouco, as fontes de crítica. V. Exa. só ouvirá, dentro em pouco, o coro das louvações. Mas o país pode estourar no meio dos foguetes da lisonja. Foi assim que se perderam várias revoluções. (...) Nunca disse que a alternativa que propus fosse a melhor, nem a definitiva. Mas que a política econômica que o sr. Campos recomendou ao governo da revolução não é a melhor, e não deve ser a definitiva, não tenho dúvidas. (...) Senhor presidente, embora tratado como um oportunista, um demagogo e um ignorante, um importuno e um mentiroso, pelo ministro que acusa de ter derrubado os governos que V. Exa. e o Exército derrubaram, e sem cuja derrubada V. Exa. não seria presidente — embora ele pudesse ser ministro de qualquer desses governos, que o tocaram para fora — não me envergonho de insistir junto a V. Exa. Porque o nosso amor ao Brasil deve ser maior do que o amor-próprio. (...) Criou-se um tabu que convém aos charlatães da economia: o de que não pode falar de economia política quem não foi economista. Isso é falso, como tantas outras falsas noções que se enraizaram nas pessoas desprevenidas. O fato de não saber misturar os temperos na panela não nos impede de julgar se a comida está ou não bem temperada. Não é preciso ser cozinheiro para saber se a comida é boa. (...) Permita lembrar, já que membros do seu governo não sabem, que eu não arrisquei uma embaixada para ser ministro, eu arrisquei a minha vida para que V. Exa. pudesse chefiar uma revolução que, sem a nossa resistência, não teria se realizado a tempo de evitar a guerra civil ou a tirania. (...) Como candidato, o meu interesse é calar e esperar. Se der certo, associar-me ao êxito. Se der errado, cobrar a minha advertência. Não é, pois, por ser candidato, que lhe faço apelos. Nem por orgulho, pois tenho sofrido suficientes humilhações que não me importam nada. E por amor a este país e à convicção de que podemos ajudá-lo melhor juntos do que intrigados e separados.

Não dá mais para segurar

No dia 26 de maio, em Brasília, o presidente Castello Branco compareceu a um dos costumeiros jantares oferecidos pelo deputado Nilo Coelho, do PSD de Pernambuco. Entre múltiplos pratos da cozinha nordestina que o marechal tanto apreciava, e diante de mais de trinta parlamentares de diversos partidos, comentaria, conforme *O Globo* do dia seguinte:

> Eu não sou um irresponsável. Ao contrário, se endosso a orientação do meu ministro do Planejamento, sou responsável por essa orientação, do mesmo modo como o governador é responsável pela orientação do sr. Flexa Ribeiro, seu secretário de Educação.

Nesse mesmo dia, *O Estado de S. Paulo* publicava em sua coluna política, a cargo do jornalista Villas-Boas Correa, que o presidente da República estaria disposto a encerrar o seu diálogo com o governador da Guanabara, pelo menos enquanto continuasse a atacar o governo. Não teria outra alternativa. Apesar disso, o rompimento definitivo ainda demoraria, não obstante estarem aumentando os decibéis de parte a parte, entre o governador e o presidente.

A 30 de maio, inaugurando obras de seu governo no Piauí, Castello fora ainda mais veemente, segundo divulgou *O Globo* do dia 31:

> (...) os pronunciamentos serviram para reafirmar que o governo prosseguirá em seus rumos (...) significando uma resposta do presidente às críticas do governador. Um trecho não deixa dúvidas quanto ao endereço: "E lamentável verificar que o pêndulo da paixão política continua a oscilar de uma extremidade a outra, sem se deter na análise objetiva dos fatos e das realizações do governo. Antes, haviam, dito que a ação governamental pretende deliberadamente enfraquecer as empresas estatais, com o objetivo de passar o seu controle ao setor privado e, até mesmo, para mãos

estrangeiras. Contraditoriamente, afirma-se agora que o programa de ação econômica destina-se a aumentar o grau de estatização da economia brasileira, já demasiado elevado e gerador da inflação. É fácil identificar o rendimento político visado por uma e outra dessas acusações, mas o governo não permitirá que a orientação em problema pertinente à segurança e ao bem-estar do povo se decida ao arrepio do primeiro grito com que se pretende assustar alguns e comprometer outros. Uma e outra das acusações não têm fundamento." No caso, o pêndulo tem nome: chama-se Carlos Lacerda. Na impressão geral ele está atônito no que se refere à sua candidatura presidencial, cada vez mais despedaçada por sua própria ação. (...) Sentiu que sua manobra não pode abrir-lhe os esperados caminhos populares, onde tentaria situar sua candidatura. Mais claramente: não será o candidato da revolução nem da antirrevolução.

O presidente da Câmara, Bilac Pinto, no mesmo dia 30, recebera o governador da Guanabara para almoçar, em Brasília, ocasião em que lhe teria dito, com todas as letras, segundo o *Correio Braziliense* do dia seguinte, que estava ele, Lacerda, esfacelando a UDN, que defendia a política econômica do governo. Na oportunidade, o deputado Costa Cavalcanti, presente ao almoço, afirmou a Lacerda: "É bom que o senhor não se envolva com as áreas militares, onde não arranjará nada, nem com os altos chefes nem com os coronéis."

A 3 de junho, *O Globo* publicou que a revolução, no momento oportuno, isto é, no ano seguinte, 1966, encontraria seu próprio candidato, afinado com a política do marechal Castello Branco, e que este não seria, de forma alguma, o governador Carlos Lacerda. Quem quisesse especular sobre nomes deveria, em primeiro lugar, comprar uma edição do Almanaque do Exército, que todos os anos listava os generais de quatro estrelas...

Uma rodada de casuísmos

Desde sua posse o presidente Castello Branco falava em reforma política, ainda que sua disposição pouco se traduzisse em atos. Pelo menos, atos legislativos normais, porque os institucionais eram e seriam outra história. O Congresso aprovara algumas emendas à Constituição, mudando, por exemplo, o nome do Brasil. Desde a proclamação da República que nos chamávamos Estados Unidos do Brasil, mas fomos rebatizados de simplesmente Brasil, o que, aliás, duraria pouco, pois, a partir de 1967, seríamos República Federativa do Brasil. Foi estabelecida, para fins de homologação da vitória, a necessidade da maioria absoluta de votos nas eleições presidenciais e de governador, diretas, bem como o domicílio eleitoral: só poderia candidatar-se por um determinado estado quem tivesse o seu título eleitoral nele registrado há pelo menos um ano.

Com a decisão de Castello pelas eleições diretas de governador em 1965, avolumaram-se as desconfianças dos radicais. Era ponto pacífico entre a linha-dura que os depostos em 1964, e seus aliados, não poderiam voltar ao poder, mesmo que parcial. Assim, meio cedendo às pressões, meio por cautela, o chefe do governo pediria urgência para a votação da emenda constitucional das inelegibilidades, que já era redigida pelo ministro Milton Campos e que chegaria ao Congresso a 22 de junho.

Com o apoio de Pedro Aleixo, seria incluído no texto inicial um dispositivo que tornava inelegíveis todos os que foram ministros de João Goulart, entre 23 de janeiro de 1963 e 31 de março de 1964, isto é, desde o restabelecimento do presidencialismo até a queda do presidente. Esse prazo foi depois ampliado para todos os ministros de Jango, inclusive no parlamentarismo, exceção aos que fossem parlamentares ou militares. Havia muita gente então debaixo do guarda-chuva revolucionário que no entanto fora ministro no regime deposto, a começar pelo senador Carvalho Pinto e pelo general

Amaury Kruel. Da mesma forma, segundo relataria Luís Viana Filho, ficaram inelegíveis os ex-secretários de estado de governadores depostos pela revolução.

Era o chamado casuísmo em marcha, ou seja, mudavam as regras do jogo toda vez que estavam em vias de perdê-lo. A moda pegaria em todos os governos militares seguintes. Depois de derrotado na Comissão de Constituição e Justiça da Câmara, o projeto de emenda acabaria aprovado no plenário na madrugada de 9 de julho.

Pai do jornalista ou filho do ditador?

Estava marcado, havia uma semana, um almoço que o chefe do Gabinete Civil ofereceria a um grupo de jornalistas políticos do Rio e de Brasília, com a presença do presidente da República, para uma conversa informal. Foi na granja do Ipê, residência oficial de Luís Viana Filho, em Brasília, naquele mesmo dia 9. O biógrafo de Castello Branco relataria:

> Eram os ases da crônica política. Organizara-se o encontro com regular antecedência, pois alguns deveriam vir do Rio, onde trabalhavam. Entre os convivas contava-se Carlos Castelo Branco, Luís Antônio Villas-Boas, Benedito Coutinho, Evandro Carlos de Andrade, Heron Domingues, Pedro Gomes, Porto Sobrinho e Carlos Chagas. Este, ao tempo, parecia um adolescente. A vitória da véspera dera cores mais vivas ao habitual bom humor do presidente.

O *Jornal do Brasil* do dia 10 publicaria:

> Quase tudo o que poderia constituir material de indagação no momento político foi perguntado ontem ao presidente Castello Branco, antes, durante e depois do almoço na residência do ministro Luís Viana Filho, em Brasília. Nenhuma das perguntas ficou sem resposta,

que revelava o homem tranquilo e bem informado, por sua vez também curioso de tudo e demonstrando uma acentuada capacidade de simpatia humana. Foi uma conversa informal e descontraída, em que todos se sentiram à vontade, e dela o presidente da República saiu, sem nenhuma dúvida, com saldo bastante favorável na opinião dos jornalistas. O presidente vinha de uma vitória decisiva no Congresso, e essa circunstância, por certo, serviu para colorir ainda mais o tom de vivacidade, serenidade e bom humor que marcou toda a conversa conosco. E o encontro, afinal, parece ter sido proveitoso para todos.

Luís Viana Filho contaria pela metade a história do diálogo entre o presidente e o papa do jornalismo político, Carlos Castelo Branco:

> Além das discretas ironias com Heron Domingues, cuja "voz cavernosa" lembrou-o das referências ao parentesco e à semelhança com Carlos Castelo Branco, a quem o chanceler do Uruguai imaginara filho do presidente, não houve pergunta a que não atendesse com cortês bonomia (...).

Na verdade, logo que chegou, para quebrar o gelo, o presidente realmente lembrara essa história, à qual Castelinho respondeu com frase que o chefe do Gabinete Civil, polidamente, omitiria de seu relato:

> Não é bem assim, presidente. Pelo que eu sei, e foi publicado num jornal uruguaio, o chanceler comentou que o colunista político do *Jornal do Brasil* era filho do ditador de plantão, no Brasil...

Na coluna política de *O Globo*, a respeito do encontro com o presidente, redigi:

> Ninguém pode ser julgado ou julgar-se candidato inarredável à presidência da República ou solução única para todos os problemas do país. É o que pensa o presidente Castello Branco, como disse aos jornalistas políticos, ontem, em Brasília, em conversa sem forma-

lidade. (...) Comentou o marechal que os cemitérios estão cheios de insubstituíveis, e, apesar disso, o país continua andando para a frente. As considerações do presidente são, evidentemente, uma resposta àqueles que argumentaram que, depois que o sr. Carlos Lacerda deixou de identificar-se com os princípios da revolução, esta não teria saída eleitoral para a sucessão presidencial de 1966. De outro lado, reforçou o presidente suas afirmações de que não aceitará o continuísmo. Acentuou que a revolução terá um candidato integrado em seus objetivos e ideais. E disse que não haverá dificuldade na escolha de um nome. Mas cada coisa será feita a seu tempo. O presidente lembrou, a propósito, as lições de um seu antigo professor, oficial do exército francês: "Antes da hora não é hora; depois da hora, já passou da hora." E a hora para que a revolução trate das eleições presidenciais será a partir de janeiro do ano que vem. As forças políticas debaterão o problema, sem necessidade de precipitações. Até lá, pois, o sol e o sereno continuarão pairando sobre o assunto. (...) O presidente disse que o continuísmo tem causado muitos males ao país e que a revolução foi deflagrada, inclusive, para que ele não acontecesse. (...) Seu governo teve que lançar mão de uma série de medidas impopulares. Trouxe consigo uma carga negativa que naturalmente se reflete no eleitorado. Foi obrigado a ir contra muita coisa. A contrariar os operários, a manter os estudantes afastados da política, a contrariar o poder econômico. Não seria natural, pois, que fossem aceitas de imediato suas primeiras medidas. O país de hoje não será o país de amanhã, mas o que ninguém deseja, mais do que tudo, é a repetição do país de ontem. (...) Justificou a lei das inelegibilidades, aprovada de madrugada, por fatores conjunturais mas necessários, enquadrados nos objetivos revolucionários de impedir o retorno à situação anterior a 31 de março de 1964. (...) As eleições são inerentes ao sistema democrático e foi em sua defesa que se fez a revolução. Assim, não haverá como ir contra as eleições. (...) outra consideração do marechal Castello Branco: acha o princípio da reeleição viável, como funciona nos Estados Unidos e que permite que cada presidente seja reeleito por um período. No entanto, pessoalmente, julga que isso não seria aplicável no Brasil de hoje. Para ele, somente depois de dois períodos sem reeleição é que se poderá pensar nela. Depois de 1974, portanto. (...) Não defende as eleições indiretas. O povo gosta de votar e é exercitando-se no direito do voto que termina por votar bem.

Eleições na rua

A partir de julho de 1965, felizes ou a contragosto, tiveram de se movimentar as forças políticas dos onze estados onde se realizariam as eleições para governador, a 3 de outubro. Havia ebulição militar, em parte contida pelos casuísmos, e todos os governadores em exercício esqueceram momentaneamente o fascínio do continuísmo ou de eleições indiretas, por impossibilidade total de contrariarem a diretriz afinal adotada pelo presidente Castello Branco.

Eis um quadro da disputa eleitoral nesses estados.

GUANABARA

As oposições ao governador Carlos Lacerda e, mesmo veladamente, ao governo federal logo chegaram a um entendimento. PSD e PTB, depois das escaramuças de praxe, decidiram atuar juntos, numa só chapa. O primeiro nome lembrado, ou melhor, lançado em campanha, foi o do engenheiro Hélio de Almeida, antigo presidente do Clube de Engenharia e ministro da Viação de João Goulart. A lei das inelegibilidades tirou-lhe a mais do que certa vitória nas urnas. Surgiu, então, irresistível, a candidatura do marechal Henrique Lott, já então marcado a ferro como antirrevolucionário pelos detentores do poder. Haveria uma revolução diante da simples hipótese de o velho militar, legalista e nacionalista, firmar-se como candidato, apesar de escolhido em convenção do PTB. Contra ele o governo federal utilizaria o argumento da falta de domicílio eleitoral. Desanimado com a política, meses antes ele decidira deixar seu apartamento em Copacabana e transferir-se para uma pequena casa de sua propriedade, em Teresópolis. Apesar da proximidade, Copacabana ficava no estado da Guanabara, e Teresópolis, no estado do Rio de Janeiro. Homem da lei e do regulamento, transferira para a nova residência o seu título eleitoral. Assim, sem domicílio na Guanabara, foi proibido de candidatar-se, por decisão da Justiça Eleitoral, chegando a questão em poucos dias ao Tribunal Superior Eleitoral, que a confirmaria, certamente sob os estímulos da linha-dura.

Depois de duas tentativas do PTB, chegara a vez do PSD, um partido que, excepcionalmente, era pequeno na Guanabara. Foi indicado o embaixador Negrão de Lima, ex-prefeito do então Distrito Federal, ex-ministro da Justiça e das Relações Exteriores no governo Juscelino, e que retornara, em janeiro de 1964, da embaixada do Brasil em Portugal para chefiar a campanha JK-65. Negrão era o protótipo do político sábio e cauteloso, e jamais poderia ser acusado de comunista, corrupto ou sucedâneo. E tinha uma vantagem: jovem advogado em Belo Horizonte, no início da década de 1930, fora amigo e até orador na festa de casamento de um jovem tenente que servia na capital mineira, Humberto de Alencar Castello Branco. Não se frequentavam havia muito, e haviam retomado os laços apenas quando o então marechal Castello Branco, candidato do movimento militar à presidência da República, manifestara o desejo de se encontrar e de pedir o voto do ex-presidente Juscelino, então senador por Goiás...

Do lado do governador Carlos Lacerda, buscava-se um candidato, e o melhor deles era Hélio Beltrão, advogado, administrador e planejador de mão cheia, que integrara o secretariado carioca e prestava serviços ao governo Castello Branco, principal autor do Decreto-Lei 200, da reforma administrativa. O problema é que Beltrão, desquitado e casado em segundas núpcias, não era aceito pela Igreja, naqueles idos um foco permanente de obscurantismo quando se tratava de defender a indissolubilidade do casamento. O cardeal D. Jaime Câmara manifestou-se contrário. Assim, pesaroso, Lacerda teve de abandonar Hélio Beltrão e, então, fixou-se em seu novo vice-governador, eleito pela Assembleia Legislativa após a cassação de Elói Dutra, do PTB. O diabo era que o jovem e promissor Rafael de Almeida Magalhães padecia de mal muito parecido: casara-se com o grande amor de sua vida, que já fora casada e se desquitara. E quem falasse em divórcio, naqueles tempos, era automaticamente excomungado.

A partir dali, seria dura a busca por um candidato. O secretário de Viação e Obras da Guanabara, Enaldo Cravo Peixoto, a quem o governador respeitava pouco, por julgá-lo subserviente, chegou a ser indicado em convenção da UDN carioca, mas não demarraria, de resto coincidindo sua pouca popularidade com um problema cardíaco. Afinal, a escolha recaiu sobre o secretário de Educação, Flexa Ribeiro, que prometera uma verdadeira revolução no ensino, que não deixaria uma só criança sem escola, na cidade do Rio de Janeiro. Lacerda, contudo, andava pessimista. Fizera toda a campanha do companheiro, desdobrara-se — teve até um mal súbito, quando discursava num comício em Bangu —, mas, na intimidade, desanimava o seu próprio candidato, dizendo que perderia.

Candidataram-se ainda Amaral Neto, deputado federal da UDN, mas então tornado desafeto de Lacerda, pelo PL; Hélio Damasceno, deputado estadual, pelo PTN; e Aurélio Viana, então deputado federal pelo Partido Socialista, político de origem alagoana, também apoiado pelo PDC. Alziro Zarur, fundador da Legião da Boa Vontade, ensaiara os primeiros passos para se candidatar, baseado em forte popularidade mística e religiosa. Chegara a fundar o PBV, mas foi "desaconselhado" pelos militares a trocar o microfone de pastor de almas pelo de pretendente ao governo carioca.

A DITADURA MILITAR E OS GOLPES DENTRO DO GOLPE: 1964-1969

Sobre a troca de Enaldo Cravo Peixoto por Flexa Ribeiro, convém citar partes de um artigo de Hélio Fernandes, na *Tribuna da Imprensa*, como explicação:

> Seu candidato [de Carlos Lacerda] era o secretário de Obras, Enaldo Cravo Peixoto, boa figura. Na estreia, no Teatro Municipal, da já famosa peça de Nelson Rodrigues, *Vestido de Noiva*, encontrei Enaldo Cravo Peixoto, Marcos Tamoio e Alfredo Machado. Lealmente, disse a Enaldo: "Amanhã estou dando uma nota na primeira página dizendo que você não é mais candidato, será substituído pelo secretário de Educação, Flexa Ribeiro." Enaldo, meu amigo, pediu: "Não faça isso, Hélio, eu não sei de nada, não pode ser verdade." Apostei com Alfredo e Tamoio um álbum belíssimo que acabara de ser editado pela Record. E disse para Enaldo: "Deixa eu dar o furo, que é só meu. Se não for verdade, o governador telefonará para você logo cedo e reafirmará a candidatura." Enaldo viu que era perfeitamente razoável, aceitou. Não aconteceu outra coisa. Logo cedo o governador me ligou, furioso: "Hélio, você ficou maluco? Eu não sei de nada disso, como é que podem trocar meus candidatos? Estou mandando uma nota, reafirmando meu apoio ao Enaldo. Você publica?" Resposta: "Claro, governador." Mandou, publiquei, sabendo que tudo o que eu revelara aconteceria.

Na conclusão da matéria:

> Essa candidatura ao governo da Guanabara (como a de Minas) era importante, por causa de um fato muito bem manipulado pelo astuto (a palavra é pejorativa) tenente-coronel Golbery. Flexa Ribeiro tinha uma filha casada com um filho de Lacerda. Assim, o governador não podia nem alegar desconhecimento do fato. E o candidato foi mesmo Flexa Ribeiro, derrotado por Negrão de Lima, minuciosamente escolhido por Golbery. E apoiado pelos comunistas, que, para aliviar o constrangimento dos camaradas, criaram um slogan: "Vote em Negrão com um lenço no nariz, mas vote". Esta

Tribuna da Imprensa teve enorme importância na derrota de Flexa Ribeiro. Eu já estava no jornal há mais de dois anos (assumira o ativo e o passivo das mãos de Nascimento Brito, do *JB*, que comprara o jornal de Carlos Lacerda assim que ele se elegeu governador), mas as ligações com Carlos Lacerda eram tão fortes que pouca gente estabelecia distinção entre Lacerda-Hélio Fernandes no jornal. Como desde o primeiro momento me coloquei dura e abertamente contra a candidatura Flexa Ribeiro, a confusão foi geral. Em todos os lugares perguntavam ao candidato: "Doutor Flexa, porque a *Tribuna* está tão violenta contra o senhor? O governador não apoia a sua candidatura?" Não havia o que responder. Em Minas, Golbery procurava também um candidato forte. Nas cartas Juscelino fala no candidato Sebastião Paes de Almeida. Golbery queria Israel Pinheiro, achava que Paes de Almeida não ganharia. E queria que ganhasse Negrão na Guanabara e Israel em Minas, para mostrá-los ao Exército e dizer: "Estão vendo? Toda vez que houver eleições diretas perderemos para os corruptos e subversivos!"

MINAS GERAIS

O governador Magalhães Pinto era outro líder civil revolucionário de primeira linha que rompera com o presidente Castello Branco, ainda que de forma bem mais amena do que Carlos Lacerda, num estilo mineiro. Mas não perdoava o marechal por haver mandado anular a decisão da Assembleia de Minas Gerais que prorrogava o seu mandato. Afinal, sabia de antemão que qualquer candidato que escolhesse seria derrotado, porque Minas se julgava ultrajada pela cassação de Juscelino Kubitschek. Pensou, então, em Aureliano Chaves, seu jovem secretário de Educação, mas acabaria indicando o secretário de Agricultura, Roberto Resende, ao cadafalso.

Do lado juscelinista, primeiro surgiu Sebastião Paes de Almeida, industrial do vidro plano e instância financeira das oposições mineiras, íntimo amigo de JK. Sua candidatura, no entanto, despertaria violenta reação nos meios militares, ele que era apelidado de "Tião Medonho", referência a um episódio policial ocorrido anos antes, quando uma quadrilha chefiada por um bandido com essa alcunha assaltara um trem-pagador. Como Paes de Almeida fora ministro da Fazenda de João Goulart, logo se veria afastado pela lei das inelegibilidades. Foi quando despontou — para sagrar-se candidato da aliança PSD-PTB — outro dos maiores amigos de Juscelino Kubitschek, o mestre de obras que construíra Brasília, Israel Pinheiro.

RIO GRANDE DO NORTE

Entre os potiguares, a briga envolvia dois grupos da UDN igualmente ligados ao movimento militar: o do ex-governador Dinarte Mariz, chefe político tradicional e senador, íntimo da maioria dos generais, e o então governador Aluízio Alves, anterior criatura de Dinarte, mas que, havia muito, voltara-se contra o criador.

Era tamanha a rivalidade entre eles que Dinarte, por mais de uma vez, sugerira a militares a cassação de Aluísio. A campanha foi das mais virulentas, com ataques mútuos, e monsenhor Walfredo Gurgel entrara na briga sem maiores predicados do que o de ter sido indicado pelo então governador em final de mandato.

ALAGOAS

Os candidatos também apoiavam a revolução, ainda que ferrenhos adversários e até desafetos no plano estadual. Rui Palmeira e Arnon de Melo pertenciam à UDN. O primeiro fora o indicado pela convenção do partido, o outro buscara abrigo numa pequena legenda. E havia ainda Muniz Falcão, do PSD. Os três se equivaleram em agressividade e apoio popular. Apresentar-se-ia também Antônio Lamenha Filho. Na eleição, nenhum deles obteria maioria absoluta, como determinava a nova lei. Seria, então, nomeado um interventor, após o término do mandato de Luís Cavalcanti, e caberia à Assembleia Legislativa, depois, indicar o governador.

MARANHÃO

Da mesma forma que no Rio Grande do Norte, criatura e criador não se toleravam, mantendo-se afastados até mesmo em eventos sociais e não políticos. Vitorino Freire, antes do PSD e depois fundador do PSP local, fora até candidato a vice-presidente da República em 1950, junto com Cristiano Machado, candidato a presidente — os dois obviamente derrotados pela chapa Getúlio Vargas/Café Filho.

Ligadíssimo aos militares, em especial aos irmãos Geisel, Ernesto e Orlando, a quem carinhosamente chamava de "os alemães", da mesma forma como Dinarte Mariz contra Aluízio Alves, Vitorino tentara, sem sucesso, a cassação de José Sarney, e o jovem deputado federal sairia candidato pela UDN. O problema é que no PSD campeava a divisão. O governador Newton Bello, depois de comprometer-se com Renato Archer, com óbvios vetos militares, lançaria o deputado estadual Costa Rodrigues. Vitorino Freire não gostou, sentindo-se traído. No final, Archer seria candidato pelo PSD e Costa Rodrigues pelo PSP, ambos repudiados pelo cacique maranhense, que tampouco podia apoiar Sarney, ainda que tivesse previsto sua vitória.

PARAÍBA

Pedro Gondin, o governador, acomodara-se com o movimento militar, embora fosse do PSD. Para a sua sucessão, candidatou-se João Agripino, deputado pela UDN, que fora ministro de Minas e Energia de Jânio Quadros e que era um dos mais fiéis partidários do presidente Castello Branco. Argemiro Figueiredo, senador pelo PSD, apresentava-se para enfrentá-lo.

PARÁ

O governador Aurélio do Carmo fora deposto, cassado a 15 de junho de 1964. Para completar o período daquele mandato, a Assembleia Legislativa elegera o coronel Jarbas Passarinho, que logo nomearia o major Alacid Nunes como prefeito de Belém. Decididas as eleições diretas, Passarinho procurou Castello Branco, apresentando lhe diversas opções como candidatos da revolução no estado: o general Bizarria Mamede, que comandara a guarnição, íntimo amigo do presidente, o depois senador Catete Pinheiro, ex-ministro da Saúde de Jânio Quadros, o deputado Stélio Maroja e finalmente o major Alacid Nunes, o mesmo que escolhera para prefeito da capital.

Castello não queria militares na política, não como rotina, tanto que iria, um ano depois, opor barreiras às pretensões dos generais Amaury Kruel, para São Paulo, Justino Alves Bastos, para o Rio Grande do Sul, e Antônio Carlos Murici, para Pernambuco. Mas cederia aos argumentos do então jovem coronel Passarinho em fazer Alacid Nunes candidato, já que o general Mamede recusara. Ele foi lançado pela UDN. O processo sucessório pegou fogo quando o ex-governador e senador, marechal Zacarias de Assunção, apresentou-se pelo PSP, ainda que também apoiasse a revolução no plano federal. A campanha seria das mais virulentas, com a imprensa aberta a todo o tipo de denúncias e acusações.

PARANÁ

O governador Ney Braga fora um dos líderes do movimento que depôs João Goulart, tão conceituado no plano federal quanto no estado, onde fazia excepcional administração, depois de haver sucedido a Moisés Lupion, durante muitos anos símbolo da corrupção. Indicaria, pelo seu partido, o PDC, seu secretário de Agricultura, Paulo Pimentel, que logo teria o apoio geral. Apresentou-se, pelo PSD, o ex-governador Munhoz da Rocha.

MATO GROSSO

Fernando Correia da Costa, da UDN, governador pela segunda vez, apoiara o golpe militar. Como seu grande adversário na política local, porém, tinha o senador Filinto Muller, do PSD, general do Exército e igualmente revolucionário. Este lançaria a candidatura de Pedro Pedrossian, enquanto do lado udenista apresentaram-se Ponce de Arruda e Wilson Martins, e pela oposição mais extremada, Henrique Gomes. Bem mais do que o candidato pessedista, o eleitorado identificara nesta candidatura uma reação contra o regime militar. A campanha transcorreria em termos mais ou menos altos.

SANTA CATARINA

A briga local, se não era secular, era quase. De um lado o PSD, com a família Ramos à frente. Nereu fora o chefe até morrer num desastre aéreo. Passara o comando a Celso, então governador, com o apoio de Joaquim, deputado e importante líder no plano federal. O partido apoiou a revolução. Do outro lado, também partidários do movimento militar, estava a UDN, com os Konder e os Bornhausen, sendo o senador Irineu Bornhausen o cacique maior. O PSD lançaria o presidente da Assembleia Legislativa, Ivo Silveira, e a UDN, o deputado Antônio Carlos Konder Reis, com o eleitorado, mais uma vez, identificando no pessedista uma espécie de revanche pela cassação de Juscelino Kubitschek.

A DITADURA MILITAR E OS GOLPES DENTRO DO GOLPE: 1964-1969

GOIÁS

O governador Mauro Borges fora deposto pelos militares em novembro de 1964, acusado de esquerdista, apesar de major do Exército. Era filho do maior chefe político local, também ex-governador, Pedro Ludovico Teixeira. O coronel Meira Matos assumira o governo local como interventor. Depois, o marechal Emílio Ribas Júnior seria eleito pela Assembleia Legislativa. As forças políticas que apoiaram a revolução pertenciam à família Caiado e lançaram a candidatura de Otávio Laje, pela UDN, ao tempo em que a família Ludovico vacilava na escolha de um dos seus, fixando-se tardiamente em Peixoto da Silveira.

Quem ganhou, afinal?

Nenhum dos candidatos ousou apresentar-se como antirrevolucionário, nem mesmo como adversário do regime militar. Ficaria claro, contudo, que o povo, que não é bobo, pensara diferente em pelo menos dois casos. Foi o eleitorado oposicionista carioca e mineiro, por convicção refratário aos militares, no primeiro caso, ou agastado contra a cassação de JK, no segundo, o responsável pela vitória de Negrão de Lima, na Guanabara, e Israel Pinheiro em Minas. Ambos eleitos por maioria absoluta, como exigia a nova lei eleitoral, sem necessidade de que as respectivas Assembleias Legislativas se reunissem para referendá-los ou escolher outro.

Mais tarde, o governo federal difundiria a tese de que o povo votara contra Carlos Lacerda, na Guanabara, e contra Magalhães Pinto, em Minas, o que constituiria, no máximo, uma meia verdade.

Nos demais estados, venceriam em maioria candidatos identificados com a revolução: monsenhor Walfredo Gurgel, no Rio Grande do Norte, Antônio Lamenha Filho, em Alagoas (escolhido pela

Assembleia Legislativa), José Sarney, no Maranhão, João Agripino, na Paraíba, Alacid Nunes, no Pará, Paulo Pimentel, no Paraná, Pedro Pedrossian, no Mato Grosso, Ivo Silveira, em Santa Catarina, e Otávio Laje, em Goiás (referendado pela Assembleia Legislativa).

A saída do santo

Todos eram unânimes em identificar Milton Campos como um verdadeiro santo. Terá sido, em toda a história do Brasil, uma daquelas figuras superiores, irretocáveis, ainda que não lhe faltassem malícia, senso de humor e, evidentemente, paixão política. Seguiu o caminho clássico dos políticos mineiros de seu tempo.

Nascido em 1900, em Ponte Nova, bacharelou-se pela Faculdade de Direito de Minas Gerais. Teve como colegas e contemporâneos Gustavo Capanema, Negrão de Lima, Gabriel Passos, Abgar Renault, Afonso Arinos de Melo Franco, Ciro dos Anjos, Pedro Nava, Carlos Drummond de Andrade e muitos outros. Começou a advogar e foi diretor da sucursal de *O Jornal* em Belo Horizonte. Integrou a derrotada Aliança Liberal e, com a revolução de 1930, tornar-se-ia advogado-geral de Minas Gerais, nomeado pelo governador Olegário Maciel. Deputado à Assembleia Constituinte estadual mineira, em 1934, perdeu o mandato com o golpe de 1937, então nomeado advogado da Caixa Econômica Federal em Minas. Assinaria o manifesto dos mineiros, celebrizando-se por uma frase de humor irônico: "Se esse documento não fizer onda, pelo menos fará muitas vagas." Fez, porque se viu demitido da Caixa Econômica Federal. Tornou-se professor de Política e de Direito Constitucional na capital do estado. De novo advogando, seria candidato a deputado federal em 1945, eleito pela UDN. Participou dos trabalhos da Assembleia Nacional Constituinte de 1946.

A DITADURA MILITAR E OS GOLPES DENTRO DO GOLPE: 1964-1969

No final daquele ano, sairia candidato ao governo mineiro, como ele dizia, apenas para fazer discursos, sem a menor chance de ser eleito. "Se fosse para vencer, outro teria sido o escolhido", brincava. Surpreendentemente, porém, venceu, batendo o candidato do PSD, Bias Fortes, a respeito do que teria dito na véspera: "Corro o perigo de ser eleito." Gostava de frequentar os cafés e livrarias de Belo Horizonte, mas, na primeira vez que tentou, como governador, juntou tanta gente na avenida Afonso Pena que desistiria: "Parece que eu sou a girafa do Jardim Zoológico." Ante uma greve de ferroviários em Divinópolis, o secretário de Segurança sugeriu que se mandasse para o local um trem de tropas. Retorquiria, não aceitando: "Que tal se mandássemos o trem pagador?" A paralisação se devia a salários atrasados.

Apoiou Gabriel Passos para sua sucessão, que perderia para Juscelino Kubitschek. Voltou a dar aulas e a advogar, elegendo-se senador em outubro de 1954. No ano seguinte, viu-se escolhido para companheiro de chapa do candidato à presidência Juarez Távora, que também perderia para JK. Teve 770 mil votos a mais do que o marechal, mas o vice-presidente eleito foi João Goulart. De novo no Senado, reeleger-se-ia em 1958, tendo presidido a UDN. Com a candidatura Jânio Quadros, acabou outra vez postulante a vice-presidência. Conta a crônica que foi sabotado pelo companheiro de chapa, que preferiria João Goulart, outra vez apresentado.

Nas vésperas do movimento militar de 1964, convidado pelo governador Magalhães Pinto, que fora seu secretário de Finanças, tornar-se-ia "secretário Sem Pasta", junto com Afonso Arinos e José Maria Alkimin. Vitorioso o golpe, que obviamente apoiava, viu-se convidado pelo marechal Castello Branco para ministro da Justiça, penhor que levaria muitos liberais e democratas a perfilarem com a chamada revolução.

O problema era que Milton Campos, homem da lei, ressentia-se dos atos revolucionários, ainda que os tivesse referendado, inclusive a cassação de Juscelino Kubitschek. Ficara feliz, pois, com a decisão de Castello pela realização de eleições diretas em onze estados, marcadas para 3 de outubro de 1965. Percebendo, entretanto, de onde o vento soprava, com o aproximar do pleito, pediria exoneração ao presidente, em carta datada de 1º de outubro daquele ano. Sentira que, se candidatos da oposição viessem a vencer em Minas e na Guanabara, os militares romperiam a frágil aparência de legalidade ainda vigente. Estava certo, ainda que apenas a 11 daquele mês o presidente resolvesse liberá-lo, quando o governo se decidiu pela edição do Ato Institucional nº 2.

A carta de demissão de Milton Campos é um primor tanto de elegância quanto de contundência diante do arbítrio. São alguns trechos:

> De minha parte, procurei dar a V. Exa. a colaboração de que era capaz, dentro de minhas limitações e na linha do meu compromisso com a causa democrática, que tem sido a motivação de minha modesta vida pública. Folgo em registrar que sempre encontrei nos propósitos de V. Exa. o mesmo propósito orientador, e por isso me sinto desvanecido de haver colaborado com V. Exa. no grande esforço pelo aperfeiçoamento do regime. Às vésperas das eleições do próximo dia 3, considero oportuno solicitar a V. Exa. meu afastamento. Seu governo, fiel aos compromissos revolucionários do Ato Institucional, terá vencido uma fase de alta significação, e eu posso dar como cumprida, pelo menos em parte, minha missão como auxiliar de V. Exa.

Luís Gonzaga do Nascimento e Silva, em artigo publicado por *O Globo* em 1972, quando da morte do dr. Milton, desdobrar-se-ia em elogios à figura "daquele a quem não faltava uma nota de ironia bem dosada". Luís Viana Filho, em *O governo Castello Branco*, contaria que, quando o ministro levou sua carta de demissão, o presidente recebia o deputado Costa Cavalcanti, que alertava para o mal-estar nos quartéis em face da eleição. Quando o parlamentar se retirou, Castello comentou com Milton Campos: "Queria que o senhor ouvisse a conversa que eu sabia qual ia ser." Resposta: "Não quero que o senhor tenha impressão de falta de solidariedade de minha parte, mas vou fazer uma observação a que o senhor não precisa responder, pois sei que o seu constrangimento é idêntico ao meu. Ocorre que o ministro pode se afastar quando tem constrangimento. O presidente não pode."

Castello, conforme o seu biógrafo, ficou em silêncio...

5
O primeiro golpe dentro do golpe

Jacaré tem couro grosso

Juracy Magalhães, embaixador em Washington, veio ao Brasil a 10 de setembro. Fora alertado por Castello Branco de que precisaria dele aqui, numa função ministerial. Estava evidente que seria para ministro da Justiça, porque, se Milton Campos não tivesse tomado a iniciativa de demitir-se, certamente a tal chegaria, pressionado pela linha-dura, a começar pelo ministro Costa e Silva, que o achava legalista demais.

Juracy pediu um tempo, pois precisava voltar aos Estados Unidos, o que faria apenas depois das eleições, a 7 de outubro. Regressaria no dia 18, como prometera, já livre das últimas obrigações de embaixador, para tornar-se ministro da Justiça. Na manhã daquele dia, no aeroporto do Galeão, esperava-o Luís Viana Filho, designado ministro interino da Justiça desde o dia 11. Foram direto ao palácio Laranjeiras, onde o presidente confirmaria o convite e assinaria, na mesma hora, sua nomeação.

O antigo tenente dos idos da revolução de 1930 não titubeou e, a 19 de outubro de 1965, tomaria posse, no gabinete que o Ministério da Justiça mantinha no Rio, na rua México. Era o sinal de que a legalidade seria quebrada, ainda que ele se fosse dedicar a uns poucos dias de intensas conversas nos meios políticos para saber até que ponto o Congresso votaria e os partidos aceitariam medidas de exceção capazes de cercear a independência e a liberdade dos governadores de oposição eleitos.

Ao defender essas ações junto ao presidente do PSD, Amaral Peixoto, e, depois, em sucessivas entrevistas à imprensa, Juracy não se cansava de utilizar duas imagens: a primeira, de que as medidas excepcionais poderiam não ser utilizadas, como um revólver que o cidadão leva na cintura quando vai atravessar um beco escuro num bairro de má fama; a outra, de que poderiam atacá-lo ao máximo, como já fazia o *Correio da Manhã*, que não se importava. Tinha o couro grosso igual a um jacaré. O senador Vitorino Freire, revolucionário de quatro costados, dizia sempre, e mais passou a dizer diante das declarações do novo ministro da Justiça: "Em rio de piranha, jacaré nada de costas..."

A vila estava pronta para descer

O caldo, como se nota, já engrossava, mas só começaria a transbordar mesmo a partir do dia 5, quando ficou claro que Negrão de Lima e Israel Pinheiro eram vitoriosos na Guanabara e em Minas Gerais, e com um detalhe: eleitos por maioria absoluta, sem necessidade de um segundo turno entre os dois primeiros colocados.

Carlos Lacerda começou a pregar o golpe, quer dizer, a negativa de posse aos eleitos, afinal vencido no esforço por popularizar Flexa Ribeiro, com quem inaugurara um monte de obras inacabadas e se desdobrara numa dezena de comícios diários, durante a campanha. Através de Rafael de Almeida Magalhães, em parte, mas também diretamente, procurava coronéis e generais, estimulando uma ação radical que não apenas anulasse as eleições, mas que terminasse por afastar Castello Branco da presidência da República.

Astuto, Costa e Silva colocara o Exército de prontidão em todo o território nacional. Era um risco, pois, como dizia há muito o ex-presidente Eurico Dutra, prontidão só servia para acirrar os ânimos. Em vez de irem para casa e enfrentarem os problemas domésticos com a mulher e os filhos, os oficiais eram obrigados a permanecer nos quartéis e ocupavam o tempo confabulando e até conspirando.

No palácio Laranjeiras sucediam-se as reuniões, uma delas, realizada na noite do próprio dia 5, entre o presidente, os ministros militares, os chefes dos gabinetes Militar e Civil, e o chefe do SNI. Juracy Magalhães, que ainda não retornara aos Estados Unidos, participou como "ouvinte privilegiado".

Naquele dia 5 de outubro, "a vila estava pronta para descer", eufemismo para o fato de que — na região de maior concentração de quartéis do país, conhecida como Vila Militar, em Realengo — os tanques e caminhões de soldados estavam preparados para, ao comando de seus chefes, ocupar a cidade. Já se dizia, até, que o objetivo seria tomar o estádio do Maracanã, onde se encontravam as urnas de todo o estado da Guanabara. A palavra de ordem era queimá-las e considerar revogadas as eleições. A temperatura andava tão alta que um simples isqueiro colocaria tudo em chamas.

Já por volta das dez da noite, o ministro Costa e Silva dirigiu-se a Realengo. Foi de quartel em quartel, exigindo dos coronéis-comandantes que se enquadrassem e respeitassem sua liderança. Não permitiria insubordinações nem atos isolados, que todos confiassem nele como chefe, "porque os subversivos e os corruptos não voltariam". Mas ninguém deveria se precipitar e, muito menos, contestar a autoridade do governo.

Na manhã do dia 6, celebrava-se mais um aniversário da tomada de Monte Castello, na Segunda Guerra Mundial, pela Força Expedicionária Brasileira. Após o desfile militar comemorativo, Costa e

Silva — que ainda era ministro da Guerra, porque só meses depois um decreto mudaria o nome para ministro do Exército — diria aos jornalistas, segundo o *Diário de Notícias* e o *Jornal do Brasil* do dia 7:

> Como vocês viram, a vila não desceu. E eu não estou demissionário. As decisões do presidente da República serão rigorosamente cumpridas. Cuidado com os boatos. As Forças Armadas não são organizações políticas. Não decidem se devem ou não dar posse aos eleitos. A decisão é do presidente e do Congresso. Se o presidente disser "deem posse", haverá posse. Se disser "não deem posse", eles não tomarão posse. As cordas da revolução são de aço e nao se romperão.

A seguir, num almoço que a oficialidade oferecia, o ministro discursou, conforme publicaria *O Jornal* na primeira página:

> Atravessamos uma fase nova ainda chamada de revolucionária, iniciada em 31 de março, quando o Exército, violentando o seu princípio, mas prestando uma homenagem ao povo, afastou aqueles que queriam levar o país ao caos, coisa que não tolerará jamais, pois o espírito revolucionário continuará prevalecendo. As Forças Armadas não temem a contrarrevolução. O que as preocupa é o ardor da mocidade que quer mais revolução. O governo sabe onde pisa e não retornará ao passado. O presidente Castello Branco autorizou-nos a dizer isso, porque sabe que a farda está unida tanto no Exército quanto na Marinha e na Aeronáutica. Enquanto existir coesão, que importam negros [menção deselegante a Negrão de Lima] ou brancos [seria Carlos Lacerda?]. Eles jamais tomarão conta deste país. A arma deles é a intriga, o boato e a solércia. O presidente Castello Branco reduziu a nada a informação de que trabalhava pelo continuísmo e tem o nosso respeito. As cordas da revolução são de aço e não se romperão. O que é preciso é confiar nos chefes e em torno deles manter a unidade de espírito e de confiança, porque nós seremos dignos.

A DITADURA MILITAR E OS GOLPES DENTRO DO GOLPE: 1964-1969

Na madrugada de 5 para 6, ao retornar da Vila Militar, Costa e Silva passara, em segredo, no palácio Laranjeiras, para dar conta de haver contornado a rebelião e combinar o que diria na solenidade do dia seguinte, na Vila Militar. Nenhum dos dois precisou tornar claro ou particularizar, mas, naqueles poucos minutos de conversa, ficou óbvio que Castello passara a ser devedor de seu ministro. Permaneceria no poder porque Costa e Silva permitia, porque, num ato de vontade, fizera refluir os tanques. Não era preciso dizer mais nada. O colega de turma não se inscrevia propriamente no rol dos possíveis candidatos à sucessão de 1966. Ele era "o candidato", apesar de muita água ainda vir a passar sob a ponte para confirmá-lo.

Em depoimento a Luís Viana Filho, o coronel Mario Andreazza, principal assessor de Costa e Silva, diria que, naquela manhã festiva em memória do triunfo na Segunda Guerra, havia grande tensão na Vila Militar e que muitos esperavam que o ministro fizesse veemente pronunciamento contra a posse de Negrão de Lima e Israel Pinheiro:

> Criou-se assim clima de intensa expectativa, a tal ponto que mesmo os auxiliares mais próximos de Castello Branco não excluíam essa possibilidade. Posso, todavia, assegurar que tal ideia jamais passou pela cabeça de Costa e Silva. (...) Durante o percurso para a Vila Militar, Costa e Silva disse-me que definiria, claramente, sem deixar dúvida, a sua posição, ou seja, enquanto ministro fosse, seriam as decisões de Castello rigorosamente cumpridas, custasse o que custasse, e que, nessa situação, não admitiria qualquer dúvida quanto à sua lealdade.

Os boatos da demissão de Costa e Silva partiram de Carlos Lacerda e seu grupo. Difundiam a ideia de que, com vistas a se perpetuar no poder, Castello trabalhava por afastar quaisquer pretendentes à presidência da República. O primeiro fora ele, Lacerda, progressivamente esvaziado e, afinal, isolado. Depois, da mesma forma, Magalhães Pinto. E então chegara a vez de Costa e Silva.

Não era bem assim, e o governador carioca apenas se exasperava diante da derrota de seu candidato, da vitória de um de seus maiores desafetos e da previsão de que sua candidatura presidencial mais e mais se tornava uma impossibilidade. Lacerda chegaria a comentar, num programa de televisão, manobra que, na realidade, acontecera meses atrás, quando Castello, "inocentemente", num despacho, indagou a Costa e Silva sobre o que achava da possibilidade de D. Yolanda, mulher do ministro da Guerra, tornar-se uma embaixatriz... A história ocorrera, mas era velha. E não se repetiria. Não naquele momento, em que Costa e Silva já conquistara o que queria: uma posição de supremacia moral frente ao presidente.

Amenizada, portanto, a crise militar, o resto era política.

Na noite do dia 7, conforme *O Globo* do dia 9, reuniram-se, na casa do deputado Adaucto Cardoso, na rua Constante Ramos, em Copacabana, os principais líderes da UDN. Lá estavam Aliomar Baleeiro, Afonso Arinos, Bilac Pinto, Ernâni Sátiro, Djalma Marinho e Antônio Carlos Magalhães, entre outros, em torno de um jantar em homenagem ao chefe da Casa Civil, Luís Viana Filho. Lá, reiteraram que o Congresso não votaria o Ato Institucional número 2. Preferiam a reabertura do processo revolucionário a ter seus nomes ligados à exceção. Ainda havia pruridos de coragem, naquela época.

Adeus para nunca mais

Dias antes, a 4 de outubro, quando as urnas ainda eram reunidas nos onze estados, sem que as apurações tivessem sequer começado na maioria deles, e mesmo apenas engatinhando os institutos de pesquisa de opinião, ninguém duvidava da vitória de Negrão de Lima, na Guanabara, e de Israel Pinheiro, em Minas, transformados em lobisomens pela linha-dura e pelos que se sentiam prejudicados com aqueles resultados.

Prevendo crises, o chefe da Casa Civil da presidência, Luís Viana Filho, concedera a este repórter, em *O Globo*, uma curta entrevista, publicada no dia 5, em que ousou dizer, em nome próprio, que as eleições presidenciais previstas para o ano seguinte deveriam ser indiretas, realizadas pelo Congresso. Justificava-se apontando para o clima de quase caos que reinava no país por conta das eleições de governador realizadas no dia 3.

Baseado nessa entrevista, Carlos Lacerda, o maior derrotado do pleito, dado o fracasso de seu candidato à sucessão, Flexa Ribeiro, escreveria carta ao presidente da UDN, já agora Ernâni Sátiro, em que devolvia sua candidatura ao partido. Apesar de andar conspirando para a deposição do presidente Castello Branco, o governador carioca não perdera aquela qualidade ímpar de prever o futuro, e tinha certeza de que Luís Viana falava pelo governo inteiro.

Extrai-se um trecho de sua carta que apenas a *Tribuna da Imprensa* publicaria na íntegra:

> Não resistirei ao sol e ao sereno. Votaram contra o governo, dia 3, os que não têm pão, os oprimidos e os reprimidos. Os próprios líderes acabam de matar a revolução. Não sobrou nada. Juscelino Kubitschek é o único líder nacional, Castello Branco já não lidera mais nada.

Aqui é meu lugar

O ex-presidente Juscelino Kubitschek vivia um de seus maiores momentos de depressão. Passou o Natal de 1964 em Paris e confessaria a um amigo, por carta, que pensara até em suicídio. Não suportava ficar longe do Brasil. Precipitado, aceitaria a solução, sugerida por velhos companheiros, de retornar de qualquer maneira. A volta, segundo aconselhavam os aprendizes de feiticeiro, deveria se dar de modo a que não pudesse ser acusado de interferência no resultado das eleições para governador, ou seja, nunca antes de 3 de outubro. No reverso da medalha, diziam também, não poderia regressar quando já oficialmente conhecidos os eleitos, porque Negrão de Lima e Israel Pinheiro venceriam de qualquer forma. Assim, o grupo mais açodado do PSD — no qual não se incluíam os dois candidatos, muito menos Amaral Peixoto, Tancredo Neves, José Maria Alkimin, Joaquim Ramos e outros — entendia que o dia certo para o desembarque de JK no Rio de Janeiro seria a manhã de 4 de outubro de 1965.

A notícia, é claro, transpirou. O SNI e os serviços de inteligência das três Forças Armadas sabiam, com antecedência, até o número do assento em que o ex-presidente viajaria no *Chateau de Sully*, avião da Air France que saíra de Paris às 22 horas do dia 3 e aterrissara no Galeão às 7h30 do dia 4.

O próprio Juscelino, através da pena brilhante de Carlos Heitor Cony, relatou a aventura para *Manchete*, depoimento que depois integraria o livro *Memorial do exílio*:

> Eu estava engasgado pelo exílio. Fiz as malas sem esquecer as recomendações dos amigos que me pediam prudência, que ficasse mais uns dias em Paris, esperando o desenrolar dos acontecimentos. Mas eu vivia um drama pessoal. A possibilidade de passar um outro inverno em exílio era apavorante. Eu nunca sentira o terror, antes. Em nenhuma situação de minha vida fui assaltado por esse sentimento, que é pior do que o medo, mais devastador do que o pânico. Era o terror, mesmo. A alternativa que tinha, então, era voltar ou ficar. Se ficasse, dificilmente dominaria esse terror que se apoderara de mim. Sou um homem de fé, católico praticante. Dei provas, inúmeras vezes, de coragem pessoal e moral. Mas naquele momento eu não teria forças para vencer o drama que vivia. Era voltar ao Brasil ou meter uma bala no peito.

Cony então toma a palavra, ainda conforme publicado em *Manchete*, para acrescentar:

> Juscelino regressou de sua primeira etapa no exílio. Na manhã de 4 de novembro ele acenava de seu carro, à frente de um cortejo de automóveis que buzinavam pelas ruas do Rio. O povo se concentrava nas calçadas para aplaudi-lo. Juscelino ria. Os brasileiros bem conheciam o riso e o gesto, momentaneamente reintegrados à moldura da terra. Quem o viu, naquele instante de fugaz triunfo, não sabia que em seu bolso havia um papel timbrado do Ministério da Guerra, intimando-o a comparecer, naquele dia mesmo, às 14 horas, no quartel da Polícia do Exército, para responder a um Inquérito Policial Militar — o primeiro de um longo massacre.

E ainda:

> Quando o comissário de bordo autorizou a descida dos passageiros, JK viu lá embaixo, ao pé da escada, um oficial da Aeronáutica grudado ao último degrau. Se fosse simples cautela tomada pelo comando da Base do Galeão, que encarregaria um de seus oficiais para assistir o desembarque, o militar estaria ao lado da escada, e não ali, como a impedir que o passageiro da Air France pisasse o chão do Brasil. Tão logo desceu o primeiro degrau, com D. Sarah à frente, ele viu que nas sacadas do antigo aeroporto uma multidão esperava por ele. E era, em parte, por isso que voltava: para estar com sua gente. Por um instante esqueceu tudo: as apreensões de dezesseis meses de exílio, as dificuldades que enfrentaria com aquele retorno. Sim, valera a pena. Mais dois, três degraus, e pisaria outra vez o seu chão. O oficial recuou apenas um passo e continuou a barrar-lhe o caminho. JK estendeu-lhe a mão, cordialmente, não o conhecia, mas o gesto de estender a mão era comum nele. Além do mais, fora chefe supremo das Forças Armadas de seu país, sabia que os regulamentos davam-lhe o direito civil, não mais hierárquico, de estender a mão a um oficial do Brasil — que em sua folha de

assentamentos deveria ter, de algum modo, uma promoção, um elogio, um ato administrativo assinado por ele na qualidade de presidente da República. O oficial, mesmo fardado, cumprimentou-o à paisana, retirando o quepe da cabeça mas evitando a mão estendida: normalmente, os oficiais batem continência em casos assim, até sem obrigação regulamentar. Mas o oficial tinha missão pouco agradável a cumprir. Estendeu-lhe a intimação firmada pelo coronel Ferdinando de Carvalho, que presidia um IPM sobre as atividades comunistas no Brasil. Comunicou-lhe verbalmente que estava intimado a comparecer ao quartel da Polícia do Exército, na rua Barão de Mesquita, para o primeiro depoimento.

E finalmente, sempre como narrado ao jornalista de *Manchete* por Juscelino Kubistchek:

> Ao lado, Sarah ouve a intimação. Apesar das muitas cartas trocadas com os amigos daqui, dos telefonemas recebidos, ninguém havia levantado aquela hipótese que anunciava um tratamento severo demais para quem voltava à pátria. Tão logo o oficial se afastou, outro militar se aproximou e repetiu a cena, intimando-o para outro IPM, este sobre as atividades do Instituto Superior de Estudos Brasileiros — ISEB. A intimação vinha assinada pelo coronel Joaquim Vitorino Portella Ferreira Alves, e marcava o primeiro depoimento para aquele mesmo dia, às 14 horas. Juscelino deu-se por intimado. Comunicou aos oficiais que iria para casa, em Ipanema, mas que estaria presente na hora e local determinados pelas intimações. Ladeado pelos dois militares, ele se afasta do avião e se dirige à alfândega, onde os amigos e parentes o esperam, emocionados e apreensivos. Acompanhando o lance a distância, tiveram a impressão de que JK havia sido preso no momento em que voltara a pisar o chão do Brasil. Essa sensação só se dissipou quando o viram nos braços das duas filhas. E a alegria foi tanta que todos, inclusive JK, esqueceram as intimações, a enorme cadeia armada contra um homem desarmado física e espiritualmente, que desejava apenas

voltar para casa. No saguão do aeroporto, outra presença é notada: Negrão de Lima interrompera o descanso pós-eleitoral num sítio de Jacarepaguá e viera cumprimentar o amigo e chefe. Ainda no Galeão as emissoras de rádio começavam a divulgar os primeiros resultados da eleição da véspera. (...) Juscelino é chamado pelos genros, um carro o espera, ficara tacitamente combinado com as autoridades da Base Aérea do Galeão que não haveria aglomerações, nenhuma possibilidade de comício, nada que pudesse transformar a chegada de JK numa manifestação velada ou ostensiva contra o governo e o regime. Os resultados da eleição bastavam, até demais, para abrir a crise que desaguaria no Ato Institucional nº 2.

Uma ignomínia

O *Correio da Manhã* do dia 5 de outubro de 1965 publicaria, com chamada na primeira página, que, do Galeão a Ipanema, uma comitiva de mais de trinta automóveis seguira o ex-presidente, "ovacionado nas ruas". Não terá sido bem assim, porque poucos populares, alertados pelos foguetes disparados dos carros que vinham atrás, tiveram condições de olhar de novo o carro da frente, onde seguia JK. Defronte a seu apartamento, ainda conforme o matutino carioca, estavam muitos amigos e gente do povo. Ele não descansou, recebendo abraços e conversando meio desanimado pela recepção militar que tivera. Ao meio-dia escapou, acompanhado de D. Sarah e de Renato Azeredo, para cumprir promessa feita em Paris, visitando a Igreja de São Judas Tadeu, "o santo dos desesperados". Almoçou às pressas e, às 14 horas, estava no quartel da Polícia do Exército, na rua Barão de Mesquita, onde se apresentou ao coronel Joaquim Portella, chefe do IPM do ISEB (Instituto Social de Estudos Brasileiros).

Entrou sozinho, pois seu advogado, Sobral Pinto, tivera o ingresso negado. Não recebeu o tratamento de ex-presidente, nem de ex-senador. O coronel o trataria por "sr. Kubitschek", dedicando-lhe primeiro um banquinho sem encosto, depois uma cadeira dura.

Carlos Heitor Cony escreveu em *Manchete*:

> Esse primeiro depoimento demorou três horas. (...) Uma das finalidades (dos IMPs) era intimidar, calar ou simplesmente chatear os depoentes. Sobretudo no caso de JK. (...).

No dia seguinte, e nos subsequentes, viriam sucessivos outros depoimentos em outros IPMs, com ênfase para aquele que investigava as atividades do Partido Comunista, chefiado pelo coronel Ferdinando de Carvalho, diante do qual também deporia o governador eleito da Guanabara, Negrão de Lima. Horas intermináveis de questionamentos pueris e até imbecis irão suceder-se. O coronel quis saber se JK pagara 250 mil cruzeiros para que os comunistas não hostilizassem sua campanha para presidente e, depois, o seu governo...

Voltando à revista *Manchete* e ao texto de Cony:

> A partir do quinto interrogatório, Juscelino começou a mostrar sinais de exaustão e o coronel [no caso, Ferdinando de Carvalho] não ficou surpreendido quando recebeu o recado de que ele não compareceria a novo depoimento, pois estava com problemas de saúde. Ao todo, em menos de duas semanas, JK já havia enfrentado sessenta horas de IPMs. No dia 14 de outubro tivera um diálogo áspero com o coronel Joaquim Portella, e respondia também a outros inquéritos, além daquele sobre o Partido Comunista: um sobre ele mesmo, chefiado pelo coronel Osvaldo Ferraro de Carvalho, e outro sobre a imprensa comunista, a cargo do major Kleber Beneker. (...) O médico particular de Juscelino, dr. Aloysio Salles, havia atestado um ligeiro distúrbio circulatório em seu paciente, motivado pela tensão de tantos interrogatórios. A junta médica enviada pelo Exército fez um eletrocardiograma e constatou o pequeno acidente, que poderia ter um desdobramento imprevisível. Foi dada uma licença de quinze

dias para a recuperação do indiciado, finda a qual JK encaminhou uma consulta ao coronel Ferdinando de Carvalho: desejava sair do país e queria saber se haveria algum problema legal. O oficial respondeu que como presidente do IPM não poderia impedir a sua saída do país, mas tinha o direito de convocá-lo por edital quantas vezes fossem necessárias para a total apuração dos fatos sob sua investigação.

Sobral intimorato, e a volta ao exílio

A 5 de outubro, o advogado Sobral Pinto enviara ao presidente Castello Branco longo telegrama de protesto contra o constrangimento ilegal a que JK era submetido, e que apenas *Manchete* publicaria:

> Receba os meus cumprimentos respeitosos. Formulo apelo patriótico, sereno e nobre, ao chefe das Forças Armadas da República brasileira, no sentido de fazer cessar imediatamente procedimento irregular dos coronéis encarregados de IPMs que, a pretexto de fixar responsabilidades criminais inexistentes, praticam atos que estão transformando a vida do ex-presidente Juscelino Kubitschek num verdadeiro inferno, por haver, como é de seu direito legítimo e constitucional, retornado à sua pátria. Atente V. Exa. para o fato de ter sido o sr. Juscelino Kubitschek de Oliveira presidente da República, tal como V. Exa. o é hoje, havendo portanto ostentado o título de superior hierárquico dos coronéis que hoje o incomodam. Atos desrespeitosos que atingem presentemente o sr. Juscelino Kubitschek de Oliveira, antes de ferirem a sua pessoa, desprestigiam o cargo de presidente da República por ele exercido. Não pode V. Exa. esquecer ter sido eleito pelo Congresso Nacional, com a colaboração leal e sincera do chefe incontestável do PSD, seu antecessor na chefia do Estado brasileiro. A roda da fortuna é caprichosa. Amanhã, V. Exa. poderá sofrer atentados e desrespeitos iguais aos que está

sofrendo, neste instante, o criador de Brasília e o construtor da Belém—Brasília, esteios e portadores da civilização ao território interior, até então abandonado e esquecido. Denuncio a V. Exa., como primeiro magistrado da nação, este procedimento intolerável: mal o ex-presidente da República desce as escadas do avião, é imediatamente intimado por coronéis, seus antigos subordinados, a comparecer nesse dia, cinco horas depois, para sofrer durante horas um interrogatório insignificante. Idêntica intimação recebe, nessa mesma ocasião, para comparecer às oito horas da manhã do dia seguinte a outro interrogatório, que se prolonga por horas, também feito por outro coronel, antigo subordinado seu. Na noite desse mesmo dia de retorno à pátria, o ex-presidente da República é novamente intimado a comparecer, na manhã de hoje, à presença desse segundo coronel, a fim de sofrer novo interrogatório insignificante e improcedente. Enquanto isso o primeiro coronel divulga na imprensa matutina nota declarando que vai interrogar durante dez dias seguidos o ex-presidente da República, permitindo-se afirmar que o ex-chefe de Estado pode ser preso a seu requerimento pelo comandante do I Exército, o que representa atentado à Constituição Federal, afronta ao Supremo Tribunal Federal e desrespeito à prerrogativa do poder supremo da nação que a pessoa do ex-presidente possui, mesmo quando fora da função. Estou certo de que V. Exa., informado destes graves acontecimentos que denuncio, porá termo a tais arbítrios, que ferem e desprestigiam a autoridade do chefe supremo das Forças Armadas da nação. Queira aceitar as homenagens do seu compatriota esperançado. Sobral Pinto.

Castello Branco nem se dignou a responder ao ícone dos advogados brasileiros. Através do chefe da Casa Civil, Luís Viana Filho, mandaria dizer:

Havendo recebido ontem à noite o seu telegrama referente ao tratamento que tem sido dado ao ex-presidente Juscelino Kubitschek, incumbiu-me S. Exa. de esclarecer ao eminente advogado o seguinte: o sr. Juscelino Kubitschek, embora tendo exercido o comando supremo das Forças Armadas, nos termos da Constituição, não está incluído na hierarquia militar; acrescendo que o fato de ter os direitos políticos suspensos, conforme punição imposta de acordo com a legislação vigente, não lhe poderá outorgar regalias e privilégios. Nessas condições, a convocação para depor na medida considerada necessária é absolutamente legal, devendo processar-se de acordo com as normas a que estão sujeitos todos os brasileiros. Quanto aos caprichos da roda da fortuna, que todos sabem versátil, o sr. presidente da República, além de submeter-se à sua proverbial fiscalização, sempre pede a Deus que o ajude a não roubar o povo nem trair a segurança da nação. Atenciosas saudações. Luís Viana Filho.

Estava definida a situação. Castello Branco colocava-se na condição de algoz máximo de JK. Correria depois, nos corredores do palácio Laranjeiras, que a lamentável frase final, que fala em roubo e traição, fora uma imposição do general Ernesto Geisel, chefe da Casa Militar, ao seu colega da Casa Civil. Tanto ele quanto o presidente Castello Branco davam mostras de que eram prisioneiros dos grupos mais radicais do movimento de 1964 ou, quem sabe, de que eram seus parceiros, senão inspiradores.

Fosse como fosse, uma patrulha militar do I Exército ficaria ostensivamente estacionada na porta do edifício onde JK residia, em Ipanema, durante os quinze dias de sua licença para tratamento de saúde. Correra a informação de que o ex-presidente tencionava retornar à Europa, e os boatos eram de que seria preso, se tentasse. Coube a Adolpho Bloch e a Magalhães Pinto, segundo relataria Carlos Heitor Cony, interferir junto ao presidente Castello Branco para autorizar a viagem, com a concessão do visto de saída.

A 9 de novembro, o ex-presidente embarcou para Nova York, junto com D. Sarah.

CARLOS CHAGAS

O país não merece outro Estado Novo

No dia 11 de outubro, o presidente da República foi a Bagé, onde discursou com emoção, dados os boatos de que iria e não voltaria, podendo ser preso pela guarnição militar local, que o substituiria por Costa e Silva. O ministro da Guerra também estava presente, e, conforme o *Correio do Povo* do dia 12, Castello foi pródigo em elogios ao antigo colega de turma, terminando por afirmar:

> Para se combater o perigo comunista não se pode vestir a nação com a camisa de força do nazismo. Alguns civis querem segurar no copo da espada dos militares para ditatorialmente passarem a lâmina nos patrícios que contrariam suas ambições. O país não merece um outro Estado Novo.

Os jornais do Rio e de São Paulo, como o *Estadão* e o *Correio da Manhã*, interpretaram essas palavras como um recado para o governador Carlos Lacerda, que, apesar de rompido com o governo federal, era quem mais tramava e conspirava contra a posse de Negrão de Lima.

No dia 13, no Rio, os repórteres perguntaram ao general Costa e Silva o que aconteceria caso o Congresso rejeitasse as "medidas de salvação nacional". Respondeu que a revolução não se deteria diante de obstáculos e filigranas jurídicos, segundo publicou *O Globo* do dia 14.

No fundo, a sucessão

O presidente da República também recebia políticos em profusão. No mesmo dia 14, comentaria com o deputado Aliomar Baleeiro, que depois reproduziu o diálogo no *Diário de Notícias*:

"Querem derrubar-me para pôr no meu lugar o general X, que será derrubado pelo general Y, mais tarde derrubado pelo general Z." Ao que Baleeiro retrucou: "Ou pelo sargento Batista", em seguida formulando a mesma pergunta que o Brasil inteiro fazia: "E se o Congresso não aprovar as medidas?" O presidente não negaria: "Então, será o Ato Institucional nº 2."

Na mesma conversa, pelo jeito bastante longa, Castello Branco falaria de sua sucessão, no ano seguinte, e dos possíveis candidatos: generais da ativa, Costa e Silva e Jurandir Bizarria Mamede; civis, Bilac Pinto e Daniel Krieger; "anfíbios", quer dizer, ex-militares que se tinham tornado políticos, Juracy Magalhães e Cordeiro de Farias.

Na verdade, era tudo meio jogo de cena, porque Juracy Magalhães seria a verdadeira bola da vez, isto é, constituía-se na reserva tática de Castello Branco, mandado a Washington a fim de ser preservado, e que retornaria para ser o candidato capaz de enfrentar Costa e Silva.

Recebendo, ainda no dia 14 e também no palácio Laranjeiras, o então governador do Pará, Jarbas Passarinho, outro "anfíbio", o presidente escreveria quatro nomes numa folha de papel: Juracy Magalhães, Cordeiro de Farias, Jurandir Bizarria Mamede e Costa e Silva. O jovem coronel, acostumado a ousar, polemizar e enfrentar, diria a um então soturno e ensimesmado marechal: "Não sou amigo pessoal dele, mas só Costa e Silva aglutinará o Exército."

A 15 de outubro, o senador Afonso Arinos visitou o palácio para propor — conforme a "Coluna do Castello" publicada no *Jornal do Brasil* do dia 16 — eleições indiretas de presidente da República e poderes constituintes especiais ao Congresso.

Ao reunir o ministério, a 17 de outubro de 1965, o presidente falou pela primeira vez na dissolução dos partidos políticos, sugestão que continuaria ignorada pela imprensa. A única voz a se levantar foi a do ministro da Aeronáutica, brigadeiro Eduardo Gomes, duas vezes candidato presidencial pela UDN, em 1945 e 1950, infenso à extinção da legenda da eterna vigilância, lema do partido.

Diferente de tudo

Em plena ebulição castrense, o governador do Pará e coronel Jarbas Passarinho voltou ao palácio Laranjeiras e, entre a franqueza e a disciplina, optou pela primeira, segundo relataria, anos depois, ao repórter:

> Tenho que transmitir ao senhor o desapontamento de nossos camaradas, dispostos a impedir a posse dos eleitos antirrevolucionários. As tropas estão prontas para sair!

A reação de Castello:

> Governador, diga aos seus companheiros que a revolução não tem como objetivo permanente a punição de brasileiros. Ela é diferente de tudo o que se faz na América Latina. Visa o aprimoramento das instituições. E agora vamos ver as questões administrativas que o senhor me trás.

Estava já em marcha, porém, o primeiro golpe dentro do golpe. Com Juracy Magalhães no Ministério da Justiça a partir do dia 19 de outubro, seriam apenas para efeito pirotécnico as conversas por ele mantidas com os principais líderes políticos que apoiavam o governo. Afinal, os donos do poder marchavam de volta ao arbítrio absoluto, ainda que o presidente Castello Branco insistisse na posse dos governadores eleitos, senão apenas pelo respeito às urnas, também pela vaidade de não ver suas decisões contrariadas. Um novo Ato Institucional, contudo, era do que mais se falava, inclusive na imprensa.

A DITADURA MILITAR E OS GOLPES DENTRO DO GOLPE: 1964-1969

Costa e Silva, vislumbrando nova oportunidade de aparecer como condestável e ainda de fustigar o antigo colega de turma, sustentava que o novo ato deveria ser assinado pelos três ministros militares, quer dizer, por ele, mais do que os outros, em vez de editado pelo presidente da República. Nesse sentido, consultara o jurista Vicente Ráo, que o desestimulou, dando parecer sobre "ser o presidente da República a fonte do poder revolucionário, não os seus ministros".

O ministro da Guerra, ironicamente apoiado pelo chefe da Casa Militar, apesar de se detestarem, passaria então a fazer exigências cada vez maiores a respeito das "medidas revolucionárias". Sugeriram ambos, por exemplo, que ficassem sob controle federal as polícias militares estaduais e as secretarias de Segurança. Roberto Campos, do Planejamento, aproveitou para solicitar que também as secretarias de Finanças fossem controladas por Brasília, que nomearia seus ocupantes nos estados. Exigia-se, nos setores militares mais exacerbados, a possibilidade de novas cassações de mandatos e suspensões de direitos políticos, bem como automáticas intervenções federais nos estados sem necessidade de a Justiça se pronunciar. E havia mais: o Superior Tribunal Militar deveria não só avocar todos os processos de subversão, mas tornar-se instância definitiva nessas decisões, sem a possibilidade de recursos ao Supremo Tribunal Federal. Como se o governo não tivesse garantida maioria nessa corte, surgira a ideia de se aumentar de onze para dezesseis o número dos seus ministros, com a convocação de juristas simpáticos à revolução.

Do que se tratava com mais intensidade e sigilo, porém, era da transformação das eleições presidenciais previstas para o ano seguinte, 1966. Havia o consenso de que não poderiam ser diretas, pois o ensaio geral de 1965 acabara de demonstrar a tendência popular nos centros politicamente mais avançados.

O próximo presidente da República teria de ser escolhido pelo Congresso, onde o governo detinha folgada maioria. Os governadores que faltavam também deveriam ser indicados pelas assembleias legislativas. Banir-se-ia o povo do processo eleitoral por longos 24 anos.

A Juracy Magalhães caberia procurar os líderes dos partidos. Foi então ter com Amaral Peixoto, do PSD, Ernâni Sátiro, da UDN, os governadores Ademar de Barros, do PSP, e mais Carlos Lacerda e Magalhães Pinto, entre muitos outros. Buscava apenas a certeza de que o Congresso não aprovaria um pacote daqueles, como ficou claro dos diálogos. A tendência, tanto no PSD quanto na UDN, era de que os militares deveriam assumir sozinhos o ônus de mais um retrocesso.

Por conta disso, os partidos também iriam sofrer, pois Castello Branco acrescentaria ao elenco já esboçado um outro contundente artigo: a dissolução das legendas fundadas quando da queda do Estado Novo, em 1945. O novo regime inventaria o bipartidarismo forçado, de cima para baixo, a pretexto de imitar os Estados Unidos, sem se lembrar de que, lá, a existência de dois partidos maiores era fruto da cultura do eleitorado, não objeto de qualquer lei.

Missão impossível?

Se a missão do novo ministro da Justiça fosse a de convencer os políticos da importância de o Congresso votar as medidas de exceção, seria missão impossível. No entanto, se apenas para preparar o espírito de alguns ao inevitável dos decretos a serem baixados pelo governo, seu sucesso seria absoluto.

Porque reações políticas ao AI-2 quase não se fariam sentir. Nem os governadores Carlos Lacerda e Magalhães Pinto protestaram, quem sabe se imaginando algum proveito inesperado da volta à ditadura, como, por exemplo, o impedimento da posse dos recém-eleitos Negrão de Lima e Israel Pinheiro. Aliás, se foi assim, enganaram-se, porque o AI-2 viria ironicamente garantir aquelas posses.

Juracy Magalhães conversara com Carlos Lacerda horas depois de empossado na Justiça, no apartamento do governador, na praia do

Flamengo. A coluna política de *O Globo* do dia 21 registraria não ter havido propriamente um diálogo, mas um monólogo do ministro, que o governador ouviu sem maior interesse. Juracy declararia à imprensa esperar que Lacerda, se não fosse ajudar, não atrapalhasse. O governador, de seu turno, não perderia a oportunidade para uma frase de efeito: "O Castello Branco está utilizando um encouraçado para fazer a travessia Rio—Niterói"...

A 22 de outubro, o ministro da Justiça esteve em Belo Horizonte para almoçar e conversar com Magalhães Pinto. Depois, ante a pergunta sobre se fora levar a minuta do AI-2 ao governador, disse: "Eu não sei de nenhum ato. Mostrem-me uma cópia. Seria possível haver um ato sem que o ministro da Justiça soubesse?" — conforme a mesma coluna política de *O Globo* publicaria na edição do dia 23.

Como se veria mais tarde, porém, a resposta do ministro deveria ser "sim", ainda que o texto do ato não estivesse redigido. Juracy dava então uma no cravo e outra na ferradura, tendo declarado:

> A revolução é irreversível. A subversão e a corrupção jamais voltarão a ser implantadas no país. Sou pela posse dos eleitos, mas quem tiver a ideia de ir para o governo [dos estados] com intenção de reimplantar a subversão e a corrupção, evidentemente merecerá o combate completo da revolução. Há necessidade de serem isolados os boatos, sempre frequentes nas horas de crise. Não há qualquer fundamento, por exemplo, nas notícias de que o presidente Castello Branco tivesse estado disposto a renunciar.

Não sou delegado

O governador Magalhães Pinto aproveitaria a crise para ressuscitar a ideia que pregava desde a eleição de Castello Branco: que o presidente se encarregasse da administração e deixasse a política com os políticos. Dessa vez, avançou um tanto mais e sugeriu a imediata formação de um Conselho da Revolução, integrado pelos seus principais líderes políticos e militares, que se colocaria acima da autoridade do presidente da República, decidindo sobre os rumos maiores do movimento de 31 de março.

Castello perdera a paciência. Pediu, então, para que seu secretário de Imprensa informasse os repórteres credenciados, a 16 de outubro: "O presidente declara não ser delegado da revolução, mas chefe do governo." Não houve um jornal que não publicasse a reação de Castello à intromissão do governador mineiro.

No dia 20, o presidente autorizaria Luís Viana Filho a rabiscar as principais propostas de um novo ato institucional. O chefe da Casa Civil valer-se-ia dos serviços do advogado Carlos Medeiros e Silva, acionado dois dias depois. Mais rápido no gatilho, Juracy Magalhães convocara o advogado Nehemias Gueiros, seu amigo particular, a quem encarregou de redigir a minuta do AI-2, aproveitando as "sugestões" referidas pelo presidente na reunião ministerial. No fim, prevaleceria esse texto, que, levado a Castello Branco, mereceu comentário mais tarde referido por Daniel Krieger: "Só o papa faz um ato desses; mesmo assim, inspirado por Deus..."

Francisco Campos, já velho, ao tomar conhecimento das sugestões de Nehemias Gueiros, declararia a *O Jornal*, como publicado no dia 22: "Com isso a revolução não se aguenta..."

Múltiplas sugestões cruzavam os corredores do poder, inclusive uma que o jurista e professor Gama e Silva enviara ao general Costa e Silva, propondo o fechamento do Congresso, das assembleias legislativas e das câmaras de vereadores em todo o país, bem como a intervenção federal em todos os estados. Entregue ao presidente pelo ministro, o texto não seria considerado, ainda que *O Estado de S. Paulo* do dia 20 de outubro, na coluna política chamada "Destaque", tivesse lhe feito referência.

O governo funcionava a maior parte do tempo no palácio Laranjeiras, no Rio, mas, com frequência, deslocava-se para Brasília, a fim de manter as aparências constitucionais. As viagens eram demoradas. O Avro que servia o presidente levava três horas e meia entre a velha e a nova capital. No dia 25, Castello Branco enfrentaria aquele deslocamento com Luís Viana, Ernesto Geisel e Golbery do Couto e Silva, presenças habituais, e também com os ministros Juracy Magalhães e Cordeiro de Farias, além dos deputados Adauto Cardoso e Paulo Sarazate. Concluíram, ao longo da viagem, que o AI-2 era inevitável. A reunião continuaria no palácio do Planalto. À tarde, Nehemias Gueiros foi convocado a Brasília, onde chegaria por volta das 17 horas.

O peso da mesa

Indagado sobre a hipótese de os militares "virarem a mesa", o general Costa e Silva diria aos jornalistas, a 26 de outubro: "A mesa é muito pesada para alguém conseguir virá-la..."

Nesse mesmo dia, recebendo o deputado-coronel Costa Cavalcanti, um dos porta-vozes da linha-dura, Castello Branco perderia a paciência. Estavam sentados na mesa de reuniões do gabinete presidencial, no palácio Laranjeiras, com vasto tampo de mármore, quando o presidente, quase aos berros, exortou o interlocutor: "Você quer virar a mesa? Então vire! Vire agora, eu quero ver se tem força para isso!"

O Globo do dia 27 foi para as ruas enquanto o governo apresentava o AI-2, e uma das notas da coluna política também se referia "à virada da mesa", envolvendo Carlos Lacerda:

> Logo após as eleições o sr. Carlos Lacerda entrou em pânico. Perdida a base da Guanabara, dificilmente poderia ser mantida sua candidatura à presidência da República, seu sonho maior e mais forte, àquela altura já irrealizável. Assim, tudo haveria de ser por ele

tentado para que a Guanabara não lhe fugisse e, consequentemente, nem a sua candidatura. Armou um esquema de terrorismo político, iniciado com um pronunciamento em cadeia de rádio e televisão. Não falou claramente em impedir a posse de seus adversários, então eleitos, mas limitou-se a apregoar que o país caminhava para o caos, que a revolução tinha vindo para nada. No dia seguinte pela manhã voltou à carga com longa entrevista aos jornais, na qual pregava abertamente a "virada da mesa" e uma nova revolução. Em consequência, desejava que os eleitos não tomassem posse.

Desta vez, no entanto, a tática do governador não daria certo. Antes, bastava um seu pronunciamento para que se derrubassem presidentes, tendo sido Juscelino Kubitschek a exceção. A revolução, porém, continuou unida em torno do presidente Castello Branco.

Inevitável

Na madrugada do dia 27 de outubro de 1965, o Congresso teve a última chance de aprovar o elenco de medidas exigidas pelo governo, formas um pouco atenuadas do que acabaria imposto por via do arbítrio. As lideranças dos principais partidos, no entanto, informariam o palácio do Planalto, pela manhã, que não havia a menor chance de aprovação das propostas pelo plenário da Câmara. Estava próximo o rompimento do tênue véu de legalidade que o presidente da República tentava manter.

Luís Viana Filho escreveria depois em *O governo Castello Branco*:

> Gradativamente, o Ato tornava-se inevitável, pois, apesar do trabalho para a aprovação das proposições governamentais, nada indicava alcançar-se esse objetivo. As últimas sondagens indicavam apenas 174 sufrágios favoráveis, na Câmara, e dizia-se que o deputado Osvaldo Lima Filho (PTB-PE), da oposição, se dizia

disposto a "pagar para ver". Incredulidade sempre custosa para o país. Concomitantemente, criara-se nítida consciência de que, salvo se fizesse alguma coisa para evitar a derrota, o presidente poderia cair, caso não lograsse o voto do Congresso. Abria-se, assim, a perspectiva de que daí por diante, enfraquecido, ele se veria compelido a fazer concessões compulsoriamente, o que significaria a derrocada da revolução. Contudo, era claro que o presidente não permitiria chegar-se a essa situação. (...) Juracy não demorou em perceber que, malgrado a boa vontade de alguns deputados do PSD, e as esperanças de Pedro Aleixo, que reclamava mais tempo para a decisão sobre a necessidade de um novo ato, dificilmente se colheria a vitória no Parlamento. E esta, se obtida, seria tão difícil que não se repetiria em futuros e decisivos embates. Chegava-se até a não saber o que seria melhor: se a vitória ou a derrota.

Mesmo cercado dos sigilos e segredos que formavam sua essência, o SNI produzira um documento, da lavra do general Golbery do Couto e Silva, entregue ao presidente e demais clientes no dia 27, cujo trecho principal transformou-se em parte de um editorial de *O Globo*:

> Importante é, pois, definir, quanto antes, o que será melhor para assegurar-se a continuidade e o fortalecimento do governo da revolução e o clima indispensável à consecução dos objetivos nacionais: 1) obter as medidas revigoradoras da ação revolucionária, através do Congresso, a longo prazo, arriscando-se a enfrentar uma sucessão de crises, ou 2) fazer-se com que o conjunto dessas medidas necessárias seja estabelecido de uma só vez, através de ato do Executivo, de modo a criar o governo, de forma definitiva, as condições para o desempenho de sua missão. Quantas crises poderá aguentar o governo, de igual ou maior intensidade, sem que a nação mergulhe no clima de convulsão social?

Sem tirar nem pôr, repetia-se a fábula do lobo e do cordeiro. Este, obviamente, era o Congresso. Aquele, a revolução...

Não são mentores da nação

Não havia censura à imprensa, ainda, apesar de a maioria dos jornais praticar a autocensura, quer dizer, muitos de seus diretores policiavam os repórteres para que não publicassem algo capaz de ofender os militares ou contrariar o governo. Mesmo assim, se atos eram atos, fatos também eram fatos.

Diante das especulações de que o número de ministros do Supremo Tribunal Federal seria aumentado de onze para dezesseis, visando garantir maioria nas decisões para o sistema revolucionário, o presidente daquela corte, Ribeiro da Costa, declarara em *O Globo* de 23 de outubro: "Essa manobra é inconstitucional e será inútil. É tempo de os militares se compenetrarem de que não são mentores da nação!"

No dia 24, o ministro Costa e Silva daria o troco, participando de manobras do Exército em Itapeva, São Paulo, com a presença do presidente Castello Branco. Todos os jornais do dia seguinte estamparam, com chamada na primeira página: "Trata-se de uma insólita agressão do Supremo Tribunal Federal aos militares! Se o presidente da República está fraco entre os políticos, está forte entre os militares!"

Naqueles dias visitava o Brasil o rei da Bélgica, Balduíno I, tendo o ministro Ribeiro da Costa devolvido ao cerimonial do Itamaraty o convite para participar de banquete em homenagem ao monarca.

Enfim, o novo golpe

Eram 6h30 do dia 27 de outubro de 1965 quando o presidente Castello Branco telefonou para o ministro Juracy Magalhães, instalado num apartamento do hotel Nacional de Brasília. Convocava-o ao palácio da Alvorada. Pouco depois, quase todo o ministério estaria reunido no Planalto. Líderes políticos ligados à revolução começavam a chegar para o anúncio do Ato Institucional de número 2, às 11 horas. A última resistência fora vencida pouco antes: o brigadeiro Eduardo Gomes, ministro da Aeronáutica, aceitava a dissolução da UDN. A leitura do ato, em cadeia nacional de rádio, coube ao chefe da Casa Civil, Luís Viana Filho. Obviamente, o texto seria publicado em todos os jornais do dia seguinte. O preâmbulo não tinha o brilhantismo malicioso daquele que abrira o AI-1, de autoria de Francisco Campos, mas apelava para os mesmos argumentos:

> A revolução é um movimento que veio da inspiração do povo brasileiro para atender às aspirações mais legítimas: erradicar uma situação e um governo que afundavam o país na corrupção e na subversão. (...) Não se disse que a revolução foi, mas que é e continuará. Assim, o seu poder constituinte não se exauriu, tanto é ele próprio do processo revolucionário que tem que ser dinâmico para atingir os seus objetivos. (...) A autolimitação que a revolução se impôs no Ato Institucional de 9 de abril de 1964 não significa, portanto, que tendo poderes para limitar-se, se tenha negado a si mesma por essa limitação, ou que se tenha despojado da carga de poder que lhe é inerente como movimento. (...) A revolução está viva e não retrocede. (...) Não se pode desconstituir a revolução implantada para restabelecer a paz, promover o bem-estar do povo e preservar a honra nacional.

Em seguida, destacava-se um rol de medidas de exceção bem superior ao do ato antecedente. É importante resumi-los, sem a pompa, a complicação e a elasticidade do linguajar jurídico:

> Emendas constitucionais passam a ser aprovadas pela maioria absoluta dos parlamentares, que a revolução detinha, e não pelos dois terços exigidos pela própria Constituição, que a revolução logo não deteria mais.

Só o presidente da República pode enviar projetos de lei que impliquem aumento de despesas públicas, vedando-se a deputados e senadores essa prerrogativa. Projetos de lei de iniciativa do presidente da República têm que ser apreciados em 45 dias, na Câmara, e outros 45, no Senado, considerando-se automaticamente aprovados, depois disso, se não tiver havido deliberação parlamentar. Se julgar urgente o projeto, o presidente da República pode determinar o prazo de trinta dias para todo o processo.

O Supremo Tribunal Federal é integrado por dezesseis ministros, cabendo ao presidente da República nomear os cinco novos, garantia de que sem precisar, nem por enquanto ousar, cassar alguns dos antigos, formaria maioria no plenário.

O presidente da República pode nomear juízes federais, sem concurso público.

Civis serão julgados pelos tribunais militares por crimes contra a segurança nacional e as instituições militares.

Compete originariamente ao Superior Tribunal Militar, quer dizer, sem direito a recurso ao Supremo Tribunal Federal, julgar governadores e seus secretários nos crimes contra a segurança nacional.

Os vereadores em todo o país não receberão remuneração de espécie alguma.

Deputados estaduais só receberão no máximo dois terços do que recebem os deputados federais.

A imprensa continua livre, mas não será tolerada propaganda de subversão da ordem.

O presidente da República pode decretar o estado de sítio e prorrogá-lo pelo máximo de 180 dias sem autorização do Congresso.

Ficam suspensas as garantias constitucionais ou legais de vitaliciedade, inamovibilidade e estabilidade para integrantes do poder Judiciário e para funcionários públicos.

Ouvido o Conselho de Segurança Nacional, o presidente da República poderá suspender os direitos políticos de qualquer cidadão pelo prazo de dez anos, bem como cassar mandatos legislativos federais, estaduais e municipais.

Os parlamentares cassados não serão substituídos pelos suplentes.

A suspensão dos direitos políticos suprime o privilégio de foro ou função, inclusive para ex-presidentes da República, e implica suspensão do direito de votar e ser votado até nas eleições sindicais.

Os que tiverem os direitos políticos suspensos ficam proibidos de quaisquer atividades ou manifestações políticas. Poderão ser colocados sob liberdade vigiada, em domicílio determinado e proibidos de frequentar determinados lugares.

O presidente da República poderá determinar a intervenção federal nos estados para prevenir ou reprimir a subversão da ordem.

Ficam extintos os partidos políticos.

Ficam excluídos de apreciação judicial todos os atos revolucionários.

O presidente da República baixará atos complementares sobre qualquer assunto e decretos-leis sobre segurança nacional.

O presidente da República poderá decretar o recesso do Congresso Nacional, das assembleias legislativas e câmaras de vereadores, ficando durante o período autorizado a legislar sobre qualquer matéria.

Finalmente: a eleição de presidente e vice-presidente da República será realizada pela maioria absoluta dos membros do Congresso Nacional.

Muito escreveram os autores favoráveis à revolução sobre o "gesto heroico" do marechal Castello Branco: o de ter colocado de próprio punho, no texto datilografado do AI-2, "que, para as próximas eleições, o atual presidente da República é inelegível".

Com esse parágrafo acrescido à última hora, pretendia afastar o rótulo de ditador que lhe fora pregado à testa, porque, conforme sua singela concepção, os ditadores não tinham prazo para deixar o poder. O problema era que, com tamanho potencial de arbítrio colocado em suas mãos, restavam poucas dúvidas a respeito de sua real denominação...

Um adendo

Como em todas as empreitadas desse tipo, apesar do empenho de seus autores, faltara coisa. Esqueceram-se, no AI-2, de determinar que também seriam indiretas as eleições estaduais, marcadas para 1966, em quinze estados cujos governadores tinham mandato de quatro anos.

Assim, a 5 de fevereiro de 1966, o governo vulgarizaria a edição de atos institucionais, ao baixar o de número 3, com direito a novo preâmbulo e tudo o mais, repetindo que o poder constituinte era intrínseco à revolução e que os novos governadores seriam eleitos pelas respectivas assembleias legislativas.

A decepção dos presidentes

Editado o AI-2, ficou difícil saber qual de seus artigos causara maior trauma e decepção nos meios políticos. Todos, possivelmente. A extinção dos partidos políticos, no entanto, logo tomaria os comentários e as especulações nos principais jornais. Custava-se a acreditar que partidos de longa tradição, como PSD e UDN, simplesmente pudessem desaparecer. Seus presidentes, por coincidência dois "Ernânis", Amaral Peixoto e Sátiro, limitaram-se a expedir notas oficiais lamentando o fato consumado. O PTB reagiu, com um pouco mais de veemência, em nota assinada pelo seu presidente Lutero Vargas, filho de Getúlio. Raul Pilla, que dirigia o pequeno e aguerrido Partido Libertador, limitara-se a declarar que a causa parlamentarista continuaria. Ademar de Barros, presidente do PSP, preferiu ficar calado. A reação dos demais seria mais ou menos a mesma.

Ficava progressivamente claro que a Lei Orgânica dos Partidos Políticos, recentemente aprovada no Congresso, não era suficiente para reordenar o quadro partidário, tendo em vista informações de que a revolução imporia o bipartidarismo. Um Ato Complementar seria baixado para estabelecer de que maneira se formariam os dois novos partidos, da situação e da oposição.

Não estando o mar para peixe, ficara desde o início evidente que tomaria o rumo do partido do governo a maioria dos integrantes do PSD, da UDN, do PSP, de partidos menores e até do PTB. Poucos se arriscariam na legenda oposicionista, preferindo transferir suas brigas estaduais para o âmbito da legenda governista, prevista como um verdadeiro saco de gatos. Em função disso, a imaginação revolucionária terminaria por criar a sublegenda, ou seja, a possibilidade de funcionarem três partidos em um, podendo os grupos apresentar candidatos e disputar eleições em separado. A fórmula contentou boa parte dos caciques do PSD e da UDN, inimigos ferrenhos mas então reunidos sob o guarda-chuva da revolução.

Durante meses o tema ferveria, até que criassem a Arena, do governo, e o MDB, da oposição. O presidente Castello Branco se empenharia pessoalmente em convidar uma série de líderes para que integrassem o "partido da revolução".

Contra a natureza...

A 31 de outubro de 1965, o secretário de Imprensa, José Wamberto, convocou os jornalistas políticos ao palácio Laranjeiras para transmitir algumas informações, a pedido do presidente da República. *O Globo, Correio da Manhã, Jornal do Brasil* e *O Estado de S. Paulo* publicariam, no dia 1º de novembro, singularmente, matérias com o mesmo título, sem que tivesse havido qualquer combinação entre seus redatores: "Castello não pensa em antecipar a sucessão."

Prevalecia a natureza das coisas, no trabalho jornalístico, pois aquela frase era literal, do próprio presidente da República. Seu conteúdo, porém, contrariava a natureza das coisas, porque estava no ar a evidência de que, mesmo não superada, a crise tinha um vencedor: o ministro da Guerra, general Costa e Silva, que conseguira aplacar tanto quanto aglutinar a linha-dura em torno de seu nome.

De nada adiantaria os jornais, nos dias seguintes, endossarem, em seus editoriais, o ponto de vista de Castello Branco, de que a hora era de tratar da recuperação nacional, deixando a sucessão para meados de 1966. Ela estava nas ruas, com nome e resultado.

Com as eleições presidenciais passando a ser indiretas, pelo Congresso, onde o partido do governo teria muito mais do que a metade mais um dos votos, ficava óbvio que tais penderiam para quem tivesse mais tanques. O presidente da República tentaria, inutilmente, protelar e até confundir o processo, aventando outros nomes. O único, porém, em condições de atropelar o seu ministro da Guerra era o dele próprio, mas ele acrescentara, de próprio punho, ser inelegível para aquele pleito...

Com chefe, e turbulenta

A turbulência inusitada que se registrou nos dias anteriores à edição do AI-2 continuaria por muitas semanas, até meses, apesar de a linha-dura militar haver reafirmado como seu chefe o general Costa e Silva e não obstante o ministro da Guerra ter reforçado a prevalência hierárquica do presidente da República. Costa e Silva não tinha pressa, e traçara a estratégia para tornar-se o sucessor de Castello Branco dentro dos limites da unidade revolucionária e, sabia muito bem, mesmo contra os desejos do presidente.

Tornava-se necessário, contudo, domar as feras, depois de alimentá-las. A linha-dura era um vasto pavilhão de feira a cobrir todo o gênero de mercadorias. Em momentos como aqueles, a maioria dos coronéis e majores das três Forças Armadas vestia o figurino. Alguns, entretanto, precisavam ser contidos. Ostentavam fantasias de cores

A DITADURA MILITAR E OS GOLPES DENTRO DO GOLPE: 1964-1969

mais berrantes, ou seja, escolhiam os tons mais radicais para defender propostas de ampla, total e irrestrita ditadura, fosse pela imprensa, nos conciliábulos castrenses ou através dos IMPs que presidiam.

Nos meses seguintes, vir-se-iam arcabuzados, mandados para guarnições longínquas, passados para a reserva ou mesmo punidos com prisão os coronéis Osnelli Martinelli, Gerson de Pina, Ferdinando de Carvalho, Rui Castro, Hélio Lemos, Boaventura Cavalcanti e Joaquim Vitorino Portella Ferreira Alves, entre outros.

Mesmo assim, o clima seguiria carregado. A posse de Negrão de Lima estava marcada para 5 de dezembro; a dos demais governadores, para 31 de janeiro. Até lá, muito se falaria da possibilidade de não haver posse.

O coronel Ferdinando de Carvalho, até que seu IPM (sobre o Partido Comunista) fosse encerrado a toque de caixa e contra sua vontade, aproveitaria para azucrinar a vida do governador eleito da Guanabara. Negrão foi chamado incontáveis vezes para depor e passara pelos mesmos constrangimentos de Juscelino Kubitschek. No final, dias antes de assumir o governo, teria sua prisão pedida pelo coronel, decisão que dependia do comandante do I Exército, general Ururay Magalhães, e do Superior Tribunal Militar. O procurador-geral da Justiça Militar, Eraldo Gueiros, manifestou-se contra e o caso foi encerrado.

O presidente Castello Branco, no auge do episódio, telefonaria para Ferdinando de Carvalho, passando-lhe monumental descompostura e perguntando se o coronel pretendia depô-lo.

Uma lição de política

Negrão de Lima contaria ao repórter, muitos anos depois, que, quando se encontrava na segunda metade de seu governo, com o país bem menos conturbado do que naqueles idos, recebeu um pedido de audiência de Ferdinando de Carvalho, já na reserva e sem a menor influência militar ou política. Atendeu o antigo algoz com a gentileza e a educação que sempre lhe foram peculiares, surpreendendo-se ante a explicação do coronel para aquela visita: queria um emprego para sua filha.

Lembro-me de que indaguei o governador sobre o óbvio, ou seja, com que palavras teria negado o pedido. Ele, no entanto, reagiu com mais uma lição de política: "Claro que eu dei o emprego. Não era ilegal. Foi minha resposta ao coronel que me acusou de comunista."

Um esquecimento, talvez...

A 20 de novembro de 1965, publiquei na coluna política de *O Globo*:

> Num encontro casual com o repórter, ontem, na avenida Rio Branco, o governador eleito de Minas Gerais, sr. Israel Pinheiro, mostrou-se perfeitamente tranquilo quanto à sua posse, não dando maior importância ao que chamou de algumas ressonâncias em contrário, partidas de setores restritos. Acentuou estar confiante na obra que realizará em Minas Gerais. Nem vê — como frisou — por que avançar em perorações sobre a matéria. Foi eleito a 3 de outubro e será empossado a 31 de janeiro, eis tudo. Nos dois meses que o separam de sua investidura, procurará descansar e desenvolver alguns contatos com vistas à sua administração. Não pensa, ainda, em escolher o secretariado, o que fará somente em janeiro. Revelou o sr. Israel Pinheiro estar entendido com o presidente Castello Branco, em termos altos. Antes do rápido encontro de dias atrás, no palácio do Planalto, conferenciou com ele por mais de uma hora, quando era chefe de campanha do então candidato Sebastião Paes de Almeida. E não terá por que deixar de procurá-lo novamente, sempre que julgar necessário. Só que não deseja fazê-lo

na Guanabara, um estado da Federação, mas em Brasília, capital da República. O sr. Israel Pinheiro não teve qualquer encontro com o governador Magalhães Pinto, há quem não vê há muito tempo. Nem está programado qualquer entendimento ou visita ao governador. Ressaltou, de passagem, que até hoje não recebeu os cumprimentos do sr. Magalhães Pinto por sua vitória. Não avança hipóteses sobre o porquê dessa atitude, deixando escapar, apenas, que deve ter sido por esquecimento...

A boataria continua

A tempestade custava a passar. A 23 de novembro, na cidade de Alagoinhas, no interior da Bahia, inaugurando obras federais, Castello Branco desabafaria, conforme noticiaram os jornais de Salvador, no dia 24, e as folhas do Rio e de São Paulo, a 25. Cito *O Globo*:

> "Há quem anuncie a insurreição. Preferimos enfrentá-la a contorná-la. Não reconhecemos nenhuma força autônoma nos meios militares do país. Se existe, que procure medir suas dimensões e passe da conspirata dilatória para a ação aberta. Defenderemos, com Alagoinhas e com os revolucionários, os interesses supremos da revolução, no interior e no exterior. E a tranquilidade do povo para que possa trabalhar e tornar o Brasil uma das grandes nações do mundo. A garantia dos esforços que o governo empreende está nas forças trabalhadoras e empresariais e nas Forças Armadas."

O trecho acima reproduzido pertence ao presidente Castello Branco e foi por ele pronunciado anteontem no interior da Bahia. Nada mais claro, firme e categórico, justamente num instante em que pareciam recrudescer os boatos sobre possíveis ações de setores minoritários inconformados com a posse dos eleitos a 3 de outubro. O pronunciamento referido veio coroar uma série de outros formulados nos últimos dias pelos ministros Costa e Silva, Juracy Magalhães e Luís Viana Filho, todos da mesma forma categóricos, firmes e claros, relativamente ao direito de posse para os eleitos. O marechal Castello Branco refere-se aos boatos, acentuando haver quem anuncie o clima de insurreição. E vai direto às suas raízes para dizer que, na hipótese de ser verdadeira, o governo a enfrentará, ao invés de contorná-la. Quer dizer: se em alguns setores se atenta e conspira contra a posse, que se cuidem seus responsáveis. Que apareçam, diz, ao conclamá-los a medir suas próprias forças e passar à ação aberta. A partir deste último pronunciamento do presidente, que traz em seu bojo o reflexo do momento atual, tem-se como certa a maior aglutinação de forças ao seu redor, seja política, seja militarmente. Pela primeira vez o governo, pela palavra de seu chefe, dirige-se incisiva e diretamente contra o grupo de inconformados contra as diretrizes revolucionárias de redemocratização do país e respeito às decisões populares. O problema da posse é considerado pela revolução, como frisavam há dias os srs. Juracy Magalhães e Costa e Silva, na razão direta da permanência do próprio governo Castello Branco, ou seja, somente impedirão a posse se conseguirem derrubar a atual situação. (...) os boatos atingem especialmente a figura do governador eleito da Guanabara, sr. Negrão de Lima, cuja posse se dará no próximo dia 5 de dezembro. De fonte a ele ligada, o que se pode afirmar é que está tranquilo e disposto a não se deixar levar por informações tendenciosas e alarmistas. Sua posição é por demais conhecida e debatida.

Mesmo assim, o repórter Sérgio Guimarães, encarregado da cobertura de Negrão de Lima para *O Globo*, apareceu na redação com uma informação que, por cautela, Roberto Marinho pessoalmente acharia preferível não publicar: a de que o governador eleito da Guanabara dormia cada dia na residência de um amigo, de modo a não se deixar surpreender por alguma tentativa de sequestro de parte dos que pretendiam impedir sua posse.

O Globo estivera engajado na campanha de Negrão de Lima, ou melhor, tomara partido contra Carlos Lacerda, de relações cortadas com Roberto Marinho desde que o governador carioca vetara projeto urbanístico de um grupo imobiliário que pretendia transformar a ampla área verde do Parque Laje, no Jardim Botânico, no Rio, primeiro num condomínio cheio de espigões, depois num cemitério vertical.

Para escrever editoriais favoráveis a Negrão de Lima e contrários a Carlos Lacerda e seu candidato, Flexa Ribeiro, *O Globo* contratara um dos príncipes do jornalismo brasileiro, Luís Alberto Bahia, ex-redator-chefe do *Correio da Manhã*, e que seria chefe da Casa Civil de Negrão, pouco depois. Bahia, mestre de todos nós, à época, nada tinha com os permanentes entreveros comerciais entre Roberto Marinho e Carlos Lacerda. Continuava um homem de esquerda, progressista, tendo vislumbrado no convite a oportunidade para mais uma vez insurgir-se contra a direita, representada por Lacerda.

Roberto Marinho, após a posse de Negrão de Lima, preferiria convidar, para redator-chefe de *O Globo*, um direitista, Moacyr Padilha, filho do integralista Raimundo Padilha, de anteriores tendências antidemocráticas. Bahia, então, transferiu-se para a revista *Visão*, antes de trabalhar com o novo governador carioca, com quem ficaria até a eclosão de outro surto autoritário, o Ato Institucional número 5, em dezembro de 1968. Depois, viajou para Londres, onde lecionaria e escreveria sobre a realidade brasileira. Mais tarde, com a democratização, passou a integrar o Conselho Editorial da *Folha de S. Paulo*.

Um tiro e três coelhos

Os coelhos já estavam moribundos, mas o AI-2 os pegou enfileirados, acertando os três de uma vez só. Refiro-me às candidaturas presidenciais de Carlos Lacerda, Magalhães Pinto e Ademar de Barros. Claro que bem antes de retomado o arbítrio já se supunha que nenhum deles teria fôlego para chegar ao final de 1966 como candidato, dois lançados oficialmente em convenção (Lacerda e Ademar) e o outro, Magalhães, assuntando e conversando.

Teria sido esse um dos objetivos do ato? Se foi, por obra das mágicas do general Golbery do Couto e Silva, tratou-se de um efeito secundário, pois o AI-2 visara, antes de tudo, manter o presidente Castello Branco no palácio do Planalto, ainda que bastante atingido em sua autoridade. Lacerda, Magalhães e Ademar há semanas estavam mais próximos do entendimento do que das divergências, porque, afinal, viam-se a um passo de serem oficialmente garfados em suas pretensões.

Antes de editado o instrumento de exceção, o governador carioca devolvera sua candidatura ao partido — que o havia lançado e que já não existia mais, a UDN. Mesmo assim, se por tática ou necessidade, custaria a agredir de novo o marechal Castello Branco. *O Globo* de 6 de novembro de 1965 chegou a noticiar algumas tentativas, de parte do vice-governador Rafael de Almeida Magalhães e do deputado Armando Falcão, de evitar o rompimento de Lacerda com o presidente e até de melhorar-lhes as relações. O problema era que, se de dia Rafael dedicava-se a essa tarefa de bom samaritano, à noite comparecia a diversos ginásios dos quartéis da Vila Militar, a pretexto de jogar futebol de salão com os oficiais, mas, na verdade, para insuflá-los à rebelião contra a posse de Negrão de Lima e, em consequência, à deposição de Castello. Tudo milimetricamente detectado pelo SNI e transmitido ao presidente.

Já Magalhães Pinto, ciente de que era inevitável a posse dos eleitos, a começar por Israel Pinheiro, em Minas, trabalhava num plano mais amplo para desestabilizar Castello Branco. A 3 de novembro de 1965, escrevera longa carta a Juracy Magalhães, que tornou pública antes de o destinatário recebê-la, sugerindo a reforma do ministério e acentuando ser hora de a revolução "popularizar-se", quer dizer, o momento em que os líderes políticos e militares mais proeminentes deveriam constituir o tal Conselho da Revolução, de que falava constantemente. Mais ainda, que o ministério fosse reformulado de imediato, para substituir a férrea política de contenção inflacionária por uma estratégia voltada para realizações no campo social. Juracy, pretextando aceitar essa última sugestão, consultaria Castello. Resolveram, então, devolver o golpe do governador mineiro, convidando-o para ministro de uma pasta politicamente desimportante, como Agricultura ou Minas e Energia, cargo que não poderia aceitar sob pena de ter diminuída sua condição de contestador. Magalhães sugeriu alguns nomes, como Monteiro de Castro e Aureliano Chaves, mas o processo não andaria.

Já Ademar de Barros, igualmente prejudicado em suas pretensões, fingia não ouvir a palavra de ordem vinda dos setores militares, uma condição para que se mantivesse no governo de São Paulo: "Ademar esquece o futuro, ou seja, sua candidatura presidencial, e nós esqueceremos o passado, ou seja, a fama do 'rouba mas faz' que há muito cerca o governador."

O Globo do dia 8 de novembro, em sua coluna política, analisaria a posição de Ademar, depois de longa conversa que mantivera com o repórter, no apartamento de D. Ana Gimol Capliglione, na avenida Rui Barbosa, no Rio, onde o governador passava os fins de semana. Ademar sustentava que não renunciara à sua candidatura presidencial, mas se dizia politicamente identificado com o presidente Castello Branco, exceção a alguns detalhes da política econômica, como a forma de o governo tratar os cafeicultores. Falava de suas críticas, que nunca foram ofensivas ou pessoais, e aceitava o AI- 2, mesmo tendo desejado que não se tivessem criado condições para sua edição. Por outro lado, rejeitava a alegação de que "não podia ser candidato à presidência por não ser revolucionário". Ninguém mais revolucionário do que ele, ressaltava, para então concluir que as eleições indiretas não o prejudicariam. O Congresso reconheceria suas condições de negociador, bom administrador e, acima de tudo, revolucionário.

Como se vê, ninguém abria o jogo. Nem por isso, entretanto, a imprensa deixava de registrar a guerra surda travada nos bastidores.

Novos e velhos ministros

Ainda em novembro, o presidente Castello Branco tratou de nomear os cinco novos ministros do Supremo Tribunal Federal que lhe dariam tranquilidade no Judiciário. O primeiro convidado foi Aliomar Baleeiro. Logo depois, Prado Kelly. Adalício Nogueira viria em seguida, assim como Carlos Medeiros e Silva e Osvaldo Trigueiro.

No terreno da política, a tese da reforma do ministério não pertencia apenas aos adversários velados do presidente Castello Branco. Ele também concluíra ser tempo de uma mexida em sua equipe de principais auxiliares, ainda que partindo da premissa de serem intocáveis os ministros militares e a dupla responsável pela política econômico-financeira, Roberto Campos, no Planejamento, e Otávio Bulhões, na Fazenda. Claro que, para não dar o braço a torcer e permitir que se dissesse que cedera a uma só das exigências de Magalhães Pinto, o presidente não mudaria o ministério de uma só vez. Alteraria aos poucos, num processo de alguns meses.

Juracy Magalhães cumprira sua missão no Ministério da Justiça, ao coordenar a edição do AI-2, e foi para as Relações Exteriores, onde poderia permanecer como reserva tática, menos exposto aos embates político-militares, possível candidato à presidência da República contra Costa e Silva. O então chanceler Vasco Leitão da Cunha seria nomeado embaixador do Brasil em Portugal.

Assim, a 14 de janeiro de 1966, tornava-se ministro da Justiça o senador Mem de Sá. Muitos estranharam, até o próprio, que não era jurista, nem sequer advogado. Para aceitar, pedira explicações ao presidente Castello Branco, que foi claro: escolhia-o por pertencer a um pequeno partido, o PL, dispondo por isso de condições de isenção para coordenar e dirigir a formação do partido da revolução, a futura Arena, onde se digladiavam UDN e PSD, em busca de hegemonia.

Como aproveitar o potencial e a liderança do governador Ney Braga, que deixara a chefia do executivo paranaense para Paulo Pimentel, eleito com seu apoio? Fazendo-o ministro, no caso, da Agricultura, em substituição a Hugo Leme. A posse foi das primeiras, a 22 de novembro de 1965.

O Paraná, no entanto, não poderia ficar com dois ministros. Assim, Flávio Suplicy de Lacerda, da Educação e Cultura, foi demitido e nomeado para um posto no exterior. O deputado Pedro Aleixo, que muitos imaginavam pudesse ser ministro da Justiça, vir-se-ia empossado na pasta Educação, a 10 de janeiro de 1966. Não teria condições emocionais de liderar a formação da Arena mineira, também integrada pela maior parte do PSD, sob a liderança do novo governador Israel Pinheiro.

Para o Ministério do Trabalho, deu-se descanso ao veterano professor Arnaldo Lopes Süssekind, substituído a 7 de dezembro de 1965 pelo deputado Peracchi de Barcelos, ex-coronel da Brigada Gaúcha e um esteio da revolução junto ao PSD gaúcho. Era uma compensação por ter aberto mão de sua candidatura à presidência da Câmara para o deputado Bilac Pinto, um ano antes.

O deputado Daniel Faraco ocupava o Ministério da Indústria e Comércio desde o início do governo Castello Branco, mas suas pretensões eram de voltar à Câmara, inclusive de se candidatar à reeleição em 1966. Além do mais, Peracchi Barcellos e Mem de Sá também eram gaúchos. Assim, a 13 de janeiro de 1966, assumiria o paulista Paulo Egydio Martins, um antiademarista ferrenho.

Meses mais tarde, a 16 de junho de 1966, por conta da decisão do processo sucessório, o marechal Cordeiro de Farias, em sinal de protesto, demitir-se-ia do Ministério do Interior, substituído por João Gonçalves de Souza.

"Vou e volto ministro"

As atenções se voltavam para os ministérios militares, ou melhor, para Costa e Silva, no Ministério da Guerra, que logo seria transformado em Ministério do Exército. Teria o presidente condições — e coragem — para substituí-lo? Apesar das especulações e certamente do desejo recôndito de Castello Branco de livrar-se de seu agora tutor militar, a resposta era não. E foi Costa e Silva quem resolveu a questão à sua maneira de *troupier*, quer dizer, de general da tropa, sem maiores pruridos ou cuidados de oficial de estado-maior.

Ele fora convidado para uma viagem ao exterior, que passaria por França, Alemanha e Itália, devendo também visitar o contingente brasileiro estacionado em Suez, a pedido das Nações Unidas. Viajou a 6 de janeiro de 1966, acompanhado de D. Yolanda, do coronel Mario Andreazza, seu secretário, e de um ajudante de ordens.

Orion Neves, repórter do *Jornal de Vanguarda*, da recém-instalada TV Globo, perguntou ao ministro, no aeroporto do Galeão, se não tinha receio de ser demitido enquanto estivesse viajando. A resposta de Costa e Silva seria a principal notícia no telejornal daquela noite e manchete dos jornais do dia seguinte: "Vou ministro e volto ministro!"

Juracy Magalhães, Luís Viana Filho, Ernesto Geisel e possivelmente outros foram a Castello ainda naquela noite e assim lhe apresentaram o problema: "Ou o senhor demite o Costa ainda hoje, ou não poderá demitir nunca mais."

Entre o presidente e seu ministro da Guerra havia — além de animosidades, competição, desavenças e pequenos entreveros — uma relação toda especial, que vinha dos tempos do Colégio Militar de Porto Alegre. Médico e monstro alternavam-se naquele sentimento, que também era de muita amizade. Afinal, tinham um passado comum. Ninguém saberá ao certo se foi por isso que Castello Branco engoliu a frase e não agiu. Ou terá sido por conhecer muito bem o seu pano de fundo e perceber que perderia militarmente, num confronto direto? Tanto faz, porque a política é feita de homens, apesar dos sociólogos e dos cientistas políticos estarem sempre nos agredindo com suas teorias esotéricas. No fundo, talvez os dois se entendessem melhor do que ninguém.

Costa e Silva explicaria mais tarde que não tivera intenção de contestar o presidente, mas que, simplesmente, se referira ao fato de que ninguém deve ser demitido enquanto em viagem. Poucos acreditaram.

Nos ministérios militares houve apenas uma substituição: na Marinha, sairia o almirante Paulo Bosísio, desgastado porque o presidente Castello Branco dera ganho de causa à Aeronáutica na disputa por quem pilotaria os aviões do *Minas Gerais*, se aviadores navais ou da Força Aérea. Assumiria, a 20 de dezembro de 1965, o almirante Araripe Macedo. O brigadeiro Eduardo Gomes continuou na Aeronáutica.

Saco de gatos

A 20 de novembro de 1965 o presidente Castello Branco fizera publicar no *Diário Oficial* o Ato Complementar número 4, que definia as regras para novo quadro partidário. Participaram de sua elaboração Juracy Magalhães, Mem de Sá, Daniel Krieger, Pedro Aleixo, Adaucto Lúcio Cardoso, Paulo Sarazate, Bilac Pinto, Ernâni Sátiro e Rui Santos, entre outros.

Dispunha o édito revolucionário, inicialmente, a formação de dois blocos parlamentares no Congresso, que exprimiriam governo e oposição. Quem ingressasse neste ou naquele estaria obrigado a votar conforme a decisão dos respectivos líderes, proibidas dissidências e oscilações na apreciação dos projetos. Esse princípio, denominado fidelidade partidária, valeria para as legendas definitivas que em seguida viessem a ser formadas, e que seriam apenas duas, no lugar das treze anteriores, dissolvidas. Em outras palavras, deputados e senadores, no bipartidarismo, não podiam votar contra a determinação dos seus partidos, sob pena de expulsão e perda de mandato. Ganhava a estratosfera a liberdade individual do deputado e do senador.

Os partidos definitivos, a serem constituídos conforme o Código Eleitoral e a Lei Orgânica dos Partidos Políticos, anteriormente aprovados, ficariam sujeitos às alterações promovidas pelo próprio AC-4, entre as quais a mais draconiana: só poderia existir o partido que dispusesse, no mínimo, de 120 deputados federais e vinte senadores Era a forma de impor apenas duas legendas.

Logo começaria a corrida para a formação dos blocos, e, como não poderia deixar de ser, a maioria dos deputados e senadores procurou abrigar-se sob o guarda-chuva da revolução. Os parlamentares da UDN, PL e PSP, é claro, inscreveram-se quase integralmente no bloco governista. Não foi surpresa ver que a maior parte dos que pertenciam ao PSD também buscou o aprisco revolucionário. Choque, mesmo, oferecera o extinto PTB: razoáveis contingentes desligaram-se do passado para formar ao lado de antigos e tradicionais adversários, em apoio aos generais.

Histriônico pedido

Correriam meses até a oficialização dos dois partidos, tanto pelas dificuldades em compor situações regionais específicas, onde dois ou mais grupos reivindicavam a primazia de servir à revolução, mas eram adversários e até desafetos, quanto pelo fato de que o bloco oposicionista, se conseguira mais de 120 deputados, só encontrara dezoito senadores dispostos a integrá-lo, o que impedia o estabelecimento formal do partido de oposição.

A DITADURA MILITAR E OS GOLPES DENTRO DO GOLPE: 1964-1969

Diante da sombra de ter um partido único, governista, o que significaria vexame até internacional para os donos do poder, o marechal Castello Branco seria levado a um dos mais histriônicos malabarismos de seu mandato. Convocou dois senadores seus amigos, que já se haviam inscrito no bloco do governo: Rui Carneiro, da Paraíba, e Adalberto Sena, do Acre. Ambos imaginavam que o presidente lhes daria missões especiais na legenda oficial em formação, mas ouviram o inusitado pedido para que se desligassem do partido do governo e se inscrevessem no bloco oposicionista, embrião do partido da oposição. Atenderam o apelo, e justiça se lhes faça, nos anos seguintes comportaram-se como verdadeiros oposicionistas.

Um general para o MDB

Apenas em maio de 1966 formalizar-se-iam os dois partidos. O governista, com o nome Arena (Aliança Renovadora Nacional); o de oposição, MDB (Movimento Democrático Brasileiro). Isso porque, outra hilaridade revolucionária, o AC-4 proibira a repetição das siglas extintas e até vetara especificamente que as novas legendas se intitulassem "partidos".

Os principais líderes oposicionistas, de Amaral Peixoto a Tancredo Neves, de Ulysses Guimarães a Doutel de Andrade e Osvaldo Lima Filho, recusando-se a pôr o pescoço de fora, rejeitariam a presidência da nova agremiação. Todos raposas felpudas da política nacional, foram buscar um general para presidir o MDB, o senador Oscar Passos, do Acre, herói da FEB e companheiro de bancos escolares dos marechais Castello Branco e Costa e Silva. Mais uma vez, é preciso fazer justiça: Passos se tornaria um presidente firme, resoluto e inflexível, sempre que se tratasse de censurar o governo e de protestar contra o arbítrio. Deixaria o cargo ao perder a reeleição para o Senado, em 1970, então substituído pelo 1º vice-presidente, o deputado Ulysses Guimarães.

Quanto à Arena, o problema fora inverso: eram tantos a disputar lugares na sua direção que Castello Branco avocou a decisão, convidando o senador Daniel Krieger para presidi-la.

A famigerada sublegenda

Caberia ao novo ministro da Justiça, o substituto de Juracy Magalhães, senador Mem de Sá, encontrar, no início de 1966, fórmula capaz de abrigar na Arena forças tão díspares e conflitantes como as que, nos estados, disputavam a chefia do partido oficial e a prerrogativa de escolher candidatos às eleições parlamentares e para cargos executivos. Adotou-se o modelo vigente no Uruguai, onde historicamente havia dois grandes partidos, o Blanco e o Colorado. E criou-se a sublegenda, que permitia três grupos distintos conviverem aos bofetões dentro da mesma legenda, sem que um tivesse a prerrogativa de expulsar os demais, mesmo se detivesse maioria nos diretórios estaduais.

Teria sido cômico não fosse trágico assistir a tantas acomodações quantos eram os estados do país, valendo citar apenas alguns. Como conciliar, em São Paulo, sem a sublegenda, grupos tão antagônicos quanto o chefiado pelo governador Ademar de Barros, cacique do antigo PSP, e as vestais da extinta UDN, de Abreu Sodré à turma do *Estadão* de Júlio Mesquita? Em Minas, foi obra de prestigitadores compor Pedro Aleixo, Bilac Pinto, Oscar Correia e Magalhães Pinto, que já brigavam dentro da UDN, com o governador eleito Israel Pinheiro e o bloco do PSD, majoritário em número de prefeitos e deputados estaduais. No Maranhão, nem se falavam, a não ser para injuriar-se, Vitorino Freire, vindo do PSP e depois do PSD, e José Sarney, da UDN. No Rio Grande do Norte, eram inimigos ferrenhos

A DITADURA MILITAR E OS GOLPES DENTRO DO GOLPE: 1964-1969

Dinarte Mariz e Aluízio Alves, ambos da UDN. Em Pernambuco, Cid Sampaio, da UDN, e Paulo Guerra, do PSD, não tinham diálogo. Em Santa Catarina, após décadas até de luta armada, "juntaram-se" os Bornhausen e os Konder, de um lado, com os Ramos, de outro. E assim também nos demais estados. Pesaria, afinal, mais a necessidade de estarem do lado dos poderosos, evitando perseguições e até cassações.

Quando dois a favor é demais

Levou tempo, como vimos, para se estabelecer o novo mosaico partidário, mas suas linhas gerais doutrinárias já estavam definidas desde a extinção das antigas legendas, com o AI-2.

No dia 26 de novembro de 1965, os repórteres políticos dos principais jornais do Rio e de São Paulo foram convidados a comparecer ao palácio Laranjeiras para nova conversa com o presidente Castello Branco, desta vez informal, a pedido do próprio, sem o caráter de declarações aspeadas.

A 27, publiquei na coluna sob minha responsabilidade, em *O Globo*:

> Vieram a público, ontem, mais algumas indicações sobre a reforma partidária que alinhamos a seguir: A) o presidente Castello Branco não deseja a criação de dois partidos revolucionários, pois prefere não ver dispersadas as forças que constituirão a base parlamentar de seu governo. Pelo contrário, é seu pensamento ver reunidos em uma só legenda o maior número possível de grupos políticos a ele ligados. B) Acha o presidente Castello Branco que a criação de dois partidos ligados à revolução e ao governo determinaria uma divisão de objetivos que fatalmente se refletiria no exame de cada caso, no Congresso, impedindo o pronunciamento maciço do bloco revolucionário e se prestando, ao menos em teoria, a barga-

nhas políticas. C) o que o presidente pretende é a formação de dois partidos, um que expresse os ideais da revolução e outro constituído de elementos não revolucionários. Se esse partido será de oposição ou independente, é problema que não diz respeito ao governo. D) o bipartidarismo, hoje, parece consagrado pelas principais figuras do governo, inclusive o presidente Castello Branco, que formula o seguinte raciocínio: desejando que todos os revolucionários formem numa única legenda, admitir dois partidos da revolução seria supor que um deles sempre ficasse independente das diretrizes do governo, podendo unir-se ao partido da oposição em determinadas situações. Equivale a dizer: para a votação de seus projetos o governo se veria novamente obrigado a procurar composições e entendimentos isolados com deputados e senadores, como acontecia antes da extinção dos partidos. É o que se pretende evitar. O AI-2, inclusive, foi tomado essencialmente por essa razão: dar ao governo uma base sólida no Congresso para evitar o enfraquecimento das posições oficiais sempre que se torna necessário negociar. E) a revolução constituirá o seu partido na base de convites a ela ligados, que os líderes do governo se encarregarão de formular após um demorado estudo, especialmente das situações estaduais. Ao invés de se abrirem inscrições para a formação do partido revolucionário, a iniciativa formal caberá ao governo, justamente para que possa somar o maior número de adeptos. Explica-se: uma vez que em muitos estados duas ou mais correntes desejarão apoiar a revolução, embora sendo adversárias inconciliáveis. Assim, será necessário um trabalho de preparação e sondagem junto a tais forças para que o governo possa tentar reuni-las, ao menos conforme diretrizes de ordem geral. Se não conseguir, no entanto, terá o direito de optar pelas que maior apoio oferecerem. F) Pretendendo dois partidos, um revolucionário e outro não, o governo não hesitará em alterar o Ato Complementar número 4 no que se refere a quórum, para facilitar a formação da legenda não revolucionária, que se aponta como de difícil criação pela falta de senadores bastantes.

A DITADURA MILITAR E OS GOLPES DENTRO DO GOLPE: 1964-1969

Desventuras do Boaventura

O coronel Boaventura Cavalcanti Júnior possuía um excelente conceito no Exército, como oficial de Estado-Maior e paraquedista. Era irmão do deputado Costa Cavalcanti, também coronel, e se destacava como um dos líderes das linha-dura. De início, ajudara na escalada do ministro da Guerra, mas depois, editado o AI-2, tornar-se-ia incômodo. Diante do discurso do marechal Castello Branco em Alagoinhas, no interior da Bahia, o coronel Boaventura escreveu carta de crítica ao presidente, considerada injuriosa e contra a hierarquia e os regulamentos militares, que o *Jornal do Brasil* publicaria na íntegra, a 27 de novembro de 1965. No texto, o coronel cobrava atitudes revolucionárias por parte do governo e sustentava a necessidade de Negrão de Lima não tomar posse no estado da Guanabara.

Costa e Silva então determinou a prisão de Boaventura, através do comandante do I Exército, e o palácio Laranjeiras encarregou-se de difundir junto aos jornalistas credenciados que o documento não tinha a menor influência e fora escrito apenas para "lavar a face dos radicais impotentes". *O Globo* do dia 29 comentaria:

> O que se pode acrescentar sobre a matéria é que ela não preocupou o governo federal, que se mantém tranquilo e consciente de suas responsabilidades para com os ideais revolucionários. E disposto a não permitir excessos de qualquer parte, como o presidente Castello Branco deixou claro em seu discurso de Alagoinhas, dias atrás. O ato do coronel Boaventura é isolado, sem repercussões maiores. Não perturbará a ação e as diretrizes do governo, nem repercutirá na tropa. Inclusive porque, ainda conforme os porta-vozes oficiais, o simples fato de o coronel ter escrito uma carta ao invés de agir dá bem a medida de suas possibilidades reais de perturbar o livre exercício das instituições democráticas, como a posse de cidadãos eleitos!

E logo a seguir:

>A um jornalista que o procurou para perguntar sobre a existência ou não de dificuldades referentes à posse do sr. Negrão de Lima, no próximo domingo, o ministro Costa e Silva declarou: "Você quer um furo? Pois vou dá-lo. Anote que nada acontecerá nem na semana que antecede a posse, nem no dia da posse, pois tudo está controlado pelo governo."

Um dia depois, *O Jornal* informava que à punição de prisão dada ao coronel Boaventura Cavalcanti Júnior o governo poderia acrescentar uma denúncia contra ele, considerando-o incurso na Lei de Segurança Nacional e no Código Penal Militar. Seria formado um Conselho de Justificação, integrado por três oficiais de patente superior, que poderiam concluir pela sua reforma. Foi o que aconteceu mais tarde, com a interrupção da carreira do coronel, unanimemente considerado um dos mais íntegros e competentes do Exército.

Uma renúncia ditada pelo ódio

Carlos Lacerda renunciaria ao governo da Guanabara quinze dias antes da data marcada para transmiti-lo a Negrão de Lima. Eram mais do que adversários, pois inimigos pessoais, apesar de terem sido amigos até a década de 1950. Negrão, de deputado federal em 1934, como vimos, tornara-se o pombo-correio do golpe de 1937, percorrendo os estados do Norte e do Nordeste, a mando de Getúlio Vargas e de Benedito Valadares, para saber que governadores apoiariam o Estado Novo. Com a dissolução da Câmara, assumiu a chefia de gabinete do ministro da Justiça, Francisco Campos. Viu-se em seguida nomeado embaixador do Brasil na Bolívia. Mais tarde, quando já escolhido para a Bélgica, apesar de não pertencer aos quadros do Itamaraty, ocorreria a queda de Vargas. Com a eleição do marechal Eurico Dutra para a presidência da República e a designação do general Ângelo Mendes de Moraes à prefeitura do Rio de Janeiro, Negrão de Lima seria secretário de Administração. Getúlio Vargas, retornando ao palácio do Catete, nomeá-lo-ia ministro da Justiça. No governo Juscelino Kubitschek, foi prefeito do Distrito Federal, ministro das Relações Exteriores e embaixador do Brasil em Portugal, posto onde Jânio Quadros e João Goulart o conservariam. Retornou ao Brasil no final de 1963 para chefiar a campanha JK-65 apenas por alguns meses, tendo em vista a eclosão do movimento militar. Terminaria candidato ao governo da Guanabara após o afastamento de Hélio de Almeida e do marechal Henrique Lott, em óbvia oposição a Carlos Lacerda e, conforme o sentimento do eleitorado carioca, também aos generais.

Sua campanha foi meteórica, e a vitória, incontestável, tanto que obteve maioria absoluta dos votos, dispensando a realização do segundo turno pela Assembleia Legislativa. O então ainda governador da Guanabara não o suportava por diversos motivos, porque apoiara o Estado Novo e porque representava o juscelinismo, mas sobretudo porque, quando romperam, em 1950, por conta da oposição do jornalista ao governo Mendes de Moraes, Negrão fora autor de uma das cartas mais contundentes e violentas contra Lacerda, atingindo-o na sua honra, pois se referia aos episódios de sua expulsão do Partido Comunista e a outras reviravoltas.

Posse em clima de guerra

Rafael de Almeida Magalhães, vice-governador, também renunciaria na véspera da posse, da mesma forma para marcar seu inconformismo. O próximo na linha sucessória era o presidente da Assembleia Legislativa, deputado Edison Guimarães, lacerdista de quatro costados, que igualmente se negaria a assumir o governo apenas para transmiti-lo a Negrão de Lima. Resultado: seria o presidente do Tribunal de Justiça o governador interino a participar da cerimônia.

O presidente Castello Branco e o ministro Costa e Silva não queriam brincadeira. Decidiram não correr qualquer risco para garantir a posse do novo governador. Assim, desde a madrugada o Rio de Janeiro se transformara numa praça de guerra. Os tanques voltaram às ruas e ocuparam o centro da cidade, cercando o prédio da Assembleia Legislativa. Tropa armada estendia-se pelo trajeto até o palácio Guanabara. A ironia era de que tudo acontecia ao contrário, ou seja, mobilizava-se o poder militar, de fato, para dar sustentação à vitória de um seu adversário.

Mais tarde, Negrão contaria ao repórter que, já pela manhã, em sua casa, na Lagoa Rodrigo de Freitas, apresentara-se um capitão da Polícia do Exército, que comandava forte contingente. O jovem oficial colocou-se à disposição do governador eleito. Iria acompanhá-lo, à tarde, no caminho até a Assembleia, à frente de um pelotão de motociclistas.

Homem extremamente educado, o governador recebeu a comunicação em sua sala de estar e estendeu a mão direita para cumprimentar o capitão. Em posição de sentido, o oficial recusou, dizendo que cumpria ordens para guardar e escoltar o governador, mas que não concordava com sua posse e que, portanto, não apertaria a sua mão. Seguiu-se um instante de tensão inusitada, que Negrão quebraria utilizando toda sua experiência. Em vez de acusar o interlocutor de mal-educado, o que seria o mínimo a fazer, disse: "Mesmo assim, capitão, agradeço que esteja cumprindo o seu dever. Vou acompanhá-lo até o portão."

E foi, abrindo a fechadura e deixando o capitão passar. Com muita graça, comentaria anos depois que, ao olhar para o jovem, viu as lágrimas escorrerem de seu rosto e molharem sua farda, preparado que estava para ouvir grosserias e até imprecações, jamais imaginando receber aquele gesto de fidalguia.

Na Assembleia Legislativa, a cerimônia de juramento do novo governador à constituição estadual seria simples. O presidente Castello Branco mandou o ministro Juracy Magalhães para representá-lo. No palácio Guanabara, mais cautela, tendo durado poucos minutos os discursos do presidente do Tribunal de Justiça e de Negrão de Lima. Mesmo sabendo das dificuldades a enfrentar, obrigado a aceitar um secretário de Segurança imposto pelo Ministério da Guerra, o novo governador se comportaria com a maior dignidade. Certa vez perguntou ao repórter, que o visitava com frequência, se notara que todos os dias, ao deixar a sede do governo, sua mesa de trabalho ficava completamente vazia, sem um papel a despachar. Por quê? Porque não sabia se, no dia seguinte, poderia voltar a ocupar o cargo...

"A tropa será dele!"

Juracy Magalhães daria uma singular explicação sobre as razões do grande aparato militar na posse de Negrão de Lima. Em seu depoimento a José Alberto Gueiros, em *O último tenente*, contou que, pouco antes de 30 de novembro, fora chamado pelo general Ururay Magalhães no gabinete do comandante do I Exército, no prédio do antigo ministério, no Rio, na Praça Duque de Caxias, ao lado da Central do Brasil. Não deixa de ser estranho supor, hoje, o ministro da Justiça convocado pelo comandante do I Exército, mas, naqueles tempos, era assim que as coisas funcionavam. Eis o depoimento de Juracy a propósito:

> Compareci, e encontrei (além do general Ururay Magalhães) o general Afonso Albuquerque Lima, o coronel Ferdinando de Carvalho e vários oficiais. O assunto não poderia ser mais delicado.

Ururay queria me convidar para organizarmos juntos os dispositivos destinados a impedir a posse dos governadores eleitos da Guanabara, Minas Gerais e Mato Grosso — respectivamente Negrão de Lima, Israel Pinheiro e Pedro Pedrossian. Logo argumentei que não admitia tal hipótese, até porque recebera instruções expressas do presidente para garantir a posse de todos esses governadores. Mas Ururay não se convenceu e retrucou: "Os três são corruptos, subversivos e comunistas. Temos aqui uma farta documentação comprovando o que lhe digo." E chamou o coronel Ferdinando de Carvalho para me fazer uma demonstração. O oficial puxou três calhamaços imensos, autos do Inquérito Policial Militar por ele mesmo presidido, exibindo, entre outros papéis, algumas fotografias de Negrão de Lima ao lado de líderes do Partido Comunista. Nesse ponto perdi a paciência e despejei: "Olha aqui, coronel Ferdinando, vocês vão fazer o Brasil inteiro rir se denunciarem Negrão de Lima como comunista. Estas fotografias não provam nada. Eu próprio tenho várias ao lado de Luís Carlos Prestes. Vamos dar posse aos eleitos. O chefe do governo, presidente Castello Branco, já deu as ordens. Manda quem pode e obedece quem tem juízo." Dito isto retirei-me sem que nenhum dos oficiais presentes me estendesse a mão. O general Ururay acompanhou-me até o elevador e também só se despediu com um aceno de cabeça. Ao chegar ao térreo pensei que talvez com aquilo tivesse criado um grande embaraço ao meu presidente. Por isso tratei de sair dali e pedir-lhe uma audiência no palácio Laranjeiras. Logo no início da conversa relembrei uma atitude de Joaquim Murtinho. Ele certa vez dissera ao presidente Campos Sales que em determinadas ocasiões a melhor maneira de um ministro servir ao seu chefe é pedir demissão.

Com isso eu queria deixar Castello Branco bem à vontade para me substituir se achasse que eu tinha criado um caso com seus generais. Mas o presidente não só apoiou minha atitude como ainda disse, para meu espanto: "Vou chamar o general Costa e Silva e pedir-lhe que organize o dispositivo da posse. A tropa que vai garantir a posse de Negrão de Lima será precisamente a do general

Ururay." (...) Assim, tudo se processou dentro do regulamento. Fui designado seu representante na cerimônia de posse de Negrão. Como havia grande ressentimento em setores da linha-dura, aconselharam-me a montar um esquema de segurança pessoal, mas preferi comparecer a dois: eu e o meu revólver. Quando saltei do carro defronte ao palácio Pedro Ernesto, a multidão aplaudiu. Os jornais tinham anunciado as restrições à posse de Negrão, a batalha judicial para validar o seu diploma, enfim, todas as tentativas dos adversários da democracia para cercear seus legítimos direitos. Mas, afinal, ali estava o ministro da Justiça, representando o presidente, para fazer valer a decisão das urnas. Entrei no plenário, sentei-me ao lado do presidente da Assembleia, deputado João Machado, e assisti ao cumprimento da lei. Nos discursos, quando se falava no nome de Castello Branco, as galerias prorrompiam em aplausos. O povo lhe fazia justiça.

Normalidade nos outros estados

Apenas a posse do governador da Guanabara aconteceu em novembro. Nos outros dez estados, conforme suas constituições, a data seria 31 de janeiro de 1966. Tudo dentro da maior normalidade, sem mobilizar tropas além das escaladas pelos cerimoniais.

Em Belo Horizonte, Magalhães Pinto fez questão de passar o governo a Israel Pinheiro. Eles já se tinham encontrado, no final de dezembro, no palácio da Liberdade, quando Israel o visitara, após pedir formalmente uma audiência. Magalhães queria mostrar toda a sede do governo e entregar um relatório de suas atividades. Comportaram-se como adversários, não como desafetos. Em seu discurso de transmissão do cargo, Magalhães enfatizaria que passava o governo ao sucessor sem ressentimentos nem rancores.

Chefe civil da revolução, incompatibilizado com o presidente da República, ainda que mantivesse com ele diálogos eventuais,

Magalhães Pinto custaria a se definir partidariamente. Ficara contra o bipartidarismo, mas, ao final, acomodar-se-ia num dos galhos da ARENA mineira, sendo o outro ocupado por Israel Pinheiro.

A primeira derrota

Enquanto o presidente Castello Branco enfrentava dificuldades para compor os diversos segmentos empenhados em integrar e em chefiar a ARENA nos estados, por conta do excesso de contingente, no MDB era o contrário. A muito custo 130 deputados e vinte senadores inscreveram-se na legenda oposicionista.

Talvez por isso, formalizou-se antes do partido governista. A 15 de dezembro de 1965, seu futuro presidente, já escolhido, o senador Oscar Passos, procuraria o ministro Juracy Magalhães. O objetivo era abrir um canal de diálogo, mas o general oposicionista se mostraria firme. Anunciou que a primeira campanha do MDB seria contra a transformação das eleições estaduais de 1966 em indiretas, conforme já se tramava nos setores revolucionários.

Uma batalha que logo se veria perdida, como muitas outras.

Só mudando a Constituição

A 16 de dezembro de 1965, ao reunir um grupo de repórteres políticos no palácio Monroe, no Rio, e já tendo assinado a ficha de inscrição na ARENA, o senador Afonso Arinos soltou a bomba, que todos os jornais do dia seguinte noticiariam: não dava mais para o país prosseguir com a Constituição de 1946, tantas vezes rasgada, massacrada e violentada, principalmente desde o movimento de 1964. Assim, julgava extremamente necessário um novo texto, totalmente revisto e adaptado aos novos tempos, quem sabe até uma nova Constituição, embora não ousasse chegar a tanto, naquela primeira referência.

Informou que conversara a respeito com o presidente Castello Branco, que lhe dera sinal verde para iniciar consultas e sondagens, ainda que em nome próprio. Para ele, a Constituição de 1946 parecia uma colcha de retalhos, já tendo sofrido dezenove emendas.

Por pudor, e porque formava ao lado da revolução, deixara de referir que os atos institucionais, os atos complementares e os decretos-leis baixados em profusão foram os principais responsáveis pela balbúrdia, porque emendas constitucionais, afinal, são democráticas e se adotam de acordo com as próprias constituições. O caminho natural, a seu ver, seria a convocação de uma Assembleia Nacional Constituinte, porque o eleitor votaria em delegados encarregados de promover a tarefa.

Arinos, porém, indagava, conforme *O Globo* do dia 17:

> Existem condições para a convocação de uma Constituinte? Disporá o país do tempo necessário para fazer coincidir eleições para ela junto com as eleições parlamentares previstas para outubro de 1966? Ou seria necessária a dissolução do Congresso para a convocação de eleições específicas? Estaria a questão institucional merecendo soluções imediatas? Diante do quadro referido aparece a solução tida pelo governo federal como a mais oportuna e que o próprio sr. Afonso Arinos aborda: a designação, pelo presidente da República, de uma comissão de juristas e políticos de alto nível que se encarregariam de elaborar um anteprojeto de Constituição calcada na de 1946, mas adaptada às alterações já efetuadas no correr dos anos. Mais ainda, podendo introduzir ideias e métodos novos. O texto a que chegasse a comissão seria encaminhado ao Congresso que, sem se transformar em Assembleia Constituinte, e valendo-se apenas de suas prerrogativas normais, do Poder Constituinte Derivado, daria a palavra final, pela maioria absoluta de seus membros.

Era o embrião do que aconteceria um ano depois, ainda que de forma um pouco diferente. Naquele mesmo dia o ainda ministro da Justiça, Juracy Magalhães, confirmou a intenção do governo de promover a reorganização constitucional e citou dois modos de se executar a tarefa: por meio de uma Assembleia Nacional Constituinte ou pela aprovação, no Congresso, de um anteprojeto preparado e encaminhado pelo Executivo.

Continuava a matéria de *O Globo*:

> Essa última opção é a escolhida pelo ministro, de vez que permitirá um trabalho acorde com os objetivos revolucionários. Os que desejam a Constituinte, salientou, são apenas os interessados em reformar o atual sistema revolucionário para fazer voltar políticas ultrapassadas. Bem como pelos que desejam a substituição da ordem vigente por outra, incompatível com os destinos nacionais.

Notava-se claramente que a revolução temia as urnas e fugia do voto popular para a definição de uma nova Constituição, com seus dirigentes por certo escaldados diante da vitória das oposições em Minas e na Guanabara. Estava lançada a semente de uma nova Constituição sem Constituinte...

Salada mista

Em meio à especulação sobre uma nova Constituição, o MDB, em formação, aproveitar-se-ia para levantar a bandeira de uma Assembleia Nacional Constituinte, lançando também uma série de propostas, umas naturais, outras absurdas. Não faltaram os aproveitadores de sempre para sugerir a prorrogação dos mandatos parlamentares até 1970, "para que o Congresso pudesse dedicar-se com mais afinco à missão constitucionalizadora". Quem aplacou aquela enxurrada de absurdos foi o senador Benedito Valadares, falando a *O Globo*: "Para que querem prorrogar os mandatos até 1970? O meu vai até 1971..."

Houve também quem propusesse a eleição de uma Assembleia Constituinte sem os integrantes do Congresso ainda com mandato, de modo que as duas Câmaras funcionariam separadamente. E não faltou a sugestão de que a nova Constituinte ficasse no Rio, e o Congresso, em Brasília. Como a cobra atrai o sapo, logo parlamentares revolucionários mais radicais levantaram a hipótese da prorrogação do mandato de Castello Branco. Diante de tudo aquilo, o presidente resolveria botar o pé no freio. Então, pediu a seu líder na Câmara, Pedro Aleixo, para desmentir totalmente a hipótese da Constituinte, o que fez no dia 20 de dezembro, fornecendo material para os jornais do dia 21 e subsequentes.

Mesmo assim, o Natal chegaria com Papai Noel carregando um saco cheio de novidades.

Em busca do impossível

Diante do fato consumado e autoritário em que consistiram a dissolução dos antigos partidos e a reordenação do quadro partidário, expressivas figuras do governo e da oposição dedicar-se-iam, com certa ingenuidade ou malícia, a só olhar para a frente, formulando uma série de hipóteses e de expectativas a respeito do futuro institucional. Não propriamente como ideólogos, mas, ao menos, como doutrinadores, na verdade o que não queriam era ficar olhando para trás, por conta do retrocesso que fora o Ato Institucional número 2.

O primeiro a agir assim, ainda no final de 1965, foi o senador Afonso Arinos, ao propor a reformulação constitucional, admitindo até que se a fizesse através de uma Assembleia Nacional Constituinte, prato apimentado demais para ser deglutido pelo poder revolucionário. Logo viriam outros.

O presidente da Câmara, Bilac Pinto, que não se candidataria a mais uma eleição no cargo, dado compromisso assumido um ano antes, exprimiu, através de *O Globo* do dia 22 de dezembro de 1965, mais do que a sugestão constitucional:

> O deputado Bilac Pinto admitiu ontem a hipótese de ser antecipado o término da vigência do Ato Institucional número 2. Entende que o trabalho de consolidação constitucional em pauta nos setores políticos incorporará à Carta Magna determinados dispositivos daquele édito revolucionário. Uma vez elaborado o trabalho, portanto, se assim o desejarem o presidente Castello Branco e as maiorias legislativas, o ato poderá ser automaticamente revogado pela simples entrada em vigor do novo texto. Por certo que existe a hipótese, paralelamente, de o novo texto só entrar vigorar após o término do AI-2, em março de 1967. Trata-se de um problema a ser resolvido oportunamente, contendo, porém, as duas opções.

E depois:

> As considerações do sr. Bilac Pinto vêm a propósito das alegações dos líderes oposicionistas de que as próximas eleições de outubro de 1966 não se podem realizar livremente se estiver vigorando o AI-2, que condicionará a atuação dos candidatos que não pertencerem às forças revolucionárias. Julga o presidente da Câmara que tal alegação não procede, e que se as eleições se realizarem sob a vigência do Ato Institucional em nada estarão condicionadas ou prejudicadas. (...) o Ato permite ao presidente da República uma série de medidas de força, revolucionárias, mas deve ser lembrado que até o momento nenhuma delas foi tomada. (...) Diz também o parlamentar mineiro que o problema constitucional referido nos últimos dias, inclusive num discurso do presidente Castello Branco, em Goiânia, não pode ser tido como preparação para a elaboração de uma nova Constituição. Trata-se, apenas, de se consolidar a atual, compondo-a com as várias alterações que sofreu desde 1946, especialmente com os textos dos atos revolucionários.

Um dia depois, a oposição responderia, por meio do senador Artur Virgílio, do extinto PTB e agora no MDB, também conforme a coluna política de *O Globo*:

> O senador Artur Virgílio entende que a grande bandeira da oposição deve ser a luta pela extinção, no mais breve espaço de tempo possível, do Ato Institucional número 2. Acentua que dentro desse objetivo é que os oposicionistas se conduzirão, estando dispostos, inclusive, a aceitar a sugestão do deputado Bilac Pinto, de que após a consolidação constitucional a ser empreendida pelo Congresso o novo texto pudesse entrar imediatamente em vigor, revogando automaticamente o AI-2. Nesse caso, a oposição não obstruiria o trabalho de consolidação constitucional, mesmo que elaborado previamente por uma comissão de juristas e, depois, enviado ao Congresso. E nem que contivesse determinados dispositivos do Ato, desde que não todos e, especialmente, aqueles considerados mais radicais. Para o parlamentar amazonense, a simples existência do AI-2 não permite um desenvolvimento tranquilo e natural dos setores oposicionistas, pois cada um dos deputados e senadores filiados ao MDB teme sempre que ataques mais diretos e incisivos do governo possam levá-los a perder seus mandatos. (...) Ressalta ainda o sr. Artur Virgílio que, se os efeitos do AI-2 se fazem sentir sobre a simples atuação oposicionista, muito mais se farão sobre as campanhas para as próximas eleições.

Também filiado ao MDB, o senador Josafá Marinho declararia ser muito útil o diálogo com o governo, ainda que em princípio a oposição não devesse colaborar no preparo prévio ou extraparlamentar de medidas legislativas, sobretudo para não legitimar iniciativas de caráter discricionário. Cabia-lhe, sim, pleitear a revogação de poderes excessivos de que se investira o Executivo, revisões elementares que o governo haveria de reconhecer como imperiosas, bem como o restabelecimento das garantias de vitaliciedade, inamovibilidade e irredutibilidade de vencimentos dos membros do poder Judiciário. Disse que não era possível cogitar-se de eleições legítimas se os cidadãos, os políticos, os funcionários e os magistrados estivessem sujeitos a sanções sumárias.

Entrariam na discussão, nos dias seguintes, o ex-presidente da extinta UDN, Ernâni Sátiro, e o líder do governo na Câmara, Pedro Aleixo. Para o primeiro, conforme o *Diário de Notícias* do dia 24 de dezembro, não havia possibilidade nem vantagem na convocação de uma Assembleia Nacional Constituinte, mas, como o Congresso mantinha intacto o Poder Constituinte Derivado, nada mais natural do que a ele caber a tarefa da revisão constitucional. Pedro Aleixo também afastou a hipótese da Constituinte, como, de resto, todos os líderes revolucionários. Na verdade, o que temiam era a formação de maiorias oposicionistas na Câmara, encarregada especificamente de fazer uma nova Constituição. Refletiam o pensamento militar, a começar pelo do presidente Castello Branco. Imagine-se, então, como reagiam os chefes militares mais radicais. Em outras palavras, revisão, sim, mas condicionada, jamais livre.

Fim de ano

Uma semana após ter entrado na discussão da revisão constitucional, o presidente da Câmara, Bilac Pinto, voltaria ao tema para mostrar a azeitona que sutilmente colocara na empada do aprimoramento institucional. A *O Globo* do dia 28 de dezembro de 1965, declarou que o princípio das eleições indiretas para presidente e vice-presidente da República deveria ser incorporado à consolidação constitucional em pauta. Disse que julgava a medida benéfica ao país, pois impediria o aparecimento de crises periódicas, decorrentes de eleições diretas. Não falou, nem precisava, que as crises eram sempre criadas pelos partidários dos candidatos derrotados pelo voto popular, não pelos vitoriosos, mas, como bom jurista, douraria a pílula de seu raciocínio:

> A democracia é incompatível com o voto emocional e demagógico, porque a eleição presidencial direta obriga sempre os candidatos a pregar e agir demagogicamente. O eleitorado vota emocionalmente nas eleições diretas, estabelecendo-se, na prática, o círculo vicioso, do qual não interessa saber qual a força motriz, se o candidato ou o eleitorado. (...) o processo de eleição presidencial se eleva quando entregue a um colégio eleitoral esclarecido, em melhores condições de decidir. Esse colégio não precisa ser necessariamente o Congresso Nacional, mas poderá ser ampliado com representações das assembleias legislativas. A incorporação definitiva à Constituição do princípio das eleições indiretas estabelecidas pelo AI-2 não se choca com o atual sistema presidencialista de governo, que dificilmente será alterado, até por falta de condições políticas. Eleições indiretas e presidencialismo não são incompatíveis.

Quem abriu inteiramente o jogo, compondo teoria e prática revolucionárias, foi o governador eleito da Paraíba, João Agripino, que um dia antes proclamara que o futuro presidente da República deveria ser um militar, da ativa do Exército, eleito indiretamente. Só não declarara, por desnecessário, que o sucessor de Castello Branco deveria ter as iniciais CS, ou seja, Costa e Silva. O presidente Castello Branco não gostou, mas ficou calado, lembrando-se de que coubera a João Agripino, como deputado, a iniciativa de apresentar a emenda constitucional que lhe prorrogara o mandato por um ano.

No dia 30 de dezembro de 1965, o ex-presidente do extinto PSD, Ernâni do Amaral Peixoto, que se recusara a ser presidente do MDB, mas que se filiara ao novo partido, perderia momentaneamente seu estilo conciliador e sereno para declarar a *O Globo*:

São graves e inaceitáveis os defeitos de estrutura da ARENA e do MDB. Os dois partidos apresentam falhas de formação, decorrentes dos entendimentos para suas constituições. Não é possível obstar realidades práticas, uma vez que a extinção dos antigos partidos foi um ato de força. Um dos argumentos levantados contra os artigos partidos foi de que não mais representavam o eleitorado, pois dominados por cúpulas que se perpetuavam em suas direções. Agora, o que se está fazendo é cristalizar o sistema das cúpulas impostas. As direções da ARENA e do MDB estão se compondo por pressão e influência de grupos de deputados federais que se impõem, sem outras motivações do que o próprio desejo de permanecer à tona dos acontecimentos. Quais as bases que estão autorizando a formação das cúpulas dos dois partidos, especialmente nos estados? A quem representam, ou que credenciais exprimem, relativamente à representatividade popular? São os mesmos que criticavam a composição anterior dos partidos extintos, as chamadas cúpulas.

O presidente Castello Branco passaria as festas de fim de ano no Ceará, seu estado natal. De lá veio a última notícia política de 1965, publicada em *O Globo* de 31 de dezembro:

> No Ceará, o presidente Castello Branco teve oportunidade de se referir ao novo Ato Complementar que irá dispor sobre a reformulação partidária e outros problemas políticos. O princípio das inelegibilidades poderá não vigorar para as eleições de 1966.

Estaria em marcha um novo golpe branco, capaz de permitir a reeleição do chefe do governo, mesmo tendo ele, dois meses e pouco antes, acrescentado de próprio punho, no texto do AI-2, ser inelegível para as próximas eleições?

O país mudou de ano sob aquela impressão, tantos eram os áulicos que sustentavam a reeleição, a maior parte deles temendo que Costa e Silva desembarcasse na presidência da República com um novo grupo. Como ficariam Ernesto Geisel, Golbery do Couto e Silva e tantos outros, caso o ministro da Guerra se tornasse presidente? O contraditório primeiro presidente do ciclo revolucionário cortara todas as hipóteses de continuar no poder, mas, durante o ano de 1966, tudo faria para impedir a ascensão de Costa e Silva.

Jogo afinal aberto

Todo mundo sabia das pretensões, da candidatura, das resistências e até da vitória antecipada do general Costa e Silva para se tornar o sucessor do presidente Castello Branco. Essa situação sedimentara-se no correr do ano que então terminava, simplesmente por força da força. O ministro da Guerra tinha mais tanques, canhões e baionetas — era a conclusão cruel, mas verdadeira. O problema estava em que, até o penúltimo dia do ano de 1965, ninguém queria assumir de público aquela realidade. Muito menos o próprio Costa e Silva, para não dar ao presidente Castello Branco o argumento ou o pretexto que ansiosamente aguardava, a precipitação do processo sucessório. Talvez não fosse bastante esse reconhecimento formal para barrar a ascensão do antigo colega de turma dos tempos do Colégio Militar de Porto Alegre e da Escola Militar do Realengo, mas seria um bom começo. Seria o suficiente para que o chefe do governo pudesse, de público, fazer o que fazia no sigilo dos conciliábulos do poder, ou seja, opor-se a seu ministro. Quem sabe até uma declaração de candidatura ensejasse a Castello a oportunidade de demitir Costa e Silva?

Mesmo tido como burro, inculto e infenso à intelectualidade, o ministro era intuitivo, esperto e obstinado. Sentiu que chegara a hora de mais um lance naquele intrincado jogo de xadrez que esperava vencer pelo cansaço e pela impotência do adversário. No dia 30 de dezembro, chamou ao seu gabinete, no Ministério da Guerra, dois deputados de sua total intimidade. Ao primeiro, o deputado e coronel Costa Cavalcanti, da ARENA, revolucionário de primeira hora, autorizou que declarasse à imprensa que era candidato. Estava transpondo o Rubicão.

Assaltado pelo receio de contrariar o presidente Castello Branco, de ser tido como elemento que dividia a revolução e até como traidor, Costa Cavalcanti saiu da conversa e ficou em cima do muro. Nada declarou aos jornalistas. Iria pensar, primeiro. E certamente consultar companheiros.

O fato é que Costa e Silva, imaginando essa hipótese, também convidara para a mesma conversa um segundo deputado, recebido logo depois: Anísio Rocha, de Goiás, seu velho amigo e, por ironia, recém-inscrito no MDB. Sem pruridos revolucionários, o parlamentar sairia direto do palácio da Guerra para o "senadinho", o palácio Monroe, onde se reuniam os jornalistas políticos do Rio.

O Globo do dia 31 de dezembro publicaria, ainda que sem maior destaque, como nota de pé de coluna, dadas as cautelas de sua direção, aquilo que merecia chamada de oito colunas na primeira página:

> O deputado Anísio Rocha disse ontem a um grupo de jornalistas estar autorizado pelo ministro Costa e Silva a anunciar sua candidatura à presidência da República e que o general fazia essa declaração com humildade. Afirmou ter ouvido tais declarações do ministro no momento em que o foi cumprimentar pela passagem do ano.

Estava formalmente colocado o confronto, cujos variados e fascinantes lances começariam a se desenrolar, em nova etapa, a partir de 1966.

6
O melancólico fim de um general ingênuo

Castello assistia a televisão

Naquele tempo, para completar o salário pago por *O Globo*, eu tinha mais duas atividades: participava de um programa de entrevistas políticas na TV-Rio e colaborava com uma agência de publicidade, a Norton, com sede em São Paulo.

A direção da emissora logo suspenderia o programa, mas fomos surpreendidos com a notícia de que o presidente Castello Branco telefonara para a sua direção apelando para que continuasse no ar, porque lhe assistia e gostava, mesmo quando as críticas eram duras. Coisas do Brasil.

Continuam as escaramuças

Castello Branco ainda imaginava afastar Costa e Silva da sucessão e chegou a convidá-lo para embaixador em Paris, coisa que o general não aceitaria, ficando até o último dia anterior à desincompatibilização no Ministério da Guerra e reforçando seu esquema de poder. Engolia sapos, mas não passava recibo, consciente de que tinha a força.

Certo dia, o presidente mandou chamar seus jornalistas conhecidos e distribuiu um papel onde se liam os nomes de Costa e Silva, é claro, mais os do marechal Cordeiro de Farias, Juracy Magalhães, Bilac Pinto e João Agripino. Informou que enviaria a relação para o presidente da ARENA, Daniel Krieger, a fim de que o partido começasse a debater a sucessão presidencial. Uma farsa, por certo. Sabíamos que a ARENA não decidiria nada, que tudo era uma questão militar. Mesmo assim, publicamos e comentamos os esforços do primeiro general-presidente para afastar o segundo.

Aos poucos, os militares e os políticos mais chegados a Castello foram-se convencendo da inevitabilidade da candidatura Costa e Silva.

Os tempos, porém, ainda eram instáveis. Castello, com o olho no futuro, sentiu que, naquele ano de governo que lhe restava, precisaria corrigir o bombardeio que a revolução provocara nas instituições jurídicas. Acima da Constituição de 1946 prevaleciam os atos institucionais e complementares, estes às centenas. Mais os decretos-leis, as emendas constitucionais impostas ao Congresso e os montes de leis ordinárias que se conflitavam. Chamar o quadro jurídico de colcha de retalhos era pouco. Mais parecia um saco de gatos. O presidente, então, cederia à sugestão de Afonso Arinos.

Decidiu botar ordem na confusão. Mas como? A saída seria uma Assembleia Nacional Constituinte capaz de produzir um texto máximo, acima do qual nenhum outro prevaleceria. Ótimo, concordava, indagando, porém, sobre como proceder.

Auxiliares ingênuos responderiam o óbvio: através de eleições gerais para deputados constituintes, ao que Castello atalhou dizendo tratar-se de um risco, pois, com a revolução impopular, as oposições poderiam fazer maioria e elaborar uma Constituição contrária ao regime vigente. Nesse caso, havia outra forma: redigir e outorgar um texto sem submetê-lo ao trabalho dos representantes do povo. As Constituições de 1824 e 1937 eram frutos desse modelo impositivo. "Não pude aceitar", ouviria dele semanas depois, "porque seria ditadura e eu não sou ditador."

Como estamos no Brasil, logo apareceria o nosso jeitinho. O senador Paulo Sarazate, do Ceará, velho amigo de Castello e mestre em Ciências Jurídicas, opinou que, nos tempos modernos, o Poder Constituinte Originário não precisava decorrer apenas de uma Assembleia Nacional Constituinte ou de um ditador. Criou, pois, o Poder Constituinte Delegado, que não devia ser confundido com o Poder Constituinte Derivado, prerrogativa de qualquer Congresso. Exporia tudo em livro, depois.

Tratava-se de uma tese que os doutos repudiariam quando da volta do país à democracia, mas oportuna para o nó em que se haviam amarrado os governantes: uma revolução, como a que imaginavam estar vivendo, detinha o poder de delegar atribuições a quem bem entendesse. Assim, se o presidente, sem convocar eleições, delegasse a tarefa de redigir uma nova Constituição a um colegiado, não seria ditador. E que colegiado seria esse? Ora, o Congresso em final de mandato, que já tivera dezenas de parlamentares cassados, fora posto em recesso e atropelado por atos institucionais e similares.

Era a solução para o presidente, apesar de mistificação antidemocrática. Logo seria baixado o Ato Institucional número 4, porque o 3 resultara do esquecimento de o 2 tornar indiretas também as eleições de governador. Pelo texto, datado de 7 de dezembro de 1966, o Congresso, já sem representatividade e legitimidade, deveria, entre 12 daquele mês e 24 de janeiro do ano seguinte, receber um projeto de nova Constituição elaborado pelo governo e discuti-lo, com ampla liberdade para modificá-lo, desde que o promulgasse na data final. Caso contrário, ficaria valendo, outorgado, o projeto oficial.

CARLOS CHAGAS

A invasão do Congresso por tropa armada

É preciso voltar aos fatos para ver como as intenções estavam distorcidas. Em novembro de 1966 já se conhecia a estratégia do Poder Constituinte Delegado e da tarefa a ser dada ao Congresso desmoralizado. Assim, para levantar um pouco o moral dos políticos, o presidente da Câmara, Adaucto Lúcio Cardoso, revolucionário de primeira hora, homem íntegro e de coragem a toda prova, procurara o presidente Castello Branco pedindo-lhe um compromisso: que, a partir daquele momento, conhecendo-se a estratégia da nova Constituição, o governo abrisse mão da faculdade de cassar mandatos parlamentares, coisa frequente até então. Seria um compromisso dos militares em prol do restabelecimento da democracia. Aqui, as versões se dividem: Adaucto morreu dizendo que Castello concordara e se comprometera; auxiliares do presidente sempre negaram.

De qualquer forma, o diálogo entre os dois tornou-se público, certamente por inconfidência de Adaucto. Logo acirrar-se-iam os ânimos dos radicais, que já não estavam gostando daquela história de nova Constituição sem os atos institucionais. Resultado: tanto pressionaram Castello, apresentando acusações de subversão contra cinco deputados, que, sem avisar o presidente da Câmara, o presidente da República decretaria a cassação do mandato deles, todos do MDB.

Adaucto Lúcio Cardoso não aceitou o que entendia como uma traição. Adotou, então, atitude que ninguém mais, antes ou depois, ousaria. Declarou que não tomava conhecimento das cassações, continuando a dar a palavra e o voto aos cassados. Por cautela, fez com que todos deixassem seus apartamentos, no Plano Piloto de Brasília, e, com pequenas maletas, se transferissem para a enfermaria da Câmara, ali dormindo, comendo, frequentando o plenário, votando e discursando à maneira de que deputados ainda fossem.

Mesmo baseado no Rio, já foi dito que, nas horas de crise, deslocava-me para Brasília. A tensão era imensa entre deputados, funcionários e jornalistas, a quase totalidade passando 24 horas por dia no recinto do Congresso. Alguma coisa aconteceria. Almoçando com o dr. Adaucto num daqueles dias, tentei arrancar-lhe a estratégia para enfrentar um impasse que duraria muito pouco. Afinal, a autoridade do presidente da República estava profundamente arranhada. Ele simplesmente disse: "Chegou a hora da resistência."

Três ou quatro dias passamos na expectativa do inevitável. Para o alto dos anexos do Congresso, as duas torres até hoje lá fincadas, com visão de 360 graus sobre Brasília, o presidente da Câmara designara grupos de deputados, funcionários e até jornalistas como observadores, em especial à noite. Qualquer movimento ao longe seria detectado, pois não se duvidava de uma invasão armada. Bem depois das três da madrugada, os observadores de plantão viram movimento invulgar na plataforma da estação rodoviária da capital, bem distante. Por essa sorte que marca jornalistas esforçados, eu estava lá. Víamos caminhões do Exército chegarem de marcha a ré, abrindo-se as cortinas e de lá saindo soldados em profusão, logo descendo para o andar térreo e ganhando o gramado que se estende desde lá até a frente do Congresso, passando pela Catedral e os ministérios. Só que os soldados pareciam em guerra, porque davam aquelas corridinhas e logo se deitavam, apontando as espingardas. Notamos metralhadoras progredindo lentamente. Até atrás dos postes podiam ser vistos soldados avançando como se próximos de invadir uma fortaleza. Nas pistas da Esplanada dos Ministérios começaram a aparecer tanques e jipões.

Lá de cima, pelo telefone, deputados avisaram Adaucto, em seu gabinete, e ele era assim informado, enquanto a tropa progredia, sempre aos pulinhos, protegendo-se no terreno. Era o caos, do lado de dentro, com funcionárias gritando e chorando e até dois ou três jornalistas tentando fugir pelos fundos, dos quais jamais revelarei o nome.

Naqueles momentos, um funcionário foi ao banheiro e percebeu que a água não escorria das torneiras. Minutos depois, tudo escuro.

A luz também fora cortada. Providenciaram-se velas, mas a incerteza e o pânico davam-se as mãos. Felizmente o dia ia nascendo. De outras janelas e postos de observação, percebia-se que não apenas as rampas e portas principais do Congresso encontravam-se atulhadas de soldados. Nas outras entradas, a mesma coisa, apesar de fardas distintas: fuzileiros navais, marinheiros, praças da Polícia Militar do Distrito Federal, uma operação conjunta que cercara todo o palácio do Legislativo.

Diante da rampa principal estacionara um jipe. Dele saltou um oficial com ares de comandante, capacete, pistola na cintura, cantil, farda de serviço e coturnos reluzentes. Sem correr, olhou para os lados e ordenou: "Avançar!"

Na mesma hora, por todas as entradas do Congresso a soldadesca invadiu em acelerado. O grito da maioria era "Civis fora! Civis fora!"

Para os que conhecem as instalações do Legislativo, aqueles dois salões do rés do chão eram tomados, sem que ninguém pudesse ou quisesse esboçar qualquer reação. Estávamos perplexos.

No pé da chamada "escada verde", que liga o primeiro andar ao saguão da Câmara, até hoje atapetados dessa cor, a escada e o saguão acima, postou-se por um minuto o coronel Meira Mattos, homem de confiança do presidente Castello Branco e chefe das operações de invasão. Tinha acabado de vir da Força de Paz que o Brasil enviara à República Dominicana, invadida pelos americanos.

Cercado de oficiais e soldados, começou a subir a escada em acelerado, mas, quando chegava ao meio, estancaria por conta de um vozeirão que vinha de cima: "Alto! Quem vem lá?"

Era o deputado Adaucto Lúcio Cardoso, de mais de um metro e oitenta de altura, farta cabeleira branca, cercado de deputados e jornalistas. Novamente a sorte me beneficiava, pois estava no lugar certo na hora certa. Meira Mattos interrompeu a progressão e perfilou-se. Estavam os dois carecas de se conhecer. Ambos frequentavam o palácio do Planalto. Mesmo assim, o coronel respondeu alto: "Eu sou o poder militar. E o senhor, quem é?" Ao mesmo tempo, prosseguiu subindo a metade final da escada, ao tempo em que escutaria a resposta do presidente da Câmara: "Eu sou o poder civil e curvo-me à força dos canhões", fazendo exagerada reverência a Meira Mattos, que prosseguiu.

A frase dita por Adaucto, ele deve ter pesquisado, era a mesma que Antônio Carlos, presidente da Assembleia Nacional Constituinte de 1823, irmão de José Bonifácio, disse quando preso, ladeado por dois soldados, ao passar defronte a um dos canhões que D. Pedro I mandara assestar sobre o prédio da Cadeia Velha, sede da Constituinte, que o Imperador acabava de fechar.

Pela democracia, atrasaram o relógio

No final de 1966 o Congresso, eleito em 1962, encontrava-se completamente desmoralizado, humilhado e ofendido. Tivera noventa deputados cassados, desde 1964. Fora submetido à legislação excepcional, com seus poderes diminuídos pelos atos institucionais 1 e 2, e acabara de ser invadido por tropa armada e posto em recesso temporário. Assim, ao tomar conhecimento do Ato Institucional 4, que o transformava em "Assembleia Nacional Constituinte" de mentirinha, a primeira reação de seus líderes foi desconhecer o ucasse, cruzar os braços e não participar da farsa da nova Constituição.

O problema era que, se agissem assim, deputados e senadores estariam colaborando para que entrasse em vigor o projeto elaborado pelo governo, que, se quisessem, poderiam modificar. De autoria do então ministro da Justiça, Carlos Medeiros e Silva, datilógrafo da Constituição de 1937 e coautor do AI-1, junto com Francisco Campos, seu texto era um horror de truculência, bastando referir que não continha o capítulo dos direitos e liberdades individuais. Medeiros entendia tratar-se de matéria para a lei ordinária, não para a Constituição. Preceituava a maioria dos poderes para o Executivo, reduzia o Legislativo e perseguia o Judiciário.

Por isso, aqueles parlamentares tidos como liberais, a maioria de partidários do golpe militar, membros da ARENA, assustaram-se com o rumo do processo institucional. Decidiriam então ser preferível modificar o projeto do governo, já que teoricamente tinham poder para tanto. Entre eles estavam Pedro Aleixo, Afonso Arinos, Aliomar Baleeiro, Antônio Carlos Konder Reis e Nelson Carneiro, entre outros.

Iniciaram os trabalhos no próprio dia 12 de dezembro, com o propósito de desfigurar a Constituição de Carlos Medeiros e elaborar a possível. Trabalharam como nunca, sem sábados, domingos, nas vésperas do Natal e do Ano-Novo. Eram monitorados pelos serviços de informação e pelo presidente Castello Branco. Buscaram inspiração na Constituição francesa do general De Gaulle, de 1958, democrática mas enfeixando poderes quase absolutos nas mãos do presidente da V República, ou seja, ele mesmo. Mesmo assim, o capítulo dos direitos e liberdades individuais parecia perfeito.

O diabo era o prazo exíguo para aprovarem aquela versão de Constituição, sem o que prevaleceria o execrável texto preparado pelo governo. Desdobraram-se todos, sob a direção de Auro de Moura Andrade, presidente do Senado e do Congresso. Ia sendo moldada uma Lei Fundamental até moderna, sem instrumentos de exceção. Não perceberam seus artífices, porém, ou fizeram não perceber, que uma Constituição, para gerir democraticamente um povo e uma nação, necessita de representatividade e de legitimidade. Os "constituintes" não haviam sido eleitos como tal, assim transformados por um Ato Institucional. Muito menos representavam o eleitorado, porque um novo Congresso fora escolhido em outubro. Uma Constituição é mais do que uma folha de papel, onde tudo se pode escrever, se existir um lápis.

Assim, continuariam. Só que o prazo fatal aproximou-se sem que todos os capítulos pudessem ser debatidos e votados. Encerrar-se-ia à meia-noite de 23 de janeiro de 1967.

Na manhã bem cedo daquele dia, Auro de Moura Andrade convocou os líderes e deu a má notícia. Disse que passara a noite em claro, fazendo contas, e que verificara não haver tempo para todas as votações, até a meia-noite. Seriam necessárias pelo menos mais doze horas de trabalho. Os esforços estavam perdidos e, pior ainda, prevaleceria a Constituição da truculência.

O desânimo tomou conta de todos, precisamente o que o sagaz senador e empresário queria. Então, completou: "Mas eu tenho uma solução." Sem esperar as tímidas manifestações de esperança, chamou o contínuo, que se encontrava havia poucos metros de sua cadeira, e perguntou: "José, que horas são?" A resposta: "São sete e meia da manhã, Excelência." Ao que o senador replicou: "José, você está maluco? Não vê que são sete e meia da noite de ontem?" E o contínuo: "São as horas que o senhor quiser." Deixou para que Auro determinasse: "Então vá ao plenário e atrase os relógios em doze horas..."

Parece piada, mas foi exatamente o que se passou. A "Constituinte" trabalharia até o meio-dia do dia 24, fingindo que ainda era meia-noite da véspera e ultrapassando o prazo para concluir a votação. A nova Constituição ficara pronta para a promulgação.

Muita gente perguntaria como Castello Branco aceitou aquela mistificação, já que sabia de tudo o que se passava no Congresso, até com microfones ocultos instalados em suas dependências e dezenas de espiões e olheiros espalhados por lá. A explicação era simples: o presidente ficou sabendo do recuo dos relógios, mas meditara e concluíra que o texto dos parlamentares era muito melhor do que o dele, de modo que valia engolir a tramoia. Assim aconteceu.

CARLOS CHAGAS

A volta ao mundo com Costa e Silva

Não testemunhei uma sessão sequer da "Constituinte". Acontece que o marechal Costa e Silva, já "eleito" pelo Congresso, apesar de deter o controle das Forças Armadas, ainda temia a possibilidade de Castello tirar-lhe o tapete. Para evitar um confronto, optou por ausentar-se do país, numa longa viagem ao exterior. Deixaria de dar pretextos para o imponderável. Assim, um dia antes da instalação dos trabalhos "constituintes", viajou para a Europa, Ásia e Estados Unidos, numa verdadeira volta ao mundo.

Eu acompanhara, através da coluna que escrevia em *O Globo*, todos os lances da fixação da candidatura de Costa e Silva. Ele costumava receber-me, e a outros jornalistas políticos, no escritório que passou a utilizar depois de deixar o Ministério do Exército. Gostava de conversar, contar casos e até sorver um copo de uísque, mexendo o gelo com o indicador. Também assistia aos telejornais, onde, na TV-Rio, além das entrevistas das sextas-feiras, cabia-me um comentário político nas edições da noite.

Quando se preparava para viajar, levando D. Yolanda e assessores, o "velho" ficou feliz ao ver que parte da imprensa o acompanharia. Gostou da ideia, pois visitaria países e instituições internacionais, colhendo sugestões para governar a partir de março de 1967. Mandou o coronel Mario Andreazza telefonar para Roberto Marinho, agradecendo a informação de que *O Globo* o acompanharia, e acrescentando: "Roberto, o marechal tem uma preferência." Do outro lado da linha, o patrão atalhou: "Já sei. É o 'Chaguinhas'."

Quando cheguei à redação, naquela tarde, havia a instrução para que passasse no caixa, no dia seguinte, e calculasse quanto precisaria levar para a longa viagem. A partir de Portugal o roteiro ainda não estava completo. *O Globo* custearia as despesas e eu precisaria comprar as passagens aéreas à medida que fossem definidos os próximos países a visitar. Antes de embarcar, o dr. Roberto me instruiu: "Não se afaste do Costa e Silva. Fique nos mesmos hotéis que ele ficar, viaje nos mesmos voos, compareça aos mesmos restaurantes." Foi uma farra, financiada pelo jornal. Como seria inverno na Europa e eu não tinha casacão, emprestou-me o dele o governador Negrão de Lima.

Lisboa, Frankfurt, Bonn, Paris, Roma, Beirute, Karashi, Bangkok, Hong Kong, Tóquio, Honolulu, Los Angeles, Washington e Nova York. Dois meses de maravilhosas férias, mas também de trabalho duro. Permaneci sempre atrás do presidente eleito, registrando suas declarações, impressões e encontros, de Oliveira Salazar aos presidentes e primeiros-ministros da Alemanha, Itália, Líbano, Paquistão, Tailândia, Japão e Estados Unidos. Além dos telegramas que mandava quase todos os dias, escrevi na volta uma série de reportagens contando detalhes da passagem do marechal por todos aqueles lugares. Salazar se recusou a me dar uma entrevista, dizendo apenas "Feliz Natal". De Gaulle não recebeu o novo presidente do Brasil. O Papa Paulo VI ficou quinze minutos conversando com os jornalistas. O primeiro-ministro da Tailândia oferecera um dos mais faustos jantares de que participei. O Príncipe Akihito, em nome do pai, o Imperador Hiroíto, distribuiu medalhas. O já general Vernon Walters levou-nos a uma colina, no Havaí, dando uma aula de como os japoneses haviam bombardeado Pearl Harbour. Lyndon Johnson, na Casa Branca, quis saber como estava a liberdade de imprensa no Brasil.

"Mister, não me dê ordens!"

Na semana que passamos na capital americana, um fato digno de registro: o marechal estava hospedado na Blair House, bem defronte à Casa Branca, e recebeu a visita do ex-embaixador dos Estados Unidos no Brasil, Lincoln Gordon, um dos artífices do golpe de 1964. Grosseiro, o americano pretendia dar ordens, dizendo a Costa e Silva que deveria manter a política econômica do governo Castello até com Roberto Campos no Ministério do Planejamento. O presidente eleito irritou-se, esticou o polegar no nariz do visitante e encerrou a conversa, com o seguinte corte: "Olha aqui, mister, o senhor não se meta no meu governo. Pode se retirar."

Naquela noite, mandei um telegrama para *O Globo*, relatando o encontro. Como de praxe no jornal, notícias políticas explosivas não eram censuradas, mas costumavam ser publicadas nas últimas páginas, sem destaque. Foi o que aconteceu, ainda que aquela informação fosse digna de sair na manchete. O dr. Roberto não queria desagradar o presidente Castello Branco. Nem ele nem o novo chefe de redação do jornal, Moacir Padilha, enciumado porque eu conversava com Castello Branco e com Costa e Silva, enquanto dele nem cogitavam.

O novo ministério

No dia seguinte à nossa volta do exterior, fruto de alguma observação e de informações do coronel Mário Andreazza, pude dar o furo, na primeira página de *O Globo*, a respeito do futuro ministério: Delfim Netto, desconhecido do grande público, seria o ministro da Fazenda; Hélio Beltrão, no Planejamento; Magalhães Pinto, nas Relações Exteriores; Costa Cavalcanti, nas Minas e Energia; Jarbas Passarinho, no Trabalho; Mario Andreazza, nos Transportes; Garrastazu Médici, no SNI; Lyra Tavares, no Exército; Jayme Portella, no Gabinete Militar; Rondon Pacheco, no Gabinete Civil; Gama e Silva, na Justiça.

Meu furo resultaria em crise e demissões no *Jornal do Brasil* e em *O Estado de S. Paulo*, que se tinham negado a enviar repórteres para acompanhar o presidente eleito. A *Folha de S. Paulo* mandara Washington Novaes, de quem fiquei grande amigo.

É preciso referir que, durante o período em que deixou o Ministério do Exército, passando por sua "eleição" e até a viagem ao exterior e à posse, Costa e Silva compusera diversos grupos de trabalho. O objetivo era preparar seu governo que, não escondia, seria diferente do de Castello Branco, a começar pela política econômica. Queria uma administração voltada para o homem, não para a recessão. Um dos grupos denominava-se de "Relações Públicas" e era dirigido pelo coronel Ernâni D'Aguiar, um dos redatores dos discursos de Costa e Silva ao longo da "campanha". Aliás, eu viajara na comitiva do marechal por todo o país, ainda que votos, propriamente, não estivessem em disputa. Para mim, uma repetição esmaecida da anterior campanha de Jânio Quadros.

Assim que o grupo se formou, com Walter Poyares, relações-públicas de *O Globo*, e outros profissionais do setor, sabe-se lá por quais inspirações, Costa e Silva determinou: "Botem o 'Chaguinhas' nesse grupo." Sucediam-se as reuniões, sempre meio esotéricas, realizadas pela manhã numa das salas do escritório do candidato, em Copacabana, em cima do cinema Roxy. Um dos temas sempre presentes era a campanha que os partidários de Castello Branco desenvolviam contra o sucessor, chamando-o de inculto e de burro. Piadas circulavam sobre ele, como a de que seus auxiliares procuravam um presente para o seu aniversário, quando alguém sugeriu um livro. Resposta dos outros: "Livro, ele já tem um..." O coronel D'Aguiar insistia em que criássemos piadas envolvendo a inteligência de Costa e Silva, o que parecia um pouco demais. Certa feita não me contive e disse: "Olha aqui, não precisa piada nenhuma! A resposta é que o 'velho', sendo burro, está prestes a assumir a presidência da República! Basta isso!" O coronel não gostou, mas engoliu. Nos textos que me pediam para redigir, naquele grupo, eu sempre puxava para a questão social e a necessidade da retomada de reformas trabalhistas que o governo Castello suprimira. Não sei se chegaram ao novo presidente; desconfio que não.

Atentado à bomba

Sobre a "campanha" de Costa e Silva, em viagem por todo o país, mais um episódio a demonstrar que a esquerda furibunda, não a esquerda consciente, sempre dá pretextos para a direita botar a pata em cima das instituições. O marechal, sempre acompanhado de políticos, assessores militares à paisana e jornalistas, viajava pelo Nordeste. De Fortaleza fomos a João Pessoa, sempre em aviões de carreira, tendo o candidato, durante todo o tempo, recusado o empréstimo de aviões especiais que a Varig não se cansava de oferecer. Depois das atividades de um dia cheio de reuniões e entrevistas, fomos dormir cedo. No dia seguinte, teríamos de estar no aeroporto às sete horas para aguardar o avião de passageiros que vinha do Ceará. O governador João Agripino fazia as honras da casa e logo foi informado do atraso do voo que sairia de Fortaleza. Pelo menos três horas de espera naquele barracão improvisado de aeroporto. Ele mesmo daria a solução: ainda estavam estacionados os automóveis que nos tinham transportado do hotel, e melhor seria seguirmos por terra para Recife, trajeto a ser cumprido em pouco mais de uma hora.

Costa e Silva aceitou a sugestão e caímos na estrada. Quando o comboio se aproximava da capital pernambucana, surgiu em alta velocidade, em sentido contrário, um carro esporte, fechando a estrada, do qual saltaria apavorado, à paisana, um oficial do Exército, explicando vir do aeroporto, onde houvera um atentado à bomba, com mortos e feridos. Com cautela, a comitiva entrou na cidade, já ocupada por tropa armada nas principais praças e cruzamentos.

Anos depois ficaria esclarecido que um casal de sul-americanos ligados a movimentos subversivos deixara uma maleta encostada ao balcão por onde passariam o marechal e seus acompanhantes, se tivessem vindo no avião comercial. A hora da explosão coincidiria com a da chegada da aeronave, não fosse um segurança solícito que, vendo a maleta, tentou afastá-la do local. Rudimentar, a bomba detonara ao ser movimentada. O rapaz perdeu as pernas. Dezenas de pessoas ficaram feridas. Um almirante da reserva e um secretário do estado de Pernambuco morreram.

Com o clima de tensão evidente, a proteção a Costa e Silva passara a contingentes do Exército, cujo comandante local era o general Antônio Carlos Murici. Na parte da tarde, o marechal faria questão de ir ao necrotério, levando os jornalistas, para prestar homenagem aos mortos que tinham ido ao aeroporto para saúda-lo. Chegávamos quando ele saía, emocionado e acentuando: "Vão lá dentro e vejam o que é o comunismo!"

O episódio esquentaria a temperatura no país inteiro. O presidente Castello Branco determinou que um transporte da FAB trouxesse a comitiva, de Recife, sendo que muitos ministros compareceram à chegada de Costa e Silva, no Santos-Dumont, solidarizando-se com ele.

7
Governar com a Constituição

Uma visita a João Goulart

Em seguida à viagem ao exterior e à composição do ministério, viria a posse de Costa e Silva, em março de 1967. Uma semana depois, o novo presidente viajou a Punta Del Este, no Uruguai, para uma reunião dos chefes de governo das Américas. Designado por *O Globo*, acompanhei-o. Na comitiva estavam os principais donos de jornal, como Júlio Mesquita Filho, de *O Estado de S. Paulo*, João Calmon, dos Diários Associados, João Dantas, do *Diário de Notícias*, e Breno Caldas, do *Correio do Povo*. Por esquecimento ou de propósito, dado o total engajamento de Roberto Marinho com o governo Castello Branco, o patrão não fora convidado. Nem seu irmão Rogério. Um dos auxiliares do presidente cometeria o equívoco de comentar "que o Carlos Chagas representa o jornal". A crise de ciúme, até justificada, chegou então a níveis estratosféricos, agravada de alguns artigos que eu costumava escrever no semanário *Brasil em Marcha*, de críticas ao movimento militar.

Durante os dias em que permanecemos no Uruguai, junto com o colega Villas-Boas Correia, de *O Estado de S. Paulo*, tínhamos aproveitado para procurar o ex-presidente João Goulart, exilado em Montevidéu. Ele nos recebeu muito bem. Lembro-me de que D. Maria Teresa fez café. Marcante foi o diagnóstico de Jango, quando perguntamos se pretendia retornar ao Brasil, mesmo correndo o risco de ser preso. "Serei o último a voltar, não por medo da prisão, mas porque, enquanto houver um marinheiro aqui foragido, sinto-me no dever de prestar-lhe solidariedade" — respondeu. Muito rico, arrendara um hotel na capital uruguaia para dar emprego às dezenas de exilados, como copeiros, cozinheiros e arrumadores. Um ex-deputado estadual de Pernambuco era o gerente.

Em *O Globo*, essa visita seria a gota d'água a transbordar o copo do ciúme. A reportagem gerara ampla repercussão, somada a uma entrevista com o novo ministro de Relações Exteriores, Magalhães Pinto, que falava na "diplomacia da prosperidade" e alterava princípios da política externa de Castello Branco, totalmente alinhada com os Estados Unidos. "Quem mandou o Chagas entrevistar o Jango, nosso adversário?" — foi a pergunta capciosa que o então diretor de redação, Moacir Padilha, fez circular pelos gabinetes dos irmãos Marinho. "E ainda mais, abriu espaço para o Magalhães Pinto ridicularizar a política externa do Castello."

Bastaria não terem publicado as duas matérias, mas o episódio lembrava mais aquele do lobo e do cordeiro. Assim, fiquei apenas encarregado da coluna política. A editoria fora entregue a um velho jornalista, Antônio Vianna, trazido do cartório que Juscelino Kubitschek lhe dera. Ficamos amigos, mas, sem paranoia, eu era vigiado o tempo todo para não escrever o que desagradasse a direção do jornal. Outro integrante da equipe, Sergio Guimarães, que eu levara anos antes para a editoria, não aguentou. Acabou se desligando para atender a um convite do governador Negrão de Lima, que o queria como assessor de imprensa do governo da Guanabara.

Mantive o comentário político na TV-Rio, todas as noites, outra fonte de problemas, porque Roberto Marinho criara a TV Globo, então com baixa audiência.

Um governo de contradições

Costa e Silva governava com a Constituição de 1967, sem atos de exceção, mas seu governo era uma contradição, com ministros que acreditavam em instituições democráticas e outros certos de que ainda vivíamos num regime revolucionário. Como já dito, os radicais da esquerda continuavam dando pretextos, organizando passeatas e manifestações contra o que diziam ser uma ditadura. Numa dessas refregas, um policial militar do Rio mataria um estudante secundarista, Edson Luís, no restaurante do Calabouço, perto do aeroporto. O começo do fim daquele período constitucional. A juventude e a intelectualidade foram para a rua, protestando em grandes passeatas, no Rio, em São Paulo e outras capitais. Foi quando se afirmaram líderes estudantis como Wladimir Palmeira e José Dirceu. O capitão Carlos Lamarca, que já desertara, costurava a guerrilha rural, mergulhando depois na guerrilha urbana. O SNI, os serviços de inteligência das Forças Armadas, o Gabinete Militar e o Ministério da Justiça, com seu aparelho policial e repressivo, imaginavam estarmos a um passo da revolução comunista. E agiam.

Tudo o presidente absorvia, porém cada vez menos convicto de que chegaria ao final de seu mandato dentro da normalidade constitucional. Alterava-se o equilíbrio de poder, no governo, e é pacífico, hoje, reconhecer que Costa e Silva, já padecendo de um surto leve de arteriosclerose, caía cada vez mais nas mãos dos radicais, com seu chefe de Gabinete Militar à frente. Haviam sido trocados os nomes, de Casa para Gabinete. E logo o general Jaime Portella seria chamado de "o subcomandante do país".

CARLOS CHAGAS

O pretexto num discurso bobo

O ano de 1968 corria tumultuado, apesar da excelente performance do ministro Delfim Netto no comando da economia. Então, a 6 de setembro, um jovem deputado do MDB, meu amigo sincero até morrer, amanheceu num dia obscuro e sem assunto, e foi para o pinga-fogo da Câmara sem saber que incendiaria o país. Pediu a palavra — prática que, naquele período, era anterior às sessões — e recebeu seus cinco minutos regimentais, ao longo dos quais poderia dizer o que quisesse, sem maior atenção dos colegas. Exortou, então, a população a não comparecer aos desfiles militares de Sete de Setembro, no dia seguinte, "para manifestar o repúdio à ditadura". Pediu mais, que as donzelas recusassem dançar com os jovens cadetes e tenentes nos bailes da Independência, tradicionais na época. Um discurso bobo, do qual o líder do governo, Ernâni Sátiro, nem sequer tomaria conhecimento.

No dia seguinte, porém, aquele discurso se encontrava mimeografado (o xérox ainda nascia) e distribuído por todos os quartéis do país, com um preâmbulo em que se lia a seguinte frase de exaltação: "Veja como os políticos tratam nossas gloriosas Forças Armadas!"

Seria o pretexto para o golpe em marcha. Os três ministros militares, Lyra Tavares, do Exército, Augusto Rademaker, da Marinha, e Marcio Sousa e Mello, da Aeronáutica, não eram obrigados a conhecer a Constituição, mas tinham assessores jurídicos para tanto. Mesmo assim, ignorariam que a Lei Fundamental estabelecia o princípio da inviolabilidade dos mandatos, ou seja, nenhum deputado ou senador poderia ser processado por suas palavras e votos pronunciados e dados no recinto do Congresso, e enviariam aviso ao ministro da Justiça, pedindo providências para processar Márcio Moreira Alves por ofensa à honra das Forças Armadas.

Gama e Silva, como outros também chamado de "jurila", misto de jurista e gorila, tinha por obrigação conhecer a Constituição e mandar arquivar o expediente, mas preferiria enviá-lo ao procurador-geral da

A DITADURA MILITAR E OS GOLPES DENTRO DO GOLPE: 1964-1969

República. Este, da mesma forma ignorando o Bom Direito, despachou o ofício para o Supremo Tribunal Federal, instância única para julgar parlamentares. O pior aconteceria, em termos de pusilanimidade: a mais alta corte nacional de Justiça, que devia ter jogado o documento no lixo, ao ver, contudo, de onde soprava o vento, dirigiu-se à Câmara dos Deputados para que seus integrantes decidissem se o Marcito deveria ou não ser processado por ofender a honra das Forças Armadas.

Aquele conjunto evidente de inconstitucionalidades, portanto, deveria ser o bastante para que o presidente da Câmara, José Bonifácio, não tomasse conhecimento do pedido, mas ele, não obstante, marcaria dia e hora para sua apreciação: 12 de dezembro de 1968. O jogo de cartas marcadas estava para ser concluído.

Naquela manhã eu já chegara a Brasília, de acordo com a prática de que, em momentos de crise, precisava estar na capital. A palavra então foi dada a Márcio Moreira Alves, que fez um discurso primoroso, dizem que acolitado por seu tio, o senador Afonso Arinos. Lembrou que a Lei de Imprensa continha dispositivo chamado de retratação, que consistia em que, se um jornalista cometesse um crime de opinião, mas, dias depois, na mesma página, no mesmo tipo de letras, confessasse o erro, não poderia mais ser processado. E ele se retratava, do microfone, acentuando que jamais pretendera ofender a honra das Forças Armadas.

Parlamentares honrados, até da bancada do governo, votaram contra a licença para o processo: Gustavo Capanema, Aureliano Chaves, Hélio Garcia, Murilo Badaró — só para citar a bancada mineira. A Câmara absolveria o jovem deputado, uma das últimas manifestações de independência do Legislativo em muitas décadas. Quando da proclamação do resultado, explodiram de euforia as galerias repletas de estudantes. Junto com muitos deputados, cantaram o Hino Nacional, entre gritos precipitados de "acabou a ditadura!" Ingênuos, não notaram que ela, ao contrário, estava recomeçando, e num diapasão jamais verificado.

Tancredo já sabia

Voltaria ao Rio naquela tarde. Embarcado em Brasília, as portas do avião já fechavam quando chegou um retardatário. Era Tancredo Neves, que, passando no corredor da aeronave, atendeu meu chamado e sentou-se ao lado. Estava tenso, mordendo a ponta da gravata, como sempre fazia em graves ocasiões.

Perguntei qual seria o desfecho, e ele, sempre muito bem informado, respondeu que no dia seguinte seria editado um novo Ato Institucional, pior do que os anteriores. Não conversamos mais até o Rio. Nem precisava.

Uma questão de experiência

Ainda durante a "campanha" de Costa e Silva, e pela minha presença constante no escritório político, nas viagens e até naquele grupo de trabalho de relações públicas, já mencionado, alguns assessores do candidato sugeriram minha futura indicação para secretário de Imprensa da presidência da República. Entre eles, o coronel Mario Andreazza e o deputado Costa Cavalcanti. Eu nada pleiteara. Não me interessava, como nunca me interessou, fazer carreira no serviço público, depois da singular experiência como promotor público substituto. Permaneciam as ilusões de antes, e de agora ainda, de poder manter-me a vida inteira como jornalista. Claro que fazia bicos variados para aumentar o salário, como nos anos em que, pelas manhãs, trabalhara como assessor de imprensa do governador Negrão de Lima. Ou quando colaborara na agência de publicidade Norton, sem esquecer os fins de noite na TV-Rio. Mas era meu objetivo fazer carreira em *O Globo*, onde, aos 27 anos, tornara-me editor político. Vã ilusão de quem é jovem e desconhece o mundo a sua volta. Em especial aquele bem perto de nós, pleno de pequenas invejas e frustrações de companheiros, junto com a arrogância e a empáfia dos patrões.

Assim, pouca atenção dera aos rumores sobre vir a ocupar a secretaria de Imprensa. Quando Costa e Silva tomou posse e escolheu o príncipe de todos nós para o lugar, Heráclio Salles, do *Jornal do Brasil*, juro que fiquei feliz. Profissional já entrado nos anos, cultura excepcional, um exemplo a ser seguido, Heráclio era tido como homem de esquerda. Melhor ainda.

Outro fator teria pesado na minha recusa, caso necessário: juntando as diversas partes de meu salário, ganhava duas vezes mais do que o secretário de Imprensa.

Reuniões pelo país

Logo depois da posse, o presidente inovaria, ou copiaria o exemplo de Jânio Quadros, reunindo o governo fora de Brasília. Levava o ministério inteiro para diversas regiões, onde se juntavam alguns governadores, para reivindicar e, não raro, receber ajuda federal. Cabia-me, pelo jornal, seguir junto e mandar quantas reportagens pudesse. Uma que não enviei referia-se ao primeiro dia das reuniões, ou melhor, à primeira noite, em Recife. Foi em abril de 1967. Tudo era novidade, até para os ministros. Em volta deles voavam nuvens de assessores estaduais, interessados em agradar.

Depois de horas estafantes de reuniões, análises e decisões, o ministério foi convidado para um jantar informal e descontraído na mansão de um empresário local, sem a presença de Costa e Silva. Era na praia da Boa Viagem, então bem diferente de hoje, onde casas de veraneio das elites não conviviam com a parede de edifícios e espigões que transformaram o bairro numa nova Copacabana. Os promotores da festa convidaram algumas moças alegres, para desanuviar o ambiente burocrático, e elas tomaram certas intimidades que deixaram os ministros surpresos, alguns até felizes. Uma jovem, integrada ao grupo em que estava Delfim Netto, todo-poderoso ministro da Fazenda, então com 41 anos, só se referia a ele como "gordinho fofinho". Outra elogiava os olhos verdes de Andreazza, ministro dos Transportes. O sinal vermelho não foi avançado, pelo que me consta, mas, no dia seguinte, informado de tudo, o presidente os reuniu e proibiu, dali por diante, que participassem de qualquer evento não oficial. Quem teria, do governo, espionado o próprio governo? Certamente os agentes de Garrastazu Médici, chefe do SNI.

Em Belo Horizonte, em outra daquelas reuniões, Costa e Silva concederia entrevista à imprensa. Numa das respostas, queixou-se da dificuldade que os governos tinham em contratar técnicos e auxiliares de competência, já que o serviço público pagava mal. Nessa hora, encarou-me na primeira fila dos jornalistas e disse: "Vejo aqui alguns que não foram meus assessores por ganharem mais em suas atividades profissionais." Fico pensando até hoje se quem lhe passara aquela informação estava de boa ou de má-fé.

A vida continuava, contradizendo os aproveitadores que hoje se apresentam como resistentes e heróis da luta contra a ditadura. Fora uns poucos idealistas e um monte de furibundos da época, no país inteiro cada um vivia a sua vida. Ao menos até ali, já que a tempestade se armava lenta e inexoravelmente.

Dois grupos inconciliáveis

O presidente da República não fora eleito pelo povo, mas pelo Congresso, como candidato único, imposto pelos militares. O regime não era uma democracia, mas o Brasil estava constitucionalizado, dada a inexistência de atos institucionais, prisões ilegais, censura e sucedâneos. O vice-presidente da República, Pedro Aleixo, sempre próximo de Costa e Silva, zelava pela preservação das instituições então vigentes. E mais Daniel Krieger, presidente da ARENA e líder do governo no Senado, e os ministros Magalhães Pinto, das Relações Exteriores, Hélio Beltrão, do Planejamento, e Rondon Pacheco, do Gabinete Civil, entre outros.

Só que, do outro lado, situavam-se o ministro da Justiça, Gama e Silva, o chefe do Gabinete Militar, Jaime Portella, os ministros do Exército, Lyra Tavares, da Marinha, Augusto Rademaker, da Aeronáutica, Márcio Souza e Mello, do Interior, Afonso Albuquerque Lima, e mais os comandos militares quase todos. Para eles, a revolução deveria continuar plena, sem os pruridos constitucionais até então preservados pelo chefe.

Não havia censura à imprensa, nem mesmo aos jornais que não poupavam o governo. O mais crítico era o *Correio da Manhã*, certamente o maior jornal político da história do país. Já estava decadente, sem recursos, dada a perseguição aos anunciantes privados promovida, especialmente, pelo governo Castello Branco. Mesmo assim, sua proprietária e diretora, Niomar Muniz Sodré, incentivava a redação a não esmorecer.

Certa manhã, no início de 1968, num despacho com o presidente, Gama e Silva sugeriria que se instalasse a censura no *Correio da Manhã*. Costa e Silva, em vez de responder, passaria ao ministro da Justiça uma tira de papel onde se lia frase de Thomas Jefferson: "Se fosse dado a mim dispor de governo sem jornais ou de jornais sem governo, ficaria com a segunda hipótese." O "velho" encerrou, então, a conversa sobre censura, mas nem por isso demoveu o "Gaminha", como o chamava, de continuar trabalhando para o confronto. O clima, infelizmente, deteriorava-se pela concepção radical da maioria dos militares e pelas bobagens que a parte irresponsável das esquerdas começava a praticar, desde as passeatas "contra a ditadura", já referidas, até a armadilha em que caíra Márcio Moreira Alves.

De qualquer forma, no dia 13 de dezembro de 1968, lá estava Costa e Silva, no palácio Laranjeiras, no Rio, prestes a realizar a previsão de Tancredo Neves. Varriam os quartéis e as redações os ecos da absolvição do Marcito e do Hino Nacional cantado na véspera, nas galerias do Congresso, entre gritos de "acabou a ditadura". Era óbvio que alguma coisa aconteceria. Até às cinco da tarde o presidente se negara a receber diversos generais, entre os quais o comandante do I Exército, Sizeno Sarmento, todos dispostos a estimulá-lo e até a pressioná-lo a editar um novo Ato Institucional. Estava marcada uma reunião do Conselho de Segurança Nacional — composto pelo ministério mais os chefes de estado-maior das três forças, o chefe do SNI e alguns penduricalhos.

Só Pedro Aleixo defende a democracia

Até hoje se comenta que Costa e Silva poderia ter resistido, mas talvez não pudesse, nem quisesse, tamanha a exasperação da maioria e o silêncio da minoria de seus auxiliares.

Ao abrir os trabalhos, o presidente deu a palavra ao vice Pedro Aleixo, que, com sua tática calejada em anteriores e incontáveis sessões do júri, empenhado em salvar o réu, no caso a Constituição, defenderia a decretação do estado de sítio como remédio para a evidente crise institucional. Num gesto de falta de educação, o ministro da Justiça interromperia o vice-presidente da República para indagar: "Mas, dr. Pedro, o senhor desconfia das mãos honradas do presidente Costa e Silva, a quem caberá aplicar o Ato Institucional?" A resposta do velho advogado: "Das mãos honradas do presidente da República, jamais. Desconfio é do guarda da esquina..." Uma evidência de que, nas ditaduras, muita gente age em nome do ditador sem que ele tome conhecimento.

Em seguida falaram os ministros, sem exceção, pronunciando-se pelo retorno ao processo revolucionário. O máximo que alguns diziam era "já que parece necessário, aceitamos". Jarbas Passarinho do Trabalho, mandaria às favas os próprios escrúpulos e também se manifestaria a favor.

Sentindo que a decretação do AI-5 era uma decisão do chamado sistema que o cercava, quem sabe desconfiado de que seria deposto caso se insurgisse, Costa e Silva recomendou a todos que meditassem e refletissem sobre as palavras de Pedro Aleixo, única voz contrária ao arbítrio. Pediu ao vice para repetir a intervenção inicial, mas percebeu que ele estava muito gripado e quase afônico, de modo que determinou a um ajudante de ordens que voltasse a fita com a gravação da fase inicial da reunião e a colocasse no alto-falante. As reuniões do CSN eram gravadas... Poucos prestariam atenção. No fim, alguns votaram à maneira dos césares da Antiga Roma, com o polegar para baixo.

Gama e Silva tirou do bolso um maço de folhas escritas à mão e disse aos presentes já ter um esboço do ato, que começava pelo fechamento do Congresso e do Supremo Tribunal Federal, e com a demissão de todos os governadores de estado. Caberia ao ministro do Exército, Lyra Tavares, exclamar: "Espera aí, Gama, assim é demais."

Costa e Silva retirou-se. Rondon Pacheco ficara encarregado de reunir as sugestões para o AI-5, junto com Lyra Tavares, do Exército, Garrastazu Médici, do SNI, e Jaime Portella, do Gabinete Militar. A maioria dos artigos já estava esboçada, talvez há meses, bastando datilografá-los. Por volta das dez da noite, caberia ao ministro da Justiça, em rede de rádio e televisão, anunciar a volta do país ao regime de exceção, apresentando a justificativa do ato. O locutor Alberto Cury, da Agência Nacional, leu os artigos.

Argumentava-se que o governo não poderia permitir que pessoas ou grupos antirrevolucionários trabalhassem, tramassem ou agissem contra os ideais do poder revolucionário. Atos subversivos em curso, dizia-se, demonstrariam que os instrumentos jurídicos vigentes serviam para combater e destruir o movimento de Março de 64. Assim, "para preservar a ordem, a segurança, a tranquilidade, o desenvolvimento econômico e cultural, a harmonia política e social do país, evitando a guerra revolucionária", o presidente da República editava o novo ato.

Um bestialógico, tanto no prefácio quanto no conteúdo, porque foi decretado o recesso parlamentar, com o Executivo autorizado a legislar sobre qualquer assunto; restaurado o poder do Executivo para cassar mandatos e intervir nos estados; suspensa qualquer garantia constitucional de vitaliciedade, inamovibilidade e estabilidade no poder Judiciário; livre o Executivo para decretar o estado de sítio sem autorização do Congresso. Pior ainda, coisa que o AI-1 e o AI-2 não ousaram, poderia o presidente da República adotar as medidas previstas nas alíneas "d" e "e" do parágrafo segundo do artigo 155 da Constituição. Não tiveram coragem, porém, de escrever claramente que, a partir daquela data, o governo poderia censurar a imprensa.

A ditadura integral

Instaurara-se a ditadura, sem ressalvas. Predominava o AI-5. A Constituição, pois, não valia mais nada. Razão mesmo tivera o vice-presidente Pedro Aleixo, pois o guarda da esquina logo apareceria. Cada comandante militar, cada esbirro policial, cada empresário saído das sombras da Idade Média — todos começaram a exercer o poder de exceção. Dimensionaram-se ao extremo órgãos antes encobertos, como a Operação Bandeirantes, Codis, Dói-Codis e similares, junto com outras estruturas já atuantes, como SNI, Centros de Informação do Exército, o CIEx, o Cenimar, da Marinha, e o Cisa, da Aeronáutica. Mais a Polícia Federal, as Delegacias de Ordem Política e Social dos estados e as Polícias Militares estaduais, além de outros clandestinos — todos empenhados na "caça aos comunistas", ou seja, na investigação e na perseguição a quantos não se alinhassem aos tempos de exceção.

Suas ações, meio capengas, eram centralizadas nos comandos militares, a começar pelos quatro Exércitos, mas a regra era cada um ocupar os maiores espaços que pudesse. A tortura, senão institucionalizada, corria solta. Despertaram-se os opostos, em especial na juventude, nas universidades, no clero e nas associações liberais. Muita gente entendeu a necessidade de também transpor a frágil linha de uma legalidade que não mais existia. Desenvolveram-se as já existentes organizações clandestinas, de siglas incontáveis e conflitantes. Logo começariam os assaltos a bancos, ditos expropriações, sequestros, assassinatos e tentativas de organizar a luta armada, no campo e nas cidades.

No dia seguinte à decretação do AI-5, fui alvejado na redação de *O Globo*. O diretor de redação, já referido aqui, Moacir Padilha, por convicções próprias, havia muito, mantinha-me na alça de mira. Assim, alegando o pretexto de que não haveria mais política enquanto durasse aquele regime, extinguiu a coluna que eu criara e que assinava até então sob o rótulo de "Política". Fiquei solto no espaço, na reportagem, buscando aqui e ali informações a respeito de uma improvável abertura. Nem Roberto Marinho nem seus irmãos interessaram-se pela supressão. Apoiavam em gênero, número e grau o novo figurino.

Foram dias difíceis, do final de 1968 ao primeiro semestre de 1969, quando a autocensura agredia mais do que a censura, instalada nos jornais empenhados em não baixar tanto assim a cabeça, diante da prepotência. Não era o caso de *O Globo*, cujo diretor de redação recebia todos os dias telefonemas dos variados órgãos de repressão, dos quais obedecia fielmente as instruções para evitar determinados assuntos e acontecimentos, sendo usado para a divulgação de outros, sempre acordes com os interesses dos donos do poder.

Costa e Silva nunca mais chamara os repórteres políticos para as conversas informais; o próprio secretário de Imprensa, Heráclio Salles, entrara em depressão, contrário que era ao regime de exceção. Mas não se demitiu. Aliás, nem ele nem Pedro Aleixo, tampouco qualquer ministro ou alto funcionário, daqueles que antes se opunham à instalação do arbítrio. Não os julguemos, porém. Talvez imaginassem prestar melhores serviços do lado de dentro, iludidos em conseguir mudar o rumo do barco próximos do leme.

No núcleo das decisões, o governo perdera a compostura. Com o Congresso posto em recesso, viriam atos institucionais em cascata, vulgarizando aquilo que até então fora o símbolo maior da chamada revolução.

Em fevereiro, o de número 6, que reduzia o número de ministros do Supremo Tribunal Federal para onze, em lugar dos dezesseis criados por Castello Branco para garantir maioria. Com isso, aposentaram à força Evandro Lins e Silva, Hermes Lima e outros, mantendo apenas aqueles tidos como leais à ditadura. Ao mesmo tempo, reduzia-se a esfera de ação da mais alta corte nacional de justiça: passara ao Superior Tribunal Militar a prerrogativa absoluta de julgar governadores de estado nos crimes contra a segurança nacional e as instituições militares. Da mesma forma, só a Justiça Militar poderia apreciar processos que envolvessem ações contrárias ao regime, desde assaltos e sequestros até a indução à chamada "guerra revolucionária" e simples manifestações contrárias ao governo pela imprensa e a cátedra.

Como inspirador dessa febre legiferante pontificava o ministro da Justiça, Gama e Silva. Ainda em fevereiro, o Ato Institucional número 7 suprimiria subsídios para vereadores e suspenderia as eleições municipais previstas para 1969. Depois, o de número 8, de abril, que dispunha sobre a reforma administrativa. Mais um, o 9, também naquele mês, estabelecia normas para a reforma agrária. E o 10, em maio, determinava que, depois de transcorrido o prazo de dez anos da suspensão de direitos políticos, nem assim o cidadão atingido poderia ocupar cargos públicos ou ser reintegrado em funções anteriores, submetendo-se a confinamento em local designado pelo governo, se necessário. O ex-presidente Jânio Quadros seria confinado em Mato Grosso.

A DITADURA MILITAR E OS GOLPES DENTRO DO GOLPE: 1964-1969

A volta por cima

Apesar dos pesares, o mundo andava para a frente. As prisões lotadas de adversários do regime, a caça a dirigentes dos partidos comunistas e similares e a censura abrangendo a totalidade dos meios de comunicação. Ainda assim, havia quem sonhasse com a volta, senão à democracia, pelo menos a um sistema constitucional, sem atos institucionais.

O mais empenhado nessa empreitada era o vice-presidente Pedro Aleixo, que aumentara o ritmo de suas conversas com Costa e Silva. Este, em poucos meses, perceberia a armadilha em que caíra. Era o responsável maior por tudo o que de horror acontecia, na maior parte das vezes ignorando o que se passava nos escalões inferiores. O guarda da esquina, em suma, agia sem conhecimento do dono do quarteirão.

Foi quando o presidente imbuiu-se da decisão "de não passar à história como mais um general sul-americano que golpeou as instituições". Pouco depois eu ouviria dele essa expressão. Naquele período de meditação, já em maio de 1969, estimulado por Pedro Aleixo, o marechal resolvera mover as peças no tabuleiro.

Numa sexta-feira, ao entardecer, na redação de *O Globo*, recebi um telefonema do palácio Laranjeiras. Um ajudante de ordens informou que o presidente me convidava para uma conversa. Imaginei que recomeçariam aqueles encontros informais, interrompidos com o AI-5, e ainda recomendei ao secretário de redação que não fechasse a página, que não era mais política, mas de temas nacionais. Poderia haver novidade. Na antessala do gabinete de Costa e Silva, no entanto, estranhei a ausência de colegas de outros jornais, como acontecia antes, e logo o ajudante de ordens me diria que o presidente queria ver-me sozinho. Entrei. Sempre emocional, ele relatou suas dificuldades e sua intenção de acabar com o regime de exceção, repetindo a frase anteriormente exposta e acentuando que chegara a hora da constitucionalização. Informou que convocaria uma comissão de juristas, que prepararia grande emenda à Constituição de 1967, alterando-lhe determinados aspectos. Uma vez pronto o novo texto, reabriria o Congresso, até então posto em recesso, para vigência imediata da emenda, sujeita, contudo, às alterações que deputados e senadores entendessem necessárias. Acima de tudo, consideraria extinto o Ato Institucional número 5.

À medida que o "velho" ia falando, meus olhos arregalavam. Tinha ali pelo menos três manchetes seguidas para *O Globo*, furos de causar raiva aos concorrentes.

Instintivo, porém, Costa e Silva atalharia: "Mas você não vai publicar nada disso agora!" Tentei ponderar que aquelas seriam as melhores notícias para o país em muito tempo, mas ele acrescentaria rapidamente: "Chamei você porque estou mudando parte do meu gabinete. Vou dar o descanso merecido ao Heráclio Salles e quero que você venha ser meu secretário de Imprensa para transmitir aos poucos essas e outras informações. Devagar, para não assustar as partes contrárias." Minha primeira reação: "Mas por que eu?" Ao que responderia, de pronto, o presidente: "Porque o conheço como jornalista de respeito e, também, porque os políticos o conhecem e acreditam em você. Soltando essas notícias aos poucos, haverá credibilidade nos propósitos do governo."

Disse-me então para que pensasse no convite e voltasse na segunda-feira com a resposta, porque eu certamente deveria consultar minha família. Imagine-se o fim de semana que passei. Era uma ditadura; poucos acreditavam em boas intenções. A imprensa estava em frangalhos. Minha mulher, falou-me, apoiaria o que eu decidisse, apesar do impacto que a mudança causaria sobre nossas duas filhas, de 7 e 5 anos, cercadas de quatro avós inseparáveis no Rio. Como seria em Brasília?

Na segunda-feira, bem cedo, procurei o presidente, que ficou feliz com minha aceitação, e que imediatamente me surpreenderia com a primeira ordem: "Então vamos para Brasília, que o avião está aguardando." Fui, com a roupa do corpo e a emoção de quem poderia anunciar, aos poucos, o fim da ditadura ou, ao menos, o início da abertura.

Fora do âmbito familiar, o único conselho que procurei foi o de Negrão de Lima, com quem trabalhava e de quem me tornara amigo e admirador. A primeira reação do governador seria de surpresa: "Você vai trabalhar com esses militares?" Em seguida, corrigiria: "Vá. Se a disposição do presidente é essa, você poderá ajudar muito."

Em *O Globo*, Roberto Marinho apoiava, e até afirmou que meu salário continuaria a ser depositado enquanto eu estivesse na presidência da República. O inefável Moacir Padilha faria outra encenação, ao fingir que se preocupava com minha imagem ante a convocação por um governo de exceção, coisa que poderia prejudicar-me no futuro. Na realidade, soube mais tarde, o "colega" atuara para que Roberto Marinho me demovesse da aceitação, mas por outros motivos que não os da preservação de minha imagem.

No Gabinete Militar e na Assessoria Especial de Relações Públicas, subordinada ao general Jaime Portella, não gostaram de minha ida para a Secretaria de Imprensa. Tentaram até demover o presidente do convite, rotulando-me como esquerdista. Costa e Silva, entretanto, encerraria a conversa, engrossando: "É o Chaguinhas e pronto!"

Uma cidade estranha

Foram semanas de adaptação à nova capital. Como minha família permaneceria ainda alguns meses no Rio, eu morava no Hotel Nacional. Seguindo a hierarquia palaciana, reportava-me ao chefe do Gabinete Civil, Rondon Pacheco, admirável esgrimista das situações políticas mais complicadas e fiel escudeiro de Pedro Aleixo.

Em múltiplas ocasiões, ele recomendava que eu fosse ao presidente, para irritação do "pessoal do outro lado", quer dizer, da Assessoria Especial de Relações Públicas, chefiada pelo coronel Ernani D'Aguiar. O presidente me ouvia sempre apressado, recomendando cuidado com o noticiário favorável às mudanças. Mas mandava ir em frente, coisa que eu fazia nas reuniões diárias com os repórteres da sala de imprensa e, à noite, telefonando para os companheiros da cobertura política, no Rio. Ajudou-me muito o setorista Alberto Honsi, de *O Globo*, de quem se dizia haver iniciado a cobertura da presidência da República nos tempos ainda de Prudente de Moraes. Maltratar, eu maltratava minhas secretárias e auxiliares da Secretaria de Imprensa, então instalada no terceiro andar do Planalto, ao lado do gabinete do presidente.

Costa e Silva costumava deixar o palácio por volta das sete da noite, quando nos reuníamos, na sua antessala, os chefes dos Gabinetes Civil e Militar, o chefe do SNI, o chefe da Assessoria Diplomática e o secretário de Imprensa. Não raro ele conversava um pouco, queria saber das novidades, e só então se dirigia à garagem. Sem nada para fazer fora do palácio, eu voltava à minha sala e dava trabalho para todo mundo, porque voltar para o hotel e jantar geralmente sem algum convidado era programa de índio. Nos primeiros dias, o presidente sempre me chamava ao Alvorada para as rotineiras sessões de cinema com a família. De minha parte, porém, havia pouca descontração. Ia uma vez por semana, no máximo.

As viagens pelo país se sucediam, geralmente às quintas-feiras, mas, para minha sorte, terminavam no Rio, um dia depois, quando podia ficar com a família. Na primeira vez, recém-chegados, perguntei se precisava de mim no sábado, e o presidente, bonachão, disse que só me queria ver no domingo, quando voltaríamos a Brasília.

Uma luta cruel

Assumi a Secretaria de Imprensa no final de maio de 1969 e tanto a rotina de trabalho quanto as informações sobre a abertura política seguiam mais ou menos tranquilas. Nos primeiros dias de junho, fui informado de que o ministro da Justiça, Gama e Silva, comentara que "aquele dr. Chagas estava distribuindo um noticiário infame sobre as reformas políticas". Não me incomodei, pois fazia o que o presidente Costa e Silva e o ministro Rondon Pacheco me instruíam.

Na primeira quinzena daquele mês instalar-se-ia no palácio do Planalto a Comissão de Juristas encarregada de preparar a grande emenda à Constituição, passo inicial para o fim do AI-5 e a reabertura do Congresso.

Na primeira reunião, na sala ao lado do gabinete presidencial, com Costa e Silva na cabeceira e Pedro Aleixo a seu lado, acompanhei os repórteres e fotógrafos para que testemunhassem o início dos trabalhos e em seguida nos retirarmos. Quando já saía, por trás da cadeira do presidente, senti que me puxavam pela manga do paletó. Surpreendi-me por verificar que era o próprio Costa e Silva, que sussurraria: "Fique por aí, sente-se naquela mesinha ali atrás."

Obedeci, é claro, e, no final da reunião, quando todos se retiravam, perguntei-lhe o porquê de minha presença. Resposta: "Assista a todas as reuniões e vá anotando. Seu testemunho será bom para você e para mim..."

A divisão política e ideológica dos juristas era flagrante. De um lado os chamados liberais, com Pedro Aleixo, Temístocles Cavalcanti, Prado Kelly, Hélio Beltrão e Raul Machado Horta. De outro, Gama e Silva, Carlos Medeiros e Silva, Miguel Reale e Vicente Ráo.

Apesar de Costa e Silva mais ouvir do que opinar a respeito das alterações propostas, quem se destacava era Pedro Aleixo, que aceitava sugestões que aumentavam os poderes do Executivo, mas era implacável na defesa dos direitos individuais e das prerrogativas do Legislativo e do Judiciário. Pouco falava na extinção do AI-5, que lhe parecia matéria vencida a constar das Disposições Transitórias, dado o apoio ostensivo do presidente. Os "jurilas" evitavam o tema, como se dispusessem de argumentos baseados muito longe da doutrina do Bom Direito. Curvavam-se, porém, à decisão do chefe.

Mesmo assim, não seria fácil àquela Comissão chegar a um final, e semanas decorreriam entre debates, revisões e muita discussão.

Lembro-me de que, em determinada tarde, Pedro Aleixo sugerira dez mudanças no projeto em elaboração, derrotado, porém, em nove, que até seus companheiros liberais consideraram exageradas. Quando defendia a última, relativa à manutenção total da inviolabilidade parlamentar, dirigiu-se aos presentes com ar de condenado prestes a caminhar ao cadafalso, apelando para que não o derrotassem de forma tão completa. Afinal, uma última proposta poderia minorar sua decepção. Concordaram todos. Ao sairmos, no corredor, aproximei-me para consolá-lo: "Então, dr. Pedro, hoje foi uma tarde infeliz, de derrotas." Encarando-me, retrucou: "Você não entende nada de política. Venha ao meu gabinete daqui a meia hora para tomarmos um uísque."

Fui, encontrando-o eufórico. Explicou que não tinha o menor interesse nas nove sugestões apresentadas e rejeitadas. Só lhe importava a última, afinal aprovada.

A 27 de agosto, o presidente me convocou e pediu para que anunciasse à imprensa que estava pronto o anteprojeto da reforma constitucional, a ser logo enviado ao Congresso, em breve reaberto. Estava feliz, e me informou que escolhera o Sete de Setembro para anunciar ao país o fim do AI-5.

Seu médico particular, o capitão do Exército Hélcio Simões Gomes, alertara-o para a necessidade de descansar, estafado que estava pela rotina diária e porque, de noite, passava horas dedicando-se à leitura dos trabalhos da Comissão de Juristas. D. Yolanda, presente, sugeriu que fossem passar uma semana na Ilha do Bananal, onde estiveram por um dia e cuja paisagem tranquila muito lhes agradara. Ele respondeu que, depois do Sete de Setembro, poderiam fazer o que quisessem. Antes, não.

"O presidente da República explode, mas não corre!"

Sobre aquela passagem pelo Bananal, um detalhe. Sempre que Costa e Silva viajava, seu serviço de segurança ia antes, com agentes espalhados e disfarçados pelos locais aonde passaria. Sua longa experiência militar não o deixava enganar-se e, muitas vezes, em palanques, reuniões ou andando pelas ruas, brincava com o chefe da Segurança, o coronel Hilton Vale, apontando: "Aquele ali é seu agente, aquele outro fantasiado de pipoqueiro também, mais aquele sentado no auditório fingindo dormir..." Pois, quando o avião descia na ilha, comentou: "Aqui só tem índio. Quero ver como você disfarçou seu pessoal como caciques."

Ainda a respeito do sofrido, mas leal, coronel Vale, outra recordação: antes da aquisição do moderno BAC-One Eleven, o avião presidencial era um Electra, cujo trem de aterrissagem, ao descer no Santos-Dumont, no Rio, certa vez esbarrou nas pedras superpostas na cabeceira da pista. Nada que gerasse pânico. Desligados os motores e aberta a porta, porém, o coronel Vale apavorou-se e começou a gritar: "Todos descendo e correndo. Corram que o avião pode explodir!" Muitos da comitiva seguiram o conselho, mas não o presidente, que, já no asfalto, caminhava naturalmente, diante do que o chefe da Segurança repetiria o alerta. Costa e Silva então o encarou e disse, zangado, sem alterar o passo: "O presidente da República explode, mas não corre!"

Sabotagem

Sobre a emenda constitucional, um adendo. No Gabinete Militar, o general Jaime Portella parecia um mastim, inteirado de todas as mudanças que poderiam, na Constituição, alterar os instrumentos de exceção constantes dos atos institucionais e semelhantes. Mantinha, portanto, entendimentos permanentes com o ministro Gama e Silva, que alertava para "o fato de a Revolução estar sendo destruída". Assim, Portella obteve do presidente a decisão de que o texto da emenda passaria por uma última revisão no Gabinete Militar. Um coronel de Cavalaria fora encarregado da tarefa e "descobrira" 26 artigos em que o regime militar era desconstruído pelos juristas liberais. Costa e Silva recebeu a papelada e a encaminhou a Pedro Aleixo, que, numa madrugada, rebateria, item por item, as alegações do constitucionalista de botas. Ficara, no entanto, o conflito entre as duas concepções, coisa que levaria o vice-presidente à depressão. Sentiu que não seria fácil a abertura política, dada a oposição da área militar. O presidente, de fato, encontrava restrições por parte de seus ministros militares e dos chefes do Gabinete Militar e do SNI, além do ministro da Justiça. E mais a maioria dos comandos das três Forças Armadas. Na noite de 25 de agosto, com as decisões tomadas a respeito do envio da emenda constitucional ao Congresso, extinguindo o AI-5, ele compareceria a um coquetel no Clube das Forças Armadas para comemorar o Dia do Soldado.

Dois tipos de conversa então se registraram, singular e conflitantemente. Num dos cantos do salão, copos de uísque nas mãos, Costa e Silva e Pedro Aleixo repassavam os últimos acontecimentos. O texto da emenda não era o ideal, tiveram de ceder em muitas exigências militares, ainda que fosse favorável aos políticos a última alteração, escrita à mão pelo presidente nas folhas já datilografadas: o número de senadores não seria de dois, mas de três por estado. Apontando para uma rodinha de oficiais-generais, o marechal comentaria com seu vice: "Olha lá o Márcio [brigadeiro Márcio de Sousa e Mello, ministro da Aeronáutica]. Ele veio me dizer que é contra o fim do AI-5. O Lyra [Aurélio de Lyra Tavares, ministro do Exército] também me disse ser contra. Paciência, nosso trabalho está pronto."

A ironia era que, no grupo militar, um pouco adiante, o ministro Lyra Tavares comentava com o general Orlando Geisel: "O Pedro Aleixo pensa que ainda é vice-presidente da República..." Ninguém imaginava a tragédia por acontecer. Tratava-se, por enquanto, de um presságio.

A ebulição era crescente nos Altos Comandos e nos quartéis. Dias antes Lyra Tavares expulsara das fileiras o coronel Boaventura Cavalcanti, um dos líderes da ala nacionalista e da linha-dura, irmão do ministro de Minas e Energia, Costa Cavalcanti, que ficou calado. A acusação consistia em que estivesse conspirando para depor o presidente Costa e Silva, num movimento liderado por Carlos Lacerda. O ex-governador da Guanabara estava posto em desgraça, com os direitos políticos cassados, desde o AI-5, após o fechamento da Frente Ampla, que organizara junto com Juscelino Kubitschek e João Goulart.

Uma viagem desnecessária

Na quarta-feira, 27 de agosto, ao despachar com o governador Otávio Lage, de Goiás, Costa e Silva perdera a atenção e a voz por alguns segundos. Era o primeiro sinal da trombose cerebral que o atingiria. À noite, o quadro repetiu-se, também por alguns segundos, travando os movimentos do braço direito. No dia 28, a conselho do médico, ficou no Alvorada para descansar. Fez um eletrocardiograma, que apresentaria bom resultado. Estava marcada para o dia seguinte sua ida ao Rio, onde permaneceria até o Sete de Setembro. À noite, caracterizar-se-ia o derrame. Dormiu mal, acordara diversas vezes, com o médico na antessala. D. Yolanda tinha viajado para o

Rio. O presidente apontou para a garganta, mostrando ao auxiliar que perdera a voz. Não conseguia falar. Os movimentos do lado direito do corpo começaram a ficar prejudicados. Capitão do Exército, subordinado ao Gabinete Militar, o médico telefonou para o general Jaime Portella, que ainda de madrugada correria para o Alvorada. Sem perder a lucidez, Costa e Silva rejeitou a sugestão do dr. Hélcio para que adiasse a viagem ao Rio e permanecesse de cama, de modo que especialistas viessem atendê-lo. Imporia, portanto, sua vontade e, pela manhã bem cedo, preparou-se para ir ao aeroporto militar. O dia amanhecera frio, com nevoeiro, situação que permitiu aos auxiliares envolverem seu pescoço com um cachecol, simulando forte gripe, quando, na realidade, parte de sua face direita já se encontrava paralisada. Começava a farsa, engendrada pelo general Portella, para que ninguém soubesse a extensão do mal.

Como regra, sempre que o presidente viajava, os integrantes de sua comitiva esperavam-no alinhados na pista, ao lado da aeronave, só embarcando depois dele, pela porta dos fundos. Dessa vez, contudo, por instruções do chefe do Gabinete Militar, subimos primeiro, sob o argumento de que, muito gripado, o marechal não cumprimentaria as autoridades presentes e subiria logo a escada do avião. Mais um esforço desnecessário. Lembro-me de tê-lo visto, pela janelinha ao lado da poltrona onde me instalara, movimentando-se com dificuldade. Daquela vez, ficou fechada a porta que dividia as instalações presidenciais do compartimento onde iam seus auxiliares. Pedro Aleixo, que fora à Base Aérea despedir-se do presidente, contaria depois que percebera algo estranho no presidente, muito diferente de uma forte gripe.

No Galeão, no Rio, novo sacrifício: solicitou-me o general Portella que descesse primeiro, para pedir aos jornalistas que não fizessem perguntas nem se aproximassem do presidente, dada sua forte gripe. Ele embarcaria no "Galaxie" presidencial postado próximo da escada do avião. Poucos o veriam de perto. Ao mesmo tempo, deram instruções à banda de música para que não entoasse hinos, nem mesmo o toque de presidente da República. Outra lambança: descendo sozinho os muitos degraus, de repente Costa e Silva parou no meio, inflou o peito e adotou postura marcial. Um desavisado corneteiro entendeu dar o toque e a banda logo o acompanhou.

Lágrimas pelo fracasso

Até então apenas o general Jaime Portella e poucos de seus auxiliares sabiam do real estado do presidente. A mim fora dito que forte gripe o acometia, informação que transmiti de boa-fé.

Ao chegar ao palácio Laranjeiras, com o general Portella e o major Lair de Almeida no carro, o presidente ainda subiria os degraus da portaria, tomaria o elevador e iria a seus aposentos, já inteirado do que se passava e angustiado. Acompanhado de um ajudante de ordens, o comandante Peixoto, da Marinha, ainda de terno e gravata, já totalmente sem voz e com o lado direito caminhando para a paralisação completa, Costa e Silva, por gestos, pediu uma folha de papel e caneta, sentando-se à escrivaninha. Tentou diversas vezes assinar o nome, mas o comando do cérebro não chegava mais à mão direita. A caneta caiu no chão e ele entrou em pranto convulsivo, logo depois entrando em estado de coma.

Semanas mais tarde, sem recuperar a voz e os movimentos do lado direito, mas lúcido, percebendo tudo o que se passava à sua volta, o marechal ouviria do comandante Peixoto uma das mais significativas perguntas da história recente do país: "Presidente, o senhor se lembra do dia em que adoeceu?" Em resposta, o balançar afirmativo do rosto. "O senhor queria fazer algum pagamento inadiável?" (Costa e Silva comprava um apartamento a prestações, em Copacabana). Suceder-se-ia a negativa, e também para a indagação sobre se desejava fazer uma fezinha nos cavalos, hábito incontornável dos fins de semana. O jovem oficial, hoje almirante da reserva, ex-comandante da Esquadra, faria então a pergunta para a qual se preparara: "O senhor queria assinar a reabertura do Congresso e a emenda constitucional acabando com o AI-5?" As lágrimas jorrariam do rosto daquele inválido e emotivo presidente da República, já então atropelado por uma Junta Militar que lhe usurpara o poder e com a qual jamais concordara, apesar das versões dos três ministros, de que havia sido informado e estimulado o golpe. Vamos a ele.

Passaram-se a sexta-feira e parte do sábado sem que o secretário de Imprensa, o chefe do Gabinete Civil e a maioria dos ministros fossem informados do real estado do presidente. A versão do Gabinete Militar era de que a gripe se complicara, transformando-se em pneumonia. Dava para duvidar, entretanto, sobretudo diante da entrada no Laranjeiras dos dois maiores neurologistas do país, os doutores Abraao Ackermann e Paulo Niemayer. Depois de exames minuciosos, todos os dias eles visitariam o presidente, acompanhando o desenrolar da doença. O dr. Ackermann, homem ameno, de grande cultura e humildade, costumava parar no cubículo onde funcionava a Secretaria de Imprensa, no andar térreo do palácio Laranjeiras, para um dedo de prosa.

No Brasil, como no resto do mundo, ninguém segura segredos. Assim, naquele fim de semana, começaram os boatos. Costa e Silva estava mal ou morrera? Tratava-se de um golpe de Estado?

Permaneci sábado e domingo no palácio, e estive em casa apenas para poucas horas de sono. Os telefones não paravam. Jornalistas daqui e do exterior queriam a informação que apenas no domingo conseguiria confirmar e anunciar: acometido de trombose cerebral, o presidente estava temporariamente impedido de chefiar o governo.

Aquela demora em declarar o óbvio, contudo, jamais me levara a supor que se tramava um dos mais execráveis golpes na crônica da República: o impedimento de um presidente para obstar a constitucionalização, mantendo-se a ditadura em sua forma mais abjeta, a de uma Junta Militar.

8
O mais execrável dos golpes

Usurpação "temporária"

À medida que passam os anos e as décadas, mais fico indignado com os acontecimentos iniciados naquele sábado, 30 de agosto de 1969. Foi quando caíram as máscaras. Pela madrugada caracterizara-se a trombose cerebral em sua plenitude. Sem movimentos, sem voz e, durante muitos dias, em estado de coma, alienado de tudo, ficou evidente que Costa e Silva não teria condições de reassumir o governo. Nem de saber da usurpação de suas atribuições, que logo se caracterizaria. Muito menos de haver concordado com ela, mentira que os ministros militares endossaram publicamente.

Movimentava-se, desde cedo, o general Jaime Portella, em longos telefonemas ao general Lyra Tavares e aos outros ministros militares. Fora de carro ao palácio Laguna, no Maracanã, residência oficial do ministro do Exército. Importa menos saber quem estimulou quem. Provavelmente, ambos já se encontravam ferreamente dispostos a não deixar que o vice-presidente Pedro Aleixo assumisse o poder. Eles e mais a totalidade dos chefes militares. Era o golpe em desenvolvimento. Marcaram reunião do Alto Comando das Forças Armadas para o final daquela tarde, e Portella retornou ao palácio Laranjeiras. Os três ministros militares demoraram-se em telefonemas a seus principais comandados, mais participando do que consultando a respeito do que fazer ante a doença do presidente. O sol já se punha quando os integrantes do Alto Comando das Forças Armadas começaram a chegar ao Laguna. Ninguém defendeu a solução constitucional, assim como ninguém se lembrara de contatar Pedro Aleixo em seu apartamento em Brasília.

Concluíram todos pela necessidade "de evitar perturbação mais profunda na vida nacional e pela inviabilidade da passagem do poder ao vice-presidente da República". Motivos: Pedro Aleixo fora contra o AI-5 e, na reforma constitucional, insistia em não manter os instrumentos de exceção, interrompendo a chamada continuidade revolucionária. Decidiram, pois, que os três ministros militares deveriam governar "temporariamente" durante o impedimento do chefe.

Hoje, a gente pensa como tanto horror pôde fluir de uma reunião de homens experientes e submissos aos regulamentos castrenses, já que rompiam o mais fundamental de todos, a sucessão do presidente pelo vice-presidente estabelecida na Constituição. Não erra, contudo, quem supuser delírios de truculência com pitadas de ambição.

De novo o jurista da ditadura

No domingo bem cedo, 31 de agosto de 1969, o general Portella telefonou para Carlos Medeiros e Silva, o mesmo de 1937 e 1964, pedindo para que o recebesse em sua residência, no Leblon. Chegou às nove horas e expôs, em nome dos três ministros militares, o pedido para que elaborasse uma justificativa jurídica do golpe já decidido. "Para quando o senhor quer?", perguntaria Medeiros. "O mais depressa possível. Mandarei um carro buscá-lo às 15h

para levá-lo ao Ministério do Exército para apresentação de sua solução ao ministro."
Dito e feito.

Vale acrescentar ainda que o jornalista Elio Gaspari fora convidado por um dos filhos de Medeiros, Marcelo, para almoçar em sua casa. Os boatos corriam soltos e os dois jovens, nada obtendo do jurista, resolveram bisbilhotar na biblioteca dele. No fundo de um cesto de lixo, achariam um papel amassado com um título: "À Nação." Entenderam tudo. O novo Ato Institucional foi redigido em tempo recorde, levado pessoalmente pelo autor e aprovado, à tarde, pelo general Lyra Tavares. Ganharia o número 12 e se constituiria numa peça cômica se não fosse trágica. Justificava que os ministros militares, "como responsáveis pela execução de medidas destinadas a assegurar a paz e a ordem pública e de tomar as providências relacionadas com a segurança nacional (...), assumirão as funções atribuídas ao presidente da República pelos textos constitucionais em vigor".

À noite, no Laranjeiras, reunir-se-ia o Conselho de Segurança Nacional para que os demais ministros tomassem conhecimento do golpe, anunciado em cadeia nacional de rádio e televisão. Com toda a imprensa amontoada do lado de fora dos portões do palácio, coube-me distribuir cópias do ato, enquanto os ministros se retiravam sem ao menos um sinal de dúvida e de protesto.

Prenderam o vice-presidente

Naquele domingo, ainda uma referência ao vice-presidente. Desde as oito da manhã que seu apartamento, em Brasília, vira-se invadido por parlamentares, jornalistas, ministros residentes na capital federal e bicões de toda espécie. Até espiões dos militares. Com todos conversava, cauteloso. Por volta do meio-dia, recebeu um visitante inusitado, o coronel Massa, do gabinete do ministro do Exército, que acabara de aterrissar no aeroporto de Brasília, a bordo do avião presidencial. Vinha com instruções dos ministros militares para levar o dr. Pedro ao Rio. Traduzindo: prendê-lo.

Contaria depois o vice-presidente que, mesmo antes da chegada do coronel, não tinha mais ilusões. Porque, se fosse para tomar posse, os ministros militares é que viajariam até ele, jamais o contrário. Naquele meio-tempo, recebeu telefonema de José Maria Alkimin, ex-vice-presidente da República e então secretário de Educação do governador de Minas, Israel Pinheiro. A felpuda raposa mineira, sabendo que Pedro Aleixo viajaria para o Rio, convidava-o para antes descer em Belo Horizonte, "a fim de nos informar sobre a saúde do presidente Costa e Silva". Era, ainda que de forma velada, a senha para o vice-presidente resistir em Minas, lá tomando posse como presidente da República e abrindo monumental secessão nos planos golpistas. Aleixo não aceitou, certo de que os militares dominavam a situação e seria inócua qualquer resistência. Tinha razão, porque, ao chegar ao Rio, foi levado para o Ministério da Marinha, onde os três ministros lhe participaram que não assumiria. Protestou, em termos altos e constitucionais, mas surpreendeu-se quando o almirante Augusto Rademaker acionou a tecla de um gravador e reproduziu toda a conversa entre Alkimin e ele.

De lá, posto para fora da História, foi para a casa de sua filha, em Copacabana. Na portaria do edifício, encontrava-se uma equipe da Polícia Federal, com ordens para não deixar ninguém subir. No dia seguinte, ao tentar retornar a Brasília, seria impedido, sob a alegação de que o avião presidencial estava em pane. Quando informou que viajaria em voo de carreira, não o deixaram. Permaneceu uma semana no Rio, confinado no apartamento da filha.

A DITADURA MILITAR E OS GOLPES DENTRO DO GOLPE: 1964-1969

Meu pedido de demissão

Na segunda-feira, com o presidente ainda inerte no segundo andar do Laranjeiras e a Junta Militar despachando num dos salões do térreo, numa falsa demonstração de lealdade, escrevi meu pedido de demissão, dirigido ao chefe do Gabinete Civil, Rondon Pacheco. Emocionado, guardou o papel, dizendo que o dele também já estava pronto, mas em seguida ressalvando que não poderíamos, ele e eu, simplesmente abandonar o presidente Costa e Silva. Enquanto não ficasse clara a impossibilidade de o marechal recuperar-se, era nosso dever permanecer a seu lado. Até um renomado neurologista francês, dr. François L'Hermité, fora convidado ao Brasil para examinar o paciente. Assim, permaneci, para então testemunhar atos e fatos ainda mais estranhos e execráveis. Depois, transformaria tudo em 21 reportagens de página inteira para *O Globo* e *O Estado de S. Paulo*, matérias responsáveis por me haver sido concedido, em 1970, o Prêmio Esso de Jornalismo.

Mais tarde, transformaria aquelas reportagens num livro, *113 dias de angústia: impedimento e morte de um presidente*, proibido de circular por ordem do então novo presidente, general Garrastazu Médici, ganhando meu primeiro processo pela Lei de Segurança Nacional.

Ainda estávamos, porém, nos dias tumultuados da Junta Militar.

A rotina do arbítrio

Pelas manhãs os três ministros despachavam em seus ministérios, fardados. Depois do almoço, de terno e gravata, no Laranjeiras, governavam o país. Não adotavam apenas as medidas imprescindíveis referidas no Ato Institucional que baixaram, usurpando o poder. Tratavam de tudo, desde decretos regulando a profissão de Atuário até a proibição de que repórteres credenciados entrassem no palácio. Os jornalistas tinham de ficar do lado de lá dos portões, onde, várias vezes por dia, eu chegava para informar do pouco que sabia.

A burrice da esquerda radical

Pouco depois das 13h do dia 4 de setembro, quinta-feira, recebi um telefonema do chefe de reportagem de *O Globo*, Leonídio Barros, informando-me de que fora sequestrado o embaixador dos Estados Unidos no Brasil, Charles Burke Elbrick, próximo do Largo dos Leões, no Humaitá.

Quando chegava à mesa do coronel Covas Pereira, espécie de secretário da Junta, para transmitir-lhe a notícia, ele se anteciparia: "Os ministros acabam de saber."

Foi o caos. Passei a informação aos repórteres credenciados, que entraram em polvorosa, só menor do que a verificada entre os donos do poder.

Logo surgiram os comunicados dos sequestradores, com três exigências principais para poupar a vida do diplomata, que tinham arrancado de seu carro oficial e levado para uma casa previamente alugada: libertação de presos políticos então trancafiados nos porões da ditadura; distribuição gratuita de alimentos em favelas cariocas por caminhões do Exército e transmissão, pela TV Globo, de um manifesto de repúdio à ditadura. Entre os líderes do sequestro estavam Joaquim Câmara Ferreira, dirigente do PCdoB, Carlos Lamarca e um monte de rapazes e moças indignados com o regime, entre os quais Franklin Martins e Fernando Gabeira.

Desde 1648, quando do tratado de Westfália, que pôs fim à Guerra dos Trinta Anos, mesmo nas maiores conflagrações mundiais a figura dos embaixadores era preservada pelas nações beligerantes. Até Hitler garantiu a vida e a integridade física dos embaixadores da

Inglaterra e da França. Pois era o Brasil, outra vez, surpreendendo o mundo. Não havia *know-how* para esse tipo de sequestro e os Estados Unidos logo enviariam ultimatos à Junta Militar: fizessem tudo o que os terroristas exigissem, mas garantissem a vida do embaixador Elbrick. Caso contrário, iniciariam retaliações contra o Brasil.

As três condições foram aceitas. Wladimir Palmeira, José Dirceu, Gregório Bezerra e muitos outros foram mandados para o México em avião militar. Os pobres da Mangueira comeram melhor, naqueles dias, e o ridículo foi encenado nas telinhas da Globo. Semanas atrás, a "campeã de audiência" inaugurara o *Jornal Nacional*, transmitido em cadeia, por micro-ondas, do Rio para São Paulo, Belo Horizonte, Brasília, Goiânia, Vitória e Curitiba. Uma fundamental e vitoriosa mudança televisiva, já que até então cada capital produzia e apresentava o seu próprio noticiário.

No sábado, dia 6, às 20h, apareceria o logotipo do telejornal e então surgiria seu apresentador, Cid Moreira, na época um menino, só que naquela noite trêmulo e branco feito cera. Ele entrara direto, conforme as recomendações: "Brasileiros! Este governo ditatorial que nos domina, de torturadores e usurpadores, responsável pela miséria nacional e pela nossa submissão aos Estados Unidos (...)." E ia por aí, num crescendo de virulências e acusações aos militares, aos empresários e aos meios de comunicação, até que, em determinada passagem, Cid Moreira, sem mais aguentar, olharia para a câmera, levantaria o papel que lia e surpreenderia: "É o manifesto que está dizendo, não sou eu não!"

No fundo do poço

A Rede Globo jamais liberou o videotape, que seria um ponto marcante para o estudo do jornalismo em nossas faculdades. A desculpa é de que a fita se perdeu anos depois, num incêndio em suas instalações

Acompanhei a transmissão no apartamento de Copacabana do chanceler Magalhães Pinto, que, naquela tarde, passara pelo Laranjeiras e me levara ao Itamaraty para ajudá-lo na redação de um pronunciamento que faria à noite, logo depois do manifesto subversivo. A ideia era demonstrar que o governo mantinha o controle da política interna e externa e que o episódio do sequestro seria enfrentado dentro da lei. À última hora, por pressão do general Sizeno Sarmento, do I Exército, a desarvorada Junta Militar proibiria Magalhães de ir à televisão. Cada vez mais o regime e a crise seriam matéria tipicamente militar.

Começara a caça às bruxas. Em algumas semanas, os sequestradores estariam identificados, presos, torturados e até baleados. A Junta Militar iniciou longa temporada de cassação de mandatos e suspensão de direitos políticos, que atingiria, em todo o país, qualquer um que fosse da oposição, importando menos se também contra o sequestro.

Episódio grotesco acontecera enquanto os presos políticos eram reunidos no aeroporto do Galeão para a ida ao México. Um grupo de paraquedistas da Vila Militar, comandados pelo coronel Dickson Graell, invadiria os transmissores da Rádio Nacional e leria um comunicado em que se insurgiam contra o envio dos prisioneiros ao exterior, chegando a propor que, de meia em meia hora, um a um fossem fuzilados até a libertação do embaixador. No Sete de Setembro, esse regimento de Artilharia Paraquedista negou-se a desfilar na avenida Presidente Vargas, "diante dessa Junta Militar fraca e corrupta". O coronel Dickson seria punido com a imediata transferência para uma guarnição no Pará.

Seguiram-se sucessivos capítulos daquela novela de horror. Ninguém se entendia e, entre os Altos Comandos, suceder-se-iam trocas de cartas desaforadas entre os generais: de Moniz de Aragão e de Afonso Albuquerque Lima para Lyra Tavares, e deste para os dois; do almirante Mello Batista para o almirante Augusto Rademaker, e vice-versa. Conseguiria publicar uma parte delas, bem depois, no já mencionado livro *113 dias de angústia*, período transcorrido entre a doença e a morte do presidente Costa e Silva.

Censura total

A censura à imprensa era total, a cargo dos quatro Exércitos e seus comandantes, cada um definindo sua extensão. No Rio, era violenta; em São Paulo, nem tanto. Certa tarde, questionado pelos repórteres credenciados no Laranjeiras sobre por que nem as notícias sobre a saúde do presidente Costa e Silva podiam ser publicadas nos jornais cariocas, exceção dos boletins oficiais, mandei o colega perguntar ao I Exército e ao general Sizeno Sarmento. Meu comentário, é claro, seria censurado no Rio, mas a agência Reuters o transmitira e o *La Nación*, de Buenos Aires, publicou com destaque, referindo-se às queixas do secretário de Imprensa do Brasil diante da censura do I Exército. Foi a tempestade. O adido militar na capital argentina logo informaria a Sizeno, com direito a fac-símile do jornal, e o general mandaria seu chefe de Gabinete, general Calderari, tomar satisfações com a Junta Militar. O ministro Lyra Tavares, então, encontrou um bode expiatório para escapar da saraivada de contestações que diariamente recebia de seus pretensos comandados. Fui chamado pelo general Jaime Portella, na presença do general Calderari, e confirmei o comentário, negando, no entanto, que tivesse concedido qualquer entrevista. O ministro do Exército comentou que seria uma ofensa ao marechal Costa e Silva demitir um de seus auxiliares e propôs que eu fosse exilado para Brasília, onde, de direito, estava a sede do governo, com o palácio do Planalto às moscas. Insurgi-me e lembrei que já apresentara minha demissão. Bastaria que a concedessem. Neguei-me a viajar para Brasília e, em dois dias, o incidente estava esquecido, porque a cada 24 horas ocorriam episódios bem mais graves, que envolviam generais, coronéis e ministros.

Um deles atingiria Mario Andreazza, ministro dos Transportes, meu amigo de longa data. Dirigidos claramente à Junta Militar, ele não evitava os comentários públicos contra qualquer precipitação, porque ninguém garantia que Costa e Silva não pudesse se recuperar. Sabíamos que não, mas seria uma humilhação, naquela altura da luta pelo poder, desconsiderarem o marechal. Procurei então uma repórter de *Veja*, Regina Coelho, e a levei ao apartamento de Andreazza, para uma entrevista. Ele abriu o jogo e falou das ambições de um monte de generais que pretendiam precipitar a sucessão para apoderar-se da presidência da República. Mesmo tendo reduzido o diapasão do texto, antes de publicado, o ministro vir-se-ia aquinhoado com uma ordem de censura expedida pelo I Exército: "Andreazza só pode falar sobre pontes e estradas. Declarações políticas estão proibidas."

Eleição "direta" para presidente

A confusão era geral, com sucessivas reuniões do Alto Comando das Forças Armadas, do Exército, Marinha e Aeronáutica. Ficara evidente que Costa e Silva não poderia reassumir. Assim, começava-se a tentar ordenar o caos. Era preciso escolher outro presidente da República, claro que um general, e com uma peculiaridade: deveria iniciar novo mandato, não apenas completar o de Costa e Silva. Onde buscaram essa singular fórmula jurídica não se sabe até hoje, mas, como já tinham impedido Pedro Aleixo de assumir, tudo o mais seria permitido.

Então, os Altos Comandos decidiram fazer uma "eleição direta" para presidente — cujo nome deveria vir do Exército. Só que com um detalhe: não seria o povo, completamente alheado de tudo, a

A DITADURA MILITAR E OS GOLPES DENTRO DO GOLPE: 1964-1969

escolher. Poderiam votar apenas os generais, almirantes e brigadeiros do serviço ativo. Organizaram as Forças Armadas em seções eleitorais. De início, os três integrantes da Junta comprometeram-se a não se candidatar. Existiam, porém, diversos candidatos que negavam ser candidatos.

Custariam a ser conhecidas as regras "eleitorais" para a escolha do sucessor de Costa e Silva. Era campo minado por todo lado. Afinal, qual general de quatro estrelas deixaria, lá no fundo, de se imaginar com possibilidade de ser o presidente?

Decidiram os Altos Comandos das três forças — com o respaldo do Alto Comando das Forças Armadas — que Exército, Marinha e Aeronáutica selecionariam três preferidos para o posterior encontro de decisões. Marinheiros e aviadores sabiam que o escolhido teria de ser do Exército, maior e mais forte, detentor do poder desde 1964. Ainda assim, os 69 almirantes da ativa deram catorze votos ao almirante Augusto Rademaker, que ficaria em segundo entre os mais sufragados pela Marinha, atrás do general Afonso Albuquerque Lima, que recebera 37 votos. Também foram lembrados o general Orlando Geisel, com doze votos, e o general Antônio Carlos Muricy, com seis.

Na Aeronáutica, três nomes com igualdade de votos: Garrastazu Médici, Orlando Geisel e Afonso Albuquerque Lima.

Estava armado o barraco, porque se, no Exército, Albuquerque Lima fosse um dos três mais votados, seria difícil impedi-lo, pois selecionado nas três forças. A Junta Militar planejou garfá-lo, tanto por ser general de divisão, com três estrelas, disputando com generais de Exército, de quatro estrelas, quanto porque seu nome se apresentara como de contestação, nacionalista e disposto a imprimir nova linha ideológica e econômica no país. Talvez mais ditatorial, se tal fosse possível. Atribuíam-lhe a intenção de, se eleito, mandar prender os ministros Delfim Netto e Mario Andreazza, além de abrir inquérito contra D. Yolanda. Não era verdade, mas a boataria apavorara ainda mais a Junta Militar.

Sabedores de que o general Afonso detinha forte apoio no Exército, armaram-lhe uma arapuca. Ele seria, sem dúvida, um dos três mais votados nos quatro Exércitos, e talvez até liderasse a votação. Era preciso, entretanto, que não chegasse entre os três primeiros, de modo que logo se criaram novas "sessões eleitorais", mesmo que com poucos generais: os diversos departamentos do Ministério do Exército, o gabinete do ministro, a Escola Superior de Guerra, o Estado-Maior do Exército e o Estado-Maior das Forças Armadas — para cada um, uma "sessão". Mesmo com muito menos generais do que os quatro Exércitos, fizeram valer a regra de que todas as "sessões eleitorais" teriam peso igual. Resultado: obtiveram que os três primeiros colocados no Exército fossem Garrastazu Médici, Orlando Geisel e Antônio Carlos Murici, excluindo Afonso Albuquerque Lima.

Como Médici fora o mais votado entre seus colegas de farda, virou o futuro presidente da República. Comandava o III Exército, no Rio Grande do Sul, e chefiara o SNI, onde se destacou por defender o AI-5 seis meses antes de sua decretação.

Escaramuças ainda aconteceriam para que aceitasse. Indagou aos colegas se seria obedecido, e todos disseram que sim, mesmo os mais antigos. A Alto Comando do Exército, contudo, não concordaria com sua sugestão para que o almirante Augusto Rademaker fosse vice-presidente, lembrando o compromisso de os três integrantes da Junta não aceitarem nada. Nessa hora, Médici levantou-se e disse que, se era para não ser obedecido, não aceitaria a indicação e voltaria para o seu comando, em Porto Alegre. Foi um "deus nos acuda", que obrigaria o chefe do SNI, general Carlos Alberto da Fontoura, a voar à capital gaúcha para convencer o "candidato" de que seria obedecido e informá-lo de que Rademaker seria o seu vice, além de alertá-lo para o fato de que, se a sucessão melasse, poderia haver guerra civil, já que os partidários do general Afonso Albuquerque Lima ameaçavam insurgir-se por conta da rasteira que levara.

No fim, tudo se ajeitou. O brigadeiro Márcio Mello permaneceria no Ministério da Aeronáutica e o general Lyra Tavares, como "missão", seria designado embaixador do Brasil em Paris.

Mártir da imprensa

A tudo assisti, até a posse de Médici no palácio do Planalto, marcada para o dia 30 de outubro. Baixou-se um Ato Institucional que depunha o presidente Costa e Silva. O Congresso foi reaberto para "eleger" o general, no dia 25 de outubro, como se no Brasil e no exterior todo mundo acreditasse num processo jurídico normal. Antes, ainda em setembro, a *Tribuna da Imprensa* fora fechada e seu diretor, Hélio Fernandes, obrigado, por ordem do ministro da Justiça, a permanecer em Campo Grande, no Mato Grosso. Menos pior, porque, em 1963, em pleno governo João Goulart, fora confinado à Ilha de Fernando de Noronha.

Precedeu a reabertura do Congresso a decretação da emenda constitucional idealizada por Pedro Aleixo, mas desfigurada com a ajuda de Leitão de Abreu, cunhado do general Lyra Tavares. Manter-se-ia nela a íntegra do Ato Institucional número 5.

Tive um atrito sério com o general Jaime Portella quando pedi pelo menos vinte exemplares da emenda, já impressos. Ele respondeu que as cópias eram para autoridades e que, se a imprensa quisesse, fosse comprar na Imprensa Nacional, dali a alguns dias. Custei a explicar que, se os jornais não publicassem as alterações feitas na Constituição, o país inteiro desconheceria as mudanças. Como concessão, deu-me dois exemplares. Não tive outro remédio senão mandar estourar o aparelho de fotocópia do palácio Laranjeiras para reproduzir pelo menos trinta vezes cada página, dado o grande número de jornalistas reunidos do lado de fora, aguardando o texto.

Ainda naqueles dias a Junta promoveria um festival de cassações de mandatos para que nenhum adversário do sistema militar pudesse votar contra o general Garrastazu Médici. Ulysses Guimarães e Tancredo Neves, do MDB, escaparam por milagre.

No dia da posse de Médici, compareci ao salão nobre do palácio do Planalto e, em seguida, passei a Secretaria de Imprensa para meu sucessor, o jornalista gaúcho Carlos Felberg, médico de profissão, excelente profissional de imprensa. Voltei para o Rio na mesma noite, imaginando o que fazer da vida. Fora trabalhar na presidência da República para ajudar, ainda que modestamente, no projeto de abertura política. Saía no auge da ditadura.

O longo recomeço

Em novembro de 1969, voltei a *O Globo*. O governador Negrão de Lima participou-me que não preenchera meu lugar na assessoria de Imprensa, que também reassumi.

Todas as semanas, sempre pela manhã, ia ao palácio Laranjeiras visitar o presidente Costa e Silva. Às vezes sentado numa cadeira de vime na varanda interna, às vezes deitado na complicada cama de hospital instalada em seus aposentos, mesmo impedido de falar, dava sinais de que compreendia o mundo à sua volta. Com a mão esquerda, pegava-me no braço, como se indagasse como eu ia. Eram minutos de grande emoção. Apesar de sem voz e sem movimentos do lado direito, o marechal demonstrava não estar desligado. Ouvia rádio, em especial aos sábados e domingos, quando os ajudantes de ordens sintonizavam a Rádio Jornal do Brasil, que transmitia as corridas de cavalos. Claro que não podia jogar, ainda que se deleitasse com as narrações. Quando o tempo estava bom, colocavam-no numa janela para tomar sol e observar as crianças brincando lá embaixo, no Parque Guinle.

Ouvi considerações amargas do dr. Ackermann, que o assistia e que foi, vale repetir, o maior neurologista que o Brasil já teve. O médico se indagava sobre até onde o marechal resistiria, porque o aparelho receptor de seu cérebro funcionava bem. Prestava atenção no que falavam com ele e, pelo jeito, entendia. Quando era hora de responder, no entanto, o aparelho transmissor mostrava-se em curto. Não conseguia pronunciar uma só palavra e, não raro, caía em depressão.

Entráramos no mês de dezembro. *O Globo* dava-me poucas tarefas a desempenhar. Já o governador Negrão de Lima pedia sempre a correção de um discurso ou até a elaboração de outro.

Na política nacional, aparentemente pacificada, governava o general Garrastazu Médici, que compusera um governo de união militar. Manteve ministros de Costa e Silva, como Jarbas Passarinho, Mario Andreazza, Costa Cavalcanti, Delfim Netto e Carlos Alberto da Fontoura, entre outros, mas convocou gente nova, como Alfredo Buzaid, Leitão de Abreu, João Figueiredo, Ernesto Geisel e mais figuras oriundas dos tempos de Castello Branco.

A economia funcionava bem. A despeito da recente crise político-militar, o Congresso não criava problemas, sabedores todos do alerta feito pelo novo presidente às vésperas de sua escolha. Ele exigira a reabertura do Legislativo para coonestar a eleição, mas, diante da indagação sobre a hipótese de problemas parlamentares, advertiria: "Se precisar, nós fechamos de novo."

Ainda naquele ano fatídico de 1969, na tarde de 17 de dezembro, recebi um telefonema: "Costa e Silva morreu." Mandei-me, então, para o palácio Laranjeiras. Pouca gente havia chegado e fiquei na antessala do quarto onde jazia o morto ilustre. Seu filho Álcio e mais alguns auxiliares pediram que me aproximasse para ajudar a vestir o ex-presidente. D. Yolanda decidira sepultá-lo com o primeiro uniforme do Exército. Apesar de não exercer mais nenhuma função no governo federal, lembro-me de que, por falta de assessores, fui aos jornalistas reunidos do lado de fora do palácio para informar da morte de Costa e Silva, decorrência de um enfarte fulminante, às 15h15 minutos.

O sepultamento, no dia seguinte, encerraria a crônica de um presidente que cometeu erros e acertos, mas que sacrificou a própria vida tentando não passar à história como ditador.

Testemunho incômodo

Dias depois, procurei Roberto Marinho e lhe propus escrever uma série de reportagens em que contaria tudo o que testemunhara naqueles dias de crise. Ele autorizou, ainda que seu irmão Rogério tivesse discordado, sabendo que eu publicaria as lutas pelo restabelecimento da democracia, as baixarias, os choques e as sequelas militares. Como se tratava de material quente, sugeri que *O Globo* encontrasse parceria com outro grande jornal nacional fora do Rio, *O Estado de S. Paulo*. Juntos, enfrentariam melhor as investidas da censura. Roberto concordou e pediu que eu mesmo negociasse a parceria com a família Mesquita, que aceitaria de imediato.

Foram 21 reportagens de página inteira, que desnudaram confrontos, ambições, covardias e, ao mesmo tempo, passagens que ninguém conhecia, umas estoicas, outras nem tanto.

Foi um sucesso, que, claro, dividiria o meio militar. Uns se regozijavam ao ler episódios que deixavam mal os adversários da véspera, outros se enraiveciam. Quando, porém, acordaram e começaram a censurar, dezenove capítulos já tinham sido publicados sem restrições.

Ganhei o Prêmio Esso de Jornalismo, meses depois, nos tempos em que a multinacional ainda não pulverizara as premiações. Hoje, a cada ano, mais de cinquenta colegas colocam o Prêmio Esso na prateleira. Naquela época, entretanto, era um só. Pulverizar foi um jeito de os premiadores não se comprometerem com o conteúdo das matérias, nos idos bicudos. Depois de informado da vitória, soube que lá pelos lados do Ministério do Exército e do SNI tentaram pressionar a Esso para que revisse a premiação, mas sem sucesso, já que fora outorgada por um júri de jornalistas independentes.

A 21 de dezembro de 1970, recebi o diploma, naquela que seria a última solenidade desde a instituição do prêmio, nos anos 1950: um almoço para jornalistas e donos de jornal do país inteiro, em que o premiado discursava sem impedimentos. No ano anterior, vencera Luís Edgar de Andrade, com uma reportagem que detalhava os dias em que fora preso e torturado. Quando de minha vez, no Hotel Glória, fiz um discurso duro, em que verberava a censura, do qual pinço aqui alguns trechos:

> Quando se começa a culpar e a incriminar as notícias como se fossem elas as responsáveis pelos atos e pelos fatos a que se referem; quando se censura, proíbe e obriga a retirada da notícia dos jornais, dos vídeos e dos microfones, pretendendo-se pela simples proibição negar os atos e os fatos; quando se chega a punir a própria notícia — estará acontecendo não apenas a subversão do jornalismo, mas dos princípios éticos que deveriam reger a sociedade, à qual o jornalismo precisa servir. (...) Assistimos hoje à morte da notícia, nós que dela e para ela vivemos. Cabe-nos lutar contra indivíduos, grupos ou classes que pretendem situar-se acima e além da notícia. (...) Cabe-nos deixar bem claro que ofende a verdade a pretensão daqueles que depois de chamarem a si a direção e os destinos da sociedade julgam que seus atos, seus fatos, suas querelas, suas crises e seus erros devem permanecer sem divulgação, como se não dissessem respeito, também, à sociedade que passaram a dirigir.

Num pronunciamento de quinze minutos, fui interrompido oito vezes por aplausos dos colegas, mas, ao voltar à mesa principal, não recebi um único cumprimento dos diretores da Esso e muito menos, dos representantes de *O Globo*, nada menos do que Rogério

Marinho e Moacir Padilha, que, horas mais tarde, queixar-se-iam a Roberto Marinho, dizendo-se injuriados. "*O Globo* jamais foi tão humilhado" — falaram, destacando que, em meu discurso, não citara o jornal. Falta de experiência minha, é óbvio.

Para encerrar o capítulo dessa tumultuada passagem pelo outro lado da cerca, ou seja, pelo governo, um episódio que me faria afinal abandonar *O Globo* e aceitar convite para trabalhar na revista *Manchete*.

Pressionado pelos generais, tardiamente irritados com minhas reportagens, Roberto Marinho cedera e concordara em receber textos produzidos no Ministério do Exército, por um tal coronel Paes, destinados a rebater, ponto por ponto, o que eu escrevera e a sustentar que os militares haviam salvado o Brasil do caos ao usurparem o poder e imporem o general Médici e a continuação do AI-5. Como o coronel não podia assinar as matérias, encontraram um repórter de *O Globo* que se prestaria ao papel. Era até meu amigo, encarregado da cobertura dos assuntos militares, mas muito preguiçoso, Emiliano Castor.

Aquela nova série, em sete capítulos, publicada em abril de 1970, não teve repercussão e foi intensamente criticada. Nela, fui desmentido 56 vezes em citação nominal. Não conseguiram demonstrar coisa alguma, a não ser que *O Globo* navegava ao sabor das ondas da exceção. Iniciava-se nova fase em minha vida profissional. A imprensa inteira encontrava-se sob censura, e os jornais e revistas que não aceitavam ordens telefônicas recebiam a presença física dos censores em suas redações. E praticavam, como nunca, a autocensura.

Índice onomástico

Abreu Sodré, Roberto Costa de, 78, 134, 149, 150, 211, 237, 289, 324, 400
Abreu, Ladislau de, 100
Abreu, Ovídio, 256, 270, 271
Ackermann, Abraão, 462, 477
Afonso, Almino, 116
Agripino, João, 108, 195, 213, 223, 225, 228, 231, 235, 294, 347, 350, 417, 422, 434
Akihito, Príncipe, 431
Aleixo, Pedro, 89, 108, 156, 157, 195-196, 200, 203, 226, 228-229, 246, 263, 278, 297, 300, 301, 303, 305, 336, 379, 395, 397, 400, 413, 416, 428, 444-449, 451, 453, 455-456, 458-460, 463, 464, 466, 472, 475
Alencar, César de, 94
Alkimin, José Maria, 51, 55, 79, 97, 100, 117-119, 123, 134, 170, 177, 186-188, 352, 362, 466
Almeida Braga, Antônio Carlos de, 149, 153
Almeida, Guy de, 61
Almeida, Hélio de, 340, 405
Almeida, José Augusto de, 34, 37, 172, 190
Almeida, Lair de, 461
Almeida, Sebastião Paes, 344-345, 388
Alves Pinheiro, Francisco, 9, 15, 18, 22, 23, 25, 26, 189
Alves, Aluízio, 9, 295, 345, 346, 347, 401
Alves, Hermano, 233
Alves, Ivan, 34

Alves, Joaquim Vitorino Portella Ferreira, 364, 387
Alves, Márcio Moreira, 107, 440-441, 445
Alves, Murilo Antunes, 296
Amaral Netto, Fidélis dos Santos, 72
Amaral Peixoto, Ernâni do, 29, 37, 51, 55, 68, 72, 97-100, 102, 103, 117, 123, 129, 131, 137, 170, 172, 184-185, 217, 237, 239, 256, 262, 263-264, 271, 273, 279, 301, 302, 309-310, 322, 323-324, 342, 356, 362, 374, 384, 399
Amarante, Major Chaves, 30
Andrada e Silva, Antônio Carlos, 427
Andrada, José Bonifácio de, 212
Andrade, Auro de Moura, 29, 41, 116, 118, 124, 134, 142, 195, 207, 255-258, 261-262, 264, 273, 276-277, 300, 302, 428-429
Andrade, Carlos Drummond de, 350
Andrade, Doutel, 193, 271, 285, 301, 399
Andrade, Evandro Carlos, de, 337
Andrade, Jeferson de, 104
Andrade, Luís Edgar de, 479
Andreazza, Coronel Mario, 63, 82, 181, 359, 396, 430, 432, 442, 444, 472, 473, 477
Anjos, Ciro dos, 350
Arantes, Euro, 60
Araújo, Maria Celina de, 91
Archer, Renato, 68, 186, 188, 346
Arraes, Miguel, 39, 79, 116, 218

Arruda, Esmerino, 312
Arruda, Ponce, 348
Assis Brasil, General, 38, 46
Assunção, Zacarias de, 347
Azeredo, Renato, 365

Badaró, Murilo, 441
Bahia, Luís Alberto, 391
Balduíno I, Rei, 380
Baleeiro, Aliomar, 59, 108, 118, 202, 297, 360, 370-371, 394, 428
Barbosa, Rui, 267, 393
Bardot, Brigitte, 150
Barros e Vasconcelos, Newton de, 24
Barros, Ademar de, 42, 55, 69, 70,75-76,79,81-83, 87, 89-90, 96, 103, 127, 141, 143, 159, 170, 192, 193, 197, 207, 215, 216, 218, 255, 263-264, 280, 282, 292, 295-296, 374, 384, 391, 393, 400
Barros, Leonídio, 468
Bastos, D. Amelinha (Amélia Molina Bastos), 64, 71
Bastos, Justino Alves, 42, 59, 76, 159, 347
Batista, Ernesto Mello, 125, 308, 470
Batista, Lourival, 223
Bello, Newton, 346
Beltrão, Hélio, 341-342, 432, 445, 455
Beneker, Kleber, 366
Bessa, Monsenhor Francisco, 78
Bevilacqua, Peri, 92
Bezerra, Gregório, 469
Bhering, Mário, 103
Bias Fortes, José Francisco, 61, 103, 351
Bilac Pinto, Olavo, 59, 71, 84, 90, 108-109, 123, 144-146, 157, 192, 194, 200, 202-206, 220-222, 226, 234, 239-240, 242, 265, 266, 297, 298, 303-304, 322-323, 335, 360, 371, 395, 397, 400, 414-416, 422
Bittencourt, D. Niomar Moniz Sodré, 62, 445
Bloch, Adolpho, 168, 176, 209, 369
Bonifácio, José, 212-213, 427, 441
Borges, Mauro, 75, 80, 82, 161, 256, 268, 270-282, 349

Borghi, Hugo, 95
Borja, Célio, 212-213
Bornhausen, Irineu, 349
Braga, Antônio Carlos de Almeida, 149, 153
Braga, Ney, 72, 73, 75-76, 78, 80, 81, 88, 90, 128, 193, 238, 348, 395
Braga, Rubem, 61
Brayner, Coronel Floriano de Lima, 58
Brito, Epitácio Cardoso de, 141
Brito, Raimundo de, 129
Brizola, Leonel, 31-33, 38-39, 50, 59, 64, 96, 116, 169, 179, 218, 252, 296, 311-312, 321, 325
Bronzeado, Luiz, 207, 213
Brum, Nelson, 71
Brunini, Raul, 220
Bulhões, Otávio Gouveia de, 103, 127, 251, 286, 291, 394
Buzaid, Alfredo, 477

Cabello, Benjamin, 61
Café Filho, João Fernandes Campos, 14, 346
Caldas, Breno, 437
Callado, Antônio, 43
Calmon, João, 248, 303, 437
Calmon, Pedro, 16
Câmara, Dom Helder, 38
Câmara, Dom Jaime, 22, 342
Camargo Neto, Afonso de, 194, 228
Campos, Francisco, 51, 108-109, 112-113, 116, 140, 198, 220, 274-376, 381, 404, 427
Campos, Milton, 18, 119, 125-126, 155, 157, 183, 227, 257, 270, 278, 285, 302-303, 305, 308, 314-315, 317-319, 336, 350, 352-353, 355
Campos, Paulo Mendes, 61
Campos, Roberto, 52-55, 61, 103, 127, 146, 210, 240, 247-248, 251, 253, 284, 286-287, 288, 291-293, 294, 325-326, 330-333, 373, 394, 432
Cândido Aragão, Almirante, 45

A DITADURA MILITAR E OS GOLPES DENTRO DO GOLPE: 1964-1969

Capanema, Gustavo, 119, 157, 302, 313, 350, 441
Capriglione, Ana Gimol, 56, 393
Cardoso, Adaucto Lucio,108, 111, 157, 297, 298, 303, 323, 360, 377, 397, 424, 426
Carlos, Newton, 61-62
Carmo, Aurélio do, 161, 347
Carne Seca, 25
Carneiro, Glauco, 22
Carneiro, Luís Orlando, 189
Carneiro, Nelson, 428
Carneiro, Rui, 399
Carpeaux, Otto Maria, 107
Carvalho Neto,Noel, 78,
Carvalho Pinto, Carlos Alberto Alves de, 84, 336
Carvalho, Osvaldo Ferraro, 171
Carvalho, Último de 139, 157
Castellinho (Carlos Castello Branco), 9
Castello Branco, Argentina (esposa do presidente), 54, 57, 97, 119, 243
Castello Branco, Cândido Borges (pai do presidente), 56
Castello Branco, Humberto de Alencar, 42, 44, 47, 50-60, 62-64, 69-78, 80, 83-85, 88-103, 108, 116-132, 133-136, 138, 141-152, 154-157, 159-160, 165, 167-174, 176-177, 181, 187,192-193, 195, 198-207, 210, 212-214, 216-221, 224-236, 238-240, 242-247, 249-253, 255, 257, 259, 262-263, 265-266, 270-272, 275, 277-278, 280, 282, 284-291, 293-307, 309, 312-313, 315-318, 320-325, 330, 334-341, 344, 347, 352-353, 355, 357-361, 367-372, 374-378, 380, 383, 385-390, 392-397, 399-403, 406-411, 413-414, 416-424, 426, 428-430, 432-433, 435, 437-438, 445, 450, 477
Castello Branco, Nieta [filha do presidente], 121, 133
Castello Branco, Paulo [filho do presidente], 121
Castor, Emiliano, 75, 480
Castro, Celso, 91
Castro, Fidel, 30, 42, 127, 312

Castro, Lucídio de, 45, 66, 189
Castro, Rui, 387
Castro, Tarzan de, 269
Catete Pinheiro, Edward, 347
Cavalcanti Júnior, Boaventura, 387, 403, 404, 459
Cavalcanti, Flavio, 47
Cavalcanti, Luís, 295, 346
Cavalcanti, Sandra, 54, 78, 94, 129, 230, 243
Cavalcanti, Temístocles, 455
Cavalcanti, Tenório, 43
Cerqueira, Edgard, 280
Chagas, Carlos, 7-8, 10, 296, 337, 437, 438, 455
Chamoun, Erbert, 16
Chaves, Aureliano, 344, 393, 441
Chaves, Pedro, 276
Coelho, Maria Teresa (esposa de Nilo Coelho), 229, 300, 303, 334
Coelho, Nilo, 229
Coelho, Plinio, 161
Coelho, Regina, 472
Conde D'Eu (Luís Filipe Maria Fernando Gastão de Orléans), 80
Constant, Benjamin, 82
Cony, Carlos Heitor, 99, 102, 107, 167-168, 176, 362-363, 366, 369
Cordeiro de Farias, General Osvaldo, 42, 72, 77, 78, 124, 130, 217, 229, 244, 255, 278, 296, 299, 303, 371, 377, 395, 422
Correia da Costa, Fernando, 75, 78, 79, 81, 295, 348
Correia de Melo, Brigadeiro Francisco de Assis, 46, 63, 109, 125
Costa Cavalcanti, José, 72, 84, 89, 226, 255, 335, 353, 377, 420, 432, 442
Costa e Silva, Arthur da, 8, 42, 46, 50-52, 56, 59, 63-64, 68-69, 73, 75-77, 80-94, 107, 108-109, 112, 115-116, 123-125, 128, 140, 159, 167, 170-171, 176, 181, 183, 187, 216-217, 234, 355, 264, 275, 299, 355, 357, 359-360, 371, 373, 376, 377, 380, 386, 389, 390, 394, 396-397, 403-404, 406, 408, 417-420,

421-422, 430-435, 437, 439, 442-447, 449, 451-455, 457, 458-462, 466-467, 471-473, 475-478
Costa e Silva, D. Yolanda, 116, 360, 396, 430, 456, 459, 473, 477,
Costa, Adroaldo Mesquita da, 291
Costa, Álvaro Ribeiro da, 136-137
Costa, Olavo, 139
Cotrim, John, 103
Coutinho, Benedito, 337
Couto e Silva, Golbery, 38, 42, 59, 63, 64, 121, 130, 136, 145, 162, 163, 165, 192, 231, 278, 290, 292, 299, 303, 315, 377, 379, 392, 419
Couto Filho, Miguel, 197
Cremonini, Hermes, 174
Crispim, José, 269
Cruz, Newton de Oliveira, 162

D'Aguiar, Hernâni, 115, 433, 454
Damasceno, Hélio, 342
Dantas, Berilo, 97, 172, 190-191
Dantas, João, 255, 437
Dantas, Josemar, 172,
Dantas, San Tiago, 96, 167, 233, 252
De Gaulle, Charles, 149-152, 252, 253, 428, 431
De Vicenzi, Raul, 151
Delfim Netto, Antônio, 432, 440, 444, 473, 477
Denis, Odílio, 30, 31, 42, 59, 107, 156, 159, 268, 320
Deodoro da Fonseca, Marechal Manuel, 82, 92
Dirceu, José, 439, 469
Dom João VI, Rei, 10, 11
Domingues, Heron, 337, 338
Dornelles, Francisco, 35
Dreifuss, René, 164
Drummond, Roberto, 62
Dulles, Johnn W. Foster, 63, 73, 74, 120, 128, 135, 182, 184, 186
Dutra, Elói, 116, 182, 342

Dutra, Eurico Gaspar, 37, 65, 69-72, 73-74, 95, 117, 200, 301, 302, 357, 405

Elbrick, Charles Burke, 468-469
Escobar, Décio Palmeiro, 124

Falcão, Armando, 29, 78, 119, 125, 129, 134, 139, 140, 147, 211, 219, 240, 262, 289, 300, 314, 392
Faraco, Daniel, 129, 395
Faria Lima, Brigadeiro, 320
Felberg, Carlos, 476
Feliciano, Antônio, 303,
Ferdinando de Carvalho, Coronel, 364, 366-367, 387-388, 407-408
Fernandes, Hélio, 71, 209-214, 216, 217, 218, 343, 344, 475
Ferraz, José Cândido, 17
Ferreira, Heitor de Aquino, 164
Ferreira, Murilo, 303
Ferro Costa, Clovis, 72
Figueiredo, Argemiro, 347
Figueiredo, João Baptista, 131, 145, 163-164, 167, 477
Flexa Ribeiro, Carlos Otávio, 213, 334, 342-344, 356, 361, 391
Fontoura, Carlos Alberto da, 474, 477
Franco Montoro, André, 238
Franco, Ana Melo, 228
Freire, Gilberto, 128
Freire, Vitorino, 262, 346, 356, 400

Gabeira, Fernando, 62, 468
Gagárin, Iuri, 26
Galdeano, Antônio Sanches, 118
Gama e Silva, Luís Antônio, 107, 108, 376, 432, 440, 445, 447, 450, 455, 458
Garcia, Hélio, 441
Garcia, Marcelo, 78
Gater, Albert, 189
Geisel, Ernesto, 15, 53-54, 90-91, 92, 121, 124, 130, 133, 135, 136, 146, 160-161, 181, 183, 187, 277-278, 290, 303, 315, 346, 369, 377, 396, 419, 477

Geisel, Orlando, 346, 459, 473-474
Godói, Lamartine de, 296,
Góes Monteiro, General, 44
Gomes, Brigadeiro Eduardo, 70, 202, 308
Gomes, Hélcio Simões, 456
Gomes, Henrique, 348, 371, 381, 397
Gomes, Pedro, 337
Gonçalves de Oliveira, Antônio, 276
Gonçalves, Leônidas Pires, 164
Gonçalves, Wilson, 273
Gondin, Pedro, 347
Gordon, Licoln, 38, 69, 136, 431
Goulart, João Belchior Marques (Jango), 8, 15, 29, 30, 31, 33-37, 38, 39, 41-46, 47, 49, 50-52, 59, 60, 62, 64, 65, 67, 68, 71, 79, 81, 92, 96, 97, 104, 105, 115-116, 120, 130, 139-141, 143, 150, 164, 167, 169, 179, 181, 193, 210, 218, 252, 263, 296, 311, 320, 328, 336, 340, 345, 348, 351, 405, 437, 438, 459, 475
Goulart, Maria Teresa (esposa de Jango), 39, 438
Graell, Dickson, 470
Grünewald, Almirante Augusto Hamann Rademaker, 46, 63, 91, 109, 125, 308, 440, 445, 466, 470, 473, 474
Guedes, Carlos Luís, 91
Gueiros, Eraldo, 387
Gueiros, José Adalberto, 85, 153, 407
Gueiros, Nehemias, 376-377
Guerra, Paulo, 280, 401
Guimarães, Edison, 405
Guimarães, Hahnemann, 276
Guimarães, Sérgio, 390, 438
Guimarães, Ulysses, 34, 107, 108 195 199, 273, 399-400, 476
Gurgel, Walfredo, 345, 350
Gutko, Pawel, 269

Heck, Silvio, 30, 107, 237, 246, 320
Heller, Frederico, 251
Hiroíto, Imperador, 431
Hitler, Adolf, 28, 150, 169, 285, 468
Hollanda, Haroldo, 97

Hollanda, Tarcísio, 172, 190
Honsi, Alberto, 454
Horta, Raul Machado, 455

Ibiapina, Hélio, 141, 186

Jefferson, Thomas, 445
Johnson, Lyndon, 50, 431
Julião, Francisco, 50, 116
Jurema, Abelardo, 116

Kelly, Prado, 202, 394, 455
Konder Reis, Antônio Carlos, 349, 428
Krieger, Daniel, 55, 108, 185, 192, 203, 219, 220, 222, 223, 228, 229, 230, 263, 278, 302, 371, 376, 397, 400, 422, 445
Kruel, General Amaury, 45, 58, 59, 60, 72, 76, 89, 93, 95, 263, 264, 337, 347
Kruel, Riograndino, 268
Kubitschek, D. Sarah (esposa do presidente), 177, 180, 363, 364-365,269
Kubitschek, Juscelino (JK), 13, 17, 29, 52, 58-59, 61, 68- 69, 73, 97, 101, 103, 117, 137, 138, 139, 142, 143, 144, 145, 152, 159, 161, 163, 169, 172, 174, 176, 181, 182, 192, 199, 207-209, 216, 226, 266, 308, 309, 310, 311, 315, 331, 344, 345, 349, 351, 352, 361, 366, 367, 368, 369, 378, 387, 405, 438, 459

L'Hermité, François, 467
La Rocque, Henrique, 303
Lacerda, Carlos, 14, 17, 24, 29, 37, 42, 52, 53, 54, 69, 70, 71, 73, 75-85, 87-88, 109, 128, 129 131, 134, 135, 141, 143-155, 165, 169-171, 182, 186-188, 191-194, 197-198, 200, 202, 204-220, 222, 225, 227, 228, 230-234, 236-246, 248, 250-252, 255-256, 263, 265-267, 280, 282, 284-286, 288-293, 297, 299, 305-307, 316-318, 322-325, 327, 330, 335, 339-344, 350, 356, 358-361, 370, 374-375, 377, 390-392, 395, 404, 405, 459
Lacerda, Cláudio, 205, 265, 330

Lacerda, D. Letícia (esposa de Carlos Lacerda), 129, 135, 152
Lacerda, Flávio Suplicy de, 128, 395
Lage, Otávio, 459
Lagoa, Ana, 162
Lamarca, Carlos, 439, 468
Lamenha Filho, Antônio, 346, 350
Lamy, Alfredo, 16
Lapouge,Gilles, 149
Lavanére-Wanderley, Brigadeiro Nelson Freire, 81, 83, 125
Leal, Victor Nunes, 276
Leitão da Cunha, Vasco, 127, 148, 186, 241, 242, 394, 475, 477
Leitão, Newton, 164
Leme, Hugo, 395
Lemos, Hélio, 387
Lenin, Vladimir Ilitch, 327
Levy, Herbert, 37
Lima Filho, Osvaldo, 378, 399, 403
Lima, Afonso Albuquerque, 407, 445, 470, 473-474
Lima, Hermes, 136, 276, 450
Lins e Silva, Evandro, 136, 276, 450
Lins, Etelvino, 172,
Lomanto Júnior, Antônio, 193, 280, 281
Lott, Henrique, 13, 14, 22, 57, 58, 59, 93, 100, 121, 163, 320, 340, 405
Ludovico, Pedro, 268, 349
Lupion, Moisés, 116, 348
Luz, Carlos, 14

Machado Lopes, General, 33, 92
Machado, Alfredo, 343
Machado, Cristiano, 346,
Machado, Guilherme, 234, 343
Machado, João, 409,
Maciel, Leandro, 18
Maciel, Olegário, 119, 350
Madame Satã, 25
Magalhães Pinto, José de, 17, 36, 37, 42, 45, 62, 69, 70, 72, 75, 76, 7879, 81, 126, 143, 154, 167, 186, 191-194, 196, 198, 206, 213, 215, 216, 218, 225, 229, 234, 245, 248-250, 256, 280, 284, 285293, 295, 305, 306, 314, 315, 317, 318, 324, 344, 350, 352, 359, 369, 374, 375, 389, 391-394, 400, 409-410, 432, 438, 445, 470
Magalhães, Antônio Carlos (ACM), 360
Magalhães, Dario de Almeida, 78
Magalhães, Juracy, 17, 82, 85, 87, 89-90, 106, 129, 130, 147, 152, 355, 357, 371, 372, 374, 376, 377, 380, 390, 392, 396, 397, 400, 407, 410, 412, 422
Magalhães, Rafael de Almeida, 109, 153, 170, 182, 219, 231, 236, 342, 356, 392, 405
Magalhães, Sérgio, 116
Magalhães, Ururay, 387
Malraux, André, 150, 151
Mamede, Bizarria, 347, 371
Mandin, Salvador, 78
Marcondes, Onadir, 78
Mariani, Clemente, 129
Marinho, Djalma,360
Marinho, Elisabeth, 65
Marinho, Estela, 65
Marinho, Josafá, 415
Marinho, Leonor, 65
Marinho, Ricardo, 24 65 438
Marinho, Roberto, 18, 23, 25, 26, 37, 43, 44, 45, 46, 94, 125, 179, 188, 189, 212, 286, 390, 391, 430, 437, 438, 439, 449, 453, 478, 480
Marinho, Rogério, 25 74 79 438 479-480
Marise, Júnia, 62
Mariz, Dinarte, 297, 345, 346, 401
Maroja, Stélio, 347
Martinelli, Osnelli, 387
Martins Rodrigues, José, 41, 52, 97, 107-108, 138, 156-157, 170, 172, 199, 272, 300-302
Martins, Franklin, 468
Martins, Paulo Egydio, 395
Martins, Wilson, 348
Marzagão, Augusto, 17
Mascarenhas de Moraes, Marechal, 58, 95, 121
Matos, Coronel, 161, 235, 278, 349

Matos, Lino de, 82, 95
Maurell Filho, General Emílio, 123
Mazzilli, Ranieri Pascoal, 30, 41, 46, 50, 51, 69, 70, 71, 78, 80, 83, 86, 87, 92, 107-108, 112, 113, 124, 127-128, 135, 170, 199, 239, 255, 257, 272, 297, 298, 300, 301-303
Medeiros e Silva, Carlos, 71, 90, 108-109, 112, 114, 140, 274, 376, 394, 427-428, 455, 464-465
Medeiros, Otávio, 164
Médici, Emílio Garrastazu, 8, 10, 167, 432, 444, 447, 467, 473-477, 480
Meira Mattos, Carlos de, 161, 235, 278, 349, 426, 427,
Melo Franco, Afonso Arinos de, 167, 187, 228, 297, 350, 352, 360, 371, 410, 411, 413, 422, 428, 441
Melo, Arnon de, 345
Melo, Danilo Cunha, 268, 269
Mendes de Moraes, Ângelo, 405
Mendes Viana, Antônio, 252
Mendes, Dauro, 61
Meneghetti, Ildo, 75, 78, 80, 81, 167
Mesquita Filho, Júlio, 43, 107, 126, 127, 170, 179, 211, 251, 289, 291, 400, 437, 478,
Moniz de Aragão, General, 76, 80, 470
Montagna, César, 47
Monteiro de Castro, José, 155, 393
Montello, Josué, 100
Moraes Neto, Prudente de, 289, 454
Moreira Alves, Márcio, 107, 440, 441, 445
Moreira Sales, Walter, 286
Moreira, Cid, 469
Moss, Grün, 30, 320
Mossri, Flamárion, 191, 207
Motta Filho, Cândido, 276
Mourão Filho, General, 44, 60, 76, 96, 159
Müller, Filinto, 185, 256
Munhoz da Rocha, Bento, 348
Muniz Falcão, Sebastião Marinho, 346
Murici, Antônio Carlos, 59, 121, 347, 435, 474
Murilo, Carlos, 170

Murtinho, Joaquim, 408

Nabuco, Afrânio, 145
Nascimento Brito, M.F., 209, 212, 344
Nasser, Alfredo, 303
Nasser, David, 248
Nasser, Gamal Abdel, 30
Nava, Pedro, 350
Negrão de Lima, Francisco, 51, 53, 95, 97-98, 100, 119 175, 179, 213, 341, 343-344, 350, 356, 358, 359, 360, 362, 366, 370, 374, 387, 390-392, 403, 409, 431, 438, 442, 453, 476, 477
Neto, Amaral, 72, 264, 322-324, 342
Neves, Orion, 396
Neves, Tancredo, 10, 34, 43, 55, 111, 117, 118, 119, 170, 185, 362, 399, 442, 446, 476
Niemayer, Paulo, 462
Nogueira, Adalício, 394
Novaes, Washington, 432
Nunes, Alacid, 347, 350
Nunes, Bené, 98, 103
Nunes, Danilo, 78, 85-86, 289,

Oliveira Bastos, 247
Oliveira Bisneto, Cândido de, 19
Oliveira Filho, Moacir de, 162
Oliveira, José Aparecido de, 21, 30, 72, 116
Osório, Jeferson Cardim de Alencar, 320-321

Pacheco, Rondon, 228, 303, 432, 445, 447, 453, 455, 467
Padilha, Moacir, 65, 391, 432, 438, 449, 453, 480
Padilha, Raimundo, 234
Paes de Andrade, Antonio, 97, 227
Paiva, Clóvis, 188
Paiva, Paulo Ricardo, 67
Palmeira, Rui, 345
Palmeira, Wladimir, 439, 469
Passarinho, Jarbas, 161, 280, 347, 371, 372, 432, 446, 477

Passos, Gabriel, 34, 350-351
Passos, Oscar, 399, 410
Paulo VI, Papa, 431
Peçanha, Celso, 27
Pedroso Horta, Oscar, 29, 30
Pedrossian, Pedro, 348, 350, 408
Peixoto, Enaldo Cravo, 342-343
Peixoto, Ernâni do Amaral, 29, 37, 51, 55, 68, 72, 97-100, 102, 103, 117, 123, 129, 131, 137, 170, 172, 184, 185, 217, 237, 239, 255, 256, 262, 263, 270-271, 273, 279, 301-302, 309-310, 356, 362, 374, 384, 399, 417, 461
Peixoto, Marechal Floriano, 9
Peracchi Barcelos, Walter, 297, 300, 301, 302, 395
Perdigão, Ivã, 164
Pereira Carneiro, Condessa, 209
Pereira, José Maria Covas, 468
Pereira, Mário dos Reis, 308
Pierucetti, Osvaldo, 155
Pilla, Raul, 130, 156, 384
Pimentel, Paulo, 348, 350, 395
Pina, Gerson de, 387
Pinheiro Neto, João, 116
Pinheiro, Israel, 81, 213, 344, 345, 350, 356, 359, 360, 362, 374, 388-389, 392, 395, 400, 408-410, 466
Pires, Walter, 321
Portela de Mello, Coronel Jaime, 63, 91, 432, 439, 445, 447, 453, 458, 460, 461, 463-464, 471, 475
Portella, Joaquim, 365, 366
Portella, Juvenal, 189
Portella, Petrônio, 79, 280
Porto Sobrinho, Faustino, 337
Porto, Sérgio Marcus Rangel (Stanislau Ponte Preta), 62, 95, 315
Poyares, Walter, 433
Prado Filho, Favorino Rodrigues, 258
Prates, Milton, 309
Praxedes, Antônio, 191
Prestes, Luís Carlos, 50, 116, 280-281, 408
Princesa Isabel, 80

Punaro Bley, General, 61

Quadros, Dona Eloá [esposa de Jânio], 20, 21
Quadros, Jânio (Jango), 8, 16-18, 20, 28, 59, 71, 85, 116, 125, 163, 164, 177, 208, 210, 228, 294, 330, 331, 347, 351, 405, 433, 443, 450
Queirós, General Ademar, 42, 63, 72, 93, 121, 124, 130, 227, 278
Queirós, Rachel de, 128
Quintaes, Roberto, 189
Quintanilha Ribeiro, Francisco de Paula, 30

Rabello, José Maria, 60-62
Ramos, Celso, 22, 348
Ramos, Joaquim, 51, 99, 100, 102, 103, 169, 184-185, 187, 256, 262, 270-271, 362
Ramos, Nereu, 14, 348
Ráo, Vicente, 378, 455
Reale, Miguel, 285, 455
Rego, Gustavo Moraes, 164, 303
Reis, Arthur Cesar Ferreira, 161
Renault, Abgar, 350
Rezende, Estevão Taurino de, 183
Ribas Júnior, Emílio, 161, 278
Ribeiro, Emílio Nina, 236
Ribeiro, Jair Dantas, 59, 210
Ribeiro, Darcy, 50, 116, 321
Riff, Raul, 43, 50
Rocha, Anísio, 200, 420
Rocha, Clovis Paulo da, 16
Rocha, José, 75
Rodrigues, Nelson, 343
Rolla, Joaquim, 61
Row, David, 27

Sá, Mem de, 394, 395, 397, 400
Sabino, Fernando, 62
Salazar, Alcino, 171
Salazar, António de Oliveira, 152, 431
Salles, Aloysio, 366
Salles, Apolônio, 35
Salles, Heráclio, 53, 97, 172, 190, 257, 443, 449, 452

Salles, Mauro, 35
Sampaio, Cid, 401
Santayanna, Mauro, 62
Santos, Adalberto Pereira dos, 15
Santos, Afonso Heliodoro dos, 100
Santos, José Anselmo dos, 116
Santos, Murilo, 226
Santos, Rui, 157, 194, 397
Sarazete, Paulo, 108, 128, 171, 222, 226, 232, 239, 297, 302, 312, 377, 397, 423,
Sarmeno, Sizeno, 81, 85, 86, 91, 446, 470-471
Sarney, José, 346 350 400
Sátiro, Ernani, 78, 157, 200, 203, 292, 297, 300, 322, 360, 361, 374, 384, 397, 416, 440
Sbrosek, Jerzil, 16
Scartezini, Antônio Carlos, 108
Scherer, Dom Vicente, 32
Schmidt, Augusto Frederico, 59, 94, 95, 125, 293
Segall, Oscar Klabin, 78
Seixas Dória, João de, 79, 81, 116
Sena, Adalberto, 399
Serpa, Jorge, 286
Serra, José, 39
Silva, Amaury, 116
Silva, Luís Gonzaga do Nascimento e, 353
Silveira, Badger, 79, 161
Silveira, Guilherme da, 301
Silveira, Ivo, 349, 350
Silveira, Joel, 104
Sirkis, Alferedo, 62
Soares, Mario, 62
Sobral Pinto, Heráclito Fontoura, 16, 269, 365, 367, 368,
Sousa e Mello, Márcio, 440, 459
Souza, João Gonçalves de, 395
Sued, Ibrahim, 54
Süssekind, Arnaldo Lopes, 128, 395

Tamoio, Marcos, 343
Tavares, Lyra, 432, 440, 445, 447, 459, 463, 465, 470, 471, 475
Távora, Edilson, 142
Távora, Juarez, 73, 81, 82, 84, 117, 123, 124, 125, 128, 238, 308, 351
Távora, Virgílio, 34, 79, 280
Teixeira, Oyama, 35
Teixeira, Pedro Ludovico, 349
Telles, Ladário Pereira, 15, 97
Telles, Oyama, 53, 172-174, 190, 243
Thibau, Mauro, 103, 130, 286, 291
Thompson, Oscar, 127
Tornaghi, Hélio, 16
Torres, Paulo, 161, 280
Trigueiro, Osvaldo, 394
Truman, Harry, 135

Valadão, Haroldo, 16
Valadares, Benedito, 139, 313, 404, 413
Vampré, Almirante, 308
Vargas, Getúlio, 9, 14, 23, 37, 44, 58, 120, 163, 184, 330, 331, 346, 384, 404-405
Vargas, Lutero, 384
Velho, Otávio Alves, 164
Veloso, Haroldo, 272
Venturini, Danilo, 164
Viana Filho, Luís, 56, 81, 82, 84, 99, 100, 126, 130, 133-134, 136, 146, 157, 167, 169, 170-172, 175, 181, 226-228, 231-235, 245, 252-253, 277-278, 286-287, 289
Viana, Aurélio, 342
Vianna, Luís Humberto Prisco, 190
Vidigal, Gastão, 126
Villas-Boas Corrêa, Luiz Antonio, 53, 97, 127, 172, 190, 243, 276, 334, 337, 438
Virgílio, Artur, 415
Von Rumanchaut, 55

Wainer, Samuel, 50
Walters, Vernon, 38, 69, 74, 120-121, 135, 431,
Wamberto, José, 52-54, 88, 124, 135, 172-174, 181, 243, 257, 290, 385

Zarur, Alziro Abrahão Elias David, 342
Zenha, Almirante, 308

Este livro foi composto na tipologia Minion Pro,
em corpo 11,5/15,5, e impresso em papel
off-white no Sistema Cameron da Divisão
Gráfica da Distribuidora Record.